天津规划年鉴

TIANJIN PLANNING YEARBOOK 2010

图书在版编目（CIP）数据

天津规划年鉴. 2010 / 天津市规划局编. -- 天津：
天津科学技术出版社，2010. 7
ISBN 978-7-5308-5702-1

Ⅰ. ①天… Ⅱ. ①天… Ⅲ. ①城市规划-天津市-
2010-年鉴 Ⅳ. ①TU984. 221-54

中国版本图书馆 CIP 数据核字(2010)第134175号

责任编辑：郑东红
编辑助理：张建锋
责任印制：王　莹

天津科学技术出版社出版
出版人：蔡　颢
天津市西康路 35 号　邮编：300051
电话：（022）23332693（编辑室）　23332393（发行部）
网址：www.tjkjcbs.com.cn
新华书店经销
天津市方正汇智彩色印刷技术有限公司印刷

开本：889×1194　1/16　印张：27　插页：1　字数：625 000
2010 年 8 月第 1 版第 1 次印制
定价：180.00 元

滨海新区于家堡金融区效果图

（天津市滨海新区中心商务区管委会提供）

滨海新区于家堡金融区效果图

（天津市滨海新区中心商务区管委会提供）

天津市市域地图

蓟县
宝坻区
武清区
宁河县
北辰区
东丽区
西青区
津南区
静海县
滨海新区
市政府
北京市
河北省
渤海湾
于桥水库
北大港水库
图例
市政府
地级市政府
区、县政府
工委、管委会
乡、镇、街
铁路
轻轨
高速公路及出入口
在建高速公路
国道
省道
主要道路
次要道路
河流及池塘
旅游景点
沼泽、盐田
省、直辖市界
区、县界
比例尺：1:520000

天津市中心城区地图
北辰区
红桥区
河北区
南开区
和平区
河东区
河西区
西青区
东丽区
津南区
图例
比例尺 1:83000

天津市滨海新区地图
宝坻区
武清区
宁河县
宁河县
河北省
北辰区
东丽区
中心城区
西青区
津南区
滨海新区
静海县
河北省
渤海湾
汉沽
塘沽
大港
北大港水库
七里海水库
天津港
天津经济技术开发区
天津港保税区
天津滨海国际机场
天津港散货物流中心
临港工业区
中新天津生态城
大港开发区
太平镇
中塘镇
小站镇
葛沽镇
杭州道街
胡家园街
新港街
大沽街
北塘街
茶淀镇
杨家泊镇
海滨街
港西街
古林街
胜利街
大苏庄农场
太平镇养殖场
军粮城镇
无瑕街
图例
区政府驻地
管委会驻地
街、镇政府驻地
行政村、自然村
铁路及车站
津滨轻轨
高速公路
规划高速公路
国道及国道号
省、市级道路
主要道路
次要道路
乡村路
主要堤
河流及池塘
省、市界
区、县界
滨海界
比例尺：1:357000

2009年7月1日，天津市委书记张高丽（前左3）与文化部部长蔡武（前左2）、教育部副部长陈希（前右3）出席中新天津生态城动漫产业园开工奠基仪式时参观规划模型，市长黄兴国（前左1）、市人大常委会主任刘胜玉（前右2）出席。

2009年1月23日，市长黄兴国宣布天津市规划展览馆开馆。常务副市长杨栋梁（前右5）主持，副市长熊建平致辞，市政府秘书长李泉山（前右4）、国家住房和城乡建设部、中国城市规划协会等有关负责同志参加开馆仪式并参观。

2009年5月26日，天津市规划局局长尹海林代表市政府向市人大常委会第十次会议汇报全市规划工作。

2009年9月12日，2009中国城市规划年会
在天津滨海新区召开，住房和城乡建设部副部长仇保兴讲话。

2009年9月12日，中国城市规划学会第四次全国会员代表大会
暨四届一次理事会在天津滨海新区召开。

2009年1月10日，天津市规划局参加两会期间有关规划工作咨询服务。

2009年2月7日，天津文化中心单体建筑方案设计国际征集专家评审会。

2009年3月30日，天津市规划局局长尹海林在《建筑实录》“设计未来建设新天津”国际研讨会上讲话。

2009年9月12日，城市规划和科学发展暨建国60周年城市规划建设展在天津滨海新区开幕。

2009年9月13日，第三届城市再开发专家亚洲国际交流会在天津滨海新区召开。

2009年1月8日，市规划局老同志参观规划展览馆。

2009年9月19日，规划系统领导干部参观新中国反腐败第一大案展览。

2009年4月29日，欢送规划局系统市级劳动模范出席市表彰大会。

2009年1月17日，天津市规划局举办规划系统迎新春联欢会。图为局党委书记黄立民（左7）、局长尹海林（右7）、副书记战秋艳（右5）、巡视员王东海（右6）、纪检组长刘胜利（右4）、常务副局长李春梅（左6）、副局长鲁承斌（左5）、副局长郭凤平（左4）、副局长郑嘉轩（左3）、总规划师霍兵（左2）、总建筑师秦川（右3）、副巡视员诸铭（左1）、副巡视员刘荣（右2）、副巡视员侯学钢（右1）向规划系统全体工作人员拜年。

2009年11月26日，由天津市规划局承办的第二届京津地区城市规划系统文艺汇演在天津中华剧院举行。

规划公示

按照市委、市政府的部署，天津市规划局分别于2009年6月、7月就天津市空间发展战略规划、文化中心、“一主两副”、于家堡、响螺湾等两批共8个规划设计方案，通过新闻媒体、规划展览馆展示等方式公开向全市人民征求意见。通过两次规划公示活动，提高了规划决策的透明度和公众参与度，引起了社会各界和海内外媒体的广泛关注，激发了全市人民热爱家乡、发展天津的热情。

天津市规划展览馆

重点地区规划展区

生态规划展区

旅游规划展区

城市亮点

晨曦中的奥体中心

马可波罗俱乐部

梁启超纪念馆

改造后的海河故道（咸水沽段）

整修后的安里甘教堂

静　园

三岔河口

海河堤岸

民心工程：公园 居住区

泰丰公园

长虹生态园

睦南公园

团泊新城

梅江欣水园

龙悦花园

茶淀示范镇茶淀馨苑

水上公园

滨海新区

中新天津生态城

第一架空客A320飞机交付使用

滨海新区生活区鸟瞰

鸟瞰高新技术开发区

整修后的彩虹桥夜景

天津港鸟瞰

天津港30万吨级原油码头正式投产

东疆保税港区太平洋国际集装箱码头

规划方案

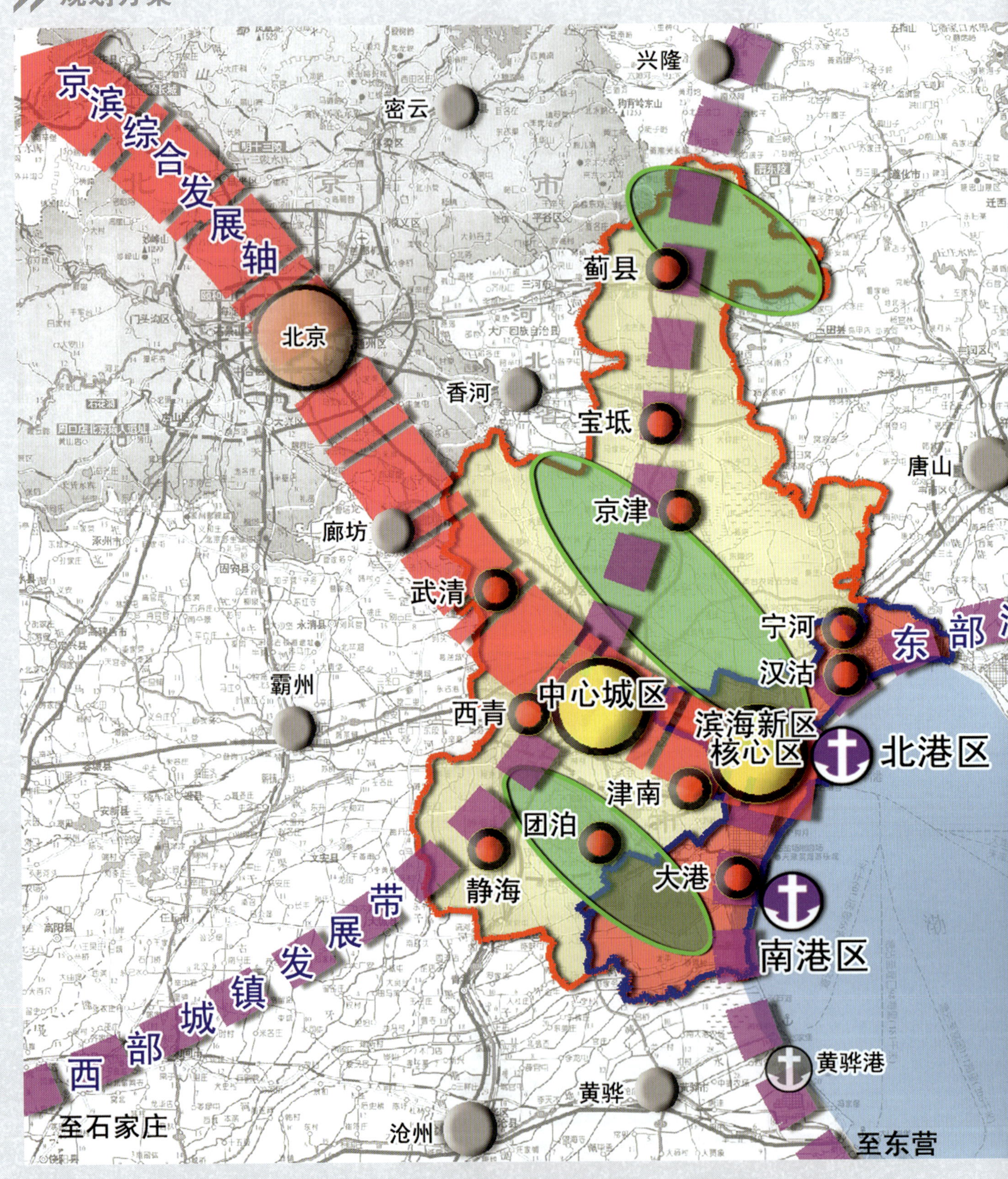

总体战略示意图——双城双港、相向拓展、一轴两带、南北生态

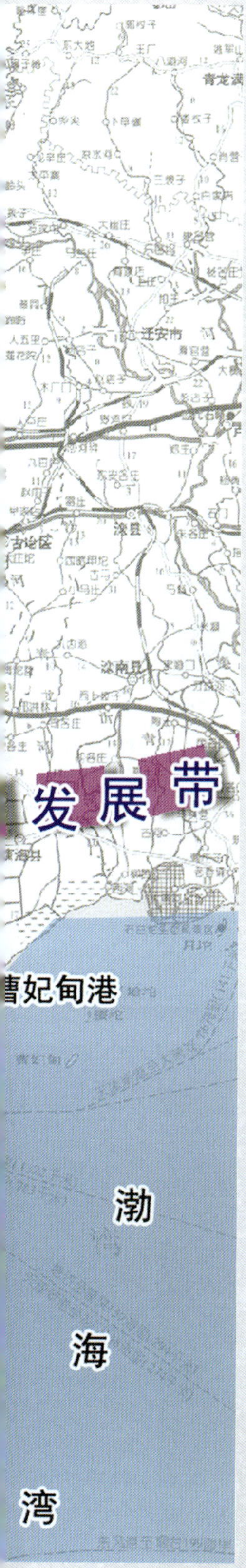

天津市中心城区“一主两副”规划设计方案

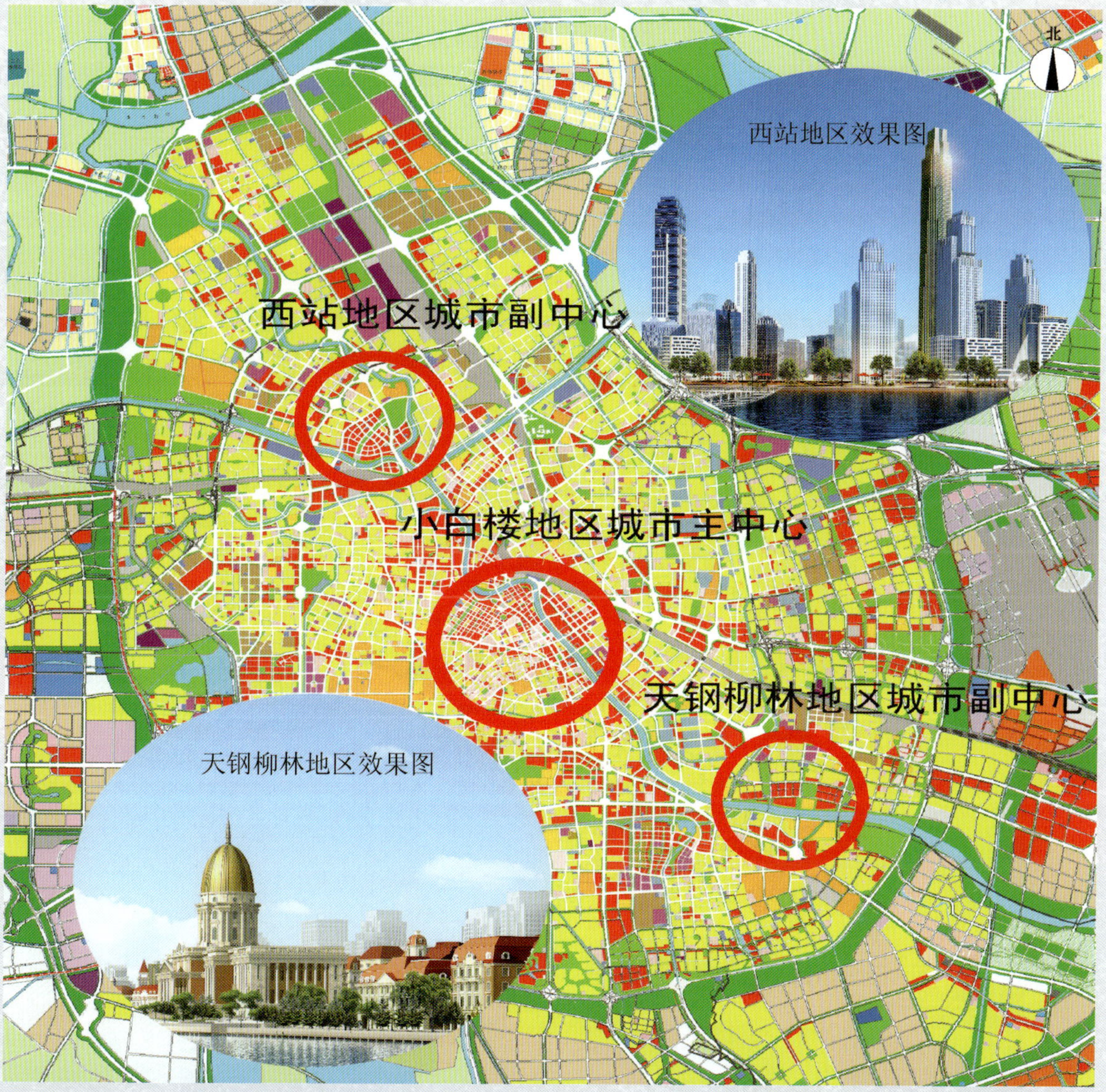

西站地区效果图

西站地区城市副中心

小白楼地区城市主中心

天钢柳林地区城市副中心

天钢柳林地区效果图

曹妃甸港

渤

海

湾

小白楼地区实景图

规划方案

天津市文化中心规划设计方案

天津乐园效果图

图书馆效果图

天津市文化中心总体鸟瞰图

天津大剧院效果图

美术馆效果图

文化中心组合主入口效果图

规划方案

于家堡金融区效果图

响螺湾商务区效果图

滨海旅游区沙盘模型

规划方案

中新天津生态城总体规划图

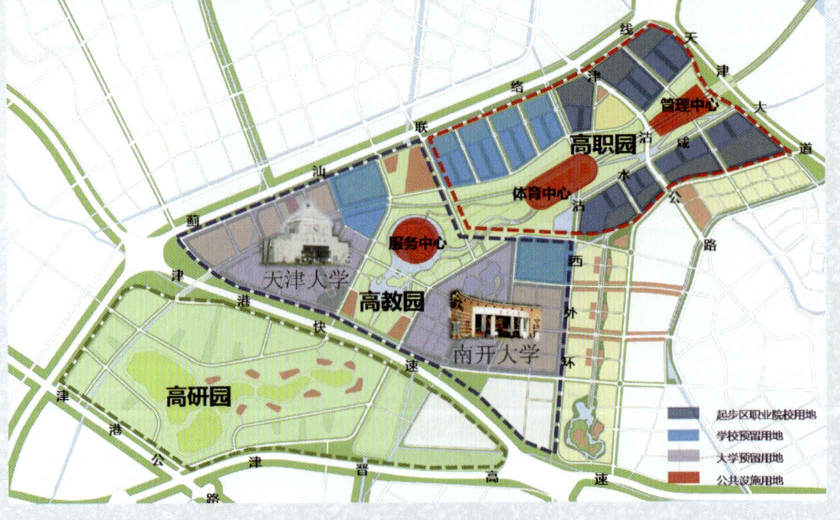

天津市海河教育园区功能布局图

建设中的重大项目

建设中的津门、津塔

建设中的梅江会展中心

编 辑 说 明

一、《天津规划年鉴》是天津市规划局主办、《天津规划年鉴》编委会领导组织、编辑部编辑的专业性年刊。每年出版一卷，公开发行。本卷是第二卷。

二、本年鉴坚持以邓小平理论和“三个代表”重要思想为指导，深入贯彻落实科学发展观；坚持执行城乡规划的法规政策；坚持“存真求实，确保质量”，全面、系统、客观、准确；坚持突出专业特点和地方特色。

三、《天津规划年鉴 2010》力求全面记述 2009 年全市城乡规划的主要工作，突出新思路、新举措、新成绩、新特点。

四、本年鉴记述的时限，以上一年度为主。考虑到事项的完整性和年鉴的时效性，个别记述适当上溯或下延。

五、本年鉴采用分类编辑法，以篇目为纲，篇目下设栏目，栏目下设条目，条目是主要信息载体。还设有“综述”“大事记”“市领导讲话”“市规划局领导报告和讲话”“特载”“附录”和“索引”。

六、本年鉴资料均由全市城乡规划系统各部门各单位提供。稿件由各部门各单位指定联系人组织汇总和撰写，各部门各单位主要负责人把关，编辑部修改加工，局编委会审定，最后交付出版。

七、本年鉴编印过程中，得到市地志办、局系统各级领导、各部门各单位、各联系人以及有关单位的积极配合和大力支持，在此一并深表谢意。

八、限于水平，本年鉴难免存在缺点和不足，欢迎批评指正。

二〇一〇年六月

《天津规划年鉴 2010》编委会

《天津规划年鉴 2010》编委会办公室

《天津规划年鉴 2010》编辑部

《天津规划年鉴 2010》
撰稿、摄影、照片提供人员

目　录

综　述

大事记

市领导讲话

特　载

市规划局领导报告和讲话

规划设计

滨海新区规划设计

规划体制

规划管理

法治建设

科技调研与信息化建设

党群行政工作

派出机构和区县局工作

局属单位工作

社团组织工作

国内外交流合作

主流媒体关注天津规划

附　录

索　引

综　述

天津市规划局工作报告（摘要）

2009年在10个方面，取得了27项成绩。

（一）重点规划编制取得新成果

1. 空间发展战略规划奠定了城市未来格局。2009年，组织编制完成了天津市空间发展战略规划，并经市委、市政府审议通过。“双城双港、相向拓展、一轴两带、南北生态”总体战略的确定，优化拓展了城市空间，对城市发展方向、空间布局结构等长远、重大问题做出了科学的展望和安排，对今后天津的经济社会发展、城乡建设、生态环境保护将起到重要指导作用，为天津未来发展规划了宏伟蓝图。

2. 滨海新区规划得到全面整合提升。滨海新区城市空间发展战略、总体规划，临港工业区等九个功能区规划已编制完成，基础设施和环境三年近期建设规划、滨海新区供热专项规划已批准实施。中新天津生态城、东疆保税港生活区、中心渔港、渤龙湖总部经济区等重点项目的规划编制取得了重要成果。滨海新区规划的深化完善，进一步提升了滨海新区综合服务功能，确保了滨海新区“十大战役”顺利实施，促进了滨海新区龙头带动作用的发挥。

3. 创新控制性详细规划编制方法。中心城区编制完成控规和土地细分导则，滨海新区完成2270平方公里控规全覆盖，环城四区控规方案已编制完成，其他区县的控规已取得阶段性成果。在控规编制中，既强调规划的刚性，又注重规划的弹性，突出了规划的可操作性，形成了“一控规、两导则”编制方法，打破了传统的规划观念，在全国规划行业起到了良好的示范作用。

4. 专项规划提升了城市载体功能。充分调动发挥专业部门和职能部门的积极性，精心组织，加强领导，编制完成了地下空间总体规划、空间管制区划、现代服务业布局规划、电力空间布局规划、排水规划等一大批专项规划，基本涵盖了城市基础设施、业态布局、市容环境以及人民生活的方方面面，对于有效拓展城市发展空间、提高城市综合防灾能力、缓解交通压力、方便人民生活、建设生态城市，起到了非常重要的规划支撑作用。

（二）规划设计打造了一批城市新亮点

5. 城市设计导则塑造了鲜明的城市特色。率先在全国开展了城市设计导则、导引体系的探索与实践，对城市特色、建筑色彩、建筑高度、建筑顶部、玻璃幕墙、围墙、街道家具和店招牌匾整修等方方面面进行了研究，突出城市的品位、特色和风格，并出台了一系列的导则和导引，制定了《天津市规划建筑控制导则汇编》，进一步加强对建筑及景观设施建设的控制和引导，整体提升了城市景观水平，进一步体现出天津独有的城市特色与魅力。

6. 专家领衔、方案比选等机制确保了规划设计的高水平。充分发挥专家在规划编制、审查工作中的作

本文摘自天津市规划局局长尹海林2010年1月14日在全市规划系统工作会议上的《天津市规划局工作报告》。

用。进一步完善多方案比选机制，在文化中心规划设计中，引进了国内外几十家知名设计单位，进行设计方案招标、征集和多方案比选，并召开了专家研讨会和论证会，好中选好，优中选优，全面提高规划和建筑设计水平。

7. 新的城市亮点彰显了大气、洋气、清新、靓丽的城市风格。按照规划设计，津湾广场一期工程完工，以恢宏大气的风格，承接了海河两岸历史建筑的格调，成为富有高雅时尚气息的国际化商业聚集区；提升改造后的滨江道商业步行街，体现了百年商业街的历史品位和创新的时代风貌，元旦期间，到滨江道观光购物的游客达 100 万人次，充分体现了中心商业区的辐射功能；文化中心、梅江会展中心、海河教育园区、子牙循环产业园区已开工建设；西站交通枢纽工程开始进入主体施工阶段；于家堡、响螺湾项目全面开工建设；中心城区特色地区规划提升及重点地区天际线整治方案已基本完成。这些项目的规划建设展现了天津深厚的历史文化底蕴，塑造了现代化大都市的风貌与活力，得到了方方面面的一致好评。

（三）规划公开和规划宣传取得新突破

8. 两次规划公示引起强烈反响。按照市委、市政府的部署，天津市空间发展战略规划、文化中心、“一主两副”、于家堡、响螺湾等两批共 8 个规划设计方案，通过新闻媒体、规划展览馆展示等方式，公开向全市人民征求意见。两次公示期间，到规划展览馆参观的市民超过 7 万人次，共收到信件、电子邮件 5203 封，电话 5049 个，现场留言 3778 条，经过整理共形成意见 5100 余条。人民日报、中央电视台、香港大公报、联合早报等海内外新闻媒体刊登、播发新闻稿件 2237 篇（条）。两次规划公示活动的圆满完成，提高了规划决策的透明度和公众参与度，引起了社会各界和海内外媒体的广泛关注，激发了全市人民热爱家乡、发展天津的热情。

9. 规划展览馆成为了天津的城市名片。规划展览馆于去年初开馆以来，已累计接待参观群众 90 余万人次，其中接待中央领导和有关部委领导 6000 余人次，市领导和有关单位 1 万余人次，本地团体 32 万人次。江泽民、温家宝、习近平、李瑞环、曾庆红等党和国家领导人先后参观了规划展览馆，并做出了重要指示。同时接待了德国、蒙古、法国、老挝、韩国、日本等多名外国政要及知名人士。广大市民群众踊跃参观，对规划展览馆给予了高度评价。规划展览馆已经成为展示和宣传城市形象的重要窗口，招商引资、促进对外交流与合作的信息平台，广大市民了解市情、参与规划、热爱天津的教育基地。

10. 政务公开力度进一步加大。继续深化和完善政务公开的内容、形式和方式，重点是在解决老百姓的切身利益、提高审批透明度上下功夫。修建性详细规划公示率、论证率、公告率、公布率和建设工程设计方案总平面图公布率、建设项目总平面图悬挂率继续保持了六个“100%”。

（四）规划管理和服务取得新成效

11. 规划管理体制改革基本完成。按照市委、市政府关于城乡规划管理体制改革的总体要求，城乡规划管理体制改革逐步深化，完成了全市城乡规划管理事权调整工作，局机关、10 个规划分局的人员、机构、职能已全部到位。初步形成了具有市局特色的业务管理模式，即“一个平台、一套标准、二级监督、三级会审”体系，各分局、各区县局与市局的业务工作关系得到有效加强。

12. 有力地保障了“保增长渡难关上水平”。2009 年，遇到了本世纪以来最严重的经济危机。按照市委、市政府的总体要求，不断加大规划的执行和服务保障力度，成立了确保和促进重大建设项目开工规划保障活动领导小组，制定了十六条服务措施，做到“承办一路绿灯，衔接一线贯通、审批一个会议、结果一次告知”，确保成熟项目快开工、促进一批项目能开工、策划推动一批项目早落地。局领导、各部门主动深入 150 余个重点项目现场服务，参加市政府综合协调会、部门联席会 840 余次，解决了 215 个涉及规划建设审批相关问题。建立健全了与市政府各部门的互动工作机制。由市局牵头的城建项目二组以优质高效的服务，圆满完成了帮扶任务，在全市 600 多个工作组的综合评比中名列第一。在 2009 年全市对外开放工作会议上，市局荣获对外开放工作服务特别奖。

13. 工作效率进一步提高。取消了三个行政审批事项，合并办理五类行政审批事项，简化了 32 条行政审批许可申报条件，将办结时限由平均 14 个工作日缩减为 9 个工作日（提高了 36%）。开通网络申报办理平台，网上办理率达到 40%。基本实现了全市规划审批联网、统一标准、全程监控、平台共用、信息共享、审批实时公开。市、区（县）两级规划管理联动机制初步形成。

14. 规划编制的宏观管理得到进一步加强。2009 年初，汇总了全市准备开展的规划编制项目，经综合平衡后，报请市政府同意，首次制定实施了城乡规划编制年度计划，43 项规划纳入编制计划。年度计划的实施，有效地统筹了全市城乡规划，使各类专项规划相互协调，将城乡建设涉及的各类规划衔接和规范起来，对于推进城市总体规划的实施，实现市委、市政府整体工作战略具有十分重要的意义。

（五）保障区县发展做出新贡献

15. 区县示范工业园区等规划促进了各区县加快发展。围绕优化资源配置，实现集约发展，整合规划了子牙循环经济产业园等 31 个区县示范工业园区，在全市范围内形成一批规模适度、特色鲜明、环境优美、实力雄厚的高水平产业园。

编制完成了新农村布局规划、区县总体规划、总体城市设计和乡镇工业布局规划。武清、蓟县、宝坻、宁河、静海总体规划已经市政府正式批复。西青、津南、北辰、东丽总体规划正在进一步完善提升。完成了津南北闸口、北辰大张庄等 11 个镇和汉沽桥沽村规划方案深化工作。

这些规划成果为区县经济的长远发展打下坚实基础，为实现区县优势互补、错位发展，做大做强区县经济提供了规划保障。

16. 加大服务区县工作力度。采取事前指导、提前介入、跟踪服务等举措，以走访、座谈等形式，建立健全了区县沟通协调机制。围绕促进区县经济发展、保障重大规划项目落地，局领导带队组织现场协调会 34 次，召开各类服务协调会 100 余次，对 180 多个规划问题予以协调落实，促进了各区县经济社会发展，同时也保障了重点项目开工建设。

（六）规划监督取得新成绩

17. 法规制度建设进一步加强。《天津市城乡规划条例》经十五届市人大常委会第十三次会议审议，全票表决通过，将于今年 3 月 1 日起施行。《条例》的出台，对于完善本市城乡规划法规体系，充分发挥规划龙头作用，维护规划严肃性、权威性，具有重要意义。

完成了《历史文化名城名镇名村保护条例》、《地下空间信息管理办法》的起草工作。开展了城乡规划编制审批办法、乡村建设规划管理办法、《区县城市总体规划编制标准》、《控制性详细规划编制标准》等立法项目和标准规范的起草工作；组织开展了规范性文件的执行情况评估，对规范性文件、内部规章制度进行了清理。

目前，已经形成两个地方性法规、三个政府规章和多项规范性文件构成的法规体系框架，为构建本市完善的规划法规体系奠定了坚实基础。

18. 自觉接受人大监督、社会监督。市十五届人大常委会第十次会议听取和审议了市政府委托市规划局所作的《关于我市城乡规划编制（修编）和执行情况的报告》，认为市局认真落实市委、市政府对城乡规划工作的要求，在规划编制中，体现了党中央、国务院对天津的城市定位，城市功能显著提高，城乡面貌明显改变，投资环境明显改善，有力地促进了全市经济社会协调发展。

同时，继续做好建议提案的办理工作，对人大代表、政协委员提出的意见和建议进行认真梳理，充分吸纳到规划编制和管理工作中，进一步提高了规划的科学性、前瞻性和可操作性。共承办人大建议、政协提案 170 件，满意率达到 97%。

按照政府信息公开的有关要求，发挥政务网、“政民零距离”的平台作用，积极做好依申请公开政府信息工作。

19. 执法监察机制进一步理顺。按照建设部、监察部要求，开展了全市城乡规划效能监察工作，对各区县城乡规划编制、审批、实施和调整情况进行了检查。按照“预防为主、事先防范与事后查处相结合”的工作思路，形成了“两个体系，三个层面，二级督查”的城乡规划巡查工作框架，加大了对在建项目的跟踪查验力度，有效遏制了违法建设行为。去年规划巡查共出动 1826 人次，巡查了 677 个重点地区，立案查处违法建设行为 71 起，比 2008 年减少 59.4%，证后违法建设案件呈大幅下降的趋势。

信访工作取得突出成绩。去年以来我局信访部门做了大量卓有成效的工作，很多多年来没有解决的问题得到了妥善解决。

（七）学习交流拓宽了新途径

20. 规划年会等大型交流活动取得圆满成功。去年，共承办了2009中国城市规划年会、中国城市规划协会专业委员会年会、建筑实录论坛、商业地产发展规划高峰论坛、京津文艺汇演等10余次大型会议、交流活动。其中，中国城市规划年会首次在我市召开，这也是首次通过投票形式确定举办城市的年会。本届年会规模之大、水平之高、参会人数之多、影响范围之广，都是前所未有的。年会的精心策划和组织，得到建设部、市政府有关领导和专家的充分肯定，充分体现了局系统通力协作的精神，展现了规划系统的综合素质和良好形象。此外，还接待了来自上海、重庆、西安等60多个城市、500多名同行的学习交流。这是近年来到市局交流学习人数和次数最多的一年。

这些交流活动在为提供相互学习机会的同时，全面展示了天津城市形象、规划建设成就，进一步扩大了天津规划的对外影响。

21. 开拓了人才干部培养的新渠道。2009年，局党组先后选派了6批21名局机关和规划分局处级领导干部赴北京、上海、广州、深圳、南京、重庆规划部门进行为期半个月的学习调研，这是局首次大规模的集中学习调研。在调研期间，通过实地考察、现场观摩、座谈交流、案例分析等方式，认真学习好的经验，结合市规划工作实际，形成了规划编制、规划审批、证后管理等方面共90条意见和建议。实践证明，这种方式对于开阔干部视野，提升规划理念起到了非常好的作用。

2009年，研究制订了规划局人才队伍建设中长期规划，召开了全系统人才建设工作会议,进一步明确了人才队伍建设的目标与任务。在局系统内开展了局授衔专家选拔评选工作，评选出28名局级授衔专家，并召开了授衔专家表彰大会。与武汉大学合作，在勘察院建立了博士后工作站和实习基地。

此外，针对工作中的实际问题，组织开展了18期教育培训活动，在业务、行政知识、公文写作等方面也取得了新的进步。

（八）局属各单位工作迈上新台阶

22. 分局、区县局管理和服务水平得到进一步提升。各分局和区县局逐步健全完善业务管理运行机制，建设项目审批进一步规范，工作效率进一步提高，服务保障能力明显提升。特别是新四区分局在开局年团结拼搏，努力创业，各项工作实现了开门红。各区县局主动服务城乡建设，发挥桥梁纽带作用，为区县经济建设和社会发展做出了积极贡献。

滨海分局借鉴成立指挥部的成功经验，协调组织开展于家堡、响螺湾、临港工业区等重点规划编制工作。开展了滨海新区核心区“填平补齐”，全力保障新区“十大战役”的顺利开展。

园区处在人员少、任务重的情况下，完成了滨海高新园区25平方公里总体规划和控规调整。承担了18项市级重点工业项目的规划审批，研究开发了滨海新区地下管网三维综合利用系统。

和平分局积极为津湾广场、滨江道地区等现代服务业项目提供优质高效规划保障，得到区委区政府的充分肯定。

河西分局组织国内一流设计团队开展重点地区发展规划的研究工作。对文化中心等重点项目实行“当天进件、当天办理”等保障服务措施。

南开分局开展了南开区西区调研，区四套班子到分局听取汇报十余次，为区委区政府决策起到了重要参谋作用。

河北分局制定了十条服务保障措施，保证市、区重点建设项目顺利建设。积极主动服务区里招商引资。

河东分局通过提高规划审批效率，有效推动嘉里中心、万达商业广场、渤海银行等重点项目建设进度，受到建设单位好评。

红桥分局积极发挥规划招商优势，积极推进小伙巷地区开发建设。2009年被授予全国精神文明建设先进单位和全市文明单位荣誉称号。

东丽分局在很短时间内编制完成了东丽湖地区、华明示范产业园区和航空示范产业园区等重点规划设计编制工作。高质量地完成了东丽区规划展览馆建设。

津南分局在服务保障小城镇建设、产业调整、市政基础设施建设等方面成绩突出。在高丽书记率队组织的区县调研综合评比中，津南区名列第一，津南为此做出很大贡献。

西青分局充分发挥为区委、区政府决策的参谋作用，在城市三维数字化和历史文化名镇保护方面取得显著成绩。

北辰分局加大项目前置服务力度。创新执法监察工作新模式，完善巡查体系，在执法中服务，在服务中执法。

蓟县局编制完成了盘山风景名胜区总体设计、蓟县历史文化名城保护规划等16项规划。对联合审批的项目，实行“三方”沟通、“开放式”审查；积极开展“送规划”活动，扩大规划的影响力和辐射力。

宝坻区局落实首席代表负责制，实行局领导带案下访和与群众直接对话服务机制。编制完成了宝坻、京津两个新城的控制性详细规划；深入推进14个镇53个村的村庄规划，实现了城乡规划全覆盖。

武清区局编制完成了武清新城控制性详细规划。建立城市地理信息系统，打造“数字城市”，建立基础地形数据库。结合示范产业园规划建设和现代服务业发展，加强重点组团中心镇、重点区域规划指导。

宁河县局完成了宁河城乡总体规划和宁河新城城市设计，突出蓟运河“一河两岸”滨河景观。完成中国（京津）水城规划和七里海湿地生态修复与综合利用总体规划初步方案。

静海县局努力克服组建后基础底子比较薄的困难，积极开拓新局面，加强对团泊新城等重点项目的跟踪服务力度，派驻人员现场服务，确保重点工程项目严格按规划建设实施。

23. 院馆中心等各基层单位工作取得可喜成绩。各单位紧紧围绕局中心工作，抢抓机遇，积极开拓市场，夯实基础工作，服务保障水平进一步提高。四院主要经济指标均好于往年，达到了历史最好水平。

规划院高质量完成文化中心、海河教育园区、子牙示范工业园等104项市重点规划任务；高标准完成对口支援陕西省宁强县震后恢复重建规划项目；承接了19项市新增重点规划项目，完成了51项科研课题的立项工作。

建院着力提升技术实力和市场拓展能力，圆满完成了津湾广场、天宾商务中心、会展中心等重点规划建设项目。与规划院一起合作完成了中心城区特色地区规划提升方案，天际轮廓线整治方案，滨江道、和平路整治方案等工作。

测绘院实现1:2000地形图市域全覆盖；完成了1:1万地形图的更新工作；完成天津市基础测绘维护机制的更新方案。

勘察院在三维数字城市规划管理系统研发方面取得重要进展，完成中心城区大部分地区三维场景模型制作和重点区域建筑贴图工作，实现模拟真实场景辅助审查重点地区规划和建筑方案。

以上四个院去年产值收入的增长都在10%以上，取得经济效益和社会效益双丰收。

城建档案馆制定了加强城建档案管理的6项制度，严格档案管理；积极主动深入分局和建设单位，开展了260余次现场服务。

规划展览馆在确保展品现势性的基础上，以参观者为本，精心设计了专业流线、普通流线、精品流线、学生流线、招商流线等参观流线，确保满足不同参观人群的需求，受到社会各界的一致好评。据市有关方面调查统计，在全市公共文化场馆评比中，市民对规划展览馆的满意度达到98.4%，名列第一。

管网中心进一步提升了为建设单位提供查询利用服务能力，共为820个工程项目提供信息查询服务，提供管线信息长度达1万多公里。

另外，培训中心、信息中心、服务中心、执法总队去年的各项工作也取得了较大进展。局机关的各项基础性工作也有了长足进步，比如，进一步加大财务和审计力度，为日常工作和各项重点任务开展提供有力的资金保障。在天津市2009年度财政决算会议上，市财政局对全市近200家市级预算单位进行综合评比，市局再次被评为“一等奖”。这是在过去八年中，获得的第七个“一等奖”，为局争得了荣誉。

（九）党建工作得到新提升

24. 学习实践科学发展观活动取得重要成果

在学习实践科学发展观活动整改落实和“回头看”阶段，局系统明确整改项目74项，制定整改措施

134 条，解决突出问题 53 个，答复网民意见建议 66 条，赢得了社会各界的一致好评。市局学习实践活动得到了市委指导检查组的充分肯定，并先后 5 次专题刊发市局学习实践活动的做法和经验。

25. 领导班子、干部队伍建设进一步加强。以“四个一”活动为重点，把下基层调研与中心组理论学习相结合，有计划、有重点、有目标地完成了学习实践任务。中心组学习创新方式，组织开展了创建“四型”领导班子、提高领导干部“四种能力”活动，进一步提升了各级领导班子的综合能力、研究能力、实战能力和协调能力。进一步健全完善了局属各单位干部选拔任用程序，加大干部调整和管理力度。去年，累计选拔处级干部 22 名，交流处级干部 7 名，挂职干部 29 名，拓宽了干部培养途径，搭建了干部培养平台，极大地调动了广大干部职工干事创业的积极性和创造性。

26. 精神文明建设和文化建设进一步深化。

以深化思想道德和职业道德建设为核心，以创“服务品牌”、树“服务标兵”、评“窗口先进”为示范引导，不断提高职工队伍整体素质。通过整合精神文化，完善价值理念系统，树立先进典型，不断健全完善凝聚人心、鼓舞士气的文化体系。

首次开展了规划年鉴的编制工作；编修了规划志，并首次列入《天津通志》。市局被评为《天津通志》第二轮修编工作先进单位。规划志和年鉴全面记录、总结和展示了天津规划及城市发展的历程与成果。特别要提出的是，完成这项工作的是局退下来的一批老领导、老专家，他们克服年事已高，身体不好等困难，精益求精，高水平、高质量地完成了这项工作。全局同志向他们致敬。另外，局老干部工作在同志们的努力下，也取得了非常大的成绩。

（十）廉政建设取得新进展

27. 廉政建设力度进一步加大。坚持教育、监督、制度、查办案并重。以作风建设为核心，加强廉政教育。把“讲党性、重修养、强作风、做贡献”廉政主题教育活动与实际工作相结合，将教育落实到工作中。以服务中心为主线，加强监督工作。强化规划行政审批效能监察作用，开展了对违规调整容积率、变更规划和工程建设领域突出问题的专项治理工作。以落实“三重一大”制度为重点，加强制度建设，加大各级党组织落实“三重一大”的推动力度，加强案件查办工作。

2009 年工作的基本经验有四点：

一是领导高度重视是做好城乡规划工作的前提

2009 年，高丽书记多次听取重点规划方案和规划公示汇报，并先后五次对规划工作做出重要指示，充分肯定了市局的工作，并向全体规划人员问好，衷心感谢大家辛勤的工作！兴国市长也多次强调规划是经济社会发展的龙头，对规划工作给予高度关注。建平副市长亲自抓规划，坐镇一线、靠前指挥。在规划体制改革的第一年，各区县和有关委局对规划工作给予了大力支持。各级领导的高度重视，为充分发挥规划的龙头作用提供了有力的保证。

二是坚持高水平是搞好规划设计的关键所在

近年来，始终坚持高起点规划，高标准设计，以规划成果的高水平促进城乡建设和经济社会发展，得到了市委、市政府、各委局和人民群众的高度评价。高丽书记讲，每次到规划局听汇报，都能感觉到规划设计水平有新的提高，新的提升。不论是像空间发展战略这样的宏观规划，还是像文化中心、会展中心、规划展览馆等具体项目的规划设计，既有大思路、大手笔，又精雕细刻、精益求精。同时，还在规划理念、规划组织编制等方面不断创新，比如在控规编制中创立的“一控规、两导则”体系等等。规划设计和规划成果的高水平保证了市规划工作的高水平。

三是局各级领导班子齐心协力是提升规划管理水平的重要保证

领导班子是一个单位的“主心骨”，是规划事业发展的关键。去年，是规划管理体制改革后的第一年。局系统各级领导班子的调整幅度都比较大，但各级领导班子成员迅速进入角色，以事业为重，团结一心、步调一致、思想统一、团结协作，做到了讲大局、讲团结，想问题、干事业。在重点工作中身先士卒、身体力行，发挥了示范带头作用。事实证明，只要各级领导班子团结协作，富有凝聚力和战斗力，就一定能攻坚克难，高标准高水平完成各项任务。

四是锤炼一支奉献拼搏，敢打敢拼的干部队伍，是规划事业发展的基石

全局的工作任务相当繁重。广大干部职工保持发扬了敢打硬仗、勇于拼搏、勇于奉献的精神，保持发扬了求真务实、团结协作、精益求精的精神，保持发扬了奋发有为、勇往直前、永不服输的精神，在扎实苦干中，锤炼了一支冲得上、靠得住、打得赢的规划队伍，有了这样一支队伍，相信一定能够取得更大的胜利。

过去的一年，全局上下迎难而上，在任务重、时间紧的情况下，圆满完成了市委、市政府和局党组部署的各项工作，促进了我市经济社会又好又快发展，得到市委、市政府的充分肯定。取得这样的成绩极为不易，凝结了全局上上下下的智慧、汗水和力量，体现了规划局团结一心，拼搏奋斗的精神。

在肯定成绩的同时，也清楚地看到存在的差距和不足。很多制约规划工作长远发展的深层次矛盾和问题，还没有从根本上得到解决。

在宏观研究方面存在的主要问题：

1. 规划研究工作还需要着力加强。研究能力这几年没有明显提高，在超前研究为市委、市政府决策提供参谋建议上还需要更大的突破；规划的调控作用、公共政策作用还没有得到充分发挥，对所审批项目缺乏系统的分析研究，这些年编了不少规划，也审批了不少项目，这些审批项目也都在一网通一个平台上办理了，但哪些按照规划实施了，效果怎么样，起了什么作用，还有哪些不足，对环境带来什么压力，对景观有什么影响，今后要加大哪类用地的审批力度等等，还缺乏深入的研究；规划编制计划的严谨性、科学性还需要进一步加强。

2. 规划与经济社会发展的结合还不够紧密。现在规划已由城市建设的龙头上升为经济社会发展的龙头，由建设管理的依据上升为公共政策。目前还没有完全适应这种转变，真正做到用规划引导产业布局。在促进经济建设、文化建设、社会建设以及生态文明建设方面，还需要建立相应的机制。

3. 规划审批管理还需要进一步规范。规划审批下沉到各区分局后，市局如何进行管理还不适应，对有些项目市局要么就不管，要么就管得太死，或者是包办代替，对一些市领导关注的项目尤其如此。各分局还存在不敢自主审批或不会自主审批的问题。从根本上还是事权、责任不明确，或者是事权、责任明确，但管理不够标准化、规范化、制度化。市局对各分局的培训针对性也有待加强，走下去对各分局业务指导、督察的力度还需要进一步加大。

4. 还存在有法不依不按规矩办事的问题。在制度建设上下了很大力量，对很多制度规定都重新进行了修订。制度是用来执行的，但实际工作中还是存在把制度放在一边、不当回事的现象，也没有人去检查执行情况，既影响了工作效率、工作质量，也影响了工作作风。

5. 规划调整还过于频繁。反映出规划的科学性和前瞻性不足。辛辛苦苦编制出规划方案，认认真真进行了审查审批，但一到执行的时候，就出现了这样那样的问题。过去是控规调整的多，现在总规调整也越来越多。特别是控规，在项目审批的时候大部分都需要进行调整。

6. 规划成果数量多，但质量不高。这几年，编制了大量的规划，前年是119项，去年是123项，但真正高水平的拿得出手的规划成果还比较少，在与其他城市交流的时候乏善可陈。特别是规划汇报的水平还不高，不管是向领导汇报，还是向专家汇报，都是老一套，缺乏变化和艺术性。

7. 规划之间还缺乏有机衔接。特别是总体规划与控制性详细规划衔接，城市设计与控制性详细规划衔接，控规指标与建设管理方面衔接。一项规划到底与哪些规划相关，与相关规划之间到底是个什么关系，怎么才能够做到相互衔接、相互促进，在这些方面还需要做进一步的深入研究。

8. 主动服务意识和工作效率还需要进一步提高。不论是对上服务领导，对左右服务相关委局、区县，还是对下服务基层、建设单位，服务还需要更加主动。工作忙，会议多，都不是借口。工作效率还需要进一步提高，包括有的市领导批示办理的事项，还是有一拖一两个月的现象，督查督办的工作力度还需要进一步加大。

9. 信息沟通还不够顺畅。各单位、各部门主动配合的意识还不强，市局各处室之间，市局与分局之间，各院馆之间等等，还缺乏必要的、主动的沟通联系，信息不对称，造成执行力出现问题，全局系统的整体合力还没有完全发挥出来。

10. 各级领导在想事干事方面还需要更加积极主动。还缺乏人人从大局出发，主动去想事情、找问题、建言献策的良好氛围。在工作中还存在领导只管事不管人的问题，很多情况都是交办下去的事能干好就行了，除了工作外，其他的事不管不问，对下边办事的人缺乏管理，缺乏培养、教育、锻炼，在管人上还存在“短板”。比如说公文审核方面，虽然已经基本扭转了被动局面，但公文质量不高的问题还没有得到根本的解决，主要问题还是各级领导干部没有引起足够的重视，没有用心下大力量去抓去管。

以上 10 个问题是要着重解决的，并不是说规划局只有这 10 个问题，要在工作中再去认真查找。问题就是方向，问题就是出路，找准了问题就会使工作再上新水平打下良好基础。找问题不是否定成绩，存在问题没有什么可怕的，可怕的是找不出问题。只要不断地发现问题、解决问题，工作就能不断地上新台阶，就能够取得更大成绩，就能够得到市委、市政府和全社会的满意。

二、2010 年工作部署

2010 年，对天津发展来说是至关重要的一年，是全市实施“十一五”规划的最后一年，也是巩固经济发展良好势头、全面完成市第九次党代会提出目标任务的关键一年。从总体上看，今年的经济发展环境总体上将好于去年，但面临的经济形势仍然十分复杂严峻，还存在许多不稳定不确定因素。2009 年天津主要经济指标增幅居于全国前列，市委乘势提出天津的发展必须“起点更高、步子更大、节奏更快、水平更好”，必须把“调结构，促转变，增实力，上水平”作为经济社会发展的着力点，要大干 300 天，全面提升城市规划建设管理水平，着力构筑生态宜居高地，形成大气洋气、清新靓丽、中西合璧、古今交融的城市风格，充分展现天津深厚的历史文化底蕴、独特的自然风貌和大都市现代化气息。

关于规划工作面临的形势，概括起来就是机遇和挑战前所未有，困难和压力前所未有，使命和责任前所未有。2010 年如何再上新水平，是在加快转变发展方式新形势下面临的新任务。全局系统干部职工一定要认真学习贯彻市委九届七次全会精神，把思想认识行动高度统一到市委对国内外发展形势的分析判断上来，统一到全市今年经济社会发展目标和要求上来，深刻认识加快经济发展方式转变的重大意义和现实紧迫性，进一步增强规划工作的责任感和使命感，紧密结合实际，创造性地开展工作，再出新成果，再创新成效，再上新水平。

（一）2010 年规划工作的总体要求和基本思路

根据市委、市政府的工作部署，结合规划工作实际，结合当前查找的问题，规划工作的总体要求是，深入贯彻落实科学发展观，按照胡锦涛总书记对天津工作“一个排头兵”、“两个走在全国前列”和“五个下功夫、见成效”的重要要求，全面落实市委九届全会和市委九届七次全会确定的目标任务，着力为构筑“三个高地”、全力打好“五个攻坚战”和“调结构，促转变，增实力，上水平”提供服务保障，加快实施局“一二三四五”的奋斗目标和工作思路，努力促进规划各项工作再上新水平。

规划工作的基本思路是，紧密围绕“一条主线”，深化完善“三个体系”，努力做到“五个更加注重”，力争实现“十个再上新水平”，促进天津科学发展和谐发展率先发展。

“一条主线”即：奋战 300 天，全面提升规划水平，着力构筑生态宜居高地，形成大气洋气、清新靓丽、中西合璧、古今交融的城市风格，充分展现天津深厚的历史文化底蕴、独特的自然风貌和大都市现代化气息。

“三个体系”即：深化完善规划编制体系、规划管理体系和规划监督体系。

“五个更加注重”即：更加注重规划理念更新和规划职能转变；更加注重城市风格、品位的提升，在大气、洋气、繁荣、繁华、特色上下功夫；更加注重改善民生和提供公共服务；更加注重城乡规划一体化和促进三个层面联动协调发展；更加注重深化规划管理体制改革和提高工作效能。

“十个再上新水平”即：努力实现重点规划编制、规划编制与管理的结合、规划宏观管理、规划精细化管理、规划监督、规划公开、基础管理、干部队伍素质、基层工作、党风廉政建设再上新水平。

（二）2010 年主要工作任务

1. 规划编制再上新水平

按照城市总体发展战略，做好城市总体规划的修改工作。配合天津市“十二五”规划，编制2010-2015年近期建设规划。抓紧完成城市总体规划实施评估报告和强制性内容修改论证报告，积极开展相关前期研究、准备工作。要通过对城市总体规划修改，进一步优化城市布局结构，适应本市经济社会快速发展的要求。

以“生态、民生、文化”为重点，做好全市性重点规划编制工作。围绕生态宜居高地建设，重点制定市域生态规划、绿地系统规划、河流水系规划。围绕民计民生，重点编制完成好住房保障规划、轨道交通沿线及站点周边地区规划、老龄化设施规划。围绕突出天津城市文化品位，重点深化天津市历史街区保护规划，精心组织编制好历史文化名城名镇名村规划、大运河规划、城市雕塑规划。

着力促进协调联动发展，抓好三个层面重点规划编制工作。在中心城区层面，重点完善提升城市功能和城市特色，规划建设改造提升一批繁华街区、都市工业园区和特色经济街区，促进中心城区更加充满生机活力、繁荣繁华。围绕促进加快现代服务业发展，重点做好海河两岸、和平路、五大道、意式风情区二期等特色地区和文化中心周边地区整体规划设计，高水平做好环境综合整治规划设计，使天津的城市形象再发生一个大变化。

滨海新区重点深化完善九大功能区规划和城市设计。进一步深化完善规划编制体系，做好公共交通、产业布局、绿地生态系统和防潮、竖向等专项规划。

各区县重点突出各区县发展特色、建设特色，推进基础设施和公共服务设施向农村延伸。全面做好示范工业园区起步区控制性详细规划工作，做好第四批示范小城镇规划，高标准做好农村居住区、工业园区和农业园区的规划。

2. 规划编制与管理的结合再上新水平

抓好城市设计导则的深化工作。继续深化完善城市设计导则体系，将城市天际线、建筑外檐、绿化小品等更多的城市设计元素纳入技术规范，要坚持世界一流水平，从空间形态、轮廓到平面布局，从单体建筑到环境设计，从广告牌匾到城市家俱的每一个细节，都要在精致、协调、格调上下功夫，充分展现出天津独一无二、不可复制的城市魅力。

全面提高规划审批审查质量。要着力提升各级规划管理部门的依法行政能力和政策水平、业务水平，加强集体研究、集体决策，加强与相关专业部门联审、会审。进一步发挥专家和技委会的作用，进一步发挥规划协会和学会的作用，成为规划局和设计单位之间的重要桥梁，在规划法规、政策包括技术规定等方面进行指导、引导。

3. 宏观管理再上新水平

进一步明确各级规划管理部门职责。按照新的局主要职责和“三定”方案，调整完善机构设置，进一步深化细化各级规划管理部门的事权划分，明确相应的权力责任，做到权责一致、分工合理、决策科学、执行顺畅、监督有力。构建行为规范、运转协调、公正透明、廉洁高效的城乡规划管理体制和机制。

切实提高研究能力。重点提升局系统的研究能力和成果水平，强化各单位和各部门的研究职能，要明显加大各方面的投入，包括人力物力财力等，要通过加强研究工作，多出高质量的研究成果，提高规划上升为公共政策的能力，促进局职能转变，促进局方方面面工作上水平。局领导年内都要到区县和基层单位进行一轮调研。逐步将专业局提升为学习型的专业局、研究型的专业局。

提高局系统整体合力。局系统拥有规划、建筑、测绘、勘察、地名、城建档案、地下空间信息等多种资源，这是一个非常大的优势，联合在一起就是一个大有作为的广阔平台。要下大力量健全完善局系统的沟通协调机制，逐步实现局系统信息、技术、经验、创新等方面的成果及时交流共享，形成有机的、统一的整体，通过资源整合、合作开发、协同作战，形成相互支持、相互配合、取长补短、群策群力的规划系统氛围。

4. 精细化管理再上新水平

要抓紧建立规划实施管理“三个机制”：规划实施跟踪机制、规划实施评估机制、规划实施修改机制。将规划实施情况与规划审批单位的效率挂钩，与规划设计单位的资质认定、设计评比、企业信誉挂钩。

对大项目好项目要进一步加大服务力度。在依法的前提下，坚持效率优先，抓紧研究确定简易程序的项目种类，加以规范，形成制度。对有利于经济结构调整的金融、会展、创意、旅游等现代服务业和具有拉动带动作用的新兴产业，对有利于增强天津发展后劲的大项目好项目，要做到“服务上门，服务到位，服务到点”。“上门”是要主动去现场，“到位”是要服务求实效，“到点”是服务要及时。

在规划实施管理上进一步把分局和区县局做大做强。在规划审批权划分上进一步科学规范，对该由分局和区县局审批的，市局要逐步放手，而把主要精力用于检查督导。

5. 规划监督再上新水平

高度重视人大监督、社会监督、群众监督和新闻监督。要自觉接受同级人大监督，积极争取人大的支持。要进一步拓宽征求社会和群众意见的渠道，在以往发放征求意见表、召开监督员座谈会等方式的基础上，进一步加大网络监督力度。要提高与媒体打交道的能力，尊重新闻舆论的传播规律，正确引导社会舆论，与媒体保持密切联系，自觉接受舆论监督。

将规划层级监督由案件审批监督提升为全面工作监督。继续深化一网通建设，加强城乡规划编制、审批、实施、修改和行政、业务管理情况的监督检查。实行条块监督相结合，建立市局各业务处室对分局的业务指导和督察机制，每季度都要形成全市规划编制情况、实施情况、管理情况等全面工作情况的报告。

进一步强化执法监督。要加强执法队伍建设，加强执法巡查，加强卫星遥感等新技术的应用。切实加大与建设、国土房管、市容和综合执法局等部门的联合执法力度，做好与综合执法部门的沟通衔接。继续深入开展好房地产开发领域违规变更规划调整容积率问题专项治理工作、工程建设领域突出问题专项治理工作，严格规划调整，特别是控规调整，严禁擅自改变用地性质，严禁违法变更容积率。

要切实加强督办和考核工作。进一步健全完善督办和考核系统，把督办系统与考核系统紧密结合起来，促进全局系统工作作风、工作质量、工作效率实现新的转变和提高。特别是市领导批示件督办事项，必须在规定期限内办结并及时反馈上报。

6. 规划公开再上新水平

要继续高标准做好规划展览馆的展示接待工作。要按照国内一流展览馆的要求，提高管理水平和人员素质，确保各种展品的完整性和现势性，进一步提高接待水平，进一步扩大天津的对外影响。各单位、各部门要积极支持规划展览馆工作，确保每季度对规划展品更新。

高水平做好局政务网更新维护工作。局政务网是政务公开的有效载体，也是联系社会的主要窗口和服务社会的重要平台，要加强更新维护，将政务网打造成为规划系统的公开窗口，对局系统的党务管理、政务管理、业务管理情况，能公开的要全部公开。真正做到主动公开、政民零距离。

7. 基础工作再上新水平

要增强立法项目储备。努力做到超前研究一批，着手起草一批，争取批准一批，形成立法层次。今年要认真做好《天津市城乡规划条例》的贯彻实施工作。同时，积极争取将《天津市历史文化名城名镇名村保护条例》、《天津市地下空间信息管理办法》、《天津市乡村建设规划管理办法》和《天津市城乡规划编制审批办法》列入市人大和市政府立法计划。

全面加强内部管理制度规范。要对行政规范性文件的执行情况进行全面检查评估，对各项管理规范进行梳理整合，使每一个工作岗位的设置、每一个岗位的运转、每一个岗位的行为都有制度规定。要进一步抓好局系统建言献策活动，鼓励各单位、各部门多提好的意见建议，在全局系统形成献真言、勤思考、出实招、促工作的良好氛围。

进一步增强调研课题立项的科学性和实用性。要紧密结合当前规划编制、规划管理、规划实施、规划监督等工作存在的实际问题，有针对性地制定调研课题计划，加强立项管理，建立转化应用机制，做到立项必出成果，成果必能应用，应用必见成效。

全面提高公文水平、公文质量和办理速度。要按照公文办理的有关规定，切实提高公文起草水平，加强层级把关，明确层级审核责任，建立公文通报制度。每月通报一次公文办理情况，作为处室考核和个人考核的重要内容。

8. 基层工作再上新水平

全面加强区县（分）局工作。涉及区县（分）局、院馆等大量工作，要认真分解、细化落实。

各分局、各区县局、园区处要切实提高执行力，严格执行各项管理规定，结合各自实际进行深化细化，要尽快提高审批、审查能力，提高工作效率，在提高干部队伍素质方面下更大力气。

要切实加强研究能力，提高政策水平，提高谋划水平，积极主动地为地区经济社会发展出策献力，进一步发挥好桥梁纽带作用。

要加强小城镇规划管理，对重点地区建筑要进行梳理，特别是要加强对高层建设的建筑风格、色彩、外檐等方面的管理。

要加大对违法建设查处力度，加强规划执法队伍建设，没有成立执法队伍的区县，要抓紧做好队伍组建工作。

扎实做好各院馆、各中心工作。一方面要确保高质量地完成好市局交派的各项指令性任务，在辅助管理方面做出更大贡献，另一方面要积极开拓市场，加强自主创新能力，提高科技水平，出一批在全国叫得响的成果，努力实现发展方式转变，在经济效益、社会效益方面取得新成果，进一步做大做强。

9. 干部队伍素质再上新水平

要构建成就事业、培养人才的高地。要落实专业技术人才培养规划，整合现有人才库，实施高层次人才培训工程，促进高层次人才重点发展、全面发展。要多创造人才成长的条件，给能干事、想干事、干成事的人才和业务骨干创造干事创业的舞台和锻炼的机会，特别要鼓励优秀的年轻人走上领导岗位，脱颖而出。市局要创造更多的国内外学习机会，原则上要求每次外出学习都要带区县（分）局和院馆等基层单位的干部参与，甚至区县政府领导参加。

要加强轮岗交流、培训考核力度。在局系统推行轮岗交流制度，使全市规划系统的干部人才流动起来，实现人才合理配置。加强与新加坡和北京等的合作联系，建立境内外干部培训基地，提升领导干部教育培训层次。重点加强对选派到重点工作、重点工程和关键岗位培养锻炼干部的跟踪考核力度，充分发挥干部考核导向、激励和监督作用。

10. 党风廉政建设再上新水平

全面加强党的建设。继续巩固和发扬学习实践科学发展观的成果，重点加强“六个建设”，即：局处两级班子建设，局处两级后备干部、专业技术人才、公务员队伍建设，基层党组织建设，宣传和思想政治工作建设，窗口建设，统战、综治、工会等基础建设。继续坚持民主集中制，抓好各级中心组学习，形成党政合力，在深化完善处级领导干部培训班上总结新“三字经”的基础上，全面加强各级领导班子和领导队伍建设。

全面加强廉政建设。各级党组织、各级领导干部要充分认识廉政建设的重要性，严格落实廉政建设责任制，建立完善具有规划系统特点的惩治和预防腐败制度体系。继续加强廉政教育和廉政文化建设，进一步加大效能监察力度，强化廉政风险防范管理。在廉洁自律上求严，不断提高自身防腐防变的本领；在行动上求严，在监督上求严，严抓党风廉政责任制，加强廉政制度建设。要切实加强廉政建设的针对性教育，时刻做到警钟常鸣，确保权力干净运行。

市委、市政府对今年的规划工作提出了新的更高要求、更高标准，寄予了深切厚望。继续保持发扬奋发有力的精神状态，扎实苦干，勇于创新，锐意进取，全面完成好全年工作任务，为促进天津实现更长时间、更高水平、更好质量的发展，做出新的更大贡献！

概　况

天津市规划局

天津市规划局是负责全市城乡规划的市政府组成部门。主要职责是贯彻执行有关城乡规划的法律、法规和方针政策；拟订有关地方性法规、规章和政策，制定相关技术标准、规程、规范和办法，组织实施并监督检查；组织研究城市空间发展战略，研究城乡规划、测绘和地名管理工作等重大问题。组织编制城市总体规划、分区规划、近期建设规划、详细规划、区域规划、城镇体系规划及市政府其他指令性规划；组织指导、综合平衡其他专业和专项规划；指导区县编制相关各类规划；依法审查、审批各类规划。负责建设用地规划管理工作；根据城乡规划要求和建设项目的性质、规模提出规划设计条件；根据城乡规划和有关行政主管部门意见，认定建设用地定点申请，确定建设项目用地位置和界限；依法实行建设项目选址意见书和建设用地规划许可证管理制度。负责建设工程规划管理、市政基础设施规划管理及历史文化名城保护的规划管理工作；组织规划项目的实施；依法实行建设工程规划许可证管理制度。对城乡规划的实施进行监督检查，依法查处各类违法行为；负责有关行政复议受理和行政诉讼应诉工作；依法实行建设工程规划验收合格证管理制度。负责城市雕塑、城市景观的规划管理工作；负责城乡规划设计单位的资质管理；负责城乡规划设计招投标管理；负责组织城乡规划成果公告、公示及展示的实施工作。负责测绘管理工作；制定测绘发展规划和计划，负责测绘成果的管理和运用；负责测绘单位的资质管理。依照有关规定，负责城市建设档案管理工作；拟订城市建设档案管理规章草案，制定城市建设档案管理规范、规程和办法；监督检查城市建设档案管理、开发和利用工作。负责城市规划地理信息系统的建设和管理工作；负责地下空间、地下管线规划信息管理工作。负责全市地名规划和管理工作。负责城乡规划队伍继续教育和业务培训工作；负责城乡规划专业技术人员执业资格注册管理工作；会同有关部门负责相关人员专业技术资格评审工作。对区县城乡规划行政主管部门实行业务领导。承办市委、市政府交办的其他事项。2009 年 12 月 11 日，中共天津市委办公厅印发了《关于印发〈天津市规划局主要职责内设机构和人员编制规定〉的通知》（津党办发〔2009〕58 号），根据上述职责，市规划局设 17 个内设机构。办公室、政策法规研究处、业务处、总体规划处、详细规划处、保护规划处、建设用地处、建筑项目处、市政基础设施处、执法监察处（信访办公室）、区县处、地名管理处（市地名委员会办公室）、测绘管理处、科技信息处、财务处（审计处）、人事处、组织干部处，此外老干部处、机关党委、纪检、工会和市规划委员会办公室秘书处按照相关规定设置。

天津市规划系统

2009 年，天津市规划系统由市局机关、派出机构、局属单位、区县规划局和滨海新区功能区规划机构组成。

市局派出机构：

1. 天津市规划局滨海新区分局（滨海新区规划和国土资源局）

2. 天津市规划局滨海高新技术产业开发区规划处（2009 年 4 月 17 日前为天津新技术产业园区规划处）

3. 天津市规划局和平区规划分局

4. 天津市规划局河东区规划分局

5. 天津市规划局河西区规划分局

6. 天津市规划局河北区规划分局

7. 天津市规划局南开区规划分局
8. 天津市规划局红桥区规划分局
9. 天津市规划局东丽区规划分局
10. 天津市规划局西青区规划分局
11. 天津市规划局津南区规划分局
12. 天津市规划局北辰区规划分局

局属单位：

1. 天津市城市规划设计研究院
2. 天津市建筑设计院
3. 天津市测绘院
4. 天津市勘察院
5. 天津市城市建设档案馆（天津市城市建设档案管理处）
6. 天津市规划展览馆
7. 天津市规划执法监察总队
8. 天津市规划信息中心
9. 天津市地下空间规划管理信息中心
10. 天津市规划局教育培训中心
11. 天津市规划局机关服务中心
12. 天津市规划局人才开发交流服务中心

区县规划局：

1. 天津市武清区规划局
2. 天津市宝坻区规划局
3. 天津市宁河县规划局
4. 天津市静海县规划局
5. 天津市蓟县规划局

滨海新区规划机构：

1. 天津市塘沽区规划局
2. 天津市汉沽区规划局
3. 天津市大港区规划局
4. 天津经济技术开发区建设发展局
5. 天津港保税区、空港物流加工区规划建设管理局
6. 天津东疆保税港区管委会建设发展局
7. 中新天津生态城管委会建设局

机构沿革

天津市城市规划工作机构的设置，可以追溯到清咸丰十年（1860）。天津被迫开埠后，各国在租界设置“工部局”、“工程处”等类似机构。清光绪二十六年（1900）七月成立的“天津城临时政府委员会”，亦称“天津都统衙门”，下设公共工程局，负责天津城内外的市政工程。辛亥革命后，北洋军阀时期，1928年天津特别市政府下设工务局、土地局。1945年日本投降后，国民政府成立天津市政府，下设工务局、地政局。1949年1月15日天津解放，成立天津市人民政府，至1972年，城市规划工作机构先后设在市工务局、建设局、城建委、基建委。1973年6月18日，市革命委员会批准成立天津市规划设计管理局（以下简称市规划局）。1984年，市内六区和塘沽区组建规划管理处，作为市局的派出机构，负责所在区的规划管理工作。区处实行市局和区局双重领导，市局为主的体制，人员编制、业务领导归市局，党团关系在区。这一体制改革随之为许多城市仿效。1987年3月，市政府决定，在市政府征地办公室、市农村土地管理办公室和市房地产管理局地政部门、市规划局用地管理部门的基础上组建成立天津市土地管理局，与市规划局一套机构、两块牌子。各区县组建成立规划土地管理部门，业务受市局指导。市内6区区处增加土地管理职能，更名为规划土地管理处。天津创造的规划土地合一的管理体制，再次为许多城市仿效。2000年5月，市委、市政府决定由市规划局、市土地局、市地质矿产局合并组建天津市规划和国土资源局，作为市政府主管全市城乡规划、土地资源、矿产资源、海洋资源的职能部门。2005年8月，市委、市政府决定组建天津市规划局、天津市国土资源和房屋管理局，均为市政府组成部门。市规划局承担研究和编制城市规划、对规划实施进行管理和监督检查的职能。市内6区、滨海新区、新技术产业园区分别设立独立的规划处或规划分局。其他区县重组设立规划局。2008年7月，市委、市政府印发《关于深化城乡规划管理体制改革的意见》，决定将市内6区和环城4区规划管理部门作为市局的派出机构，接受市局和所在区政府双重领导。2008年10月，市内6区规划处和环城4区规划局更名为区规划分局。

2009年5月14日，中共天津市委印发《关于中共天津市规划局委员会改建为中共天津市规划局党组及尹海林等同志任免职的通知》（津党任〔2009〕80号），市委决定，中共天津市规划局委员会改建为中共天津市规划局党组。尹海林同志任

天津市规划局党组成员、书记；战秋艳同志任天津市规划局党组成员、副书记。

2009 年 12 月，市委印发《关于印发<天津市规划局主要职责内设机构和人员编制规定>的通知》，明确了市规划局主要职责、内设机构和人员编制。

1986 版天津市城市总体规划方案

1986 年 8 月 4 日，国务院印发《国务院关于天津市城市总体规划方案的批复》（国函 [1986] 92 号）。这是天津市第一个经国家正式批准的城市总体规划，是在建国以来历次编制的 21 稿基础上的第 22 稿。在 1986 版天津市城市总体规划（以下简称 1986 版总体规划）的指导下，天津市实施引滦入津工程，建设 3 环 14 射路网结构，建设体院北、天拖南、王串场、万新村等 14 片居住区、工业东移战略促进滨海地区快速发展，成为全市经济新的增长点。通过总体规划的实施，天津从地震后的破败不堪一跃进入全国城市建设的前列。

1986 版总体规划的规划期限为 1985–2000 年；城市性质为先进技术的综合性工业基地，开放型、多功能的经济中心和现代化的港口城市；城市规模为 2000 年人口规模 610 万人；市域空间布局为“一条扁担挑两头”，即“整个城市以海河为轴线，改造老市区，作为全市的中心；工业发展重点东移，大力发展滨海地区”；市区规划范围为外环线内 330 平方公里；市区道路网结构为“3 环 14 射”，由主干道的 3 个环线、2 个半环线和 14 条放射线构成环形放射路网骨架，联系各综合分区和功能区。

1999 版天津市城市总体规划

1999 年 8 月 5 日，国务院印发《国务院关于天津市城市总体规划的批复》（国函 [1999] 94 号）。这是天津市第二个经国家正式批准的城市总体规划。在 1999 版天津市城市总体规划（以下简称 1999 版总体规划）的指导下，天津实施市区成片危陋房改造、国有大中型企业嫁接改造调整，滨海新区开发建设、为建设成为环渤海地区经济中心现代化港口城市和中国北方重要的经济中心发挥了引导保障作用。

1999 版总体规划的规划期限为 1996–2010 年；城市性质为环渤海地区的经济中心，努力建设成为现代化港口城市和中国北方重要的经济中心；城市规模为 2010 年常住人口 1100 万人，城镇人口 840 万人，市域城镇化水平 75%以上；市域城镇体系为中心城区、县城、中心镇和一般建制镇构成的 4 级城镇体系；空间结构为继续深化完善“一条扁担挑两头”，形成以海河和京津塘高速公路为轴线，由中心城区、滨海城区及多个组团组成的中心城市，中心城区严格控制用地规模，调整用地结构，优化功能布局，外围规划建设军粮城、新立、杨柳青、大寺、咸水沽、双港、双街和小淀 8 个组团，滨海城区以塘沽区、天津港、经济技术开发区和保税区为重点，辐射汉沽、大港城区和海河下游工业区；综合交通体系为“两港两路”，即海港、空港，高速公路、高速铁路。

2006 版天津市城市总体规划

2006 年 7 月 27 日，国务院印发《国务院关于天津市城市总体规划的批复》（国函 [2006] 62 号）。这是天津市第三个经国家正式批准的城市总体规划。2006 版天津市城市总体规划（以下简称 2006 版总体规划）批复以来，天津的城市空间布局不断优化，对外交通体系不断完善，与京津冀、环渤海、“三北”以及东北亚等地区联系进一步加强，产业布局逐步调整优化，滨海新区快速发展，国家级大项目、好项目纷纷落户天津。

2006 版总体规划的规划期限为 2005–2020 年；城市性质为环渤海地区经济中心，逐步建设成为国际港口城市、北方经济中心和生态城市；城市规模为 2020 年市域常住人口 1350 万人，城镇人口 1210 万人，市域城镇化水平 90%，城镇建设用地规模控制在 1450 平方公里以内；市域空间结构为

"一轴两带三区"，"一轴"是"武清新城——中心城区——滨海新区核心区"构成的城市发展主轴，"两带"是"宁河、汉沽新城——滨海新区核心区——大港新城"构成东部滨海发展带和"蓟县新城——宝坻新城——中心城区——静海新城"构成的西部城镇发展带，"三区"是北部蓟县山地生态环境建设和保护区、中部七里海——大黄堡洼湿地生态环境建设和保护区、南部团泊洼水库——北大港水库湿地生态环境建设和保护区；规划中心城区和滨海新区核心区为城市主副中心，11个新城、30个中心镇和一般建制镇构成4级城镇体系；滨海新区的功能定位为，依托京津冀、服务环渤海、辐射"三北"、面向东北亚，努力建设成为中国北方对外开放的门户、高水平的现代制造业和研发转化基地、北方国际航运中心和国际物流中心，以及宜居生态型新城区；区域交通规划为，依托海、空两港，构筑与周边省市及"三北"地区紧密联系的大交通体系，扩大与内地城市口岸的直通，强化区域综合交通枢纽功能，成为联系南北方、沟通东西部的综合交通枢纽。

天津市空间发展战略规划

2009年8月14日，市规划局向市政府报送《关于申请批准〈天津市空间发展战略规划〉的请示》。紧紧围绕市委"一二三四五六"的奋斗目标和工作思路，依托京津冀，服务环渤海，面向东北亚，用区域和国际视野，着眼天津未来长远发展，着力优化空间布局、提升城市功能，此次规划提出了实施"双城双港、相向拓展、一轴两带、南北生态"的总体战略,统筹三个层面联动协调发展，进一步明确滨海新区、中心城区和各区县的功能定位和发展方向，调整完善空间结构和发展策略，优化要素资源配置，形成多点支撑、多元发展、多极增长的市域空间格局。

"双城"是指中心城区和滨海新区核心区，是天津城市功能的核心载体。

"双港"是指天津港的北港区和南港区，是城市发展的核心战略资源，是天津发展的独特优势。

通过"双城"战略，加快滨海新区核心区的建设，与中心城区分工协作、功能互补，实现市域空间组织主体由"主副中心"向"双中心"结构转换提升，构成双城发展的城市格局，促进北方经济中心建设。

通过"双港"战略，加快南港区建设，扩大天津港口规模，培育壮大临港产业，调整优化铁路、公路集疏运体系，促进港城协调发展，更好地发挥欧亚大陆桥的优势，进一步密切与"三北"腹地和中西亚地区的交通联系，加快建设成为我国北方国际航运中心和国际物流中心，增强港口对城市和区域的辐射带动功能。

"相向拓展"是指"双城"及"双港"相向发展，是城市发展的主导方向。

"一轴"是指"京滨综合发展轴"，依次连接武清区、中心城区、海河中游地区和滨海新区核心区，有效聚集先进生产要素，承载高端生产和服务职能，实现与北京的战略对接。依托"京滨综合发展轴"，加强与北京合作，形成高新技术产业密集带、京津冀地区一体化发展的产业群和产业链。

"两带"是指"东部滨海发展带"和"西部城镇发展带"。

"东部滨海发展带"贯穿宁河、汉沽、滨海新区核心区、大港等区县，向南辐射河北南部及山东半岛沿海地区，向北与曹妃甸和辽东半岛沿海地区呼应互动。

"西部城镇发展带"贯穿蓟县、宝坻、中心城区、西青和静海，向北对接北京并向河北北部、内蒙延伸，向西南辐射河北中南部，并向中西部地区拓展。

"南生态"是指京滨综合发展轴以南的"团泊洼水库—北大港水库"湿地生态环境建设和保护区，以及正在规划建设的子牙循环经济产业园区等。

"北生态"是指京滨综合发展轴以北的蓟县山地生态环境建设和保护区、"七里海—大黄堡洼"湿地生态环境建设和保护区，以及中新天津生态城、北疆电厂等循环经济产业示范区。

发展策略包括滨海新区发展策略、中心城区发展策略、外围区县发展策略。依据"双城双港、相向拓展、一轴两带、南北生态"的总体战略，进一步明确滨海新区、中心城区和各区县的功能定位和发展方向，统筹三个层面联动协调发展，调整完善空间结构和发展策略，优化要素资源配置，形成多点支撑、多元发展、多极增长的市域空间格局。

战略实施包括工作布局、重点任务、组织推动三个方面。按照市委、市政府的统一部署，坚持高起点规划、高水平建设、高效能管理，立足当前，着眼长远，整体推进，重点突破，经过三年左右艰苦奋斗，展现天津深厚的历史文化底蕴，独特的自然风貌和大都市现代化气息，加快建设国际港口城市、北方经济中心和生态城市。

相关数据

天津市地理位置，介于北纬 38 度 34 分–40 度 15 分，东经 116 度 43 分–118 度 04 分之间，总面积 11919.7 平方公里，海岸线 153 公里。天津位于中纬度亚欧大陆东岸，属暖温带半湿润季风气候型，介于大陆性与海洋性气候的过渡带上。年平均气温 11.4~12.9 摄氏度。主导风向西南风，年平均降水量 520~660 毫米。

2009 年 11 月前，天津市共辖 18 个区县，其中中心区 6 个：和平区、河西区、河东区、南开区、河北区、红桥区，环城区 4 个：东丽区、西青区、津南区、北辰区，滨海新区 3 个：塘沽区、汉沽区、大港区，近郊区县 5 个：武清区、宝坻区、静海县、宁河县、蓟县。

2009 年 11 月后，根据《国务院关于天津市调整部分行政区划的批复》，天津市共辖 16 个区县，其中中心区 6 个：和平区、河西区、河东区、南开区、河北区、红桥区，环城区 4 个：东丽区、西青区、津南区、北辰区，滨海新区（含塘沽区、汉沽区、大港区三区全境），近郊区县 5 个：武清区、宝坻区、静海县、宁河县、蓟县。

2009 年天津市常住人口 1228.16 万人。全市建成区面积 721.14 平方公里，比 2008 年净增 22.05 平方公里。地区生产总值完成 7500.80 亿元，增长 16.5%，人均 62403 元。全社会固定资产投资 5006.32 元，增长 47.1%。滨海新区生产总值完成 3700 亿元。港口吞吐量 3.8 亿吨，集装箱吞吐量 870 万标准箱。城市居民人均可支配纯收入 21430 元，实际增长 10.3%。农村居民人均纯收入 10675 元，增长 10.4%。城市居民人均住房面积 29.89 平方米，农村居民人均住房面积 28.48 平方米。

天津站

大事记

2009 年大事记

1 月

2 日　天津市重点规划编制指挥部（以下简称指挥部）召开西站站区景观设计会议，副总指挥、市规划局局长尹海林主持。天津大学规划院汇报景观设计方案。会议要求深化广场空间布局研究、处理好广场设施与景观的关系、细化北广场的布置及与子牙河的关系，并做好节后向市领导汇报的准备。指挥部重点组组长郭凤平、协调组组长师武军，天津大学规划院、市规划院、铁三院、市政院有关人员参加。

5 日　指挥部召开审议天津大学、南开大学新校区选址方案会议，总指挥、副市长熊建平主持。会议要求在现有两个方案的基础上进行经济测算、细化选址方案的论证评估，并做好再次向市领导汇报的准备。副总指挥、市规划局局长尹海林，市发改委，市建委，市国土房管局，市教委，指挥部重点组、城投集团有关人员参加。

同日　指挥部召开海河后 5 公里（天钢、柳林）城市设计会议，副总指挥、市规划局局长尹海林主持。会议听取设计单位的方案汇报，提出修改意见并要求设计单位做好向市领导汇报的准备。市指挥部重点组组长郭凤平、副组长王绍妍，市规划局副局长沈磊，电力建设公司、市规划院、市建院、天津大学参加。

同日　市规划局召开《天津市地下管线信息动态管理系统》科研课题评审会，副局长鲁承斌主持，有关评委参加。

6 日　市长黄兴国在指挥部主持听取西站、海河上游后 5 公里规划设计方案、子牙循环经济产业区有关建设计划及融资方案汇报并提出了具体要求。总指挥、副市长熊建平、市政府秘书长李泉山出席。市发改委、市规建工委、市建委、市交委、市商务委、市规划局、市国土房管局、市环保局、市交管局以及河北区、红桥区、西青区、东丽区、津南区、静海县政府主要负责人，指挥部考核组、重点组、分区组组长参加。

7 日　市委常委苟利军、副市长熊建平听取于家堡综合交通枢纽车站站房概念设计方案。美国 SOM 公司、华东建筑设计院、天津建筑设计院汇报近期工作成果。市发改委、市交委、市建委、市滨海委、塘沽区政府、北京铁路局天津办事处、城投集团、铁三院、新区建投公司、市规划院、市政院有关人员参加。

同日　指挥部召开海河中游段城市设计会议，副总指挥、市规划局局长尹海林主持。会议听取设计单位的方案汇报，并要求设计单位抓紧时间修改完善。市指挥部重点组组长郭凤平、副组长肖连望，市规划局副局长沈磊，易道设计公司有关人员参加。

8 日　市长黄兴国主持召开市政府第 21 次常务会。会议审议并原则通过《天津市规划控制线管理规定》，市规划局常务副局长李春梅参加。

同日 市规划展览馆试开馆。市规划局副局级巡视员诸铭主持仪式，局长尹海林讲话。局领导、局离退休老干部、四院一馆主要负责人、机关处室有关人员参加。

10日 指挥部研究于家堡综合交通枢纽车站站房概念设计方案，总指挥、副市长熊建平主持。美国SOM公司、铁三院、华东院、市建院分别汇报方案，会议要求对方案进行深化完善。副总指挥、市规划局局长尹海林、滨海组副组长霍兵，滨海委、市交委、塘沽区政府有关人员参加。

同日 市规划局参加“两会”期间有关规划工作咨询服务。局党委书记黄立民、局长尹海林、常务副局长李春梅、副局长鲁承斌、总规划师霍兵参加。

12日 市规划局召开第1次局长办公会，局长尹海林主持。会议通报全国住房和城乡建设工作会议情况、审议局2009年工作要点、局信息公开规定、天津市规划局行政规范性文件执行情况评估报告、天津子牙循环经济产业区总体规划、2008年局长办公会议有关议题落实情况督查报告、2008年度局科技进步先进集体和先进个人评选有关事项的情况汇报、局可视会商系统迁移和改造工作情况汇报等议题。全体局领导出席，局属单位行政主要负责人、派出机构行政主要负责人，机关处室主要负责人，静海县规划局主要负责人参加。

同日 市规划局召开天津市重点规划编制工作青年突击队、青年突击手表彰大会，对在天津市重点规划编制工作中涌现出来的先进集体和个人进行表彰，并授予规划系统青年突击队、青年突击手荣誉称号。局长尹海林、局巡视员王东海主持。建院、规划院、局属各单位团委书记、青年突击队代表、青年突击手参加。

同日 市规划局组织观看中央纪委、市纪委警示教育专题片《一个检察长的巧取豪夺——李宝金受贿、挪用公款案》，局纪检组组长刘胜利主持。局机关副处级以上干部，服务中心、培训中心、信息中心、管网中心、园区处、总队处级干部参加。

13日 市长黄兴国签发市政府第16号令公布《天津市城市规划管理技术规定》，自2009年3月1日起施行。

同日 指挥部研究南淀风景区规划和西站广场景观设计方案，副总指挥、市规划局局长尹海林主持。市规划院就修改方案进行汇报，会议要求，在现有基础上深化完善方案，并做好汇报的准备。指挥部重点组组长郭凤平、副局长沈磊，副局巡侯学钢，天津大学设计院、城投集团、环投公司、市规划院有关人员参加。

14日 市规划局召开局系统2009年工作部署会。局长尹海林作工作报告，全面总结了2008年取得的成绩和经验，局党委书记黄立民就当前城乡规划工作面临的形势与任务，要求全局系统干部职工进一步统一思想、振奋精神，全力以赴做好全年各项工作。局领导、基层单位领导班子成员、四院班子成员及中层、机关全体人员参加。

同日 市规划局召开“保增长、渡难关、上水平”服务工作专题会议，局长尹海林主持。会议要求，按照市委、市政府的统一部署，确保开工一批项目，策划推动一批项目，出台具体服务措施，推动重大建设项目的建设。常务副局长李春梅、副局长鲁承斌参加。

16日 指挥部听取西站站房深化方案汇报，总指挥、副市长熊建平主持。设计单位就修改方案进行汇报，会议要求设计单位抓紧在原有基础上修改深化四个方案，进行备选比较。副总指挥尹海林，指挥部考核组、重点组，市规划局副局长沈磊、副局巡侯学钢，红桥区政府、市发改委、市建委、市交委、市国土房管局、北京铁路局天津办事处、城投集团、市规划院、铁三院有关人员参加。

同日 市规划局召开局系统离退休干部联谊会。局巡王东海、副书记战秋艳、常务副局长李春梅及离退休老同志参加。

17日 市规划局举办规划系统“全家福”活动。全体局领导，18个区县规划局、开发区局、保税区局领导班子成员，局属各单位党政主要领导和有关人员及机关全体人员参加。

18日 市委书记张高丽陪同中共中央政治局常委、中央书记处书记、国家副主席习近平一行50人参观规划展览馆，市规划局党委书记黄立民、局长尹海林接待。

19日 市规划局深入社区慰问特困家庭，党委书记黄立民带领机关党委与新兴南里居委会一起为社区特困户孙凤霞和杜大爷一家送去春节慰问品和慰问金。

同日 指挥部研究海河两岸城市设计方案，副总指挥、市规划局局长尹海林主持。设计单位就海河两岸城市设计修改方案进行汇报，会议要求设计单位继续修改深化方案并做好向市领导汇报的准备。指挥部重点组组长郭凤平，副局长沈磊，副局巡侯学钢，市建院有关人员参加。

20日 指挥部听取中心城区概念性城市设计汇报，副总指挥、市规划局局长尹海林主持。同济大学、市规划院汇报方案，会议要求要深入研究中心城区城市设计导则及城市设计需要解决的问题。指挥部分区组参加。

同日 指挥部召开西站站房专家研讨会，副总指挥、市规划局局长尹海林主持。德国GMP公司汇报站房修改方案，与会专家提出建议和意见，会议要求设计单位结合专家意见，抓紧修改深化设计方案。市建院刘景樑、市建筑设计院张铮、天津大学洪再生、张晓建、市国土房管局路红、市规划院邹哲、华汇设计公司周恺等7位专家和指挥部重点组组长郭凤平、副局长沈磊，铁三院有关人员参加。

23日 市规划展览馆举行开馆仪式，常务副市长杨栋梁主持。市长黄兴国、副市长熊建平、秘书长李泉山出席，有关委办局领导、市规划局全体局领导、局属各单位党政主要负责人、各区县局主要负责人、机关处室有关人员参加。

同日 市规划局召开天津市城市规划协会换届大会暨2008年年会，审议第三届理事会理事人选等8项议题。天津市城市规划协会第二届理事会理事长李春梅作题为《认真实践科学发展观努力开创城市规划协会工作新局面》的工作报告。会议选举产生了第三届理事会，理事长为师武军、副理事长为马华山、王东海、白吉祥、刘军、张嵩、李文春、洪再生。局长尹海林、局巡王东海、常务副局长李春梅、副局长鲁承斌、郭凤平、郑嘉轩出席，中国城市规划协会副理事长任致远、秘书长王燕到会并发言，市规划协会理事和会员代表参加。

2月

3日 副市长熊建平、副秘书长王维基到市规划局调研指导工作。熊建平要求要全力做好重点规划编制成果的转化工作，进一步健全完善规划管理体制和机制，进一步提高规划人员素质。市规划局全体局领导、四院二馆、十分局、机关有关业务处室参加。

同日 市规划局召开“保增长、渡难关、上水平”工作部署会，局长尹海林主持。会议传达市委关于“保增长、渡难关、上水平”会议精神，并提出具体贯彻落实措施。全体局领导、四院二馆、十分局、机关各处室有关人员参加。

4日 市委组织部领导参观市规划展览馆，市规划局党委书记黄立民、局长尹海林、副书记战秋艳接待。

5日 市级督查二组到市规划局对“开门服务”有关情况进行督查。副局长鲁承斌向督查组汇报市规划局开门服务有关情况。

6日 指挥部听取海河后五公里深化方案汇报，副总指挥、市规划局局长尹海林主持。各设计单位分别汇报工作进展情况，会议就下一步工作进度、内容提出明确要求。指挥部重点组组长郭凤平，市规划局常务副局长李春梅、副局长沈磊、副局巡侯学钢参加。指挥部保障组，东丽区政府、津南区政府、海河公司、市规划院、市建院、天津大学有关人员参加。

10日 市委常委市纪委书记臧献甫，副市长熊建平和市纪委、市监察局有关领导参观市规划展览馆，市规划局党委书记黄立民、局长尹海林、副局巡诸铭陪同。

11日 市规划局召开确保重点项目开工服务座谈会，局长尹海林主持。常务副局长李春梅通报市规划局落实市委市政府“保增长、渡难关、上水平”工作思路和措施。会议建议要建立责任制，建立开放式考核评价机制，认真总结经验，形成长效机制。局机关有关处室、十分局负责人以及确保开工项目单位及其设计单位负责人参加。

15日 中共中央政治局常委，国务院总理温家宝参观市规划展览馆，市委书记张高丽，市委副书记、市长黄兴国，副市长熊建平陪同，市规划局党委书记黄立民、局长尹海林接待。

同日 天津市城市规划学会召开2008年年会暨换届大会，常务副局长、副理事长李春梅主持。市科协党组书记、常务副主席杨鑫传，中国城市规划学会秘书长石楠及市社团局的领导到会祝贺。局党委书记、常务副理事长黄立民作天津市城市规划学会2009年工作意见报告。局长、理事长尹海林讲话。会议选举产生天津市城市规划协会第四届理事会，理事长尹海林，副理事长为黄立民、马玫、沈磊、运迎霞、姚胜利、黄晶涛、霍兵。

17日 市规划局传达市委书记张高丽讲话精神。局长尹海林传达市委书记张高丽对市规划展览馆、指挥部工作的批示，以及在津湾广场调研的讲话精神，并对市规划局当前重点规划工作进行部署。局领导班子成员参加。

18日 市规划局召开市内六区领导座谈会，局长尹海林主持。常务副局长李春梅介绍市规划局“保增长、渡难关、上水平”的工作思路和举措。各区就有关规划问题进行探讨并对局规划管理工作提出意见和建议。会议要求六个分局进一步做好服务工作，在“保、促、推”的基础上，进一步做好规划，全面完成市委、市政府的总体要求。市内六区领导参加。

19日 市长黄兴国签发市政府第17号令《天津市规划控制线管理规定》，自2009年4月1日起施行。

同日 指挥部听取海河中游城市设计汇报，副总指挥、市规划局局长尹海林主持。易道公司就城市设计修改方案进行汇报，会议要求抓紧时间深化完善，并作好向指挥部领导汇报的准备。指挥部重点组组长郭凤平，市规划局副局长沈磊、副局巡侯学刚，市规划参加。

24日 市规划局组织赴津南区委调研，局党委副书记战秋艳带队。就津南区规划分局科级干部的选拔任用程序、科级干部调任、公务员招录等事宜进行深入细致地探讨，取得共识。2月27日，局党委副书记又带队赴东丽区委调研。

25日 市规划局召开环城四区、五区县“保增长、渡难关、上水平”区县政府座谈会，局长尹海林主持。会议介绍市规划局保增长渡难关上水平的“三一一三”工作方案和举措。各区县就市规划局提出的方案和举措，以及实际工作中规划管理体制机制运行问题和重点规划项目提出意见和建议。会议现场协调解决一些规划问题。局党委书记黄立民、常务副局长李春梅、副局长鲁承斌出席，环城四区、五区县政府、四区规划分局、五区县规划局及局机关有关处室负责人参加。

同日 指挥部听取迎宾馆地区城市设计汇报，副总指挥、市规划局局长尹海林主持。市规划院、市建院分别汇报方案，会议要求深入研究该地区的建筑风格、水系、交通等有关内容，尽快修改方案，做好向市领导汇报的准备。指挥部重点组有关人员参加。

26日 市人大常委会在市规划展览馆召开《地下空间条例》新闻发布会，副主任李润兰、左明参加，市人大法工委主任张树明主持。市政府法制办主任矫捷、市规划局局长尹海林，各委办局、区县局、市规划局系统各单位和局机关相关处室参加。

同日 市政府法制办召开会议研究《城乡规划条例》，法制办主任矫捷主持。法制办副主任雷颖君，城建法规处处长李建华、审核备案处处长魏相如、市规划局副局长鲁承斌，局机关相关处室参加。此后，市政府法制办于3月2日和3月30日专题研究《城乡规划条例》。

同日 市规划局常务副局长李春梅、副局巡刘荣带队，赴混成七师空军部队服务。对地铁三号线吴家窑站规划方案调整及部队院内规划改造方案进行研究。

同日 《每日新报》第29版，专题刊登《城市规划管理技术规定》有奖知识问答。

27日 市规划局召开第2次局长办公会，局长尹海林主持。审议《天津市规划局2009年重点工作目标分解》和局系统各单位2009年工作计划，并汇报全国测绘局长会议和地名处有关情况。全体局领导出席，局属单位行政主要负责人、派出机构行政主要负责人，机关处室主要负责人参加。

3月

2日 指挥部听取杨柳青、咸水沽城市设计方案汇报，副总指挥、市规划局局长尹海林主持。清华大学规划院汇报方案，会议要求，空间尺度、新城特色等方面要进一步深化，尽快完成方案。西青、津南分指挥部有关人员参加。

5日 指挥部听取中心城区控规深化完善工作阶段性汇报，副总指挥、市规划局局长尹海林主持。会议对下一步工作提出要求。指挥部分区组组长郑嘉轩、副组长秦川、侯学钢参加。

6日 市规划局召开第3次局长办公会，局长尹海林主持。审议通过《天津市规划局2009年局立法计划暨技术标准、行政规范性文件制定计划》

和局系统各单位2009年工作计划等议题，并对规划志编写工作提出具体要求。全体局领导出席，局属单位、派出机构行政主要负责人，机关处室主要负责人参加。

10日 指挥部听取子牙循环经济区、海河教育园区和海河上游五公里相关专项方案设计汇报，总指挥、副市长熊建平主持。中颐设计院、市建院、滨海建筑设计公司、北方市政设计院等单位汇报起步区规划、小城镇单体方案、绿带设计方案等。会议要求要编制总体设计导则，并针对林业区、建筑风格、配套设施、绿化等方面提出指导意见；要按照国际一流教育基地的目标搞好规划设计；继续深入研究各专项设计方案并做好汇报准备。副总指挥、市规划局局长尹海林、静海县副县长刘家兴，静海县规划局、津南区政府副区长赵仲华、市教委副主任刘欣、相关职校、市商务委、市国土房管局、市水利局、市旅游局、市市政公路局、市海河办、城投集团、海河公司，津南区政府、东丽区政府、子牙循环经济区管委会、城投集团、市规划院等有关人员参加。

11日 市规划局召开学习实践科学发展观活动总结大会，局长尹海林主持。会议要求要建立完善学习实践科学发展观的长效机制，继续抓好整改落实方案的实施，全面提高领导班子和领导干部贯彻落实科学发展观的水平和能力。市委指导检查组组长陆铁宝、副组长陆春来、成员张孝义，市规划局领导班子成员出席。局属各单位领导班子成员、党办主任，十规划分局主要负责人，机关全体党员、处以上非党员干部，总队、四中心、滨海分局、园区处全体党员，离退休党员代表参加。

14日 指挥部听取轨道线网色选色方案和文化中心项目情况汇报，总指挥、副市长熊建平主持。会议确定轨道线选色原则，并要求市规划局对方案进行批复，做好轨道交通标志标识的规划工作，并要求做好向市领导汇报的准备工作。副总指挥、市规划局局长尹海林、指挥部重点组组长沈磊，市规划局、市文化局，市规划院、城投集团、地铁公司有关人员参加。

16日 指挥部听取西站功能分区、交通组织和广场景观设计方案汇报，总指挥、副市长熊建平主持。铁三院和市建院分别就西站功能交通组织和景观方案进行汇报。会议要求要注重功能需求，深化交通细节研究，景观设计应重视广场与站房的关系，突出主视点和主立面。市规划局、市建委、市交委、市国土房管局、市发改委、红桥区政府、市公安交管局、指挥部重点组、地铁公司、市规划院、市政院有关人员参加。

同日 市规划局常务副局长李春梅带队，赴市容环境整治工程现场津塘路进行现场踏勘。就津塘路大桥道段及十四经路段电力、通讯架空线入地等问题进行研究。城投集团、市配套办、管网公司、电力公司、市供热办、路灯处、市规划院有关人员参加。

同日 市政府召开全国地理信息市场专项整治工作电视电话会议天津分会场会议，副局长鲁承斌主持。国家测绘局局长徐德明部署全国地理信息市场专项整治工作，国家工业和信息化部等6部、局针对各自职责进行工作部署。市发改委、市信息化办、市国家保密局、市国家安全局、警备区等23家有关部门、市规划局有关人员参加。

17日 指挥部听取海河教育园区（北洋园）和子牙循环经济区方案汇报，总指挥、副市长熊建平主持。规划院等七家单位汇报设计方案，会议要求尽快做好向市长黄兴国汇报的准备工作。副总指挥、市规划局局长尹海林、教委副主任刘欣、津南区副区长赵仲华、静海县副县长刘家兴、城投集团有关负责人参加。

19日 市长黄兴国听取海河教育园区（北洋园）、天拖地区城市设计、子牙循环经济区、文化中心规划方案汇报。市规划院汇报海河教育园区规划工作进展情况和城市设计导则，介绍7所学校的总平面布局、建筑风格。会议对起步区的公建布局、学校轴线两侧建筑功能的设置、建筑风格、学校大门的设计等方面提出修改意见。总指挥、副市长熊建平、秘书长李泉山，副总指挥沈东海、副总指挥、市规划局局长尹海林、城投集团董事长马白玉、市教委副主任刘欣、市国土房管局副局长段宝森、津南区副区长赵仲华及有关人员参加。

同日 市规划局召开“保增长、渡难关、上水平”滨海新区各区政府及各功能区、园区管委会座谈会，局长尹海林主持。会议介绍市规划局“保增长、渡难关、上水平”相关服务措施。局党委书记黄立民、总规划师霍兵，滨海新区各区政府及各功能区、园区管委会、滨海分局、园区处及规划局相关处室负责人参加。

20日 指挥部听取迎宾馆城市设计汇报，总指挥（副市长）熊建平主持。市规划院、市建院汇报设计方案，会议要求要开阔思路，从功能布局、内外交通等方面入手深入研究。副总指挥、市规划局局长尹海林、机关事务管理局负责人及有关人员参加。

同日 指挥部听取海河中游城市设计汇报，总指挥、副市长熊建平主持。易道（北京）公司汇报了规划设计修改方案。会议就海河中游定位、功能板块、布局等方面进行研究。会议要求海河中游城市设计的核心是功能定位，要研究好海河中游与中心城区和滨海新区的关系，把研究视野放入京津冀大区域角度来分析，突出生态、宜居性。副总指挥、市规划局局长尹海林，指挥部重点组、协调组，市水利局、市国土房管局、津南区政府、东丽区政府、海河办、城投集团有关人员参加。

21日 市长黄兴国听取海河上游后五公里工作汇报。黄兴国提出深化方案的思路。副市长熊建平，秘书长李泉山，副总指挥沈东海、尹海林，市委规建工委、市商务委、市旅游局、市水利局、津南区政府、东丽区政府、城投集团、海河公司、市指挥部重点组、市规划院有关人员参加。

24日 市规划局听取十分局规划管理体制机制有关工作情况汇报，局长尹海林主持。汇报后，会议研究分析各分局在体制机制中存在的主要问题，明确下一步工作重点和责任部门。局党委书记黄立民、常务副局长李春梅，十分局及局相关处室负责人参加。

25日 市规划局举行《天津市规划管理技术规定》有奖问答抽奖仪式，最终产生33位获奖者。副局长鲁承斌主持。

28日 指挥部听取和平路城市设计汇报，总指挥、副市长熊建平主持。夏邦杰公司汇报设计方案，熊建平对规划范围、功能定位、节点布局、交通、业态布局、近期改造等方面提出修改完善意见。副总指挥沈东海、尹海林、和平区副区长王玉柱，指挥部分区组组长郑嘉轩，副组长秦川、侯学钢，协调组组长师武军及市规划院有关人员参加。

同日 指挥部召开市指挥部第二十三次工作例会，总指挥、副市长熊建平主持。会议听取指挥部下一步工作方案及各组工作安排情况的汇报，并对各组下一步工作提出具体要求。副总指挥沈东海、黄立民、尹海林，指挥部各组组长、副组长、规划局相关领导参加。

31日 市规划局与海口市人大常委会召开座谈会。介绍市规划局城乡规划管理工作的业务流程和程序，并演示城乡规划管理业务系统。局长尹海林、局纪检组长刘胜利、副局长鲁承斌、海口市人大常委会及相关处室负责人参加。

4月

3日 市规划局召开滨海新区城市设计改革试验工作推动会，常务副局长李春梅主持。就《市规划局关于落实滨海新区综合配套改革试验总体方案三年实施计划的工作方案》（征求意见稿）征求各单位意见。会议要求各单位要按照总体工作方案的要求，抓紧制定工作计划，进行城市设计编制、管理的探索实践。副局长鲁承斌、总规划师霍兵出席，滨海分局、规划院、滨海新区各区及功能区相关部门及局相关处室参加。

5日 原天津市委书记、市长、第九届全国政协主席李瑞环一行参观市规划展览馆，市委书记张高丽，市委副书记、市长黄兴国陪同，市规划局局长尹海林、副局巡诸铭接待。

6日 市长黄兴国主持听取文化中心、海河教育园区（北洋高职园）项目方案深化工作情况。会议提出完善方向和具体要求。副市长（总指挥）熊建平、市规划局局长（副总指挥）尹海林、指挥部分区组组长郑嘉轩、重点组组长沈磊，市规划院、市建院、大地天方设计公司、博风设计公司、天津大学建筑学院、华汇公司和华东设计院有关人员参加。

8日 市规划局党委书记黄立民、总建筑师秦川会见法国AREP集团客人。

同日 市规划局局党委书记黄立民、总规划师霍兵带队，赴中新天津生态城管委会调研服务。滨海分局、局机关相关处室负责人参加。

9日 市规划局党委书记黄立民、副书记战秋艳、常务副局长李春梅带队，赴北京市规划委员会调研。就规划分局的机构设置、人员编制、组织人事、经费管理、违法建设查处、执法监察队伍建设以及规划业务的审批和办理流程等情况进行交流。十个规划分局、滨海分局、园区处、局机关相关处室负责人参加。

10日 市规划局局长尹海林、副局长鲁承斌带队，赴津南区政府调研。与区政府就近期重点发展项目进行沟通协调。津南区政府、市规划院、局机关相关处室负责人参加。

11日 指挥部听取迎宾馆地区和文化中心规划汇报，总指挥、副市长熊建平主持。市规划院、市建院分别汇报了规划设计方案，熊建平对现状、功能分区、功能设置、交通等方面提出修改完善意见。副总指挥沈东海、副总指挥、市规划局局长尹海林、指挥部分区组组长郑嘉轩、重点组组长沈磊、协调组组长师武军、分区组副组长秦川、市建院院长刘军，市机关事务管理局、市文化局有关人员参加。

13日 市规划局召开第4次局长办公会，局长尹海林主持。会议通报市政府第2次廉政工作会议情况，听取2009年一季度行政、业务管理工作情况汇报，审议《天津市北洋园总体规划（2009-2020年）》、《天津市中心城区控制性详细规划修编方案》、《天津市规划局教育培训管理办法》、《天津市规划局政务网政务信息管理暂行办法》、市规划展览馆展品定期更新机制等议题，并研究勘察院有关资产情况。全体局领导出席，局属单位行政主要负责人、派出机构行政主要负责人，局机关处室主要负责人参加。

同日 市规划局局长尹海林接受天津日报集团《新广角》杂志记者采访。尹海林就海河、中心商务区、城市交通、滨海新区规划等回答记者的提问。

15日 指挥部听取海河教育园区（北洋园）规划汇报，总指挥、副市长熊建平主持。规划院汇报方案，会议要求从功能布局、交通、配套设施方面进行深化，并进行经济分析。副总指挥、市规划局局长尹海林、市教委副主任刘欣、津南区副区长赵仲华，分区组、协调组负责人，七家学校负责人、设计单位负责人参加。

同日 指挥部听取西站南广场城市设计深化汇报，总指挥、副市长熊建平主持。天津大学规划院、北京中天华鼎、美国六东方圣（北京）三家设计单位分别汇报设计方案，会议要求西站南广场首要满足交通功能，梳理好各种交通关系，以带动地块商业发展，空间上要突出地下地上、站内站外的结合。副总指挥、市规划局局长尹海林，指挥部重点组、协调组组长，市建委、市交委、市国土房管局、市交管局、红桥区政府、城投集团、建设投资公司、铁三院有关人员参加。

16日 市委书记张高丽、市长黄兴国赴海河两岸视察。视察大悲院码头至海津大桥建设及规划管理有关情况，听取海津大桥至外环线大桥海河后五公里规划设计方案。指挥部重点组、分区组，市商务委、市建委、市市容委、市规划局、市园林局、市旅游局、市水利局、各相关区政府、海河办、城投集团、旅游集团、海河公司负责人参加。

18日 指挥部召开第24次工作例会，副总指挥、市规划局局长尹海林受总指挥、副市长熊建平委托主持。会议听取下一步工作方案及各组工作安排情况的汇报，并对下一步工作提出具体要求。副总指挥黄立民，指挥部各组组长、副组长参加。

23日 市规划局党委向市规划建设工委学习实践科学发展观活动领导小组汇报学习实践活动整改落实情况，从整改目标和整改责任的落实、建立完善体制机制、干部队伍和人才队伍建设、作风建设和窗口建设，抓好学习实践活动“回头看”等方面汇报市规划局整改落实后续工作情况。工委指导检查组对市规划局学习实践活动整改落实情况给予充分肯定，并对下一步深化整改落实工作提出要求。局党委书记黄立民、副书记战秋艳，工委学习实践科学发展观活动领导小组、局机关相关处室参加。

24日 住房和城乡建设部、监察部在京联合召开治理房地产开发领域违规变更规划调整容积率问题专项工作电视电话会议。市规划局和监察局在电报大楼设分会场。会议要求要依法行政，严格规范容积率指标管理，完善监管制度，加强监督检查。市规划局局长尹海林、局纪检组组长刘胜利、副局长郑嘉轩，市监察局局长韩启祥出席。市建委、市国土房管局、18个区县政府、开发区、保税区、新技术产业园区、东疆港保税区、中新生态城管委会负责人及其规划部门、监察部门负责人、局机关相关处室负责人参加。

25日 指挥部听取文化中心深化设计方案汇报，总指挥、副市长熊建平主持。会议听取文化中心单体设计深化方案的汇报。副总指挥、市规划局局长尹海林，重点组组长沈磊、市文化局、河西区政府、市建院、市规划院、华汇设计公司、华东设计院有关人员参加。

26日 市委常委、市政法委书记散襄军，副市长熊建平共同主持召开高速铁路博雅园段信访涉稳工作会议。市规划局副局巡刘荣参加。

29日 指挥部听取东丽规划研究提升汇报，总指挥、副市长熊建平主持。市规划院汇报东丽区规划研究提升方案，会议就规划的整合、功能、定位、布局等方面提出下一步深化要求。副总指挥、市规划局局长尹海林、东丽区副区长王连成、指挥部分区组组长郑嘉轩、重点组组长沈磊、协调组组长师武军、分区组副组长秦川参加。

同日 指挥部听取海河教育园区（北洋园）路网规划汇报，总指挥、副市长熊建平主持。市规划院汇报海河教育园区路网规划情况，会议提出下一步深化要求。副总指挥、市规划局局长尹海林、分区组组长郑嘉轩参加。

同日 指挥部听取西站南北广场设计方案汇报，总指挥、副市长熊建平主持。天津大学、北京中天华鼎、上海城建院分别汇报南北广场设计方案，会议要求西站南广场业态要与市场结合，主站房前的交通集散广场和东侧生态景观广场还要进一步深化细化，南北通道的商业连廊要贯通，穿越南广场的管廊带位置要细化研究，并做好向市领导汇报的准备。副总指挥、市规划局局长尹海林，指挥部重点组、协调组，市建委、市交委、市国土房管局、红桥区政府、市交管局、市城投集团、建设投资公司、铁三院有关人员参加。

30日 市规划局举行2008年度局机关处级领导干部优秀调研成果评审，评选出一等奖5名，二等奖5名，三等奖10名。

5月

6日 市长黄兴国主持召开市政府第28次常务会。审议并原则通过《天津市空间战略规划研究》《静海县城乡总体规划（2008-2020年）》和《天津子牙循环经济产业区总体规划（2008-2020年)》。会议要求天津市空间战略规划研究在盐田利用、填海岸线、港口及航道布局、集疏运体系、海河桥梁通航能力等面深化，并要精心准备，报市委常委会审议。市规划局局长尹海林参加。

7日 市规划局常务副局长李春梅带队到市政协服务，专题研究团结大厦建设问题。滨海市政、西青区政府、局机关相关处室参加。

同日 市长黄兴国听取子牙循环经济区规划汇报。规划院汇报方案，市长黄兴国提出具体指导意见。市规划局局长尹海林、指挥部分区组、重点组、协调组负责人、东丽区、武清区、静海县主要领导参加。

同日 市规划局召开第5次局长办公会，局长尹海林主持。通报市政府机构改革的有关情况。审议《2009中国城市规划年会会议方案》、《天津市空间发展战略研究工作情况报告》等12个议题。局领导班子出席，局机关各处室、局属各单位、各派出机构行政负责人参加。

9日 指挥部听取南淀和侯台风景区策划方案汇报，总指挥、副市长熊建平主持。环投公司、市规划院分别汇报两个风景区的土地征收情况与策划方案，会议要求在绿化系统中分析风景区的定位，发挥良好的生态作用，并研究风景区建设标准。景区功能要突出生态原则，做大绿化，为城市提供生态服务。副总指挥、市规划局局长尹海林，指挥部重点组、协调组，城投集团有关人员参加。

11日 市规划局与烟台市规划局就天津市规划建设情况进行座谈。副局长沈磊，规划院及局机关相关处室参加。

12日 市规划局召开天津市2009年城乡规划编制计划工作部署会，局长尹海林主持。会议传达市政府关于2009年城乡规划编制计划工作方案。常务副局长李春梅、各区县政府、各区县规划局、有关委办局、市规划院及局机关相关处室参加。

同日 市规划局召开天津市区县示范产业园规划编制部署工作会，局长尹海林主持。会议讲解示范产业园规划编制的基本技术要求，对下一步区县示范产业园规划编制工作提出具体要求。副局长郑嘉轩、副局巡侯学钢，有关区县政府、区县规划局、有关委办局、市规划院及局机关相关处室有关人员参加。

同日 市规划局纪检组组长刘胜利、总建筑师秦川接受中央电视台采访。

同日 在市第十届优秀调研成果评选中，市规划局获得二等奖1篇，三等奖5篇。

14日 指挥部研究海河上游后五公里规划深化方案，总指挥、副市长熊建平主持。会议分别听取各设计单位关于桥梁设计、五公里范围深化设计及会展中心设计的汇报，会议要求设计单位继续深化方案，加快该项目的启动。副总指挥沈东海，指挥部重点组郭凤平、沈磊，协调组、津南区、市商务委、东丽区政府、天津港保税区、城投集团、市规划院、市建院、海河公司有关人员参加。

同日 市委组织部、市委规划建设交通工委在市规划局召开会议，宣布规划局领导班子调整决定。会议由市委规划建设交通工委书记沈东海主持。市委组织部常务副部长张俊滨宣读市委关于黄立民同志任免职的决定、市规划局党委改为党组的决定、尹海林、战秋艳同志任免职的决定。尹海林任天津市规划局党组成员、书记，战秋艳任天津市规划局党组成员、副书记。市委规划建设交通工委副书记郑建民，市委组织部副巡视员、经济干部处处长李惠玲，市委规划建设交通工委副巡视员曹慧泉出席。局领导、局机关正处长和基层单位党政主要负责人参加。

16日 市长黄兴国在指挥部听取文化中心项目汇报。副市长张俊芳、熊建平、李文喜，秘书长李泉山出席，市委规建工委、市建委、市发改委、团市委、市文化局、指挥部重点组、规划院有关人员参加。

18日 市规划局副局长鲁承斌与呼和浩特市规划局领导座谈。局机关相关处室负责人参加。

22日 市规划局传达贯彻全市纪检监察系统干部会议精神，局纪检组组长刘胜利主持。会议传达中纪委书记贺国强在加强纪检监察机关自身建设座谈会上的重要讲话精神和市纪委书记臧献甫在全市纪检监察系统干部会议上的讲话精神。会议要求要准确理解和把握主题实践活动的总体要求，认真制定工作方案，有计划、有步骤地开展好主题实践活动。局系统各单位纪委书记参加。

23日 市委副书记何立峰、市委常委苟利军到市规划局听取滨海新区总体规划汇报。局领导班子成员出席，市滨海委、滨海分局、规划院、局机关相关处室负责人参加。

27日 市规划局召开天津市专项治理房地产开发中违规变更规划、调整容积率问题工作会，局纪检组组长刘胜利主持。常务副局长李春梅、副局长鲁承斌，市监察局、市国土房管局出席，各区县规划（分）局、监察局、国土资源分局，开发区建发局，保税区规建局，滨海委监察室、局机关相关处室负责人参加。

30日 市规划局在市委规划建设交通工委组织的2007-2008年度领导干部优秀调研成果评比中，获得一等奖3篇，二等奖7篇，三等奖9篇。局法研处被评为规建系统调研工作先进单位。

31日 市长黄兴国主持召开市政府第30次常务会议，审议并原则通过《天津市城乡规划条例》（草案），拟提请市人大常委会审议。原则通过天津市农村示范工业园区规划设计导则。市规划局局长尹海林参加。

6月

2日 市规划局召开进一步加强建筑外檐规划管理工作研讨会，局长尹海林主持。常务副局长李春梅出席，滨海分局、园区处、18个区县规划（分）局、各功能区规划管理部门及局机关相关处室负责人参加。

3日 指挥部听取西站站房立面和南北广场设计方案汇报，总指挥、副市长熊建平主持。会议要求站房立面按三个方案深化，西站南广场在优化方案基础上深化协调景观、商业和地下空间开发的关系。副总指挥沈东海、副总指挥、市规划局局长尹海林，指挥部重点组、协调组，市建交委、红桥区政府、城投集团、铁三院有关人员参加。

3日-12日 市委、市政府向全市人民广泛征求对天津市空间发展战略规划、天津市文化中心规划方案的意见和建议。通过新闻媒体、规划展览馆展示等方式公开向全市人民征求意见，参观3万余人次，收到信件、电子邮件905封，电话969个，现场留言626个，人大代表、政协委员和专家座谈会意见68条。

4日 市政府印发《关于提请审议<天津市城乡规划条例（草案）>的方案》函（津政函[2009]79号）。

6日 指挥部研究供热和燃气专项规划，总指挥、副市长熊建平主持。会议听取专项规划方案，并要求相关单位继续深化完善方案，推动专项规划进展。市发改委、市建交委、市国土房管局、市规划局、市环保局、市供热办、华北院、市燃气设计院、市规划院有关人员参加。

9日 市规划局召开天津市空间发展战略和文化中心规划设计方案专家、学者座谈会，局长尹海林主持。市规划局对两项规划做简要介绍，专家、学者针对方案提出意见和建议。副局长沈磊出席，规划院及局机关相关处室负责人参加。

同日 市规划局分别组织赴津南分局和河西分局进行城乡规划业务管理检查，常务副局长李春梅带队。局机关相关处室负责人参加。

11日 市规划局党组书记、局长尹海林《关于充分发挥规划龙头作用的研究与思考》在规建交工委《决策参考》（第2期，总第238期）上发表。

同日 市规划局纪检组组长刘胜利、副局长鲁承斌、总建筑师秦川接待市劳动模范参观市规划展览馆，并讨论《天津市空间发展战略规划》《天津市文化中心规划设计》两个方案。局机关相关处室负责人参加。

13日 指挥部听取海河后五公里规划汇报，总指挥、副市长熊建平主持。市规划局副局长沈磊汇报海河后五公里沿线拓展部分的设计、会展中心和桥梁方案。会议要求会展中心在风格不变的前提下，就“分”与“和”两方案进行优化，并细化货运通道功能，设计要研究好街区拓宽的可能性。副总指挥沈东海、尹海林，指挥部重点组、协调组，市商务委、市国土房管局、城投集团、天津港保税区管委会、东丽区政府、津南区政府有关人员参加。

16日 市规划局到行政许可服务中心开展“6·16服务接待日”活动，常务副局长李春梅带队。活动期间接待业务咨询40余人次，现场解答问题21个，核发陈塘庄220千伏变电站扩建工程、津滨高速公路改扩建工程、津湾广场张自忠路下沉地道等业务审批许可成果16件，受理业务案件5件，并就百富勤公司滨江道商业建筑外檐方案等7个疑难问题进行现场协调和落实。局机关相关处室负责人参加。

同日 市规划局接待参加中国电视长城平台节目工作会议的媒体参观市规划展览馆。总建筑师秦川简要介绍天津市城市总体规划、滨海新区规划等有关规划情况。国家广电总局、中央电视台、中视传媒、北京电视台、上海东方卫视、湖南卫视、深圳卫视，凤凰卫视等20多家电视媒体，局机关相关处室负责人参加。

23日 市规划局召开第6次局长办公会，局长尹海林主持。会议通报天津市空间发展战略和文化中心规划设计方案征求群众意见情况，并审议局2009年指令性任务、天津市规划局技术委员会工作规则等11个议题。局领导班子出席，局机关各处室、局属各单位、各派出机构行政负责人参加。

26日 市规划局机关召开纪念建党88周年表彰先进暨颂歌献给党歌咏大会。会议宣布局机关党委《关于表彰局机关先进党支部、优秀共产党员、优秀领导干部、优秀党务工作者和最佳党性实践活动党支部的决定》。并向先进党支部、优秀共产党员、优秀领导干部、优秀党务工作者和最佳党性实践活动党支部颁发奖牌和荣誉证书。局领导，局机关全体党员干部，挂靠机关党委管理单位党员、入党积极分子代表参加。

29日 市规划局召开纪念建党88周年表彰先进暨颂歌献给党歌咏大会，局党组副书记战秋艳主持。会议宣布2009年度先进党组织和优秀个人的表彰决定，并向受表彰的先进党组织和优秀个人颁发奖牌、奖杯和荣誉证书，局党组书记尹海林讲话。局领导班子成员，局系统各单位班子成员，局机关全体干部，受表彰的先进集体和优秀个人，以及部分党员、入党积极分子、离退休党员代表参加。

7月

2日 市规划局党组召开第1次党组会议，局党组书记尹海林主持。会议就新一届党组如何发挥核心作用，领导规划上水平提出要求。七名党组成员参加，局机关相关处室负责人列席。

4日 原中共中央政治局常委、国家副主席曾庆红携夫人一行30人参观市规划展览馆，市委书记张高丽陪同，市规划局局长尹海林接待。

6日 副市长熊建平主持召开2009年市政府第5次规划建设项目审查会。会议研究了市建交委马场道办公楼方案设计等建设项目。市建交委、市国土房管局、市规划局有关人员参加。

同日 市人大常委会城建环保委在市规划局召开第5次会议，城环委主任苏文利主持。审议《天津市城乡规划条例》（草案），市人大副主任李润兰出席，市规划局副局长鲁承斌、局机关相关处室负责人参加。

7日 指挥部召开重点工程协调会，总指挥、副市长熊建平主持。会议研究彩印道涉及拆除党政专用电话局用房安置选址问题和纪庄子大队安置方案。市规划局常务副局长李春梅，市国土房管局、城投集团有关人员参加。

8日 市规划局党组副书记战秋艳接待厦门市规划局党组书记粱志灵一行。规划院、局机关相关处室负责人参加。

9日 指挥部听取第二批公示方案汇报，总指挥、副市长熊建平主持。市规划局副局长沈磊汇报公示内容修改情况，会议就公示方案内容进行研究。副总指挥、市规划局局长尹海林，指挥部重点组、市规划院有关人员参加。

13日–22日 天津市中心城区“一主两副”、于家堡金融区、响螺湾商务区、天津市生态布局、中新天津生态城、天津市海河教育园区6个规划设计方案，通过新闻媒体、规划展览馆展示等方式，向全市人民征求意见，公示活动取得良好成效。累计接待参观4万余人次，收到信件和电子邮件2691封，电话2743个，现场留言1942条，人大代表、政协委员、专家学者座谈会征求意见150条。

19日 市规划局研究局主要职责，局长尹海林主持。全体局领导、局机关相关处室负责人参加。

20日 市规划局副局长沈磊接受新华社天津分社记者采访。就中心城区“一主两副”规划方面的提问进行回答。

21日 市规划局召开《天津市中心城区“一主两副”规划设计方案》等6个规划方案市人大代表、政协委员座谈会，常务副局长李春梅主持。会议要求各有关部门对市人大代表、政协委员的意见建议进行认真梳理、研究和学习。副局长沈磊，滨海分局及局机关相关处室负责人参加。

同日 市规划局副局长郑嘉轩、沈磊接受人民网天津视窗记者采访。就中心城区“一主两副”规划、海河教育园区规划回答了网友提问。

22日 市十五届人大常委会召开第十一次会议，第一次审议《天津市城乡规划条例》（草案）。会议决定，由市人大法制委员会根据会议所提意见对法规草案进行修改后，再次提请常委会会议审议。市规划局局长尹海林出席会议并做说明，局机关相关处室参加。

23日 市委组织部、市委规划建设交通工委在市规划局召开副局级领导干部试用期满民主测评会，局党组书记、局长尹海林主持。工委委员、正局级巡视员郑建民作动员讲话，副局长沈磊、总建筑师秦川对试用期一年来的工作情况进行述职。局领导班子成员、基层单位党政“一把手”、局机关处长参加。

24日 市规划局召开2009年第7次局长办公会，局长尹海林主持。通报市委理论学习中心组读书会暨“保增长、渡难关、上水平”活动现场交流推动会和《天津市中心城区“一主两副”规划设计方案》等6个规划方案公开征求意见建议的情况。审议区县示范工业区规划编制工作进展情况等5个议题。全体局领导出席，局属各单位、派出机构、区县局、功能区局行政主要负责人、机关处室主要负责人列席。

25日 市委副书记何立峰、副市长熊建平在市规划局主持召开滨海旅游区规划汇报会议。市规划局局长尹海林、总规划师霍兵参加。

26日 受总指挥、副市长熊建平委托，副总指挥尹海林主持召开指挥部第26次工作例会。会议听取指挥部各组119项规划成果的审批验收情况，新增项目的工作进展及存在问题的汇报。指挥部各组组长、副组长，市规划局有关人员参加。

28日 市规划局党组召开局领导班子民主生活会，局党组书记尹海林主持。班子成员以“加强领导干部党性修养，树立和弘扬良好作风”为主题，结合领导班子、领导干部的思想工作实际，在肯定成绩的同时，认真开展批评与自我批评，提出下一步整改措施。市规建交工委巡视员郑建民出席，局领导班子全体成员参加。

同日 市规划局召开贯彻实施《基础测绘条例》电视电话会议天津市分会场会议，副局长鲁承斌主持。市政府法制办、市发改委、市财政局、各区县、开发区、保税区测绘行政主管部门及市测绘院有关人员参加。

31日 市规划局召开《天津南港工业区分区规划（2009–2020年）》委局联席会议，常务副局长李春梅主持。会议听取中国城市规划设计研究院《天津南港工业区分区规划（2009–2020年）》方案汇报，各委办局参会代表现场发言。水利部海委、天津警备区、市滨海委、市发改委、市经济和信息化委、市商务委、市公安局、市国土房管局、市建交委、市环保局、市市容园林委、市农委、市水务局、市交通港口管理局、市海洋局、市消防局、市政公路局、天津港集团、大港区政府、大港油田集团公司有关人员参加。

8月

1日 指挥部听取第二批重大规划设计方案公示意见建议采纳情况汇报，总指挥、副市长熊建平主持。规划院汇报有关情况，熊建平对汇报提出修改意见。副总指挥、市规划局局长尹海林，副局长沈磊，局机关相关处室负责人参加。

同日 指挥部听取天津站后广场地铁换乘中心装修方案汇报及专家评审工作，总指挥、副市长熊建平主持。会议听取深圳广田、市建院、深圳利德行关于天津站轨道换乘中心装修设计方案的汇报，确定轨道换乘中心装修设计方案。市规划局常务副局长李春梅，市建交委、天津站枢纽工程指挥部、城投集团、城投建设公司及相关设计单位有关人员参加。

3日 中组部、市委组织部在市规划局召开干部工作会议，局党组副书记战秋艳主持。市委组织部常务副部长张俊滨对干部测评工作进行部署，并提出要求。中组部考核组与有关同志进行考察谈话。局领导、市建院、市规划院、市测绘院班子成员和局机关处级以上干部参加。

4日 市政府在市规划局召开滨江道地区综合整治和文化中心规划设计方案汇报会。市长黄兴国、常务副市长杨栋梁、副市长张俊芳、熊建平、任学锋、秘书长李泉山出席，市规划局局长尹海林、副局长沈磊参加。

同日 市长黄兴国在市规划展览馆主持召开北宁公园地区改造会议，并进行现场视察。会议听取市规划院北宁公园改造提升规划方案及资金平衡汇报。市长黄兴国就北宁公园及周边地区的发展定位、发展规划及资金平衡问题提出具体要求，并初步确定实施方案。副市长熊建平、任学锋、市政府秘书长李泉山出席，市规划局局长尹海林，河北区政府、规划分局、市容委、市建交委、市旅游局、市国土房管局等主要负责人参加。

5日 市政府召开第37次市长办公会。会议原则同意梅江国际会展中心设计方案和土地操作、建设组织方式，并要求进一步深化完善方案。市规划局局长尹海林参加。

同日 市规划局向中国城市规划学会领导汇报年会筹备工作，局长尹海林主持。会议听取年会各项工作筹备情况汇报，中国城市规划学会石楠秘书长就做好年会筹备工作提出具体意见。会议要求各筹备组继续深化方案，倒排工期，按规定时间节点完成各项工作。局领导及局机关相关处室负责人参加。

6日 市规划局赴市人大机关现场服务，常务副局长李春梅带队。研究人大办公楼、配套服务楼改造及院内景观方案，力争十月一日前完成工程改造及院内景观实施。

8日 市规划局召开第8次局长办公会，局长尹海林主持。会议传达胡锦涛总书记对天津工作重要指示精神和市委、市政府关于学习贯彻重要指示精神的部署要求。会议要求，要在全面提升规划设计管理水平上下功夫、见成效。局领导班子，局属单位、派出机构、区县局、功能区局、机关各处室主要负责人参加。

同日 人民日报社社长一行参观市规划展览馆，市规划局副局巡诸铭接待。

9日 市长黄兴国主持召开第33次市政府常务会。会议研究区县示范工业园区建设工作，听取并原则通过北辰、津南、武清、汉沽、大港5个区县15个示范工业园区规划方案。会议要求进一步提升《天津市区县示范工业园区规划设计导则》，制定区县示范工业园区规划设计培训工作计划。市规划局局长尹海林、总建筑师秦川参加。

同日 市规划局副局巡诸铭陪同常务副市长杨栋梁接待中石油一行参观市规划展览馆。

10日 市人大法工委在静海团泊新城组织召开《天津市城乡规划条例（草案）》修改会议，规划局党组副书记战秋艳，局机关相关处室负责人参加。

11日 市规划局与香港新世界集团有关人员举行座谈会，会议介绍部分策划地块和天津市空间发展战略的主要内容。会议要求进一步加强沟通，积极为新世界集团在津投资做好规划服务。常务副局长李春梅、香港新世界集团有关人员参加。

同日 市规划局与杭州市规划局有关人员举

行座谈会，会议就乡、村庄规划区的划定以及与城市规划区的关系、控制性详细规划的编制、修改程序等问题进行交流。市规划局副局长沈磊、总规划师霍兵，杭州市规划局副局长何明俊及相关部门负责人参加。

12日 市长黄兴国听取环城四区城乡总体规划提升会议。会议要求，应充分围绕“双城双港、相向拓展”，沿海河这一轴线重点进行开发建设。副市长熊建平、秘书长李泉山出席会议。市规划局局长尹海林、市发改委、市建交委、市规划局、市国土房管局、市环保局、市规划院以及指挥部协调组负责人参加。

13日 市规划局局长尹海林接受天津电台新闻台记者采访。介绍近年来天津市重点规划编制情况、规划对引领城市科学发展的重要作用。

同日 市政府办公厅印发《关于聘任新一届天津市规划委员会规划设计委员会组成人员的通知》（津政办发〔2009〕118号）。经市政府同意，决定聘任交通运输部第二航务工程勘察设计院正高级工程师、中国工程院院士谢世楞为主任委员，市规划局副局长李春梅、规划设计研究院院长师武军为副主任委员。

同日 市政府办公厅印发《关于天津市规划委员会建筑艺术委员会更名和聘任新一届委员会组成人员的通知》（津政办发〔2009〕117号）。经市政府同意，决定将天津市规划委员会建筑艺术委员会更名为天津市规划委员会历史文化名城保护和建筑艺术委员会，并聘任天津大学建筑学院教授、中国工程院院士彭一刚为主任委员，市规划局副局长郑嘉轩、市建院院长刘军为副主任委员。

同日 市规划局总建筑师秦川接受天津电视台新闻台记者采访。就天津市区县示范工业园区的规划思路、规划编制情况以及规划在区县示范工业园区建设中的重要作用回答记者提问。

14日 副市长熊建平主持召开梅江国际会展中心建设工作会议。熊建平要求，会展中心正面与背面应保持一致的风格，内部要优化处理,能源方面尽量使用地源热泵。要在细节方面加大力度，选用材料要显示高品位。市规划局局长尹海林、市建交委、市发改委、市国土房管局、泰达控股、津滨时代、达沃斯筹备办等相关人员参加。

15日 指挥部召开文化中心项目汇报讨论会，总指挥、副市长熊建平主持。会议听取各设计单位近一段时间工作进展情况的汇报。会议要求，青少年活动中心B座建筑方案在功能、空间布局、立面效果等方面要进一步深化。副总指挥、市规划局局长尹海林、副局长沈磊、文化中心指挥部副主任窦华港、团市委，城投集团，青少年活动中心，市规划院，市建院，上海城建院，华汇建筑设计公司有关人员参加。

17日 市人大常委会法制委员会第十六次会议，审议《天津市城乡规划条例》（草案）。市规划局副局长鲁承斌、局机关相关处室负责人参加。

18日 市规划局纪检组组长刘胜利、副局长鲁承斌参加全国工程建设领域突出问题专项治理工作电视电话会议。会议要求，加强组织领导，制定工作方案，抓住重点，完善机制，切实使此项工作取得成效。

21日 中国城市规划协会规划管理专业委员会于8月21日至22日在西安召开年会暨深入贯彻落实《城乡规划法》研讨会。研讨会由中国城市规划协会主办，天津市规划局和西安市规划局承办。住房和城乡建设部部长姜伟新发来贺信。中国城市规划协会会长、原建设部副部长赵宝江出席会议并讲话。住房和城乡建设部城乡规划司司长唐凯受住房和建设部副部长仇保兴委托，围绕城乡规划管理工作做主旨报告，天津市规划局局长尹海林、西安市规划局局长和红星等作专题发言。

22日 《天津日报》整版篇幅刊登迎国庆反映天津规划工作60年发展稿件《规划变迁一部津城发展史书》。

24日 市规划局局长尹海林、总建筑师秦川陪同副市长熊建平对中心城区近期重点规划项目进行现场踏勘。

同日 市规划局副局长沈磊接受天津政务网政务访谈采访。简要介绍天津市中心城区“一主两副”等6个规划设计方案和公示情况以及下一步规划工作的重点。

25日 市规划局副局长鲁承斌等赴京与住房和城乡建设部与建设部城乡规划司副司长孙安军就政策标准进行沟通。

同日 市规划局召开乐园商业方案国际征集发布会，副局长沈磊主持。会议要求，功能安排、空间组织和氛围创造应有独到之处。市建院、上海城建院、城投集团、市政投资公司、迪赛公司、第一太平戴维斯、华东院、澳大利亚五合国际、美国

TVS、美国凯里森、英国查普曼·泰勒、文化中心建设指挥部相关人员参加。

26 日 副市长熊建平主持召开中心城区规划近期重点工作计划汇报会议。会议听取关于海河两岸、中心公园、南京路等 8 个重点地区，南淀、侯台等 4 个风景区，高层建筑顶部整改，夜景灯光改造等工作的汇报，对现有建筑及规划情况进行分析，提出下一步工作计划。市规划局局长尹海林、副局长沈磊、总建筑师秦川参加。

27 日 市规划局召开天津市区县示范工业园区规划建设培训会，局长尹海林主持。讲解《天津市区县示范工业园区规划设计导则》，结合 31 个工业园区的规划方案，对功能布局、开发强度、道路、绿化景观提出相关要求。总建筑师秦川、相关区县政府、区县规划（分）局、区县示范工业园区管理机构负责人参加。

同日 天津电台新闻台《天津新闻》节目播发《科学规划引领城市发展》录音报道，市规划局局长尹海林介绍用科学规划引领城市未来发展和近年来全市重点规划编制情况。

同日 天津政务网播发市规划局副局长沈磊接受政务访谈的报道以及视频录像。简要介绍天津市中心城区“一主两副”等 6 个规划设计方案和公示情况。

同日 《人民日报》在头版头条位置刊发了介绍天津逆境突围，保持经济持续平稳较快发展的长篇通讯《危中有机事在人为》。介绍天津两次规划方案的公示情况，称赞此举为“多年未有的创新之举”、“集民智，聚民气”之举。

28 日 市规划局局长尹海林陪同市委书记张高丽赴津湾广场现场调研。

同日 市规划局组织各区县测管部门和各测绘单位 500 余人进行《测绘法》大型宣传咨询活动。广泛宣传《中华人民共和国测绘法》、《中华人民共和国测绘成果管理条例》、《基础测绘条例》和《天津市测绘管理条例》。宣传活动中制作展版 200 余块，发放各种宣传材料近万份，接待群众 5000 余人。天津电视台、每日新报、北方网、中国测绘报等新闻媒体均作专题报道。

29 日 指挥部研究文化中心建设有关工作，总指挥、副市长熊建平主持。会议听取市规划局副局长沈磊关于方案设计深化情况的汇报。会议要求，关于乐园选址方案，要在整体功能上满足生态景区的功能，要把乐园新址周边的交通进行合理规划，形成一个交通体系网。副总指挥、市规划局局长尹海林，市发改委、市建交委、市规划局、市国土房管局、市财政局、市文化局、市公安交管局、市测绘院、团市委、河西区政府、城投集团有关人员参加。

同日 副市长熊建平主持研究泰安道项目城市设计方案。会议听取市规划院关于泰安道项目城市设计方案汇报，原则同意规划功能布局。市规划局局长尹海林、常务副局长李春梅、市国土房管局副局长段宝森、市旅游集团董事长张大为、市规划院院长师武军、华汇设计公司总经理周恺参加。

31 日 市长黄兴国主持召开市政府第 38 次市长办公会议。会议听取开发区管委会、市规划局、中国城市规划设计研究院关于南港工业区分区规划编制情况、南港工业区分区规划审查意见和南港工业区分区规划方案的汇报。会议原则同意《南港工业区分区规划（2009–2020 年）》，要求规划要确定合理的发展时序，近期围海造陆至–2 到–3 米等深线之间，同时预留出南疆港区煤炭、矿石等货物南移至南港工业区的发展空间。市规划局局长尹海林，市发改委、市经信委、市建交委、市国土房管局、市滨海委、市财政局、市审计局、市环保局、市水务局、市安监局、市交通港口局、市海洋局、市海事局、水利部海委、开发区管委会、大港区政府、中规院、一航院、国际工程咨询公司等有关人员参加。

9 月

1 日 市规划局召开《天津滨海新区城市总体规划（2009–2020 年）》征求市人大意见会，局总规划师霍兵主持。市规划院汇报了滨海新区城市总体规划。市人大常委会副主任李润兰、滨海新区工委副书记、滨海委常务副主任宗国英、滨海新区管委会副巡视员王国良出席。

2 日 市规划局召开第 9 次局长办公会，局长尹海林主持。局领导按各自分工通报了下半年 20 项重点工作进展情况，会议审议通过了《天津南港工业区分区规划（2009–2020）》，《天津市历史文化名城名镇名村保护条例》培训情况报告，2009年上半年指令性任务完成及经费拨付情况。会议要求，要加大对各分局、区县局等下属单位的支持力度。局领导班子出席，局属单位、派出机构、大港区局、开发区建发局、机关各处室主要负责人参加。

同日 《人民日报》海外版刊发“又好又快看天津”专栏报道《天津的未来》。

3日 市规划局局长尹海林陪同市长黄兴国赴高校调研高等教育发展情况。

4日 市委常委、市纪委书记臧献甫，副市长熊建平主持召开天津市工程建设领域突出问题专项治理工作动员部署会。会议要求要明确重点，着力解决专项治理工作中的突出问题，深化改革，创新制度，努力建成规范工程建设领域的长效机制。市规划局局长尹海林、副局长鲁承斌参加。

5日 “推进土地管理制度改革”省部级领导专题研讨班学员参观市规划展览馆，市规划局局长尹海林接待。

6日 市长黄兴国主持召开泰安道地区规划设计方案、津南城投资金平衡测算、文化中心单体优化方案、于家堡商务区规划设计优化方案汇报会议。黄兴国要求，泰安道项目力求风格协调一致，要有历史特色。副市长崔津渡、熊建平，秘书长李泉山出席。市规划局局长尹海林、市发改委、市建交委、市国土房管局、市财政局、市文物局、市文化局、团市委、市人防办、市滨海委、塘沽区政府、津南区、规划设计院、城投集团、天房集团、旅游集团、新金融公司主要负责人参加。

7日 市规划局局长尹海林陪同市长黄兴国、副市长熊建平、秘书长李泉山察看津湾广场及天津西站建设进展情况。

同日 市规划局党组书记尹海林应邀接受市委支部生活社记者采访。介绍从建国初期、改革开放、以及市九次党代会以来城乡规划的沿革、发展、变化。

同日 市规划局副局长郑嘉轩接受天津电视台新闻台《天津新闻》节目记者采访。介绍“两个大干150天”期间，城市规划既立足当前，又面向未来，统筹兼顾，综合考虑的经验和做法。

同日 市规划局总建筑师秦川接受天津电视台新闻台《天津新闻》节目记者采访。介绍“双城双港”的未来发展展望和憧憬，“一轴两带”中滨海发展带的发展情况。

8日 市长黄兴国、常务副市长杨栋梁、副市长崔津渡主持召开天津市“保增长、渡难关、上水平”活动总结大会，会议要求全面总结天津市“保增长、渡难关、上水平”活动的成功经验，巩固扩大工作成果，确保全年目标任务完成；认真思考，积极谋划明年任务。市规划局副局长鲁承斌、郑嘉轩参加。

同日 北京铁路局、铁道部鉴定中心在北京大方饭店组织召开天津地区铁路建设工程推动会。市规划局副局巡刘荣参加。

9日 副市长熊建平主持召开中心城区特色地区规划提升工作会议。会议对“一河六区”、“一园两区”、繁华都市夜景建设工程和高层建筑顶部治理工程的设计方案深化提出修改意见，并要求市规划局组织相关设计单位抓紧完善，尽快做好向市领导汇报的准备工作。市规划局局长尹海林、副局长郑嘉轩、沈磊、总建筑师秦川参加。

同日 市规划局召开贯彻工程建设领域突出问题专项治理工作会，局长尹海林主持。会议要求，加强组织领导，确保工程建设领域突出问题专项治理工作取得实效。副书记战秋艳、常务副局长李春梅、副局长鲁承斌、沈磊、副局巡刘荣，局属各单位、各区县规划（分）局、机关各处室有关人员参加。

11日 天津警备区司令员王小京和常务副市长杨栋梁主持召开警备区双林综合库房企业移交腾迁会议。会议要求，要本着实事求是的原则，保持政策的连续性，确保职工稳定。市规划局常务副局长李春梅参加。

同日 2009中国城市规划学会年会于11日–14日在天津召开。举办学会常务理事会和大会开幕式，住房和城乡建设部副部长仇保兴、学会理事长周干峙等五位专家做了专题报告，举行学会理事换届大会，举办20多场专题会议和学术论坛。就住房建设与社区规划、城市生态规划、区域研究与城市总体规划、法制建设与规划管理、历史文化保护与城市更新、小城镇与村庄规划等城市发展热点问题进行研讨。参会人数1900余人。全体局领导、局属各单位、机关各处室有关人员参加。

16日 市规划局召开天津乐园商业综合体建筑方案国际征集专家评审会，局长尹海林主持。专家评委由中国建筑学会秘书长周畅、李道增院士、彭一山建筑师、布正伟建筑师、周凯建筑师和日本山本里显设计工厂、华南理工大学建筑设计院、德国KSP设计公司、GMP设计公司、戴水道设计公司和城投集团的专家组成，经过两轮评选，英国查普曼·泰勒公司获第一名，美国TVS公司获第二名。副局长沈磊参加。

17日 市规划局党组在测绘院召开局中心组学习会议，党组书记尹海林主持。会议就如何全面提升规划设计水平和规划管理水平，为把天津建设成为科学发展示范区，着力构筑“三个高地”、全力打好“五个攻坚战”做好规划服务保障，进行深入的研讨。全体局领导参加。

19日–20日 局党组举办局系统处级以上干部研讨班。围绕如何当好正、副职，如何发挥好处级干部作用进行有针对性的交流研讨。党组书记尹海林结合局工作实际和自身工作经验，就如何当好领导干部作辅导讲话。局领导、基层单位党政“一把手”、机关处级以上干部共计94人参加研讨。

21日 市规划局局长尹海林陪同市委书记张高丽察看海河提升改造情况并观看“海河之夜”文艺演出。

同日 市规划局总规划师霍兵出席滨海旅游区开发建设指挥部揭牌仪式及滨海旅游区围海造陆一期工程开工仪式。

同日 秦皇岛市委书记一行参观市规划展览馆，市规划局副局巡诸铭接待。

22日 市规划局局长尹海林陪同副市长熊建平会见香港东方海外房地产集团主席一行。

同日 国务院侨办副主任一行参观市规划展览馆，市规划局副局巡诸铭接待。

23日 市规划局赴自来水集团就有关问题进行座谈，常务副局长李春梅、副局长鲁承斌、副局巡刘荣带队。市规划局与市自来水集团签订《地下管网信息共享协议》，就津滨水厂取水干管路由等6个问题进行解答与落实。

同日 市十五届人大常委会第十二次会议第二次审议《天津市城乡规划条例（草案）》，市人大法制委员会副主任委员高绍林对《天津市城乡规划条例（草案）》修改情况进行汇报。会议决定，由法制委员会根据会上所提意见对法规草案进行修改后，再提请常委会会议审议。市规划局副局长鲁承斌、局机关相关处室负责人参加。

24日 海外天津人代表和国务院参事一行参观市规划展览馆，市规划局副局巡诸铭接待。

25日 市规划局召开18个区县政府2009年城乡规划编制工作中期推动会，常务副局长李春梅主持。会议要求，切实加强组织领导，加快规划编制进度。规划编制要体现高水平，形成一批高水平的规划成果。要加强规划编制评估工作，增强规划编制计划的科学性。

27日 国家信息产业部副部长一行参观市规划展览馆，市人大常委会主任刘胜玉陪同，市规划局副局巡诸铭接待。

同日 香港工商精英及中资企业国庆代表团参观市规划展览馆，市规划局副局巡诸铭接待。

28日 副市长熊建平主持召开天津市规划建筑导则汇编工作会，会议要求导则的设计要注重结合建筑及设施的功能需求。并对每一项分导则提出具体修改建议，要求尽快完善，报市主要领导审查。市规划局局长尹海林、副局长郑嘉轩、市建交委、市国土房管局、市市容园林委、市规划院有关人员参加。

同日 市规划局常务副局长李春梅参加全国“十二五”规划编制工作电视电话会议天津分会场会议。

同日 卫生部副部长刘谦一行和秦皇岛市委书记一行分别参观市规划展览馆，市规划局副局巡诸铭接待。

29日 建设部召开房地产开发领域违规变更规划、调整容积率问题专项治理自查情况交流会。市规划局局长尹海林、副局巡侯学钢参加。

30日 市长黄兴国主持召开第40次市长办公会。市规划局汇报泰安道地区改造规划设计方案。黄兴国要求进一步深化完善建筑形体设计，在保证精工细作前提下，争取用两年左右时间完成。常务副局长李春梅参加。

10月

5日 市规划局局长尹海林陪同市长黄兴国赴滨海新区调研。

7日 市规划局局长尹海林陪同市长黄兴国赴天津海河教育园区察看建设进展情况。

同日 中国医药卫生事业发展基金会理事长王彦峰一行参观市规划展览馆，市规划局总建筑师秦川接待。

11日 重庆市市级老同志参观市规划展览馆，市规划局副局长鲁承斌接待。

同日 中国政法大学党委书记一行及李讷参观市规划展览馆，市规划局副局巡诸铭接待。

12日 市规划局局长尹海林陪同市长黄兴国会见香港客人。

同日 市规划局召开天津乐园商业综合体建筑方案国际征集深化设计专家评审会，局长尹海林主持。专家评委由彭一刚院士、布正伟建筑师、彭一山建筑师及日本山本里显设计工厂、华南理工大学建筑设计院、德国KSP设计公司、GMP设计公司、戴水道设计公司、华汇设计公司和城投集团的专家组成。经过评选，英国查普曼·泰勒公司和美国TVS公司各获五票。市规划局副局长沈磊、市文化局，城投集团，市规划院，上海城建设计院，文化中心指挥部相关人员参加。

13日 市规划局召开第10次局长办公会，局长尹海林主持。会议审议《天津市地下空间总体规划（2009–2020）》、《天津市建设项目配建停车场（库）标准》、泰安道地区保护与开发利用规划设计方案、《学习贯彻<规划环境影响评价条例>的建议》等6个议题。局领导班子出席，局属各单位、派出机构、机关处室行政主要负责人参加。

同日 浙江省委书记一行参观市规划展览馆，市规划局局长尹海林接待。

同日 市规划局组织参观津湾广场和海河景观，副书记战秋艳、常务副局长李春梅带队。局机关、四中心全体干部职工130余人参加。

同日 市规划局副局长鲁承斌参加天津市与敦煌市合作交流洽谈会。

同日 敦煌市党政代表团参观市规划展览馆，市规划局副局巡诸铭接待。

14日 蒙古国对外贸易部部长巴特包勒德格一行参观市规划展览馆，市规划局副局巡诸铭接待。

同日 山东省人大常委会原主任韩喜凯一行参观市规划展览馆，市规划局副局巡诸铭接待。

同日 尼泊尔联合共（毛）代表团普拉昌达一行参观市规划展览馆，市规划局副局巡诸铭接待。

同日 铁道部副部长卢春房和天津市副市长熊建平在迎宾馆就天津市铁路建设问题举行部市会谈。市规划局副局巡刘荣参加。

15日 市规划局局长、党组书记尹海林参加中共天津市委九届六次全会。

同日 市规划局赴建设部就天津市城市总体规划修改前期研究方案及有关问题进行汇报，常务副局长李春梅带队。城乡规划司副司长孙安军要求城市总体规划实施评估报告要对总体规划批复以来的实施情况进行全面评估，强制性内容修改专题报告要对涉及修改总体规划强制性内容进行技术分析论证。市规划院、局机关有关处室负责人参加。

同日 国家测绘局局长徐德明、办公室主任吴兆琪到市规划局座谈。市规划局局长尹海林接待并介绍天津市测绘管理工作情况。局机关相关处室负责人民代表大会参加。

同日 上海市级离退休干部一行参观市规划展览馆，市规划局副局巡诸铭接待。

同日 马尔代夫民主党代表团一行参观市规划展览馆，市规划局副局巡诸铭接待。

16日 拉美国家驻华使馆考察团一行参观市规划展览馆，市规划局副局长郭凤平接待。

同日 宁夏省级离退休干部一行参观市规划展览馆，市规划局副局长郭凤平接待。

20日 市规划局组织观看津湾广场“海河之夜”演出，局长尹海林、副书记战秋艳、常务副局长李春梅、副局巡刘荣、侯学钢出席，局属各单位、各派出机构、局机关各支部书记参加。

同日 市规划局党组召开党组扩大会议，局党组书记尹海林主持。会议传达贯彻党的十七届四中全会、市委九届六次全会精神和市纪委书记臧献甫在工程建设领域突出问题专项治理工作座谈会上的讲话精神。会议要求，各单位、各部门党组织要教育引导各级领导干部和广大党员充分认识两个全会的重要意义，切实加强对学习贯彻的组织领导。全体局领导、局属各单位、十分局党政主要领导，机关处室负责人参加。

同日 京津沪渝直辖市政协主席工作研讨会代表一行参观市规划展览馆，市规划局局长尹海林接待。

26日 市人大召开法制委员会第十七次会议，审议《天津市城乡规划条例（草案）》，市规划局副局长鲁承斌、局机关相关处室参加。

11月

4日 市规划局党组举行局系统入党积极分子培训班开学典礼，副书记战秋艳主持。市委规划建设交通工委党校有关领导、局属四院党办主任、局机关部分党支部书记参加。

同日 市规划局赴国土资源部就天津市城市总体规划修改规模相关事宜与国土资源部规划司董祚继司长进行汇报与沟通，常务副局长李春梅带队。

同日 市规划局副局长郭凤平带队赴静海县规划局调研。静海县规划局领导班子成员和中层干部参加座谈，介绍了人员编制、业务工作及管理机制等方面的情况。副局长郭凤平肯定了静海县规划局成立以来取得的工作成绩，希望静海县规划局加强规划的前瞻性，完善规划储备，进一步提高业务水平和管理水平。市规划局副局长郭凤平带队于11月4日、5日，6月11日、16日，12月28日、30日、31日分赴宁河县、武清区、宝坻区、蓟县、河东分局、红桥分局、河北分局、南开分局调研。

同日 沙特阿拉伯王国基础工业公司高级代表团一行参观市规划展览馆，市规划局副局巡诸铭接待。

同日 中国南方电网公司党组书记一行参观市规划展览馆，市规划局副局巡诸铭接待。

5日 市规划局总建筑师秦川率局机关相关处室负责人赴重庆参加京津沪渝穗五城市规划工作会。

同日 中办机要局离退休干部参观市规划展览馆，市规划局副局巡诸铭接待。

7日 中办副主任由喜贵参观市规划展览馆，市委副书记何立峰陪同，市规划局党组副书记战秋艳、副局巡诸铭接待。

同日 中石化总经理苏树林参观市规划展览馆，常务副市长杨栋梁陪同，市规划局副局巡诸铭接待。

同日 中央纪委六室主任一行参观市规划展览馆，市规划局副局巡诸铭接待。

9日 《国务院关于天津市调整部分行政区划的批复》，国务院批复同意天津市调整部分行政区划，撤销天津市塘沽区、汉沽区、大港区，设立天津市滨海新区，以原3个区的行政区域为滨海新区的行政区域。

同日 天津市委、市政府召开滨海新区管理体制动员大会。会议指出，建立滨海新区行政区，辖区包括塘沽区、汉沽区、大港区三区全境，东丽区和津南区的部分区域，不划入滨海新区行政范围，仍为滨海新区产业规划范围。

同日 市规划局副局长鲁承斌率相关处室负责人陪同市人大法制委员会有关人员，赴浙江省考察城乡规划地方立法经验。

11日 珠海规划局相关人员参观市规划展览馆，市规划局副局长沈磊接待。

同日 成都市党政代表团一行参观市规划展览馆，副市长李文喜陪同，市规划局副局巡诸铭接待。

12日 中国工程院副院长一行参观市规划展览馆，市规划局副局巡诸铭接待。

13日 原中央中央总书记、国家主席、中央军委主席江泽民参观市规划展览馆，市委书记张高丽陪同，市规划局局长尹海林、副局巡诸铭接待。

15日 全国政协副主席郑万通一行参观市规划展览馆，市规划局副局巡侯学钢接待。

16日 市规划局召开中心组学习会议，局党组书记、局长尹海林主持。会议围绕学习贯彻党的十七届四中全会和市委九届六次全会精神，研讨2010年规划工作思路。全体局领导、建院党政主要负责人出席。

17日 中央巡视督查组一行参观市规划展览馆，市规划局党组副书记战秋艳、副局巡诸铭接待。

同日 连云港市长一行参观市规划展览馆，市规划局副局巡诸铭接待。

同日 长春市党政经贸代表团一行参观市规划展览馆，市规划局副局巡诸铭接待。

18日 市十五届人大常委会召开第十三次会议，第三次审议《天津市城乡规划条例（草案）》，市规划局副局长鲁承斌、局机关相关处室参加。

同日 市人大召开法制委员会第十八次会议，审议《天津市城乡规划条例（草案）》，市规划局副局长鲁承斌、局机关相关处室负责人参加。

19日 中央政治局委员、中央书记处书记、中央宣传部部长刘云山参观市规划展览馆，市委书记张高丽、市长黄兴国陪同，规划局党组副书记战秋艳、副局巡诸铭接待。

同日 市十五届人大常委会召开第十三次会议，通过《天津市城乡规划条例》，自2010年3月1日起施行。

同日 北京市委党校副校长一行参观市规划展览馆，市规划局副局巡诸铭接待。

同日 韩国国会议长参观市规划展览馆，市规划局副局巡诸铭接待。

20日 全国政协常委陈云林一行参观市规划展览馆，市规划局副局巡诸铭接待。

21日 市规划局召开2009年度天津市优秀城乡规划设计和优秀村镇规划设计评选会议，局长尹海林主持。各位专家对34项城乡规划设计项目，14项村镇项目进行认真评选，会议要求将评审结果进行公示后，报局长办公会审定。常务副局长李春梅参加。

24日 市规划局召开全局系统档案工作培训会，副局长鲁承斌主持。市档案局讲解《全国档案局8号令》《归档文件整理标准》及《建设项目规划管理文件档案整理规范》的有关内容。会议要求各单位高度重视档案工作，把档案管理工作作为基础抓紧抓好。

同日 十一届全国人大三次会议天津代表参观市规划展览馆，市规划局副局巡诸铭接待。

同日 市政府法制办组织召开《天津市历史文化名城名镇名村保护条例》与《天津市历史风貌建筑保护条例》立法会议，对《天津市历史文化名城名镇名村保护条例》与《天津市历史风貌建筑保护条例》的有关衔接问题进行研究。市规划局副局长鲁承斌、市人大法工委、市国土房管局、市文物局有关人员参加。

26日 中国有色矿业集团总经理一行参观市规划展览馆，市规划局副局巡诸铭接待。

同日 上海规划局局长冯经明一行参观滨海新区，市规划局副局巡刘荣接待。

12月

3日 市委书记张高丽到西站、文化中心、会展中心等现场调研，市规划局局长尹海林陪同。

同日 市规划局召开第12次局长办公会，局长尹海林主持。审议《天津通志·规划志》第一册和《天津规划年鉴2009》；审议服务中心办公用房问题，听取赴南京、上海、深圳等地学习调研情况汇报，听取参加住房城乡建设系统行政复议工作会和建设部规划环境影响评价理论与实践高级研讨会情况汇报。全体局领导，局属单位、派出机构、机关各处室有关人员参加。

同日 民政部部长一行参观市规划展览馆，市规划局副局巡诸铭接待。

4日 市规划局与成都市规划局举行座谈会，副局巡侯学钢接待。

5–7日 副市长熊建平听取文化中心建筑单体、地下空间及景观方案汇报。市规划局副局长沈磊，市建交委副主任窦华港、城投集团、市建院、市规划院、华汇设计公司、文化中心指挥部相关人员参加。

9日 副市长熊建平听取中心城区高层建筑管理情况汇报，会议要求，要高度重视，深刻认识，摸清底数，明确责任，各负其责，建立机制，形成合力。市规划局局长尹海林、副局长鲁承斌，园区处、市内六区和环城四区规划分局、局机关相关处室负责人参加。

同日 市规划局召开依法行政考核工作会议，副局长鲁承斌主持。会议对局属各派出机构依法行政考核工作进行部署，并对局机关各处室做好迎接市依法行政考核工作提出要求。

同日 全国暨地方政协人资环委理论研讨会代表参观市规划展览馆，市政协副主席陈质枫陪同，市规划局副局巡诸铭接待。

11日 台湾工商建设研究会客人参观市规划展览馆，市规划局副局巡诸铭接待。

同日 浙江义乌市委书记一行参观市规划展览馆，市规划局副局巡诸铭接待。

12日 中国钢研科技集团总经理一行参观市规划展览馆，市规划局总建筑师秦川接待。

同日 唐山市政府代表团一行参观市规划展览馆，市规划局党组副书记战秋艳接待。

14日 市规划局召开加强建筑外檐管理工作及培训会议，副局长鲁承斌主持。会议要求，建筑外檐管理工作要认真负责，责任到人，结合实际，分析原因，提出整改措施。滨海分局、18区县局、园区处、开发区、保税区、生态城、天津港规划部门及局机关相关处室负责人参加。

16日 市规划局副局长鲁承斌接待石家庄规划局副局长李惠林一行9人并座谈。

17日 市规划局召开规划建筑设计单位座谈会，副局巡侯学钢主持。会议就如何提升规划编制水平、加强规划管理、突出城市特色等工作征求各设计单位的意见和建议。市建院、市规划院、渤海规划院、天大规划院、一航院、市政院、铁三院、人防设计院、房屋鉴定设计院、中怡公司、华汇设计公司、局机关相关处室负责人参加。

18日 市规划局与市编办领导就五区县执法队伍问题进行座谈，局长尹海林、局党组副书记战秋艳、副局长鲁承斌参加。

19日 副市长熊建平在文化中心指挥部主持召开文化中心工程建设调度会。听取五家业主单位近期工程建设情况汇报，并对下一阶段的工作任务提出具体要求。会议要求，文化中心工程建设应带动中心城区功能配置，整体提升直辖市形象，设计、施工、管理达到世界一流水平。市规划局副局长沈磊，市建交委副主任窦华港，市发改委，市财政局，市国土房管局，市文化影视局，团市委，河西区政府，城投集团，公交集团，青少年活动中心，市政投资公司，管网公司，地铁公司，天房集团，博鉴咨询，文化中心指挥部相关人员参加。

21日 副市长熊建平主持召开进一步加强建筑外檐规划管理工作机制汇报会。会议要求，进一步摸清底数，明确责任，发挥联动机制，将工作机制进一步完善后上报市政府。市规划局局长尹海林、常务副局长李春梅、副局长鲁承斌参加。

22日 中央新闻单位采访团一行参观市规划展览馆，市规划局总建筑师秦川接待。

同日 香港震雄集团主席蒋震先生参观市规划展览馆，市规划局副局巡诸铭接待。

22日–23日 市委书记张高丽主持召开市委九届七次全会，局长尹海林参加。

23日 市规划局副局长沈磊主持文化中心专家论证会。与会专家从周边地块开发、规划布局、建筑单体、景观方案等多方面提出意见和建议。沈磊表示将积极梳理专家意见，继续深化完善文化中心设计方案。中国建筑学会理事长宋春华、秘书长周畅，西安市规划局局长和红星，苏州空间规划建筑设计研究院院长时匡，广州市设计院总建筑师郭明卓，中房集团总建筑师布正伟，天津市建筑设计院名誉院长刘景樑、院长刘军，天津华汇设计公司总建筑师周凯出席。市文化影视局、城投集团、市建院、市规划院、上海城建院、广州地铁设计院、上海华东院、华汇设计公司、ATLAS设计公司、天津美院、文化中心建设指挥部相关人员参加。

同日 市规划局副局长鲁承斌接受天津电台《公仆走进直播间》节目采访。就《天津市城乡规划条例》等问题回答记者提问。

25日 市规划局党组副书记战秋艳与市人力资源和社会保障局领导共同为勘察院博士后科研工作站揭牌。

同日 市规划局党组召开思想政治工作论文终评会，副书记战秋艳主持。会议研究了第十四届政研会参赛论文、优秀政研会单位、政研会优秀工作者和年会的相关工作。纪检组长刘胜利出席，市建院、市规划院、市测绘院、市勘察院、市城建档案馆及局机关相关处室负责人参加。

同日 市规划局组织召开2010年测绘资质复审换证、配发作业证动员会暨2008年度天津市测绘产品质量监督检查成果发布会，对天津市2010年测绘资质复审换证工作和测绘产品质量监督检查工作提出明确要求。副局长鲁承斌，全市90家测绘单位100余人参加。

28日 市规划局局长尹海林、副书记战秋艳、常务副局长李春梅、副局长鲁承斌、沈磊、总建筑师秦川、副局巡刘荣与重庆市规划局领导班子及处室负责人座谈。

同日 市规划局召开第13次局长办公会，局长尹海林主持。会议传达市委九届七次全会精神，审议《天津市控制性详细规划管理暂行规定》《天津市土地细分导则管理暂行规定》等6项内容，听取赴上海市规划和国土资源局学习调研情况和《天津市城乡规划条例》宣传培训和贯彻实施情况汇报。全体局领导，局属单位、各派出机构、机关各处室负责人参加。

同日 市规划局召开中心城区雕塑总体布局规划会议，局长尹海林主持。会议要求，进一步研究确定重点区域，城市雕塑应与城市布局结构结合、与天津市自然环境相结合、将传统文化与城市特色相结合。常务副局长李春梅、副局长郑嘉轩，规划院、局机关相关处室负责人参加。

30日 副市长熊建平主持召开市人大代表、政协委员座谈会，市规划局局长尹海林参加。

同日 市规划局召开局系统科技论文点评暨培训会，副书记战秋艳主持。会议部署2010年科技工作任务，并对今后科研工作提出要求。副局长鲁承斌、沈磊、总建筑师秦川，局属各单位负责同志及技术骨干、机关各业务处室有关人员参加。

31日 市规划局局长尹海林陪同市长黄兴国、副市长熊建平慰问一线职工。

同日 市规划局召开规划局系统授衔专家表彰大会，局长尹海林主持。会议介绍39位专家的主要业绩，并要求全局职工要以他们为榜样为规划事业做贡献。市委组织部副部长、人力资源和社会保障局党组书记魏大鹏在讲话中肯定规划局在高层次人才建设方面做出的努力和贡献，同时介绍天津人才建设方面的情况和2010年人才建设方面的重要举措。市规划建设和交通工委巡视员郑建民及相关主管部门负责人出席，局领导班子全体成员参加。

本月 《天津规划年鉴2009》出版。

本月 《天津通志·规划志》（自天津发端至1990年）出版。

是年 市委书记张高丽多次听取市规划局重点规划方案和规划公示汇报，并先后五次对规划工作做重要批示，充分肯定市规划局的工作，衷心感谢规划工作者的辛勤工作；市长黄兴国也多次强调规划的龙头作用，对规划工作给予高度关注；副市长熊建平亲自抓规划，坐镇一线，靠前指挥。

三岔河口

市领导讲话

树立长远眼光　提升规划水平
——在市加快滨海新区开发开放领导小组第八次会议上的讲话摘要

（2009年4月22日）

张高丽　黄兴国

4月22日上午，市加快滨海新区开发开放领导小组召开第八次会议，就进一步提升滨海新区规划水平、加快开发开放步伐，增强辐射服务功能进行研究部署。会议听取了有关部门关于滨海新区总体规划、临港工业区规划调整、滨海旅游区规划、北塘渔村规划和于家堡金融商务区起步区规划设计方案的汇报。

市委书记、市加快滨海新区开发开放领导小组组长张高丽主持会议并讲话。他强调指出，滨海新区开发开放正处在关键时期。搞好滨海新区规划，关系到国家战略的实施，关系到全市工作的大局，关系到新区当前和今后的发展。我们一定要从战略的高度，进一步增强紧迫感和责任感，树立长远眼光，全面提升规划水平，为加快滨海新区开发开放提供重要保障。

张高丽对滨海新区规划工作给予了充分肯定。他说，在各方面的共同努力下，滨海新区空间发展战略规划、城市总体规划、总规战略环评等基本完成，功能区、行政区和专项规划全面完成，2270平方公里控制性详细规划实现了全覆盖，新区规划工作取得显著成果，为促进产业发展、提升载体功能、建设宜居生态城区奠定了坚实基础。

张高丽强调，规划是生产力，是龙头。加快滨海新区经济发展，繁荣社会事业，完善空间布局，发展高端产业，建设基础设施，高效利用资源，保护生态环境，真正当好排头兵，都需要以高水平规划为依据，用高水平规划来引导。我们一定要认清神圣的历史使命、重大的历史责任和繁重的历史任务，更加重视规划工作，高标准抓好规划工作，充分体现科学发展观的要求，体现新区的功能定位，使滨海新区的开发开放真正建立在高水平的规划基础之上。

张高丽指出，全面提升滨海新区的规划水平，要坚持国际一流标准，树立先进理念，采用科学方法，借鉴成功经验，博采众长，突出特色，使规划经得起历史和实践的检验。要深化完善规划体系，做到新区规划与全市规划、分区规划与新区总体规划、行政区规划与功能区规划、城区规划与农村规划紧密衔接。要全面开展总体城市设计工作，加快推进重点开发地区的地下空间规划编制工作。要健全规划管理体制机制，深化改革，简化程序，加快规划成果的审批，完善对重点项目的联合推动协调、跟踪服务保障机制。要切实加强组织领导，制定周密的工作计划，建立严格的责任制。市各有关部门要进一步改进作风，加强指导和协调，切实搞好服务。

黄兴国指出，滨海新区实现2270平方公里控制性详细规划全覆盖，标志着新区规划取得了重大进展。我们要深入贯彻落实科学发展观，立足于国家对滨海新区的发展定位，依据天津市空间发展总体战略，按照前瞻性、战略性、综合性的要求，继续深化完善滨海新区总体规划和各功能区规划，构建更加合理的空间布局，全面提升新区的规划水平。

黄兴国强调，规划是城市建设和管理的龙头，是经济社会发展的重要调控手段。我们要立足当前、着眼长远，把滨海新区的规划工作放在更加突出的位置，强化领导，抓紧抓实，更好地发挥规划在城市建设和经济发展中的重要引导作用。要坚持更高标准，对总体布局、海岸线、航道港口、交通基础设施等规划进一步优化，逐项加以细化，反复论证，好中选优，精心修改，确保达到最高水平。要统筹产业发展、交通体系、资源利用、环境保护等重点环节和重点工作，提升载体功能，体现新区特色，为经济社会发展提供有力的规划保障。

（摘自《今晚报》2009 年 4 月 23 日第一版）

津湾广场

抓好空间发展战略实施　加快推进文化中心建设
——在市委常委扩大会议上的讲话摘要

（2009 年 5 月 27 日）

张高丽　黄兴国

5 月 27 日下午，市委召开常委扩大会议，听取我市空间发展战略规划和文化中心规划设计方案汇报。市委书记张高丽主持并讲话。市委副书记、市长黄兴国，市人大常委会主任刘胜玉，市委副书记何立峰出席。

张高丽指出：规划就是生产力。规划好才能建设好、管理好，为民办实事好事，造福子孙后代。市委、市政府始终把规划工作摆在突出位置，坚持高起点规划、高水平建设、高效能管理，坚持以人为本，注重规划的先导性，突出规划的科学性，体现规划的权威性，聘请国内外专家，开展了 119 项重点规划编制工作，全面提升规划水平。经过艰苦的努力，规划工作取得了重大进展，从全局到局部，从滨海新区到中心城区和各区县，从三次产业到各个功能区，基本形成了完整的规划体系，为城市发展和建设提供了科学依据和有力保障。

张高丽强调，经过长期的调查研究和国内外专家的反复论证，充分听取各方面意见，确定了“双城双港、相向拓展、一轴两带、南北生态”的总体发展战略，完善了基本思路和整体布局，符合胡锦涛总书记对天津工作提出的“两个走在全国前列”“一个排头兵”的重要要求，符合贯彻落实科学发展观的要求，符合加快推进滨海新区开发开放的国家战略的要求。规划建设天津文化中心，就是要以“文化、人本、生态”为主题，完善城市文化服务功能，满足人民群众日益增长的文化需要，起到提高城市文化品位、深化城市内涵、提升城市形象、服务全市人民的重要作用。要抓好空间发展战略的实施，加快推进文化中心建设，促进我市经济社会又好又快发展。

张高丽指出，加快经济发展，搞好城市建设，整治市容环境，说到底都是为了改善民计民生，提高人民群众的生活水平。要广泛集中群众的智慧和力量，虚心听取群众的意见，充分调动人民群众的积极性、主动性和创造性，集思广益，博采众长，使规划经得起历史、实践和群众的检验。要深入持久地开展“同在一方热土、共建美好家园”活动，不断激发群众热爱天津、建设天津的热情，共同把天津建设好、管理好、发展好，增强城市的吸引力、凝聚力和竞争力。

黄兴国强调，研究空间发展战略，规划建设市文化中心，是体现城市定位要求、促进科学发展和谐发展率先发展的迫切需要。要始终坚持一流标准，突出天津特色，广泛听取和充分采纳各方面的意见建议，进一步提升规划设计方案，发挥好规划的引导和保障作用，努力把天津建设得更加富强、更加美好。

（摘自《今晚报》2009 年 5 月 28 日第一版）

特 载

天津市委市政府公示重大规划项目
征求全市人民意见建议

市委市政府决定，公示一批重大规划项目，向全市人民广泛征求意见建议。6月3日至12日，《天津市空间发展战略规划》和《天津市文化中心规划设计方案》通过新闻媒体、规划展览馆展示等方式，向全市人民征求意见建议，引起了热烈反响。参观3万余人次，收到信件、电子邮件905封，电话969个，现场留言626个，人大代表、政协委员和专家座谈会意见68条。

天津市空间发展战略规划

（向全市人民征求意见稿）

2006年7月，国务院批复《天津市城市总体规划（2005-2020年）》。该规划进一步调整提升了天津的城市定位，拓展了城市发展空间，在促进全市经济社会发展和指导城市建设等方面发挥了重要作用。

根据市委、市政府的决策部署，自去年5月开始，组织开展了《天津市空间发展战略规划》（以下简称空间发展战略规划）的编制工作。

本次空间发展战略规划坚持以邓小平理论和“三个代表”重要思想为指导，深入贯彻落实科学发展观，按照胡锦涛总书记对天津工作“两个走在全国前列”、“一个排头兵”的重要要求，紧紧围绕国家对天津的城市定位和加快推进滨海新区开发开放战略，按照市委“一二三四五六”的奋斗目标和工作思路，用科学的理念和方法，对城市发展方向、空间布局结构等重大问题做出展望和安排。

按照高起点规划的要求，我们邀请中国城市规划设计研究院和天津市城市规划设计研究院等高水平设计单位组成联合设计团队共同承担规划编制工作，相继开展了港口集疏运、盐田利用等多项专题研究，并邀请规划、交通、经济、社会、生态等方面的专家学者进行了反复研讨和论证。

市主要领导同志高度重视，先后十几次现场办公，听取汇报，深入讨论研究。市委常委扩大会议、市政府常务会议对空间发展战略规划进行了审议。规划部门在充分听取各方面意见的基础上，形成了初步方案。

根据市委、市政府决定，从2009年6月3日至12日，用10天时间充分听取、广泛征求全市人民的意见和建议，集思广益，群策群力，进一步完善提升规划方案，为城市发展和建设提供科学依据和有力保障。

征求意见工作坚持以人为本，广泛集中群众的智慧，推动“同在一方热土、共建美好家园”活动深入扎实开展，进一步激发全市人民热爱天津、建设天津、发展天津的积极性和创造性。天津市规划展览馆同时开辟专门展厅进行展示。有关组织单位还设置专线电话、电子信箱和意见箱等，广泛收集意见和建议，经过认真梳理研究，充分吸纳并体现到规划成果之中。

一、总体战略

以深化落实国务院确定的“国际港口城市、北方经济中心和生态城市”的城市定位为目标，依托京津冀，服务环渤海，面向东北亚，用区域和国际视野，着眼天津未来长远发展，着力优化空间布局、提升城市功能，提出了“双城双港、相向拓展、一轴两带、南北生态”的总体战略。

总体战略示意图——双城双港、相向拓展、一轴两带、南北生态

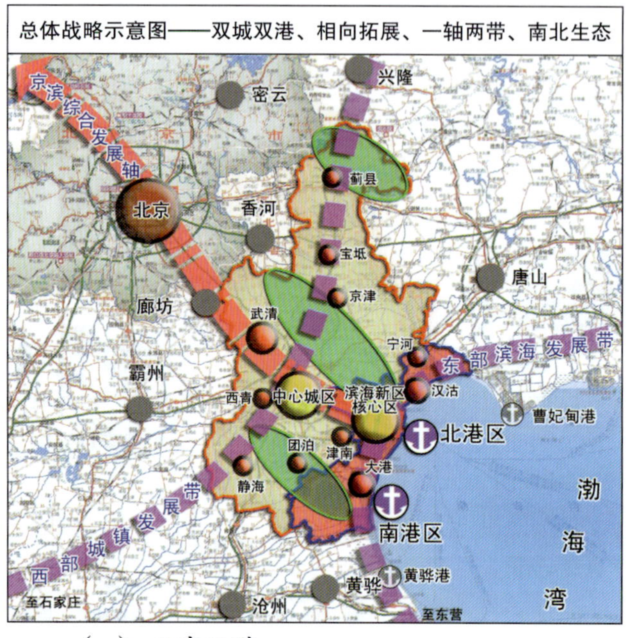

（一）双城双港

“双城”是指中心城区和滨海新区核心区，是天津城市功能的核心载体。

中心城区通过有机更新，优化空间结构，发展现代服务业，传承历史文脉，提升城市功能和品质。滨海新区核心区通过集聚先进生产要素，实现城市功能的跨越，成为服务和带动区域发展的新的经济增长极。

“双港”是指天津港的北港区和南港区，是城市发展的核心战略资源，是天津发展的独特优势。北港区包括北疆港区、南疆港区、东疆保税港区以及临港工业区（含临港产业区），重点发展集装箱运输、旅游和客运等综合功能以及重型装备制造业。南港区是指独流减河以南规划建设的新港区，近期主要依托石化、冶金等重化工，建设工业港区，远期将建设成为现代化的综合性港区。

通过“双城”战略，加快滨海新区核心区建设，与中心城区分工协作、功能互补，实现市域空间组织主体由“主副中心”向“双中心”结构转换提升，构成双城发展的城市格局，促进北方经济中心建设。

总体战略示意图——双城双港

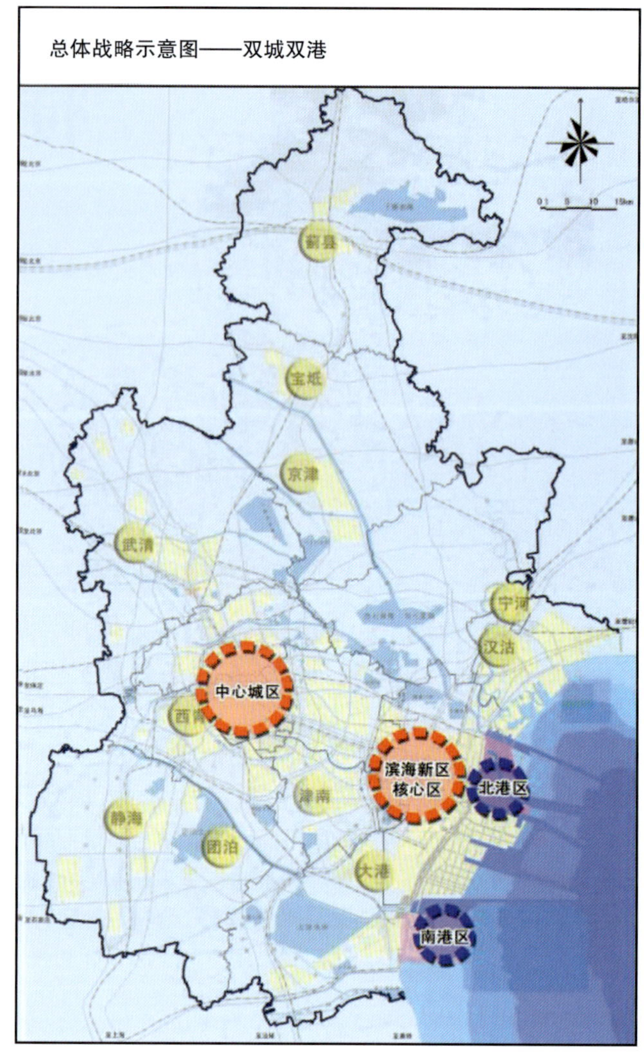

铁路疏港示意图　区域铁路网示意图

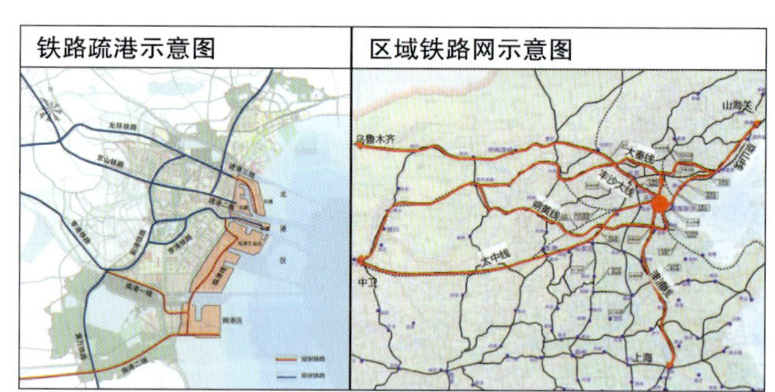

公路疏港示意图　高速公路大通道示意图

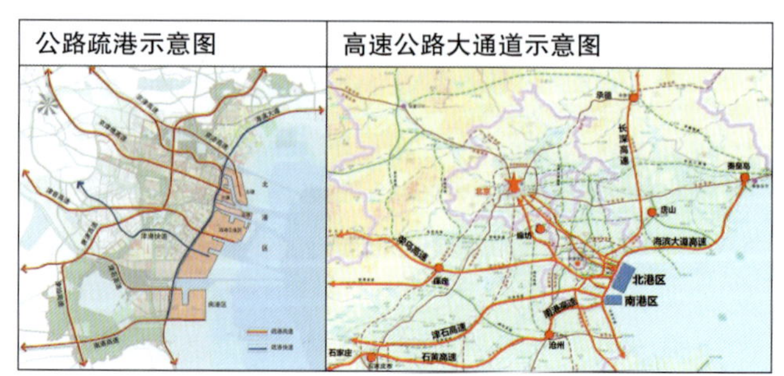

通过“双港”战略，加快南港区建设，扩大天津港口规模，培育壮大临港产业，调整优化铁路、公路集疏运体系，促进港城协调发展，更好地发挥欧亚大陆桥优势，进一步密切与“三北”腹地和中西亚地区的交通联系，加快建设成为我国北方国际航运中心和国际物流中心，增强港口对城市和区域的辐射带动功能。

（二）相向拓展

“相向拓展”是指“双城”及“双港”相向发展，是城市发展的主导方向。

中心城区沿海河向下游区域主动对接，为滨海新区提供智力支持和服务保障。滨海新区核心区沿海河向上游区域扩展，放大对中心城区的辐射带动效应，实现优势互补，联动发展。

处于双城相向拓展方向的海河中游地带，是天津极具增长潜力的发展空间。通过重点开发，使之成为承接“双城”产业及功能“外溢”的重要载体，逐步发展成为天津市的行政文化中心和我国北方重要国际交流中心。同时，统筹推进双港开发建设，相向发展，实现双港分工协作，临港产业集聚，南北功能互补，做大做强天津的港口优势。

通过“双城”及“双港”相向拓展，引导城市轴向组团式发展，在海河两岸集聚会展、教育、旅游、研发、商贸等现代服务业和高新技术产业。形成老区支持新区率先发展、新区带动老区加快发展，海河上、中、下游区域协调发展、良性互动、多极增长的新格局。

（三）一轴两带

“一轴”是指“京滨综合发展轴”，依次连接武清区、中心城区、海河中游地区和滨海新区核心区，有效聚集先进生产要素，承载高端生产和服务职能，实现与北京的战略对接。依托“京滨综合发展轴”，加强与北京合作，形成高新技术产业密集带、京津冀地区一体化发展的产业群和产业链。

“两带”是指“东部滨海发展带”和“西部城镇发展带”。

“东部滨海发展带”贯穿宁河、汉沽、滨海新

总体战略示意图——相向拓展

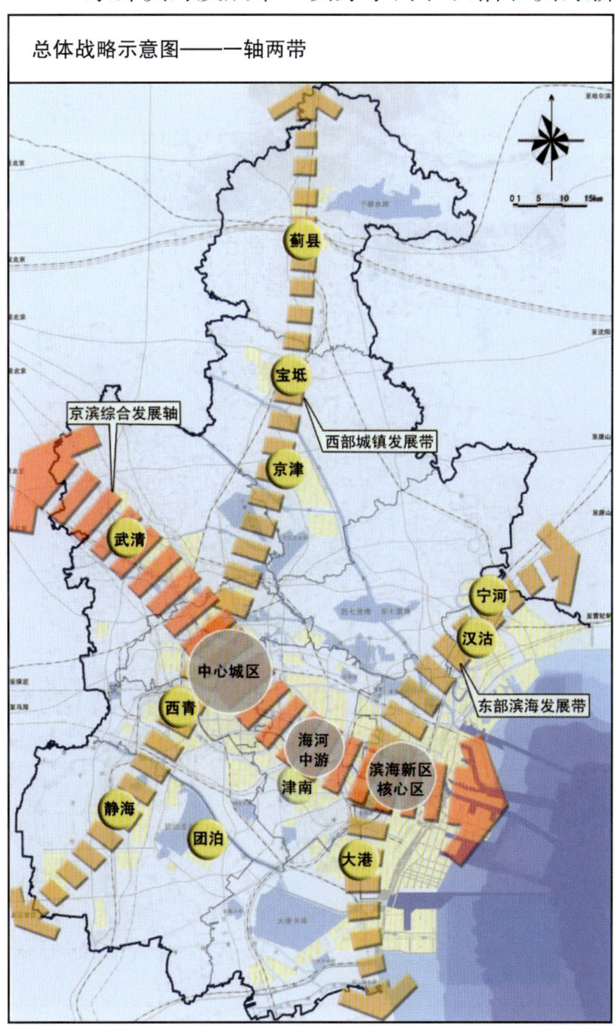

总体战略示意图——一轴两带

区核心区、大港等区县，向南辐射河北南部及山东半岛沿海地区，向北与曹妃甸和辽东半岛沿海地区呼应互动。

“西部城镇发展带”贯穿蓟县、宝坻、中心城区、西青和静海，向北对接北京并向河北北部、内蒙延伸，向西南辐射河北中南部，并向中西部地区拓展。

通过“一轴两带”，拓展城市发展空间，提升新城和城镇功能，统筹区域和城乡发展；进一步加强与北京的战略对接，扩大同城效应；强化天津服务带动作用，促进和扩大与环渤海地区、中西部地区的经济交流与合作，加快形成我国东中西互动、南北协调发展的区域发展格局。坚持开放带动战略，强化滨海新区改革示范效应，增强天津参与经济全球化和区域经济一体化的能力。

（四）南北生态

“南生态”是指京滨综合发展轴以南的“团泊洼水库—北大港水库”湿地生态环境建设和保护区，

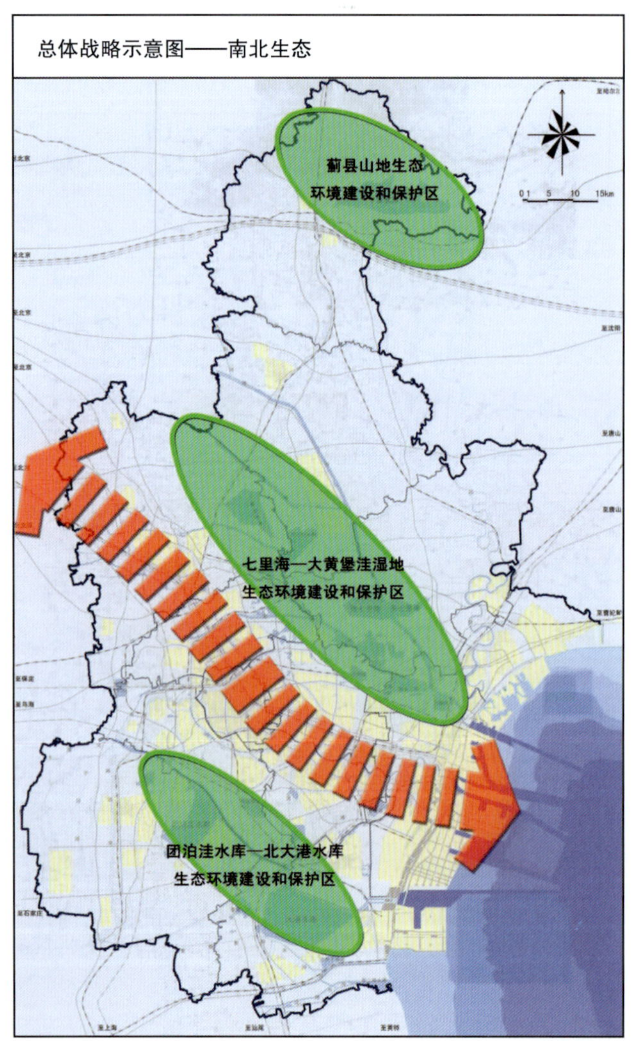

总体战略示意图——南北生态

以及正在规划建设的子牙循环经济产业园区等。

“北生态”是指京滨综合发展轴以北的蓟县山地生态环境建设和保护区、“七里海—大黄堡洼”湿地生态环境建设和保护区，以及中新天津生态城、北疆电厂等循环经济产业示范区。

通过“南北生态”保护区的建设，构建天津城市生态屏障，融入京津冀地区整体生态格局，完善城市大生态体系。

大力发展循环经济和清洁产业，建设循环经济产业链，促进资源集约利用和循环利用，增强天津的环境承载力，提高城市的可持续发展能力。建立资源节约型、环境友好型城市发展模式，实现建设生态城市的发展目标。

京津冀区域生态格局示意图

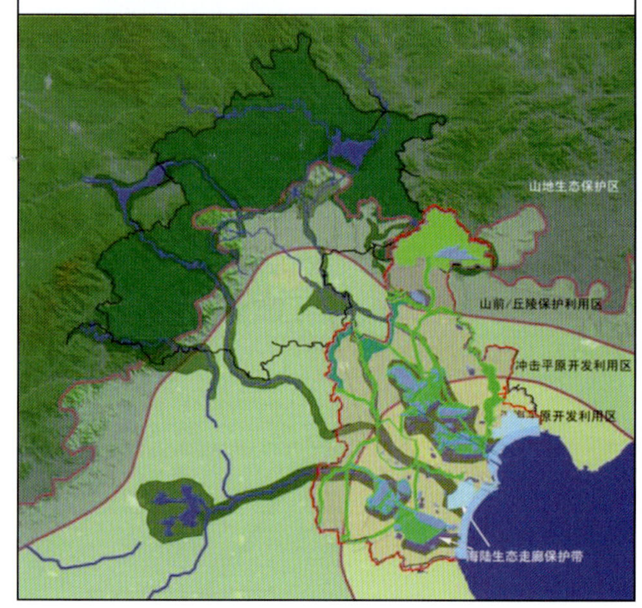

二、发展策略

依据“双城双港、相向拓展、一轴两带、南北生态”的总体战略，进一步明确滨海新区、中心城区和各区县的功能定位和发展方向，统筹三个层面联动协调发展，调整完善空间结构和发展策略，优化要素资源配置，形成多点支撑、多元发展、多极增长的市域空间格局。

（一）滨海新区发展策略

充分发挥滨海新区的引擎、示范、服务、门户和带头作用，立足融入区域，服务区域，扩大同京津冀、环渤海地区以及东北亚的合作联系，建设成为我国北方对外开放的门户、高水平的现代制造业和研发转化基地、北方国际航运中心和国际物流中心，经济繁荣、社会和谐、环境优美的宜居生态型

滨海新区发展策略示意图——一核双港、九区支撑

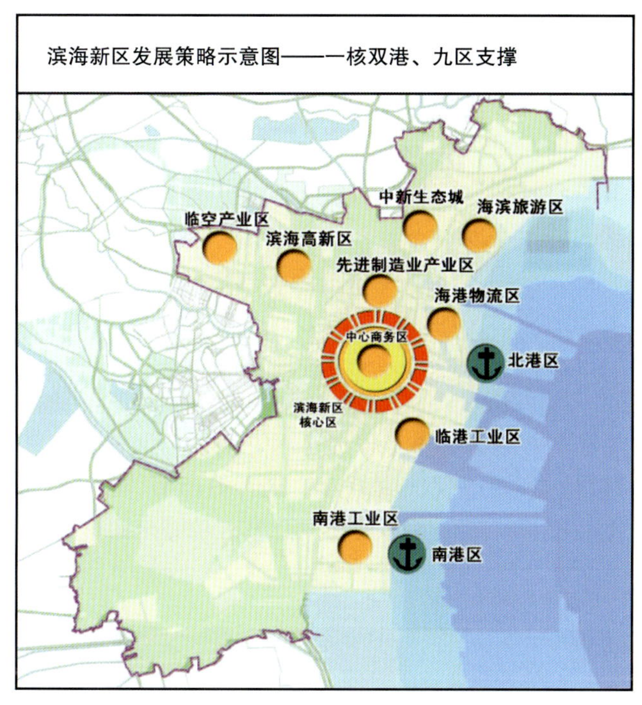

滨海新区九个功能区布局图

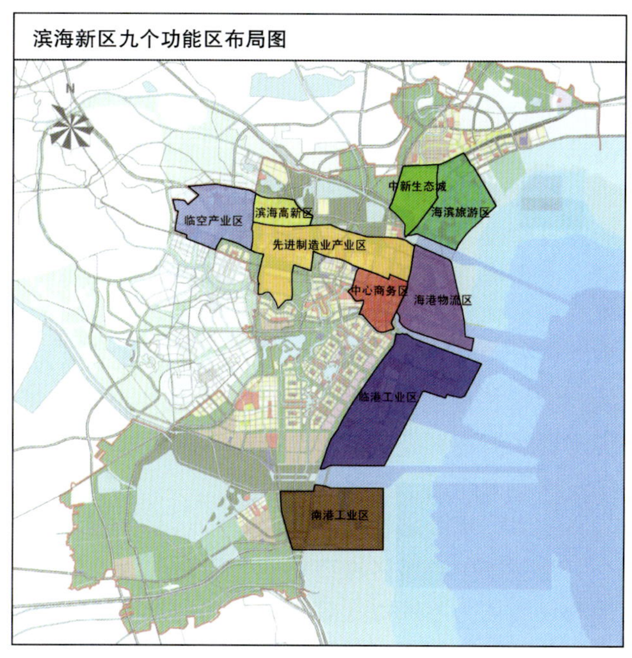

新城区。规划提出滨海新区实施“一核双港、九区支撑、龙头带动”的发展策略。

“一核”是指滨海新区商务商业核心区，由于家堡金融商务区、响螺湾商务区、开发区商务及生活区、解放路和天碱商业区、蓝鲸岛生态区等组成。重点发展金融服务、现代商务、高端商业，建设成为滨海新区的标志区和国际化门户枢纽。

滨海新区发展策略示意图——双港

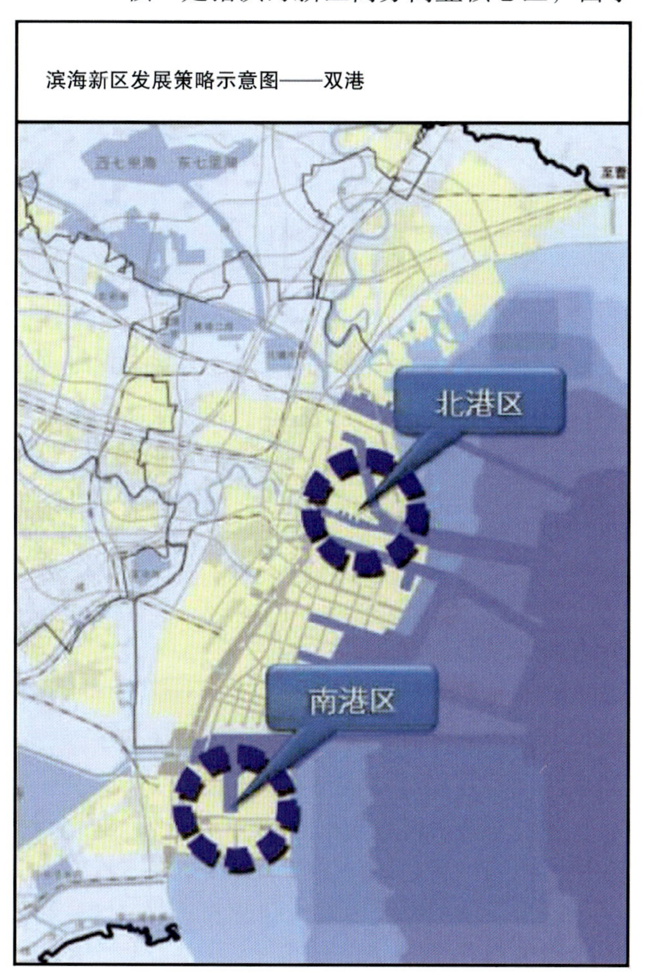

建设中的响锣湾商务区

“双港”是指天津港的北港区和南港区。

“九区支撑”是指通过滨海新区中心商务区、临空产业区等九个功能区的产业布局调整、空间整合，打造航空航天、石油化工、装备制造、电子信息、生物制药、新能源新材料、轻工纺织、国防科技等 8 大支柱产业，形成产业特色突出、要素高度集聚的功能区，成为高端化、高质化、高新化的产业发展载体，支撑新区发展，发挥对区域的产业引导、技术扩散、功能辐射作用。

滨海新区中心商务区主要发展金融、贸易、商务、航运服务产业；临空产业区主要发展临空产业、航空制造产业；滨海高新区主要发展航天产业、生物、新能源等新兴产业；先进制造业产业区主要发展海洋产业、汽车、电子信息产业；中新生态城主要发展生态环保产业；海滨旅游区主要发展

主题公园、游艇等休闲旅游产业；海港物流区主要发展港口物流、航运服务产业；临港工业区主要发展重型装备制造产业及研发、物流等现代服务业；南港工业区主要发展石化、冶金、装备制造产业。

“龙头带动”是指通过加快“一核双港九区”的开发建设，提升综合服务功能，营造一流发展环境，率先推进综合配套改革、率先提高对外开放水平、率先转变经济发展方式、率先增强自主创新能力，当好改革开放的排头兵，凸显滨海新区作为新的经济增长极的龙头带动作用，在加快天津发展，促进环渤海地区经济振兴，推动全国区域协调发展中发挥更大作用。

（二）中心城区发展策略

为缓解中心城区城市功能过度集中，人口、交通和环境压力不断加大等问题，进一步提高城市综合服务功能，塑造现代化大都市形象，规划提出中心城区实施“一主两副、沿河拓展、功能提升”的发展策略。

中心城区发展策略示意图——一主两副、沿河拓展

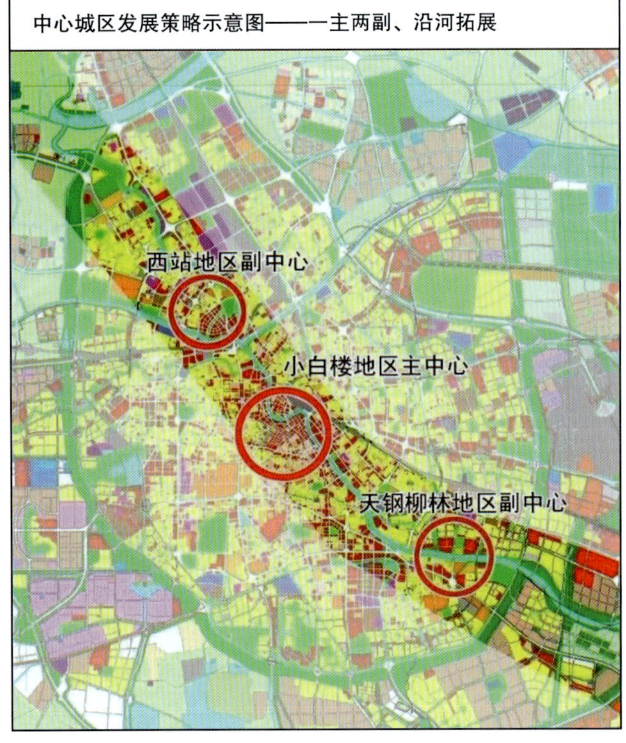

“一主两副”是指“小白楼地区”城市主中心和“西站地区”、“天钢柳林地区”两个综合性城市副中心。

小白楼地区城市主中心由小白楼、解放北路、南站商务区，以及滨江道、和平路商业区组成，重点发展金融、商务办公和中高端商业。西站地区城市副中心由西站综合交通枢纽、西站中心商务区等组成。天钢柳林地区城市副中心由综合会展区、商业商务区等组成。

通过“一主两副”，实现中心城区由单中心向多中心转变，完善综合服务功能，塑造更加科学合理的城市空间形态。

“沿河拓展”是指实施沿海河拓展策略，进一步加强海河两岸综合开发改造，把海河两岸打造成特色鲜明、独具魅力的现代服务业集聚区。

“功能提升”是指通过调整优化中心城区用地布局和产业结构，重点发展金融、商贸、文化、教育、科研、旅游等现代服务业，提升城市载体功能、文化品位和宜居程度，实现中心城区功能全面提升。

建设中的津湾广场

（三）外围区县发展策略

为提高外围区县综合实力，突出区县发展特色，加强城乡互动，实现各区县加快发展，规划提出外围区县实施“新城集聚、多点布局、特色发展”的策略。

新城集聚主要是指武清、宝坻、静海、宁河、蓟县、京津和团泊等新城，按照中等城市标准建设，进一步完善载体功能，壮大经济实力，带动区县发展。

武清新城发展成为京滨综合发展轴上的重要新城，高新技术产业基地、现代物流基地和生态宜居城市。

宝坻新城发展成为京津唐地区重要的商贸物流基地、加工制造基地和生态宜居城市。

静海新城发展成为现代制造业基地、区域物流中心和生态宜居城市。

宁河新城发展成为联系东北地区的门户，京津唐地区的加工制造基地、商贸物流基地和生态宜居城市。

蓟县新城发展成为天津市历史文化名城，京津冀北地区具有特色的文化、旅游和生态城市。

京津新城发展成为京津唐地区以休闲旅游、会议会展、文化教育为特色的现代服务业基地，彰显北方水城特色的生态宜居城市。

团泊新城发展成为以科技研发、教育体育、创意产业、旅游度假为主的生态宜居城市。

外围区县发展策略示意图——新城集聚、多点布局

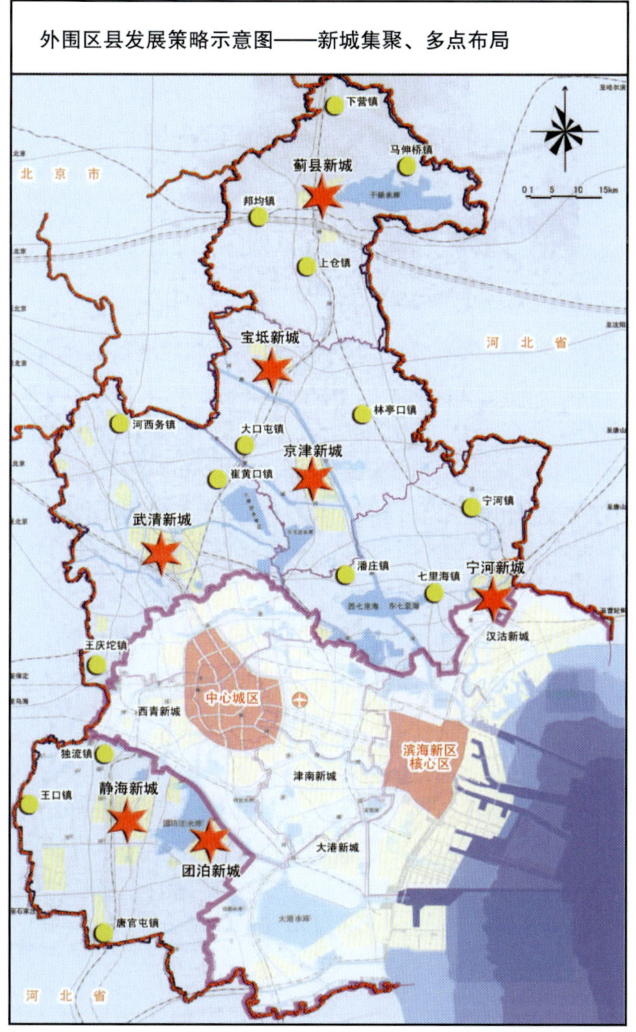

“多点布局”主要是指通过构建中心镇—一般镇—中心村三级镇村体系，统筹城乡居民点、产业、基础设施布局，促进人口和产业向城镇集聚，提升城镇综合实力和服务带动能力，成为带动区县加快发展新的增长点。

特色发展主要是指立足本地资源条件、产业基础和比较优势，明确区县功能定位和发展方向，以高水平的示范产业园为带动，彰显产业特色、环境特色、文化特色和建筑特色，促进各区县与滨海新区、中心城区的产业对接和互动。

三、战略实施

按照市委市政府的统一部署，坚持高起点规划，高水平建设，高效能管理，立足当前，着眼长远，整体推进，重点突破，经过三年左右艰苦奋斗，展现天津深厚的历史文化底蕴、独特的自然风貌和大都市现代化气息，加快建设国际港口城市、北方经济中心和生态城市。

迎奥运市容环境综合整治后的奥体中心地区

（一）工作布局——统筹三个层面联动协调发展

滨海新区以加快“双港”和九个功能区建设为重点，尽快增强综合实力和辐射能力，更好地发挥龙头带动作用。中心城区以加快海河综合开发建设为重点，发展现代服务业，整合资源，实现全面提升。各区县以加快新城、中心镇建设为重点，完善镇村体系。突出各自优势，培育更多的强区强县，在建设社会主义新农村上迈出更大步伐。

（二）重点任务——坚持产业发展、功能完善、生态保护并举

加快产业带、产业功能区的建设，构筑高端化高质化高新化的产业结构，增强核心竞争力。加快海港、空港、铁路、公路建设，构建现代化综合交通体系，密切与周边地区及国内外的联系，充分发挥枢纽功能。加快生态文明建设，构建大生态体系，集约节约利用资源，促进可持续发展。

（三）组织推动——坚持当前、近期、长远相结合

集中力量加快推进航空航天、石油化工、装备制造、电子信息、生物制药、新能源新材料、轻工纺织、国防科技等优势支柱产业项目建设；加快推进津湾广场、天钢柳林地区（海河上游后5公里）、于家堡金融区、响螺湾商务区等服务业项目建设；加快推进天津西站、天津机场二期、京沪高速铁路天津段、津秦客运专线、津保铁路等重大基础设施建设；加快推进中新生态城等生态文明城区建设，做到年年有新变化、三年见大成效，为长远发展打下更坚实的基础。

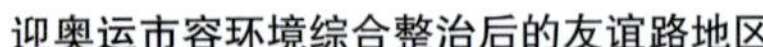

迎奥运市容环境综合整治后的友谊路地区

天津市文化中心规划设计方案

（向全市人民征求意见稿）

近年来，围绕加快推进滨海新区开发开放的国家战略和市委九届三次全会确定的“一二三四五六”奋斗目标，天津市经济社会发展取得了显著成就。但在文化设施建设方面存在着单体面积较小、功能不完善、布局相对分散等问题。为适应天津经济社会的快速发展，体现城市发展定位，完善城市文化服务功能，全面提升天津城市形象，满足人民群众日益增长的文化需要，市委、市政府决定规划建设天津市文化中心，要求以“文化、人本、生态”为主题，坚持一流水平，运用先进理念，博采众家之长，将其建设成为天津的标志性区域。

按照市委、市政府的决策部署，为高水平、高起点搞好文化中心规划设计工作，市规划局从2009年5月份开始，先后组织实施了文化中心区域城市设计方案与单体建筑设计方案国际征集、专家评审、方案优化等工作。历经一年多的时间，邀请了30多家国内外一流的文化建筑设计单位参与设计，征集到100多个设计方案，进行了20多轮的深化完善。为了保证设计方案优中选优，邀请16名院士和著名专家组成评委会，对文化中心各单体建筑设计方案进行了多次评选。评审专家一致认为，天津决定规划建设文化中心具有战略眼光。通过国际征集进行高水平的设计比选，使天津市文化中心项目的规划设计达到了国际先进水平。

一、总体城市设计

文化中心规划建设项目位于河西区，区域西侧与迎宾馆和天津大礼堂毗邻，东至隆昌路、南至平江道、西至友谊路、北至乐园道，用地总面积90公顷。该区域环境优势明显，现状有中华剧院、科学技术馆、博物馆、银河公园等重要公共设施。2008年，通过城市设计方案国际征集比选，确定了文化中心区域的整体布局。

文化中心区域的总体城市设计，利用银河公园与现状乐园的绿化、湖面形成开敞空间，从天津大礼堂向东引伸景观轴线，在轴线底景布置天津大剧院，面向湖面，与水景相映成趣。在湖面南侧，结合现状保留的天津博物馆（改建为自然博物馆）与中华剧院，自西向东依次布置天津博物馆、天津美术馆、天津图书馆，形成文化带；在湖面北侧，布置天津青少年活动中心、天津乐园。规划中的南侧文化带建筑端庄典雅，北侧天津青少年活动中心、天津乐园活力动感，两侧建筑的尺度设计和材质运用相互协调、呼应，烘托出天津大剧院清新大气的主体地位。

在交通组织方面，设计方案充分考虑区域人流集散特点，依据区域道路交通网络，中心城区4条轨道交通线路将服务于文化中心，实现便捷高效的公共交通服务，保证人流的快速集散；同时，完善周边地区道路网络，并结合地下空间开发，为项目提供有力的交通保障。

文化中心以“文化、人本、生态”为主题，充分展示天津大气、洋气、和谐、现代的靓丽形象。

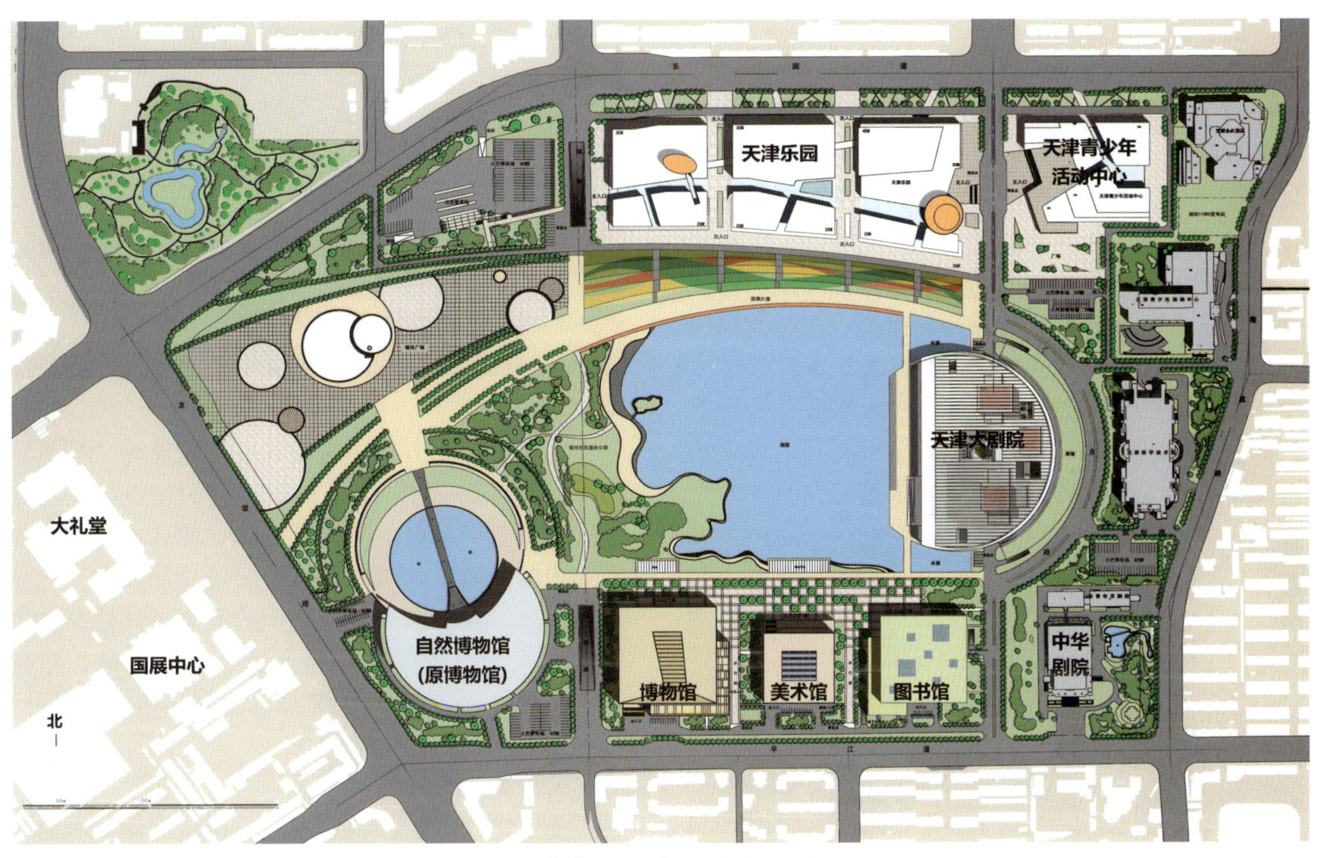

天津市文化中心总平面图

天津市文化中心总体鸟瞰图

二、建筑设计方案

天津青少年活动中心

目前青少年活动中心用于青少年活动部分的建筑面积约为3.4万平方米，大量的青少年活动空间都设在室外，受天气影响很大，而且设施老化，不能满足我市青少年活动的需求。

新建的天津青少年活动中心项目在规模、功能和设施等方面均有较大的提升和完善。在建筑规模方面，新的青少年活动中心建筑面积6.5万平方米。在使用功能方面，儿童城、欢乐水城、地震教育馆、拓展训练馆、数码艺廊等场所能满足青少年活动中心全天候教育、培训和娱乐等综合服务的需要。同时，文化中心区域内的图书馆、美术馆、博物馆和大剧院都将成为本市青少年儿童教育学习活动场所。

天津青少年活动中心

天津青少年活动中心建筑造型完整简洁，与城市周边呼应，在北侧乐园道形成富有活力的城市界面。其南立面以现代经典柱廊营造城市的空间氛围，与南侧天津博物馆、天津美术馆、天津图书馆和天津大剧院建筑相呼应，共同构成清新、靓丽、富有活力的文化区域。设计结合规划地铁站点，将使用功能延伸到地下一层，形成形态丰富的内部商业街，能满足多种活动需求。

天津图书馆

天津图书馆现有建筑面积3万平方米，藏书400万册，面积相对较小，功能不够完善。规划建设的新天津图书馆可藏书1000万册（件），阅览座席4000个，日接纳读者8000人次。现坐落于高校科研区的复康路图书馆，将作为以科研、学术、教育为主要功能的专业图书馆。

新建天津图书馆占地约3.78万平方米，建筑面积5.05万平方米，馆藏以文化艺术类和大众读物类图书资料为主，主要功能为借阅、数字图书、藏书、学术交流、社会教育、古籍保护和修复等，是一座为广大市民提供知识型借阅服务的现代化图书馆。

天津图书馆

天津图书馆方案建筑设计立意构思为“智慧乐园”。设计强调图书馆是承载智慧的建筑，在功能上实现了老年和青少年阅览共享，使其成为市民热爱知识的乐园。建筑内部结合阅览功能设置了七个采光中庭，寓意图书馆是知识的天堂。该建筑造型简洁、大气、现代；布局合理、层次清晰，对防灾、节能、书本流线等技术问题均有独到的设计；构思创意新颖，定位准确。

天津美术馆

美术馆是保护、积累人类文化精神和艺术财富并使之绵延传世的艺术殿堂，也是国家、民族文化发展水平的重要标志。我市现存美术作品数量多，档次高，品相好，在全国名列前茅。达到国家级收藏标准的有2万余件，其中一级品500余件，二级品2000余件。但是，我市至今没有市级专业美术馆。为了繁荣美术创作，积累文化财富，将规划建设集收藏、展览、征集和研究功能为一体的大型专业美术馆。

天津美术馆占地约2.98万平方米，建筑面积2.5万平方米，主要功能为展览近现代美术作品、进行美术作品的展示、培训、研究和美术作品收藏。馆内将建设0.16万平方米前厅和0.7万平方米展厅。其中，固定展厅包括中国字画厅、西洋美术厅、雕塑厅和现代艺术厅；交流性展厅包括主展厅

天津美术馆

和一般展厅。此外，建有约 0.5 万平方米的室外展区、0.36 万平方米的创作展示培训室等功能区。

天津美术馆建筑设计通过精心布置参观流线，实现从自然到文化，从文化到自然的空间转换，强化了公众从外部环境进入建筑内部的体验过程。在建筑内部，别具匠心地设置了一个通向所有楼层的艺术大厅，公众能充分体验浓厚的艺术氛围。该方案设计外观大气、简洁、内敛；内部空间丰富，流线组织顺畅，中庭效果生动，内外空间融合。

天津博物馆

天津博物馆现有建筑面积 3.2 万平方米，馆藏文物 20 万件、馆藏图书 20 万册。由于博物馆面积不足，目前天津博物馆只能对外展出十分之一的藏品。由于没有地库的功能，大量藏品只能在馆外另辟地方收藏，不利文物保护。为提升我市博物展览、文物保护工作水平，满足广大市民文化生活的需要，将规划建设新的天津博物馆。

现有自然博物馆建筑面积 1.2 万平方米，已不能满足现代功能的需求，将现有博物馆改建为自然博物馆。

规划新建的天津博物馆占地面积约 3.2 万平方米，建筑面积 5.5 万平方米，主要功能包括基本陈列、引进展览、学术交流、文物库房及办公等，年接待能力 150 万人次。馆内将建设 1 个序厅（0.3 万平方米）和 16 个独立展厅（1.44 万平方米），同时，1.4 万平方米的文物库房能充分满足馆藏需要。新的天津博物馆不仅仅是文物的收藏与展示场所，更是传播文化、交流共享的城市殿堂。建筑设计以

天津博物馆

“世纪之窗”为空间主题，再现天津悠久历史和重要地位。“世纪之窗”是“回顾天津设卫建城 600 年的文明之窗”、“再现中华百年看天津的历史之窗”和“展望天津美好前景的未来之窗”。该方案设计创意新颖，整体效果独特，设计手法简洁、大气。建筑内部空间富有特色，特别是历史大厅以逐级上升、层叠错落的中庭空间，形成强烈的纵深感，仿佛时光隧道，依次连接古代、近代、现代展厅，带领公众游历天津的文明和历史发展。

天津大剧院

天津是一座文化多元的国际港口城市，但至今没有一座综合性的专业大剧院，缺少对外文化艺术交流的重要平台。为了加大中外文化交流，扩大天津影响，为我市经济社会发展服务，将规划建设一座代表天津艺术表演水平，能满足接待国际一流大型歌舞剧、综合文艺和经典话剧演出需要的天津大剧院。

天津大剧院由综艺剧场、音乐厅和小剧场组成。其中，综艺剧场以歌舞类演出为主，座位约 1600 个；音乐厅以交响乐及其它形式音乐演出为主，座位约 1200 个；小剧场以乐器独奏欣赏和小话剧表演为主，同时具有表演艺术研讨等使用功能，可容纳观众 400 人。

天津大剧院

天津大剧院建筑设计立意构思为“城市舞台”。大剧院面向湖面，利用亲水台阶创造出宽敞的公共空间，形成开放的城市舞台，既可供市民休憩、观景、交流，也能满足室外多功能表演的需求。大剧院的建筑形式很好地处理了与周边建筑形态的关系，起到了文化中心区域主导作用。通透手法的运用以及亲水台阶，加强了文化中心东西向人流的联系，扩大了市民的活动空间，增强了建筑的城市功能。其内部空间紧凑便捷，使用功能合理，三个剧场可分别独立使用，便于经营管理。该建筑很好地协调与周边环境的关系，设计理念体现中国传统文化思想，建筑形式简洁大气、和谐圆润，大剧院将会成为城市亲和、开放的艺术殿堂。

天津市委市政府公示第二批重大规划项目征求全市人民意见建议

市委市政府决定，7月13日至22日再次公示一批重大规划项目：《天津市中心城区“一主两副”规划设计方案》、《于家堡金融区规划设计方案》、《响螺湾商务区规划设计方案》、《天津市生态布局方案》、《中新天津生态城规划设计方案》、《天津市海河教育园区规划设计方案》，向全市人民广泛征求意见。公示期间，到规划展览馆参观的市民超过4万人次，共收到信件、电子邮件4298封、电话4080个，现场留言3152条，经过整理共形成意见5032余条。

天津市中心城区“一主两副”规划设计方案

（向全市人民征求意见稿）

2009年6月，新版《天津市空间发展战略规划》对我市的发展方向、空间布局结构等重大问题做出了展望和安排。为进一步深化实施天津市空间发展战略规划，根据市委、市政府的决策部署，2008年8月开始，规划部门在开展《天津市空间发展战略规划》的同时，进行了《天津市中心城区“一主两副”规划》（以下简称“一主两副”规划）的编制工作。

天津市中心城市“一主两副”位置图

“一主两副”规划紧密围绕国家对天津的城市定位，用科学的理论与方法对城市主副中心的发展职能、空间结构、规模定量等问题进行了研究和安排。

按照高起点规划的要求，邀请多家国外先进设计单位，分别进行了“一主两副”的规划设计编制工作，规划部门在充分听取各方意见的基础上，深入讨论研究，形成了初步方案。

根据市委、市政府决定，从7月13日至22日用10天的时间充分听取、广泛征求全市人民的意见和建议，集思广益，群策群力，进一步完善提升规划方案，为城市发展和建设提供科学依据和有力保障。

征求意见工作坚持以人为本，广泛集中群众智慧，进一步激发全市人民热爱天津、建设天津、发展天津的积极性和创造性。同时开辟专门展厅进行展示，规划部门设置专线电话、电子信箱和意见箱等，广泛收集意见和建议，通过认真梳理研究，充分吸纳并体现到规划成果中。

“一主两副”基本情况（一主：小白楼地区两副：西站地区、天钢柳林地区）

“一主两副”是指小白楼地区城市主中心和西站地区、天钢柳林地区两个综合性城市副中心。小白楼地区城市主中心由小白楼、解放北路、南站商务区以及和平路、滨江道商业区组成。西站地区城市副中心由西站综合交通枢纽、西站中心商务区等组成。天钢柳林地区城市副中心由综合会展区、商业商务区、柳林风景区等组成。

小白楼地区城市主中心，以历史文化名城与历史风貌街区保护为基础，从完善城市现代化功能、

小白楼地区城市主中心实景图

西站地区城市副中心效果图

天钢柳林地区城市副中心效果图

缓解城市中心区交通压力、提升城市传统中心区城市形象的角度出发，适度发展金融、商务办公和中高端商业。

西站地区城市副中心，依托区域交通枢纽的建设和“四河六岸（子牙河、北运河、南运河及新开河）”良好的生态景观环境，从完善地区功能，构建副中心职能体系，带动中心城区西北部发展出发，以发展金融、商业、贸易及信息产业等功能为主体，打造中心城区西北部综合性的副中心。

天钢柳林地区城市副中心依托地区良好的内、外部交通环境及其紧邻滨海国际机场与航空城的良好区位，从完善地区功能，构建副中心职能体系，带动中心城区东南部发展的角度出发，以发展会议、展览、商务、商业及娱乐为主体，打造中心城区东南部综合性的副中心。

通过城市主副中心与区级中心相互促进，共同推进中心城区均衡协调发展，形成高端服务业“向心聚集”，服务产业梯次扩散，经济带、文化带、景观带交相辉映的城市特色。

一、主中心规划设计方案

小白楼地区城市主中心位于城市中心海河两岸，具有深厚的历史文化底蕴和金融、商务办公、中高端商业等多种功能，是天津最具特色和国际化的商务中心。小白楼地区城市主中心由小白楼、解放北路、南站商务区，以及和平路、滨江道商业区组成。

小白楼地区城市主中心用地范围：北至博爱道、海河东路；南至南京路、苏州道、江西路、合肥道；西至鞍山道；东至七纬路，占地面积为 5.4 平方公里。小白楼地区城市主中心包含多个重点建设片区，如与东站隔河相望的津湾广场以及解放北路历史风貌金融街等。

结合天津作为国际港口城市、北方经济中心和生态城市的城市定位以及“双城区”的发展战略，确定在中心城区建立市级中心商务区。

小白楼商务区重点发展商贸、办公等功能；南站商务区重点发展办公、娱乐等功能；解放北路商务区重点发展金融、办公等功能；和平路、滨江道商业区重点发展商业、商务办公等功能。

小白楼地区城市主中心各功能区将围绕海河展开，同时注重历史文化风貌保护，通过城市道路、广场、桥梁、步行街和绿地系统，形成紧密联系的整体。

规划不断完善小白楼地区的城市功能，通过城市交通系统的完善、城市形象的提升、景观风貌建筑的整治、配套服务设施的建设等措施带动这一地区的发展，完善地区服务功能，提高土地价值，营

小白楼地区城市主中心范围图

造良好的商务环境。

1、完善地区交通体系，增加停车设施，缓解静态交通压力；构建多元化交通体系，加强地铁等公共交通设施的建设，提高地区交通的通行能力。

2、提升地区的城市形象，形成大气、亮丽的城市形象标志区，同时注重绿色公共空间的建设，为城市提供多样化的商务活动体验。

3、加强小白楼地区与东部海河以及西部五大道历史风貌区机能上的联系，在保护地区历史风貌建筑的同时，延续街区的传统风貌。

4、重点发展小白楼地区的高端商业及其配套服务设施，形成区域性高端商业聚集区。

主中心：小白楼地区

小白楼地区城市主中心位于城市中心海河两岸，具有深厚的历史文化底蕴和金融、商务办公、中高端商业等多种功能，是天津最具特色和国际化的商务中心。小白楼地区城市主中心由小白楼、解放北路、南站商务区以及和平路、滨江道商业区组成。

1. 小白楼商务区

小白楼商务区是天津市传统的商务中心，经过多年建设目前已初具规模。规划范围为北至曲阜道；南至苏州道、南京路；东至海河西路；西至湖北路、马场道，占地面积约70公顷。

小白楼商务区功能定位为以商务带动商业，建设以高档商务写字楼、高级宾馆酒店、专业精品店、高级公寓为依托的高档商务商业载体；重点发展中介服务、高端品牌商业、企业总部等。

未来将重点建设由徐州道、蚌埠道围合而成的垂直于海河的景观带以及由大沽北路、解放北路围合而成的平行于海河的景观带，形成独具特色的城市空间形象。地铁一号线小白楼站以及跨海河蚌埠桥的建设，使车流、人流出入的便捷程度达到最优水平。不断完善现代化管理系统，逐步实现办公、管理、治安、停车场自动化以及全程物业服务系统，成为天津现代商务的标志。

音乐厅效果图

小白楼商业区实景

2. 解放北路商务区

解放北路商务区位于海河西岸，北、东两侧至海河；南至曲阜道；西至大沽路，占地面积约103公顷。

解放北路商务区历史上是天津传统金融机构的集聚地，是天津的“华尔街”。解放北路商务区在传统的金融功能基础上，强化现代金融中心功能构成，在充分尊重历史街区传统的基础上，形成具有国际水准的、功能完善的金融中心。

解放北路整治后实景

解放北路历史风貌金融街整治效果图

在明确“天津市金融机构集聚、风貌建筑荟萃的历史街区”的总体定位的基础上，通过历史风貌金融建筑修旧如故，现代建筑改造外观，与整条街道风格协调，保证街道界面连续性和整体建筑风格统一，改善建筑立面，提升绿地品质等具体的规划改造措施，力争将解放北路历史风貌金融街建设成为“天津市最具欧洲古典气质的精致街道”。

3. 南站商务区

南站商务区位于海河以东，规划范围为北至赤峰桥；南至十三经路；东至七纬路；西至海河，占地面积约 95 公顷。

南站商务区建筑效果图

南站地区地理位置优越、交通便利、周边配套设施完备，是未来天津商务区的重要拓展建设用地。南站商务区定位为综合性商务办公中心，形成以现代金融、财务会计、律师咨询、营建顾问等现代服务业为主导的，以高端商业、文化休闲为补充的，以近代工业文化为特色的可持续、复合型城市商务中心，与小白楼商务区、解放北路商务区功能互补，协调发展。

南站商务区鸟瞰图

未来南站商务区将成为拥有多座甲级写字楼以及五星级大酒店、商务商业建筑的现代化商务区，成为立足天津、服务环渤海、面向东北亚的现代、国际化中央商务区。

4. 津湾广场

津湾广场位于天津市中心城区的核心位置，北侧与天津东站隔河相望，东至赤峰道、西至解放北路。津湾广场占地面积约 12.5 公顷。津湾广场为海河两岸综合开发的重要组成部分，包括高级商务办公写字楼、高级公寓、酒店、高档零售业及高端会议中心。津湾广场全部建成后，将完善解放北路商务区、商务办公区、文化娱乐及酒店服务板块功能，并形成以它为核心的布局体系。是塑造区域空间景观、带动服务业发展、提升区域综合环境的重要节点。

金湾广场鸟瞰图

金湾广场效果图

二、副中心：西站地区

西站地区城市副中心位于天津中心城区西北部，规划范围东至南口路，西至红旗北路，南至南运河，北至普济河道，总占地面部 10 平方公里。

城市设计

西站地区城市副中心既是天津对外交通的门户地区，也是市内重要的交通枢纽。京沪、京津、津保及津秦四条高速铁路接入天津西站，加强了天津西站的对外枢纽功能；同时，1、4、6 号轨道线的建设，以及西青道、新河北大街快速路和主次干道系统的完善，加强了本区与中心城区其他各区的联系。除此之外，该区域还拥有得天独厚

西站地区城市副中心总平面图

的环境资源，北运河、子牙河、南运河、新开河流经区内，在三岔河口汇入海河，形成“四河六岸”的水系景观态势；现状西沽公园生态景观、绿化植被情况良好。

西站地区城市副中心的规划结构是“四河六岸，一轴双核，五大板块”。子牙河、北运河、南运河及新开河沿岸地区生态环境的提升，将改善副中心的各种活动环境，提高地区价值；综合发展轴线南起南运河，北至北运河，集生态休闲轴线、便捷交通轴线、人文景观轴线和功能发展轴线于一体，同时，以西站枢纽（综合交通核）、西沽公园（生态景观核）“双核”为引擎推动地区发展；在双核的拉动下，沿城市综合发展轴线的两侧发展五个功能板块分别为，核心商务板块、休闲商务板块、枢纽商务板块、科教生活板块和创意生活板块。

西站地区城市副中心将建设成为辐射京津冀和环渤海地区，集商务金融、商业贸易、文化休闲居住于一体的，集中展现天津崭新城市形象的综合性城市副中心。地区建设将为中心城区西部发展注入新活力，成为城市风貌新亮点，集中展现天津人民新的精神面貌，实现天津市东西部和谐、可持续发展。建成后的副中心地区总建筑规模将达到1500万平凡米，其中核心区（包含核心商务板块、休闲商务板块及枢纽商业板块）建筑规模为920万平方米。

中心绿廊效果图

规划结构分析图

交通组织方面，3 条轨道交通线路将服务于西站地区，实现便捷高效的公共交通服务；同时，道路网络由城市快速路、主干道、次干道、支路四个等级构成。西青道和新河北大街两条快速路构成十字形交通主动脉，实现区域对外快速交通联系；适当加大的核心区路网密度，能够满足地区内部交通需求。

开放空间方面，在西沽公园和子牙河之间，设计一条宽度近百米，长度逾一公里的城市绿色廊道，作为副中心区最活跃的开放空间和核心绿地景观。将分散独立的北运河岸景观、子牙河岸景观及西沽公园景观串联起来，形成整体的绿地景观体系。此外，在整体规划布局中考虑了直接亲水的建筑组团布局方式，实现从滨水的商业建筑到子牙河水岸的无障碍设计。

空间形态方面，严格控制滨水地区的建筑高度，形成由滨水地区向腹地逐渐升高的空间形态以及高低错落，富有韵律的城市天际线。在总体上呈现“中心高、周边低、中间过渡”的建筑高度分布特点和一个最高点，两个次高点的三峰式天际线轮廓。

1. 西站南广场

南广场位于西站客运站站房南侧，规划范围东至西站前街、西至复兴路、南至南运河北路、北至西青道。规划总占地面积 20 公顷，总开发量 30 万平方米。

整体方案设计立意于西站站房的“光辉”主题，整体几何构图采取以站房为圆心、逐层向外辐射的手法。景观设计与主站房光辉主题相呼应；下沉广场的布局增加商业的直接采光面；强化自由通廊与南广场的联系。

南广场主要由集散广场、景观公园、特色商业区三部分构成。集散广场的设计以津味文化地面浮雕及标志塔为主，体现天津西站的文化意蕴。景观公园以绿地和各种灌木为主，保证视线通透。特色商业区业态以主力卖场、餐饮、大型超市、站前特色商业、酒店为主。

建筑裙房采取以站房为基准，逐层向内降低的体块组合方式，形成屋顶绿化、屋顶休闲区域。塔楼的设计风格简洁、明快、富时代感。

2. 天津西站

天津西站车场规模 13 台 26 线。站房北至子牙河，南至西青道，东至西站前街，西至复兴路延长线，所处用地为东西长约 800 米、南北长约 400 米的狭长形地块。

天津西站采用高架层、地面层、地下层及站房四角配合设置辅楼的布局方式，上进下出的进出站模式。站房面积 10.4 万平方米、雨棚面积 7.6 万平方米，总面积 18 万平方米。站房主体高 57 米，辅楼高 20 米。方案以圆拱和放射状百叶形象表现光芒四射，寓意天津城市发展的美好前景和光辉未来。以向前倾斜的、充满动势的圆拱寓意着京沪高速铁路的建成使用，天津西站将成为拉动这一地区发展的“火车头”。跨度达 114 米的巨大拱形结构创造出南北长 395 米的宏大高架进站候车空间，使旅客在进站过程中感受到充满阳光、开敞、通透的空间效果。57 米高面向广场的半圆形空间效果与结构完美结合，具有强烈的韵律感，通过表面肌理的处理，显得丰富而细腻，白色的编织网状屋顶钢结构将成为天津市新的地标式建筑。

3. 西站北广场

北广场位于天津西站站房北侧，规划范围南至基本站台、北至子牙河、西至复兴路，规划总占地面积 16.5 公顷，总开发量 10 万平方米。

北广场设计在满足公交车、出租车、社会车等交通需求的前提下，对广场进行了优化，旨在创造一个“多维、亲切、宜人”的广场空间。北广场设计主要由交通广场、景观休闲广场、枢纽控制中心、公交首末站、出租车蓄车场、社会停车库和自行车库组成。

北广场由景观休闲广场、滨河景观带及各功能区共同组成，形成了“一带、两中心、多节点”的景观格局。一带是指滨河景观带；两中心是指由休闲广场和交通广场组成的两个立体景观中心；多节点是北广场区域内局部绿化。

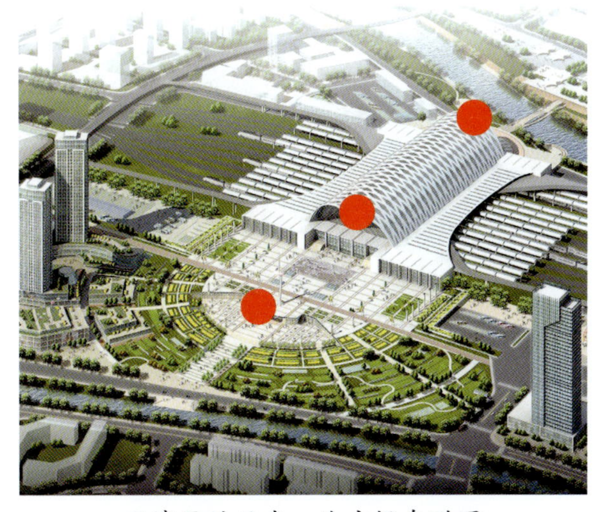

天津西站及南、北广场鸟瞰图

西站地区城市副中心总体鸟瞰图

三、副中心：天钢柳林地区

天钢柳林地区城市副中心位于天津市中心城区东南部，是海河上游开发改造的重要节点，规划四至范围：东至外环南路，西至昆仑路，南至大沽南路，北至津塘路，规划区占地面积 14.5 平方公里，其中可建设用地约为 9.56 平方公里。

城市设计

天钢柳林地区城市副中心具有良好的内、外部交通环境，作为东部地区的中心，其紧邻滨海国际机场与航空城的良好区位，使其具有强劲的产业支撑和外向型服务潜力，未来可有力带动东部地区发展。

天钢柳林地区城市副中心总平面图

该地区将以城市副中心建设和滨水区提升改造为契机，充分发挥滨水区对城市发展和经济建设的催化作用，带动区域内河东、河西、东丽、津南四区整体发展，使中心城区东南部成为城市发展中新的活力地带，促进中心城区协调发展。

天钢柳林地区城市副中心将规划建设成为面向国际，以商务会展、商业娱乐、创智产业及休闲居住（国际社区）于一体的，集中展现天津大气、洋气城市形象的生态型城市副中心。

中心绿廊效果图

在道路交通方面，规划依据中心城市整体道路交通系统，形成由城市快速路、主干路、和支路组成，等级匹配合理的地区道路网络，实现与中心城区、海河中游、滨海新区的快速联系，支撑地区发展。

在绿化景观方面，规划以构建面向海河的多层级开放空间体系为目标，通过绿楔、公园、广场以及柳林风景区等城市开敞空间的系统组织，将海河优美的水岸景观引入到城市中去，整体打造面向海河的多层级开放空间体系，城市级景区、绿地及河流总面积占总用地的33%。

在建筑风格方面，规划从天津小洋楼的建筑风格提取和欧洲经典建筑借鉴两方面入手，将传统欧式与现代简约风格合理有序的组织在一起，着重突出天津洋气、大气的建筑风貌与城市特色，形成天津市未来最具代表的一道亮丽风景。

在地区道路、桥梁命名方面，结合该地区整体规划思路与历史资料收集，我们就区内道路和跨河桥梁的名称与历史、地理、汉语言和地方志方面专家学者进行了研究设计，并在互联网上开展了征名活动，形成了初步方案，现向广大市民征求意见。

在规划布局方面，规划沿海河横向布局，形成“一带、七区”的城市结构，其中，一带为：海河风情带；七区为：都市商务区、创业产业区、地区行政、及国际社区、海河北部生活片区、海河南部生活片区、柳林风景区、地区综合服务区等。规划总建筑面积为1360万平方米，其中：公建540万平方米；住宅820万平方米。

规划结构分析图

1. 北岸都市商务区

该区块位于月牙河东路、环宇道、规划路十一和海河东路围合的核心区段，总占地约129公顷。紧邻海河风情带，并有三条地铁线路穿境而过，具有环境优势和基础设施优势。以商务、金融、商业、公寓为主体功能，以公共绿地、绿轴、林荫大道为环境特征。规划充分考虑区块与海河风情带的互动关系同时兼顾产业细分与功能互补，形成天津市东南部核心商务金融区。

北岸都市商务区鸟瞰图

2. 海河风情带

该区块位于昆仑路、海河东路、外环东路、台儿庄南路和复兴河围合的区域内，总占地面积约200公顷。以传承海河特有的历史文脉为特征是这一地区开发的灵魂所在。作为整个海河上游文化带景观带的尾端，地段的特殊性决定了我们要以独特、亮丽和大气辉煌的城市空间与特色建筑为这一区段画上闪亮的一笔。规划以会展、商业、商务、高端居住（国际社区）和滨水休闲为该区主体功能，重点突出紧邻海河的亲水特点，按照“一核、两翼”布局，合理组织各功能，一核以综合性会展中心为核心，两侧配以酒店、特色商业、餐饮、娱乐等功能，两翼则以滨水生活为主题，沿河布置滨水住区、国际社区、欧式园林等功能区块。整体打造具有天津现代建筑特点的欧式建筑群与园林景观。

海河风情带鸟瞰图

3. 南岸文化办公区

该区块位于台儿庄南路以南，柳盛道以北的

区段，总占地面积约 39 公顷。以文化、办公、商业为主体功能，以亲水堤岸、公共绿地为环境特征。在建筑形式上，充分考虑区块与北岸海河风情带沿海河两岸的互动关系，沿河以多层为主的欧式风情建筑与现代简约的高层建筑相结合，形成海河南岸错落有致的滨水建筑特色。

南岸文化办公区效果图

天钢柳林地区城市副中心海河北岸效果图

天津市滨海新区于家堡金融区规划设计方案

（向全市人民征求意见稿）

于家堡金融区是集中展示滨海新区形象的标志区，规划突出滨水、人文、生态的特点，形成集金融办公、商业服务、配套公寓、文化娱乐、休闲旅游等功能于一体的金融商务中心。

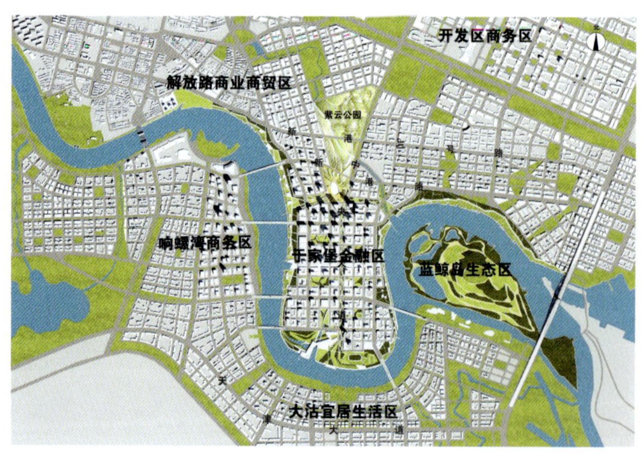

总平面图

按照高起点规划的要求，邀请了国内外多家高水平设计单位，组织开展于家堡地区行动规划方案征集和于家堡城市设计国际竞赛，对于家堡金融区的建设规模、功能比例、空间结构、交通模式、项目建设等问题进行深入研究，并邀请规划、交通、经济、社会、生态等方面得专家学者进行了反复研讨和论证，在此基础上，完成了城市设计整合及城市设计导则的编制工作，并委托多家知名设计公司开展了景观、地下空间利用、交通等专项规划设计工作。

起步区

于家堡起步区位于于家堡金融区西部，与响螺湾商务区隔河相望，规划占地面积约 1.1 平方公里，总建筑面积约 300 万平方米。于家堡起步区以京津城际于家堡车站为依托，形成以金融办公、商务会议、行政服务、星级酒店聚集的功能区。在于家堡城市设计导则的指导下，近期计划启动建设由 9 栋建筑单体组成的建筑组群。国内 9 位一流建筑师组成联合设计团队，相互协调，共同开展建筑方案设计工作，9 栋单体建筑风格各异又协调统一，塑造了完整的城市空间形态，提升了城市空间品质。

城市设计

于家堡金融区位于塘沽区海河北岸，三面临海河，规划占地面积约 3.86 平方公里，建筑面积约为 950 万平方米。

在规划结构方面，以中央林荫大道作为城市发展主轴，两侧功能均衡布局，满足以金融为主体的

起步区区位图

商务功能需求。按照窄街廓，密路网的布局原则，规划了金融办公、商业服务、配套公寓、文化娱乐等一系列功能。

在交通组织方面，采用道路交通、轨道交通、水上交通、步行交通和地下通道相结合的多样交通组合，形成高效便捷的交通体系。结合滨海景观设置宜人的步行通道网络；通过合理配建地下停车设施，构建地上地下立体交通网络。

在空间形态方面，严格控制滨水地区的建筑高度，形成由滨水空间向腹地逐渐升高的空间形态。以京津城际于家堡车站为中心形成的北部组团将成为于家堡金融区天际线的制高点，在规划区域南端将成为次高点。

京津城际于家堡站

京津城际于家堡站位于于家堡金融区北部，规划线路自天津站城际车站东端引出，与现有京山铁路并行，经塘沽站向南引入于家堡金融区，线路全长约45公里。

车站效果图

京津城际于家堡车站总建筑面积约8.8万平方米，地上站房建筑占地面积约1.7万平方米，地下站房建筑面积约7.1万平方米。规划设计以生态、绿色为原则，运用先进设计理念，采用集中式、半地下布局，方便乘客换乘，节约使用土地。同时将北侧的紫云公园延伸至车站广场，使车站既能发挥重要交通枢纽功能，又成为环境优美的城市客厅。

鸟瞰图

车站室内效果图

西侧效果图

天津市滨海新区响螺湾商务区规划设计方案

（向全市人民征求意见稿）

为进一步加快滨海新区中心商务区的开发进度，实现与于家堡金融区的功能互补，启动建设响螺湾商务区。作为兄弟省市驻滨海新区办事机构、中央企业和大型企业集团总部、科技研发中心的聚集地，响螺湾商务区在提供研发、会计、法律、咨询等相关的配套设施的同时，搭建信息交流平台，为国内外大型企业进驻滨海新区提供全面、优质服务。

按照高水平规划的要求，邀请国内外多家知名设计单位参与响螺湾商务区的设计工作，在功能定位、空间布局、交通组织、景观绿化、地下空间利用、经济分析等方面进行充分研究，形成了响螺湾商务区城市设计方案。

夜景鸟瞰图

富力大厦

中钢大厦

城市设计

响螺湾商务区位于滨海新区中心商务区海河西岸，北临塘沽海河外滩公园，东与于家堡金融区隔河相望，规划占地面积 1.1 平方公里，总建筑面积 370 万平方米。

在空间形态方面，形成一个至高点和两个次高点的三峰式天际轮廓，塑造凹凸有秩的城市天际线。

在建筑设计方面，以先进新颖的建筑设计理念和建筑形式，体现高品质的商业氛围，打造全新的城市风貌。

在道路设计方面，以高密度、方格网的路网结构划分街区用地，便于办公建筑的使用。

在街道设计方面，按照“行人优先，公交优先”的原则，形成尺度亲切、绿树成荫的人行道。通过连续的沿街建筑界面设计，形成整齐有序的城市空间景观，实现城市设计的弹性控制与整体协调。

在开放空间方面，形成“一带三庭”的布局结构。东侧规划滨水带状绿地，通过休闲、娱乐的绿树开放空间，丰富了城市活动，塑造了优美的城市形象，并带动办公、零售、餐饮等项目的开发。沿滨河主路规划三个城市中庭，形成重要的公共空间节点，并通过视觉通廊与滨水带状绿地相连，形成富有活力的城市氛围。

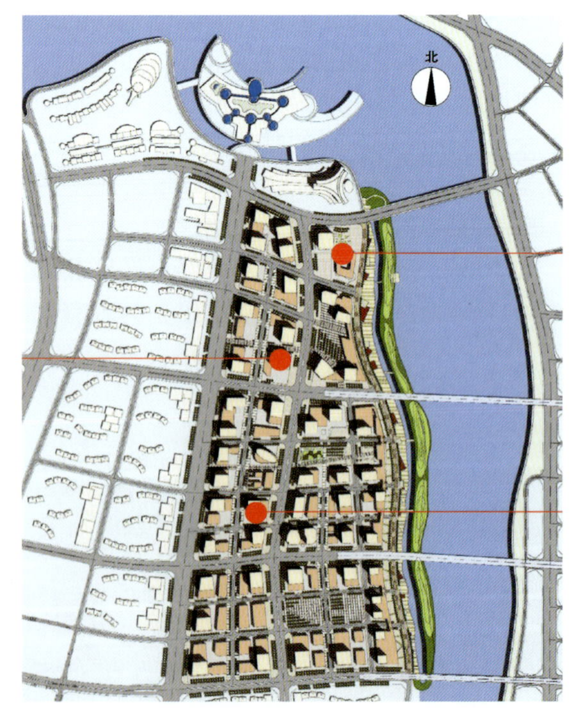

总平面图

中船重工大厦

建筑设计

响螺湾商务区规划建设38座商务楼宇，占地面积约63万平方米，汇集了内蒙古、河北、山东、陕西等省区和中国五矿集团、中钢集团等大型企业驻津办事机构。

在城市设计导则的指导下，经过严格的专家评审，国内外数十家知名建筑设计单位高水平完成建筑单体设计方案。

东侧效果图

天津市生态布局规划方案

（向全市人民征求意见稿）

市委、市政府高度重视天津市生态环境的规划工作。为了进一步提高天津市的整体生态环境质量，为全市人民创造良好的生活环境，加快建设生态城市，依据《天津市空间战略发展规划》确定的“双城双港、相向拓展、一轴两带、南北生态”的总体战略，组织开展了天津市生态布局规划方案编制工作，对“南北生态”规划进行了落位。

天津市生态布局规划方案的编制工作紧密围绕国家对生态城市的定位，结合正在编制的天津市空间管理区规划、天津市水系规划、天津市林业规划等相关规划，兼顾经济发展和生态保护，对天津的生态布局进行研究和安排，形成了初步方案。

天津市生态布局

天津市具有独具特色的山、河、湖、海、泉等自然资源：山区集中分布在蓟县，面积约651平方公里，包括盘山风景区、八仙山自然保护区、中上元古界自然保护区、国家地质公园、九龙山国家森林公园等；海河水系由北运河系（包括蓟运河、潮白新河）、永定河系、大清河系、子牙河系和南运河系（包括漳河、卫河）等5大水系及其干流组成；湿地众多，包括七里海湿地、北大港湿地、团泊洼湿地、东丽湖和官港湿地等，面积约1718平方公里；海域面积约3000平方公里，大陆海岸线全长约153公里；地热资源丰富，总储量约1103亿平方米。

结合天津市的生态特征，规划形成以“团泊洼水库-北大港水库”湿地生态环境建设和保护区、蓟县山地生态环境建设和保护区、“七里海-大黄堡洼”湿地生态环境建设和保护区为主体，以自然保护区、风景名胜区、国家公园为重点，以防风固沙林带、沿河绿化廊道、环城绿化带、道路沿线绿化带、楔形绿地、农业用地等共同构筑的多层次、多功能、网络化、城乡一体的市域生态体系。

规划综合考虑生物多样性、水源涵养、水资源、生物链、自然资源、城市生态环境、生态廊道等因素，将敏感性较强的生态系统作为先决条件，划定禁止建设区和控制建设区的范围，保护生态资

北
黄崖关长城风景区
八仙山国家级自然保护区
杨庄截洼
九龙山国家级森林公园
国家地质公园
盘山风景名胜区
蓟县新城
于桥水库
北京市
河北省
青龙湾固沙林
宝坻新城
京津新城
黄庄洼水库
大黄堡湿地自然保护区
永定河泛区
武清新城
上马台水库
南湖水库
七里海自然保护区
汉沽新城
规划王庆坨水库
东丽湖
宁车沽水库
黄港水库二库
中心渔港
西青新城
中心城区
黄港水库一库
北塘水库
海滨旅游区
滨海新区核心区
海港物流区
津南新城
渤海湾
静海新城
鸭淀水库
团泊洼水库
津南水库
临港工业区
大港新城
钱圈水库
北大港水库
沙井子行洪道
南港工业区
沙井子水库
李二湾水库
图例
禁止建设区
控制建设区
行政区界

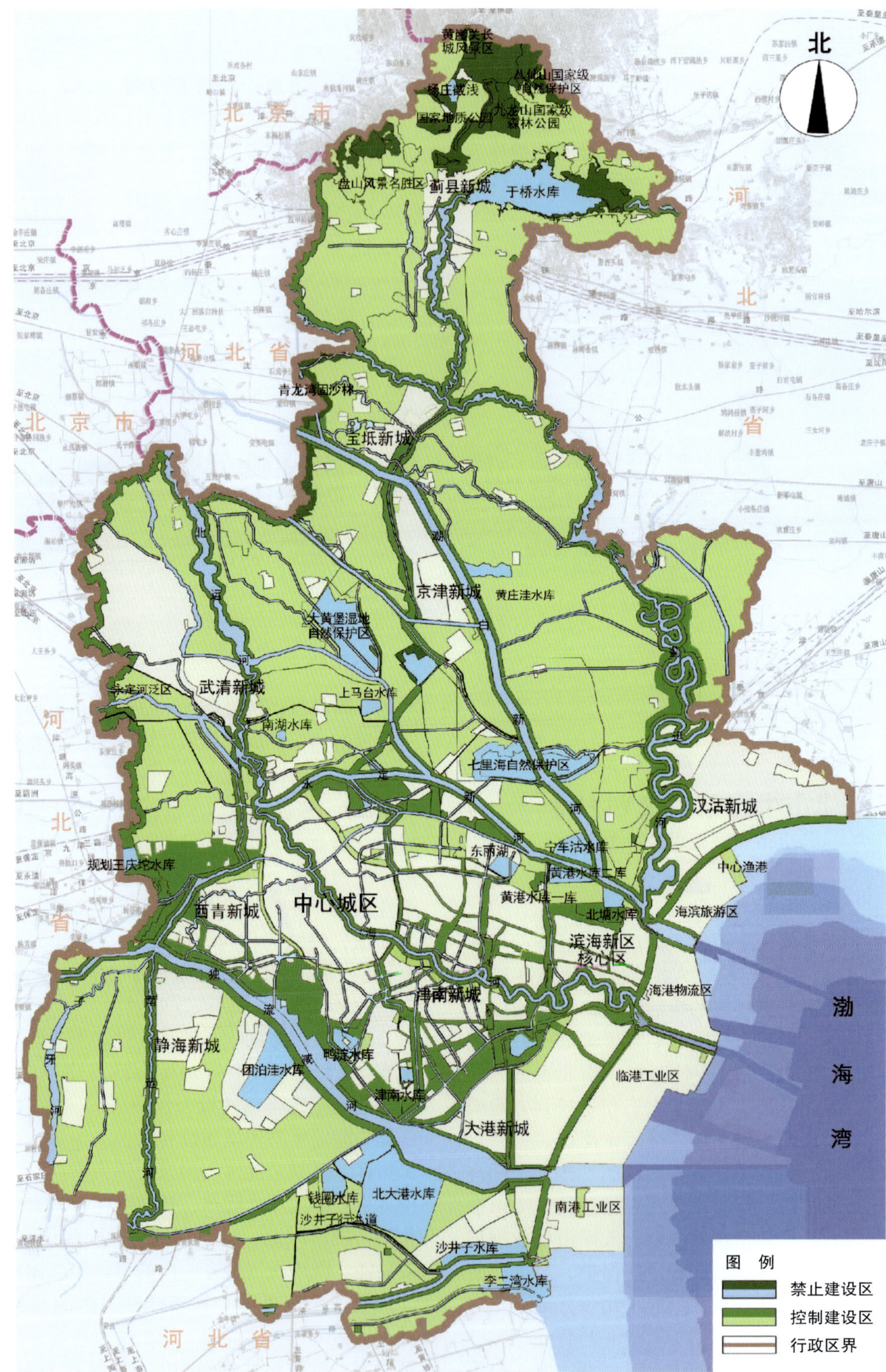

生态布局规划图

源、并制定空间管理规则，为各类建设活动设定“准入门槛”，合理引导城市发展，实现可持续发展，建设生态城市。

禁止建设区时指具有重大自然和人文价值的场所与空间，以及如进行建设可能对生态环境造成危害的地区。包括自然保护区的核心区和缓冲区、风景名胜区和国家公园的核心景区、饮用水水源的一级保护区、重要湿地、基本农田保护区、行洪通道等。

控制建设区是指对建设活动具有生态敏感性的地区，以及因自然灾害等因素不适宜建设的地区。包括自然保护区的实验区、风景名胜区和国家公园的非核心景区、生态控制用地、地表水源二级保护区和地下水源准保护区、一般耕地、滞洪区以及重大基础设施控制廊道。

生态布局结构

为了有效的保护生态资源，提高市域南北部之间以及中心城市内部之间的生态连通性，避免城市

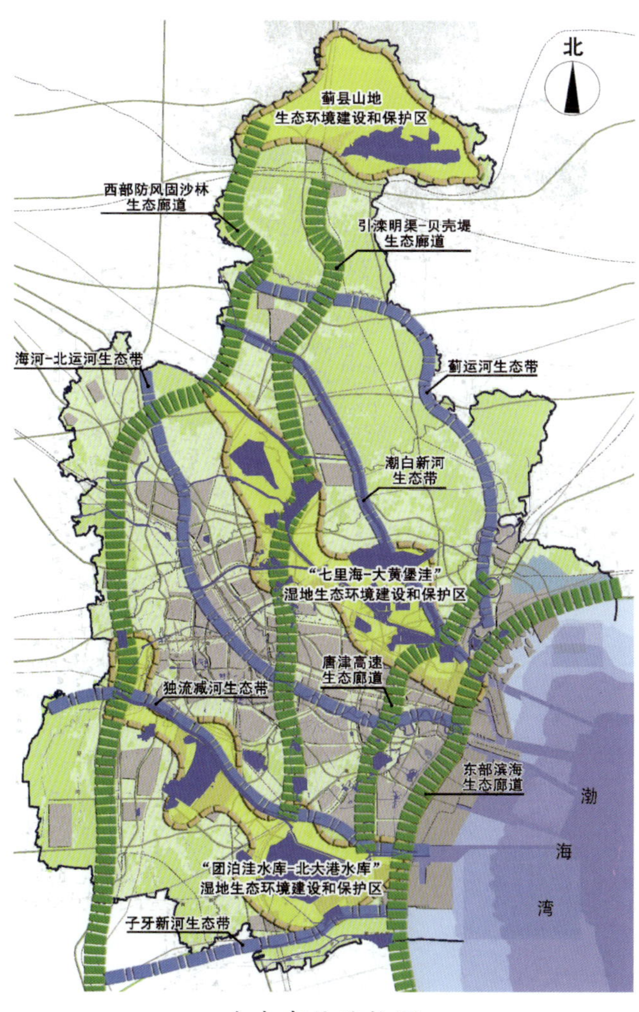

生态布局结构图

建设连片蔓延式发展，丰富和完善市域的大生态体系，在“南北生态”的总体战略下，本次规划提出构建“三区、四廊、五带”的生态布局结构。

“三区”是指“团泊洼水库-北大港水库”湿地生态环境建设和保护区、蓟县山地生态环境建设和保护区、“七里海-大黄堡洼”湿地生态环境建设和保护区。

“四廊”是指四条纵向贯穿市域南北部的生态廊道、京津高速生态廊道、引滦明渠-贝壳堤生态廊道和西部防风固沙林生态廊道。

“五带”是指五条横向连通市域东西部的河流生态带，包括：蓟运河生态带、潮白新河生态带、海河-北运河生态带、独流减河生态带、子牙新河生态带。

1 “团泊洼水库-北大港水库”湿地生态环境建设和保护区

“团泊洼水库-北大港水库”湿地生态环境建设和保护区是天津市重要的鸟类自然保护区和湿地保护区，市域南部重要的生态防护区与隔离带。它主要由独流减海、团泊洼水库、北大港水库、鸭淀水库、八里台水库等组成。

北大港水库

规划建设“团泊洼水库-北大港水库”湿地生态环境建设和保护区，通过大清河与河北白洋淀水系相连通，形成以海河流域河流为脉络的区域一体化生态网络。“团泊洼水库-北大港水库”湿地生态环境建设和保护区要通过建立自然保护区、湿地公园等方式，严格保护饮用水水源地、野生动物主要栖息地和候鸟迁飞停歇地；保护一般水库和独流减河等河流廊道。

2 蓟县山地生态环境建设和保护区

蓟县山地生态环境建设和保护区是天津市的重要水源地、水源涵养区和引滦入津水源保护区。它

主要由蓟县八仙山自然保护区、蓟县中山元古界自然保护区、天津盘山风景名胜自然保护区等组成。

规划建设蓟县山地生态环境建设和保护区，与燕山山脉共同构筑华北防护林体系，构成区域的生态屏障。蓟县山地生态环境建设保护区要通过生态补偿、基础设施和重大项目引导等措施，引导城市开发向天津市中部和南部地区集中发展；加强保护生物多样性和森林资源，恢复自然植被，涵养水源，控制水土流失；严格控制山区开发建设，加强绿化建设和生态恢复；全面推进生态村建设，加强污染控制；加强农田改造，建立生态农业区。

盘山挂月峰

3 “七里海-大黄堡洼”湿地生态环境建设和保护区

“七里海-大黄堡洼”湿地生态环境建设和保护区是天津市域北部重要的生态防护区与隔离带。它主要由潮白新河、七里海水库、大黄堡洼、黄港水库、东丽湖、尔王庄水库等水面组成。

规划建设“七里海-大黄堡洼”湿地生态环境建设和保护区，通过潮白新河与区域水系相连通。“七里海-大黄堡洼”湿地生态环境建设和保护区要扩大生态水来源，在依赖天然降水的同时，充分利用中水；逐步将零星布局的工业企业积聚到各区的示范工业园区，减少对生态环境的污染；加快建设新农村建设，加强污染控制。

七里海湿地

中新天津生态城规划设计方案

（向全市人民征求意见稿）

中新天津生态城是中新两国政府应对全球气候变化，加强环境保护、节约资源，构建和谐社会的战略性合作项目。2007 年 11 月 18 日，中国和新加坡两国领导人共同签署了中新两国政府关于再天津建设生态城的框架协议。按照协议，生态城将实现“人与人和谐共存、人与环境和谐共存、人与经济活动和谐共存”，建设方式要“能实行、能推广、能复制”，探索资源约束条件下城市可持续发展的模式，成为中国其他城市发展的样板。

生态城重点构建循环低碳的新型产业体系、安全健康的生态环境体系、优美自然的城市景观体系，方便快捷的绿色交通体系、循环高效的资源能源利用体系以及宜居友好的生态社区模式，积极探索新型城市化和新型产业化道路。

总体规划图

区域位置

中新天津生态城坐落在天津滨海新区，距离滨海新区核心区 15 公里、距离天津中心城市 45 公里、距离北京 150 公里，规划面积约 30 平方公里。规划区域内现状三分之一是废弃盐田，三分之一是盐碱荒地，三分之一是有污染的水面，土地盐渍化严重。在这样一个资源约束条件下建设生态城，符合中新两国政府确定的不占耕地、在水资源短缺地区选址的原则，充分体现了两国政府节约资源能源、保护生态环境的决心。

定位规模

生态城将致力于建设成为综合性的生态环保、节能减排、绿色建筑、循环经济等技术创新和应用推广的平台，国家级生态环保培训推广中心，现代高科技生态型产业基地，"资源节约型、环境友好型"宜居示范新城，参与国际生态环境建设的交流展示窗口。

生态城规划面积约为 30 平方公里，建设用地约为 25 平方公里。规划常住人口控制在 35 万人。计划用 10–15 年时间建成。

空间布局

生态城坚持集约节约利用土地原则，采用紧凑型城市布局，将津滨轻轨向北延伸，结合两侧地块的开发，集聚现代服务业、居住、休闲等多种功能为一体，轨道沿线建设大面积开敞绿化空间，形成生态谷，成为生态城的发展主轴，并将生态城土地划分为四个综合片区。在中部片区结合生态谷建设生态城的城市主中心，在南北两个片区依托轻轨站点分别建设城市中心，形成"一轴三心四片"的布局结构。在蓟运河故道围合的区域大面积实施水体治理、土壤修复，形成湿地景观效应，建设生态岛，将营城污水库、蓟运河和蓟运河故道三大水系相通，加强水体循环，构建景观优美、循环良好的水生态环境。以蓟运河和蓟运河故道围合区域为中心，构建六条以人工水体和绿化为主的生态廊道，加强与区域生态的沟通与联系，构成生态城绿化体系的骨架，建成以景观、环境、休闲等功能为主的城市"绿脉"，形成"一岛三水六廊"的生态格局。

安全健康的生态环境

生态城坚持生态保护与修复相结合，充分尊重自然本底，划定生态保育区及候鸟栖息地为限制建设区，对蓟运河沿岸和永定河口湿地实施严格保护，确保自然湿地净损失为零。

启动污水库的底泥、水体及蓟运河故道水体（一泥三水）的治理工作，使生态城地表水水质达到国家Ⅳ类环境水体标准，变污水库为清净湖。通过水系连通，加强水体循环，提高自然净化功能。采用生物技术对盐碱土地进行处理，逐步降低土壤盐碱度，修复自然水系、湿地和植被，建立以本地植物为主的植物群落，本地植物指数不低于 0.7。

实景照片

宜居生态的社区模式

生态城借鉴新加坡"邻里单元"的理念，优化住房资源配置，混合安排多种不同类别住宅形式，形成多层次、多元化的住宅供应体系，全部采用无障碍设计，构成包括生态细胞、生态社区、生态片区 3 级的"生态社区模式"，居住用地内绿化率不低于 40%，政策性住房比例不低于 20%。

综合城市中心构建全方位、多层次、功能完善的公共服务体系，按照均衡布局、分级配置、平等共享的原则，建设社区中心；按照人口规模配建文化教育、医疗保健以及其他生活配套设施，保证居民在 500 米范围内获得各类日常服务。

生态岛及北部片区空间景观效果图

循环低碳的新型产业体系

生态城根据发展定位，努力转变经济发展方式，探索低碳城市建设模式，重点发展节能环保、科技研发、总部经济、服务外包、文化创意、教育培训、会展旅游等现代服务业，形成节能环保型产业集聚区，努力构建低投入、高产出、低消费、少排放、能循环、可持续的产业体系，形成“一带三园四心”的产业布局，为生态城发展提供有力的经济支撑。

一带是指生态城的发展备用地，将建成生态科技产业带。

三园是指国家级动漫产业综合示范园、生态科技园和生态产业园。

四心是指城市主中心、南部中心、北部中心和特色中心。

循环高效的资源能源利用体系

生态城以节水为核心，建立循环利用体系，建设污水处理、中水回用、雨水收集系统，多渠道开发利用再生水和淡化海水等非常规水源，实行分质供水，非传统水源使用率要达到50%。建设城市直饮水工程，人均生活用水指标控制在120升/日。生态城注重产业节能、建筑节能和交通节能，积极开发应用风能、太阳能、地热、生物质能等可再生资源，优化能源结构，提高利用效率，形成可再生能源与常规清洁能源相互衔接、相互补充的能源供应模式，构建清洁、安全、高效、可持续的能源供应系统和服务体系，建设节能型城市。2020年，生态城要全部采用清洁能源，100%为绿色建筑。可再生能源利用率要达到20%，达到世界先进国家的同期水平。人均能耗比国内城市人均能耗水平要降低20%以上。

产业布局结构图

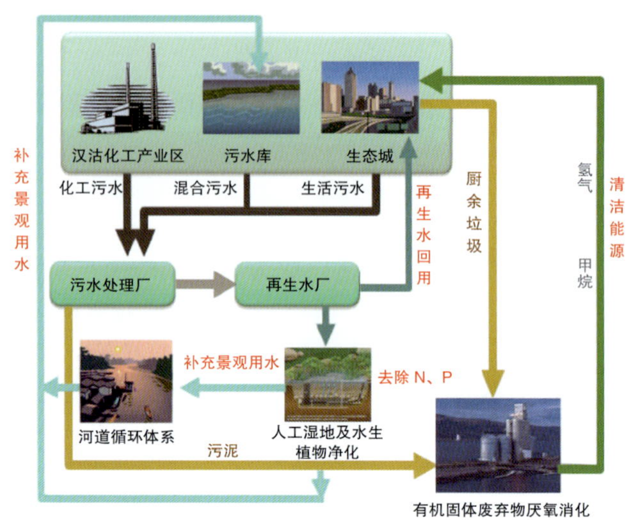

资源能源利用体系

方便快捷的绿色交通体系

贯彻城市可持续发展的理念，建设以绿色交通系统为主导的交通发展模式；以津滨轻轨延长线串接生态城主次中心和各片区，形成生态城对外大运量快速公交走廊。既满足生态城内部长距离交通需求，又连接生态城与周边重要区域。

在生态城内部，构建以轨道交通为骨干、以清洁能源公交为主体的公共交通系统，轨道站点与公交线路无缝衔接，轨道站点周边1公里服务范围覆盖80%的片区用地。

轨道交通

慢行系统

综合社区建设和滨水地区改造，建立覆盖全城的慢行交通网络，采用无障碍设计，创造安全舒适的慢行空间环境，引导居民的绿色出行，实现人车分离、机非分离。结合公共交通站点建设城市公共设施，使居民在适宜的步行范围内解决生活基本需求，减少对小汽车的依赖。80%的各类出行可在3公里范围内完成。2020年，生态城内部出行中绿色交通方式不低于90%。

天津市海河教育园区规划设计方案

（向全市人民征求意见稿）

大力发展高等教育和职业教育是推动经济社会又好又快发展的迫切需要。在海河中游地区规划建设天津海河教育园区，对于推进天津高等教育和职业教育发展，整合全市教育资源，支撑海河中游地区开发，增强综合竞争力，都具有重要的意义。

按照市委、市政府的统一部署，市规划局从2008年9月开始，组织开展海河教育园区总体规划、起步区城市设计、起步区校园详细设计等规划设计的编制工作。在10个月的时间内，经过多次的调研考察和20多轮的方案深化，完成了各项规划设计的编制工作，并获得了专家肯定。

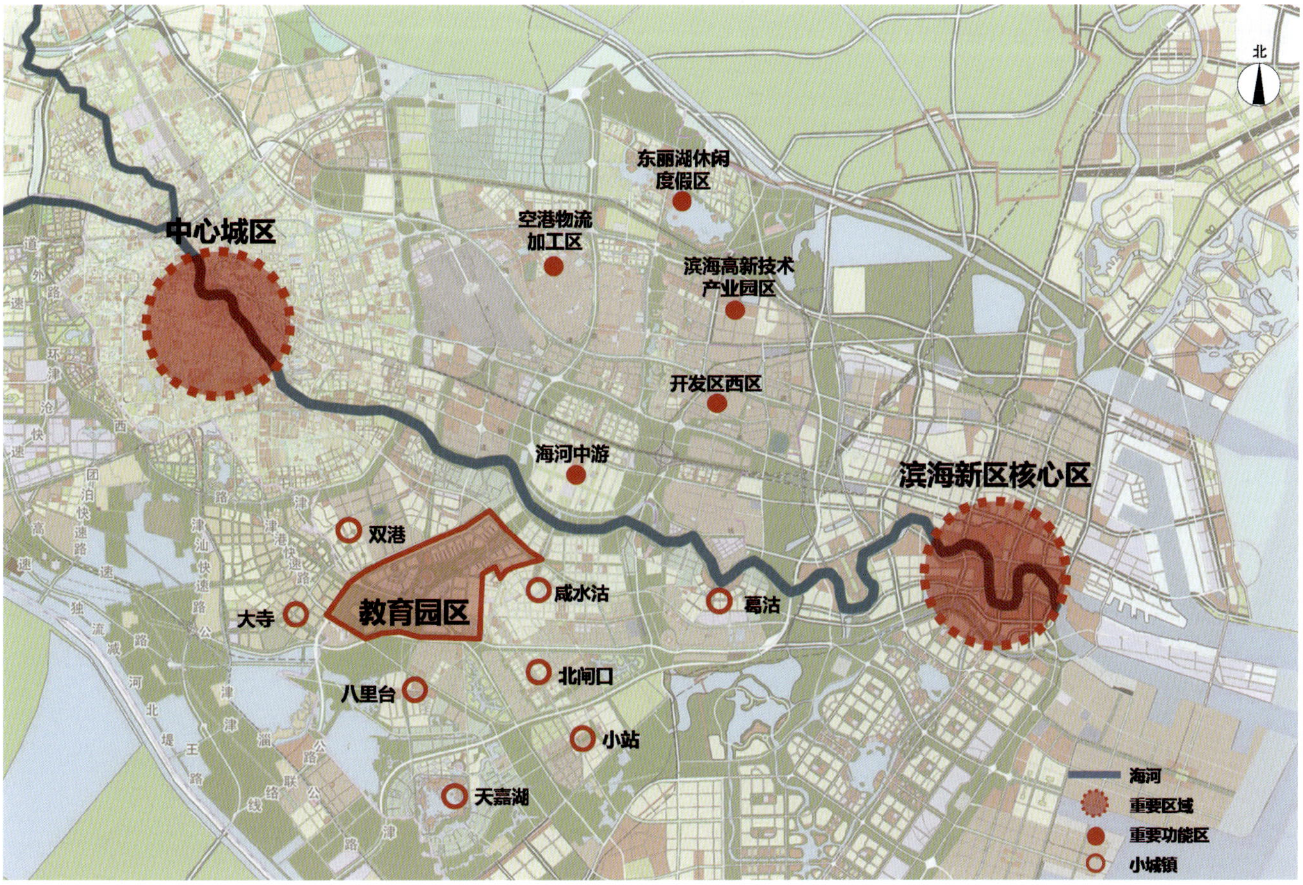

区位关系图

总体布局

天津市海河教育园区是国家级高等职业教育改革实验区、教育部直属高等教育示范区、天津市科技研发创新示范区。规划选址位于海河中游南岸津南区内周边紧邻咸水沽、八里台、双港和大寺，用地范围东至咸水沽西外环、西至规划的蓟汕高速联络线，南至津港公路、津晋高速，北至天津大道，规划总用地 37 平方公里，规划办学规模 20 万人，居住人口 10 万人。规划区域内现状植被茂盛，河流水系遍布，经过规划梳理，可以营造出优美宜人的生态环境。

教育园区整体形成“一廊两翼”的布局结构。“一廊”是指结合城市生态走廊规划的中央生态绿廊，“两翼”是指绿廊两侧的院校、居住及配套设施建设区。按规划功能不同，教育园区分为高职园、高教园、高研园三大部分。

高职园中，东翼布置 4 块职业院校用地；西翼布置 3 块职业院校用地和 4 块院校预留用地；中央生态绿廊内布置管理中心和体育用地。管理中心内设置园区管理中心、公共图书馆和文化交流中心。体育中心内布置体育场、游泳馆、体育馆、公共实训中心（全国职业技能大赛中心赛场）和商业娱乐中心。

高教园内，东翼布置南开大学建设用地和 1 块院校预留用地；西翼布置天津大学建设用地和 1 块院校预留用地。两校用地之间布置 1 处服务中心，建设为两校配套、共享的学者村、学生活动中心、商业街区等。

高研园内主要布置教育、科研、居住的发展预留的。

通过规划设计，这里将成为环境宜人、功能完善、品质一流的教育园区。

起步区详细规划

天津市海河教育园区将首先启动高职业的建设。起步区内将建设 7 所职业院校，其中有 5 所高职学院，2 所中职学校，形成“5+2”格局。5 所高职学院是中德职业技术学院、电子信息职业技术学院、现代职业技术学院、轻工职业技术学院和海运职业学院。2 所中职学校是仪表无线电工业学校和机电工业学校。

校园均面向中央生态绿廊设置礼仪性出入口（人行为主），并以此为基点向后延伸形成校园主轴线。轴线上布局学校主楼，形成视觉对景，并展示学校的形象和特色。校内设置校园环路解决机动车交通，让校园核心区实现纯步行环境，保障学生安全出行。校园四周用绿化和景观水体进行围合，以突出生态特色，营造优美的校园环境。7 所学校将按“园林风光、大气洋气、稳重朴素、富有内涵”的设计理念，通过精心严谨的设计展现出天津的地域文化、时代特色和城市形象。

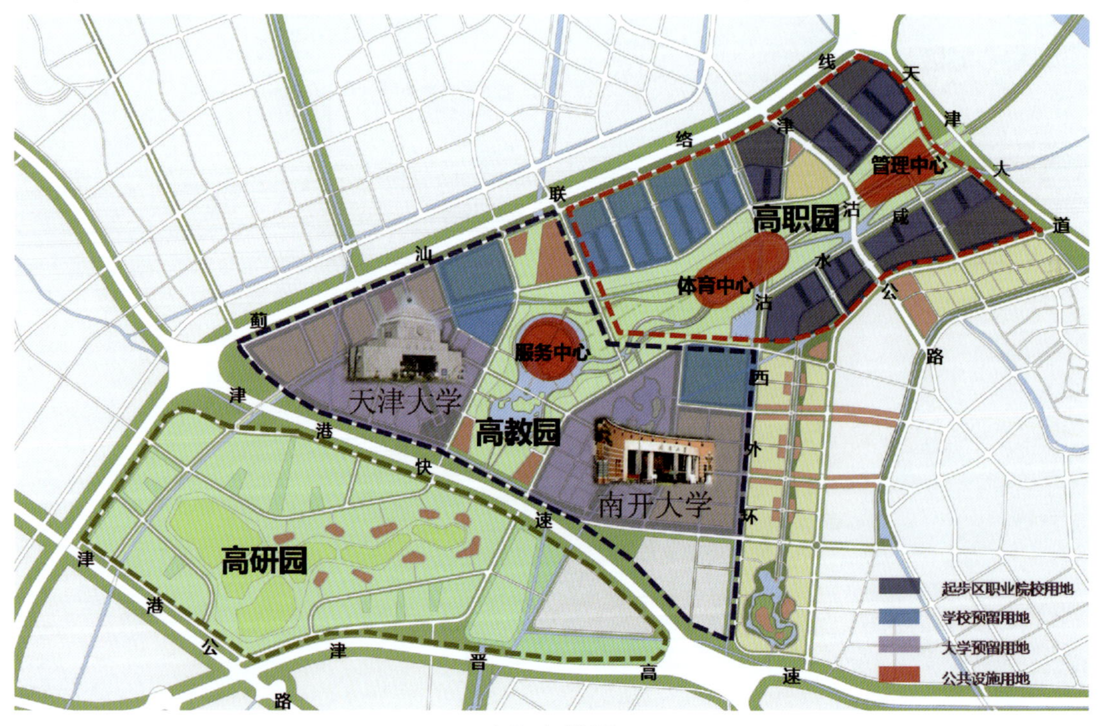

功能布局图

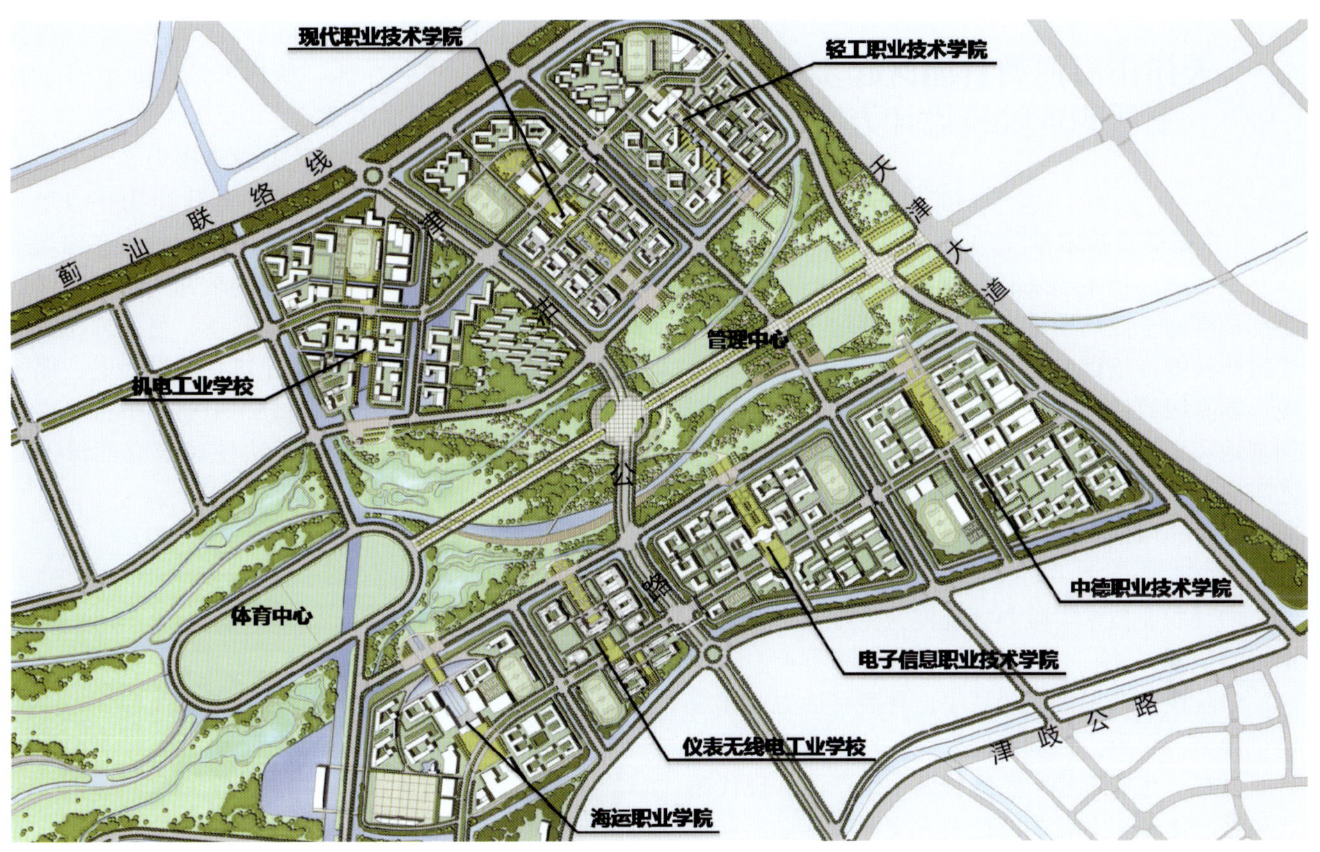

起步区详细规划平面图

起步区详细规划鸟瞰图

天津市海河教育园区起步区七所职业院校设计方案

1 中德职业技术学院

中德职业技术学院暨天津中德培训中心，是教育部批准的全国高职高专师资培训基地、全国重点建设职教师资培训基地、国家高职高专学生实训基地、国家级数控技术技能型紧缺人才示范性培养培训基地和天津市工业系数控与自动化技术高技能人才培训基地，是中国与德国、中国与西班牙政府在职业教育领域最大的合作项目。国际交流与合作是学院的办学特色之一。

中德职业技术学院办学规模为1万人，校园总用地面积67公顷，总建筑面积26万平方米。

学院空间布局理性、秩序，并富有活力。建筑体量简洁、厚重，强调细部处理，外立面主要采用砖石材料，色彩沉稳。整体校园采用严谨的现代德式风格，体现工业化的特征及人文环境。

2 电子信息职业技术学院

天津电子信息职业技术学院既是本市唯一一所以电子信息技术类专业为主的高职学院。学院集教学、科研、生产于一体，所培养的毕业生面向IT行业高级技术应用岗位群。

电子信息职业技术学院办学规模为8千人，校园总用地面积53公顷，总建筑面积20万平方米。

学院整体设计体现出清新欧风特色。在建筑空间上采用了欧洲古典风格惯用的敞廊空间（骑楼），一方面加强了建筑之间的交通联系，另一方面营造出校园特有的学术气氛。在建筑立面设计上，保留了欧式建筑特有的三段式划分，但摒弃了古典主义繁琐的外衣，用新的设计手法使建筑立面保持简洁、自由、大方。

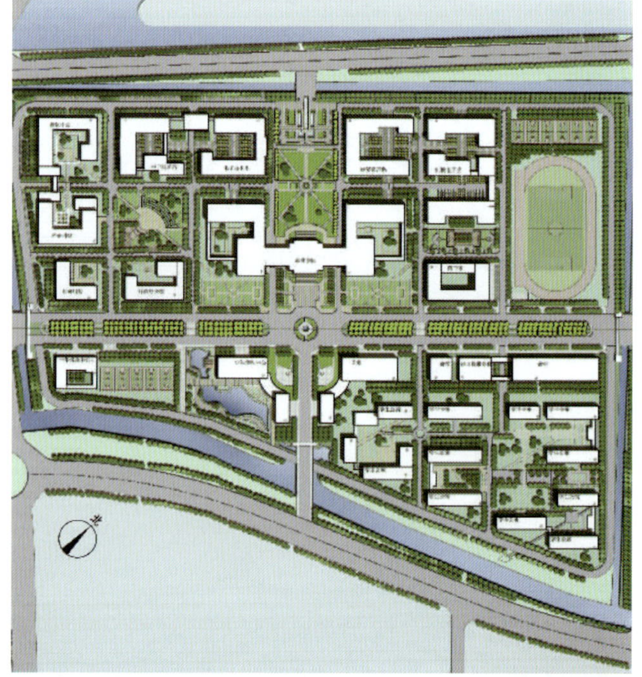

3 海运职业学院

天津海运职业学院是国家教育部备案的华北、西北地区唯一一所以培养海员为主，兼有理工、经营等学科的综合性全日制国办高等职业学院。

海运职业学院办学规模为8千人，校园总用地面积53公顷，总建筑面积20万平方米。

为了彰显海运学院独有的特色，校园建筑以典

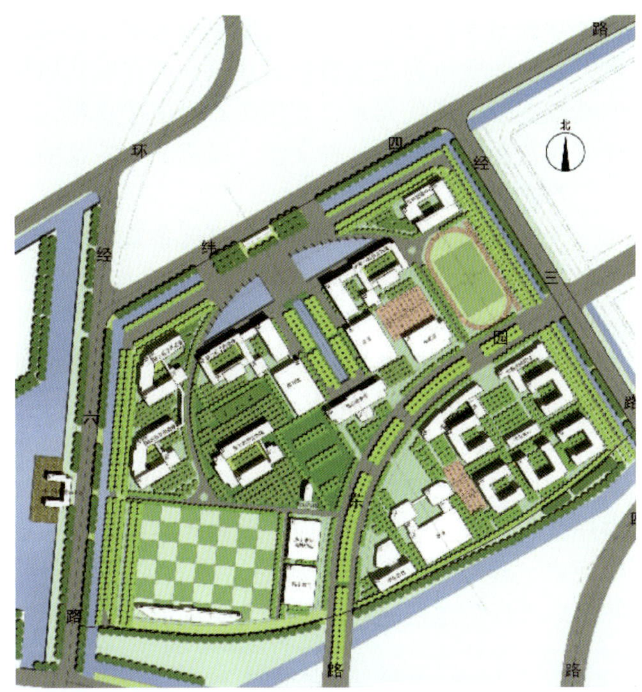

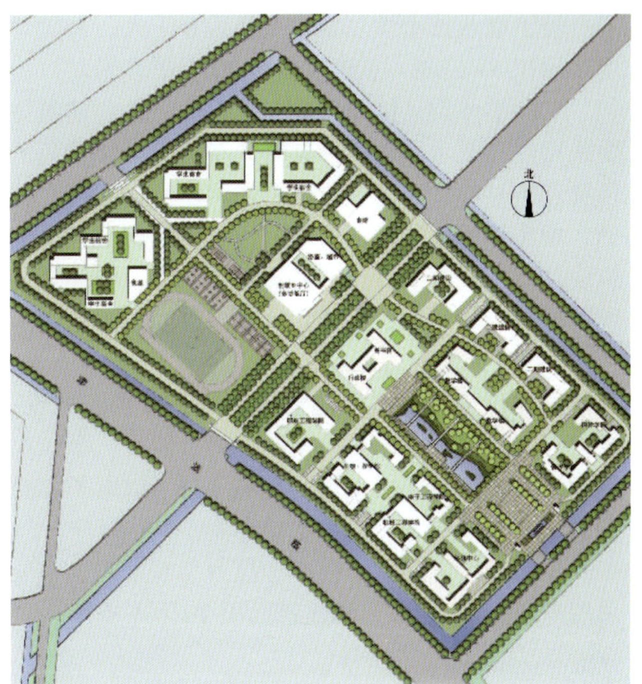

型的欧式建筑立面为基础样式，通过简洁的线脚处理，高低错落的体形变化，淡雅的墙身颜色，烘托出海运学院的文化氛围和底蕴。

4 现代职业技术学院

天津现代职业技术学院是一所集应用文科、应用工科及艺术专业类于一体的公办全日制高等职业技术学院。

现代职业技术学院办学规模为 8 千人，校园总用地面积 52 公顷，总建筑面积 20 万平方米。

学院的设计主要彰显现代感和地域感，强调建筑的体量感、韵律感和细部设计。建筑立面以浅色面砖与仿石涂料相结合，通过外檐建筑材料、细部符号及建筑色彩的设计将地域特色融入整体的现代风格之中。

5 轻工职业技术学院

天津轻工职业技术学院是由天津二轻集团（控股）有限公司所属的职业大学、普通中专校、干部中专校合并组建的。主要设置机械工程、电子信息与自动化、经济管理、艺术工程 4 个系，20 个专业。同时学校设有国际合作办学区和对外培训研发中心。

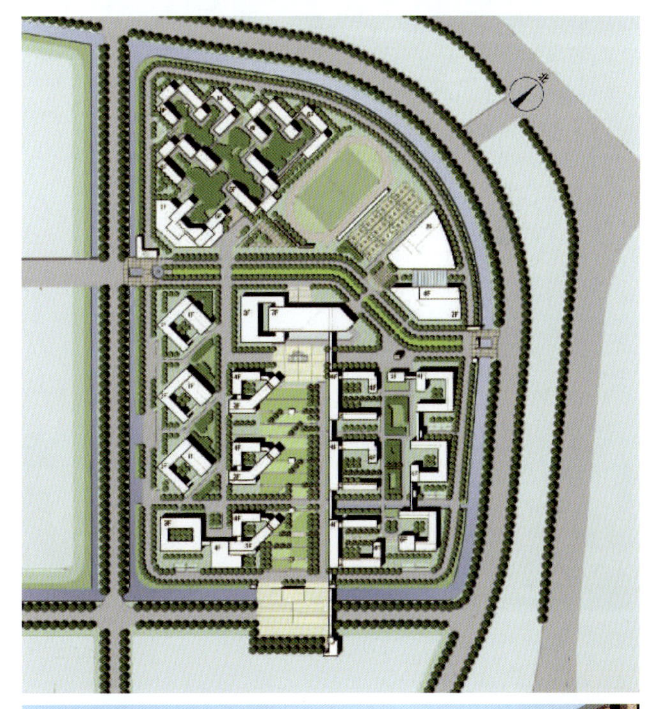

轻工职业技术学院办学规模为8千人，校园总用地面积51公顷，总建筑面积20万平方米。

校园整体设计体现出地方工业的特色。建筑主要采用红砖及水刷石两种具有天津历史风貌特色的传统建筑材料，通过在设计中强调体量、韵律、比例、虚实等关系的精细处理，达到传统与现代，建筑设计与学院教学特点的完美有机结合，既体现传统地域特色，又阐释了现代科技理念的校园氛围。

6 仪表无线电工业学校

天津仪表无线电工业学校是国家级重点技校，校内有天津市国家职业技能鉴定第十四所。学校隶属天津市中环电子信息集团有限公司，以电子信息和机械（数控加工）类为主导专业。

仪表无线电工业学校办学规模为6千人，校园总用地面积28公顷，总建筑面积10万平方米。

学校整体设计以近代学府斯坦福大学为参考实例，以清新欧风为主要特色。建筑立面在欧式风格的基础上融入现代元素，并用砖石为主要材料，以提升建筑品质，营造一种文雅、厚重的学院氛围。

7 机电工业学校

天津机电工业学校是国家教育部备案的全日制中专学校，是以培养机电类应用型技术人才为主、历史悠久的机械行业院校。

机电工业学校办学规模为1万人，校园总用地面积46公顷，总建筑面积18万平方米。

学校的校园设计风格是在近代建筑风格的基础上，融合了欧式经典建筑的精髓。校园建筑在设计中注重了建筑与空间的呼应，并融入时代感和工业化元素。建筑立面具有经典的比例、宜人的尺度，并用地方特色建筑材料营造出丰富细节。

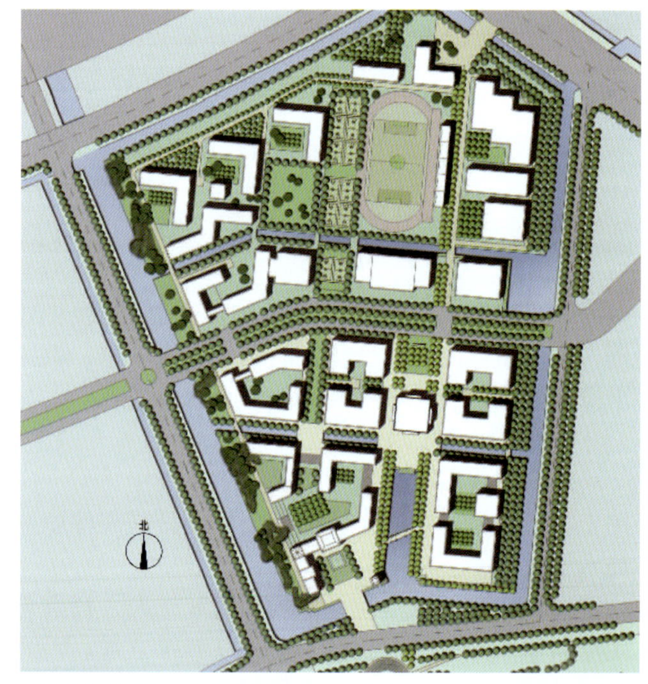

全市“保增长、渡难关、上水平”综合评比市规划局名列第一

2009年，按照市委、市政府“保增长、渡难关、上水平”的总体工作要求，全市规划系统不断加大规划的执行和服务保障力度，为经济增长社会发展提供了有力的支撑，取得了出色的成绩。市局成立了确保和促进重大项目开工建设规划保障活动领导小组，制定了16条服务措施，做到“承办一路绿灯，衔接一线贯通，审批一个会议，结果一次告知”，确保成熟项目快开工，促进一批项目能开工，推动一批项目早落地。局领导、各部门主动深入150多个重点项目现场服务，参加市政府综合协调会议、部门联席会议840多次，解决215个涉及规划建设审批问题。建立健全与市政府各部门的互动工作机制。由市局牵头的城建项目二组以优质高效的服务，圆满完成了帮扶任务，在全市600多个工作组综合评比中名列第一。在2009年全市对外开放工作会议上，市局荣获对外开放工作服务特别奖。

天津市规划展览馆全年累计接待参观近百万人次

2009年，天津市规划展览馆累计接待参观人数为912017人次，讲解8937场次。其中：中央领导同志和有关部委领导同志6308人次，337场次；市领导和有关单位12726人次，588场次；本地团体1323499人次，5193场次；国外政要及知名人士1015人次，76场；国内招商引资和企业25738人次，688场次；国外招商引资和企业2307人次，102场次。另外还接待社会公众540424人次，讲解1953场次。原国家主席江泽民、国务院总理温家宝、国家副主席习近平、原国家政协主席李瑞环和原国家副主席曾庆红先后参观了规划展览馆，并做出了重要指示。先后还接待了德国、蒙古、法国、老挝、韩国、日本等多名外国政要及知名人士。广大市民群众踊跃参观，对规划展览馆给予了高度评价。规划展览馆已经成为展示和宣传城市形象的重要窗口，是对外交流合作的平台，是公众参与规划和爱国主义教育基地。规划馆从城乡规划的视角，展示天津600多年来、特别是改革开放三十年来的城市变迁及发展脉络，展示当今天津城乡规划建设成就和城市未来发展的美好蓝图。

市规划局领导报告和讲话

关于天津市城乡规划编制（修编）和执行情况的报告

（2009年5月26日在天津市第十五届人民代表大会常务委员会第十次会议上）

天津市规划局局长　尹海林

主任、各位副主任、秘书长、各位委员：

按照市人大常委会的会议安排，我受市人民政府委托，向市人大常委会汇报我市城乡规划编制（修编）和执行情况，请予审议。

市委、市人大常委会、市政府始终高度重视城乡规划工作。去年8月，市委、市政府召开了天津市规划工作会议，市委、市人大、市政府、市政协主要领导参加，这样高规格的会议，在我市规划工作历史上是第一次，在全国也不多见。高丽书记在会议上强调，规划是最重要最基础的工作，是城市建设的龙头，是协调人与自然、当前与长远的重要手段，要充分认识规划的极端重要性。市人大常委会对规划工作高度关注，不断加大监督检查力度，特别是在规划立法方面给予了大力支持。市政府将规划工作作为促进经济社会发展的重要公共政策，切实抓紧抓好，兴国市长、建平副市长多次听取规划工作汇报，主持研究规划工作。各相关委局对规划工作给予了大力支持。

一、我市城乡规划编制（修编）情况

近年来，我市城乡规划编制工作按照科学发展观的要求，坚持以人为本，追求一流标准，突出天津特色，注重提升城市功能，着眼长远发展，落实城市定位，形成了一批高水平的规划设计成果，进一步完善了我市城乡规划编制体系，为应对当前的金融危机，实现保增长渡难关上水平，加快大项目好项目建设，在时间和空间上做了充分的规划准备，为促进我市经济社会又好又快发展，提供了重要的规划保障。

（一）高水平完成了119项市重点规划编制工作

根据市委、市政府的决策部署，市重点规划编制工作指挥部自去年7月成立以来，大干150天，全力以赴、精心组织开展了119项市重点规划编制工作。

119项重点规划编制主要包括城市空间发展战略研究、滨海新区规划、专项规划、区县总体规划和城市设计、重点地区城市设计、试点镇村规划等，内容基本涵盖了整个规划编制体系。为做好重点规划编制工作，各区县政府和有关委局、功能区管委会，相继成立了30个分指挥部。参与市重点规划编制的国内外一流设计单位达60多家，专业设计人员达400多人。

1. 天津市空间发展战略研究。空间发展战略研究是在更大的地域空间范围，更长远的发展时期，对城市发展方向、布局结构等做出的展望和安排，用于指导或辅助深化城市总体规划。为加快实施滨海新区开发开放的国家战略，落实天津城市定位，我们依据2006年版《天津市城市总体规划》，组织编制完成了《天津市空间发展战略研究》。

该项研究从东北亚、我国北方地区、环渤海地区的区域视野，统筹考虑京津冀地区的空间、经济、环境、生态等方面内容，着眼天津未来发展，着力优化空间布局、提升城市功能，提出了“双城双港、相向拓展、一轴两带、南北生态”的总体战略，进一步确立了中心城区和滨海新区核心区双城发展的战略布局，突出了做大做强港口——这一天津重要核心战略资源优势，明确了发展主轴的拓展方向，构建了天津的生态城市屏障，对指导今后规划编制和城乡发展具有重要意义。

2. 滨海新区规划。本次滨海新区规划共38项，从战略研究、总体规划、分区规划、专项规划、控制性详细规划和城市设计等多个层面，形成了滨海新区较完整的规划体系，对滨海新区各个城区和各产业功能区进行了系统整合优化，有效解决了滨海新区快速发展中所面临的空间结构不清晰、产业布局不合理、分散布局、多头发展等问题。

规划提出“一核双港、九区支撑、龙头带动”的发展格局和发展策略，通过加快建设滨海新区商务商业核心区、北港区和南港区，对滨海新区九个功能区的产业布局进行调整和空间整合，将进一步提升滨海新区的综合服务功能，促进发挥滨海新区作为第三经济增长极的龙头带动作用。

3. 区县总体规划和城市设计。区县是全市发展的战略支撑，加强区县规划编制，提升区县规划水平，对繁荣经济、改善民生、维护稳定具有重要意义。本次共完成了9个区县的总体规划和15个区县（含7个新城）的城市设计。在总体规划和城市设计中，与市域空间结构紧密衔接，明确了各区县的发展定位和空间布局，突出了各区县的产业特色、建设特色、文化特色，集中解决了长期以来由于各区县功能定位趋同而造成的发展方向不明确的问题，优化了城市资源配置，促进各区县实现优势互补、错位发展，形成联动协调、竞相发展的格局。

4. 专项规划。完成了市域综合交通规划、工业布局规划、现代服务业布局规划、旅游规划、排水规划等15项专项规划的编制工作。其中，工业布局、服务业布局等7项规划为我市首次编制，综合交通、排水、供水等7项规划由中心城区扩大为全市范围。市域综合交通规划突出对区域的辐射带动作用，充分发挥天津连接国内外、联系南北方、沟通东西部的枢纽功能，有利于加快实现北方国际航运中心和国际物流中心的城市职能。工业布局和服务业布局规划明确了天津主导产业、支柱产业和先导产业，有助于促进产业合理布局和结构升级。水系规划、排水规划有力地指导、推进了市水环境治理工程的实施。重点专项规划的编制，为提升我市城市载体功能提供了重要支撑。

5. 重点地区城市设计。完成了文化中心、西站地区、津湾广场、天钢柳林、海河中游、海河两岸、于家堡地区等重点地区城市设计47项。本次集中开展的城市设计范围、规模、尺度较大，具有较强的挑战性、创新性。在城市设计中，我们注重把握地区特性和风格，制定了建筑色彩、建筑风格、建筑高度、开发强度、道路断面等控制导则，使造型、色彩与整体环境相一致，做到大气、简洁、优美、靓丽、清新、协调，突出开放性、包容性和多元性，把对文化品位的追求体现在设计的各个环节，并加强经济分析和市场需求预测分析，增强规划项目的可实施性。一批高水平重点城市设计的圆满完成，为项目招商引资创造了条件，为改善提升城市形象打下了良好基础。

6. 小城镇规划。在完成好华明镇等第一、二批17个试点镇村规划的基础上，又新编制了津南双桥河、东丽军粮城、宝坻牛道口等17个小城镇规划，并从中选取12个镇村作为第三批全市试点镇村。在规划中，坚持社会主义新农村建设标准，注重突出各自发展特色，注重解决产业发展和农民就业问题，注重解决过去小规模农村居民点改造模式带来的低水平重复建设问题，切实改善了农业生产水平和农村环境质量，为我市示范小城镇规划建设提供了一条切实可行的发展之路。

以上是市重点规划编制工作的基本情况。集中时间、集中力量编制市重点规划，是我市在特殊时期采取的非常规手段。事实证明，119项市重点规划的编制完成，丰富完善了我市城乡规划编制体系，为迅速应对突然发生变化的国际国内经济形势，按照保增长渡难关上水平的目标要求加快项目转化实施，提前了进行规划储备，节约了宝贵的时间。开展市重点规划编制工作，是市委、市政府超前做出的英明决策，其重要作用将在促进我市今后的经济社会发展中更加显现。

（二）控制性详细规划编制工作取得重要进展

控制性详细规划是总体规划有效实施的关键环节，它将规划编制、规划管理和项目建设衔接在一起，是规划管理的直接法定依据。为加强规划实施管理，我们加大了中心城区、滨海新区、环城四区、七个新城控制性详细规划的编制力度。

编制完成了中心城区控制性详细规划方案，将中心城区用地划分为176个单元，按照绿地、交通和市政设施、公共服务设施“不能少”，规划控制线“不能变”，居住用地容积率“不能高”的原则，将地块平衡改为单元平衡，按单元对开发建设强度进行总量控制，并制定了土地细分导则和城市设计导则，强调了规划的刚性，增加了规划的弹性，从而增强了规划的可实施性。

滨海新区控制性详细规划编制实现了2270平方公里全覆盖。在规划编制中，统筹考虑市政设施的布局，优化绿色轨道交通系统，完善城市综合服务功能，改善人居环境，解决了各区道路连接不通畅、居住结构不合理、商业网点和市政设施缺失以及城市形象不鲜明等问题。新四区和七个新城控制性详细规划正在加紧编制。

（三）高标准开展了市容环境综合整治规划设计

为着力提升城市整体形象，向世界展示新天津的风采，市委、市政府决定集中开展市容环境综合整治工作。按照高起点规划、高标准建设、高效能管理的要求，我们精心组织策划了奥体中心、天津站、小白楼、南京路等迎奥运市容环境综合整治规划设计，高水平完成了水上公园等8个公园改造、食品街等5片地区整治、156条市区主次干道提升等新一轮市容环境综合整治规划设计。

在规划设计中，我们将市容环境综合整治作为一项系统工程，通过制定天津市城市街道家具规划导引、店招牌匾整修规划设计导则、既有建筑综合整修设计导则、中心城区建筑顶部控制导引等，妥善处理好局部与整体，形式与功能，环境整修与业态提升，市容与繁荣的关系，全面提升城市形象；按照建设国际大都市的标准，从大处着眼，从细微处入手，充分挖掘各整治项目的潜在魅力，突出特色，塑造出不同气质、不同风格的特色街区。这批高水平的规划设计，直接指导了市容环境综合整治，为我市城市面貌在较短的时间内发生一个大变化，起到了至关重要的作用。

二、城乡规划执行情况

城乡规划的执行是严格依法、依规划加强规划审批，确保各类建设项目按照规划实施的过程，也是将规划转化为生产力和投资环境的过程。2008年以来，通过严格执行规划，我市城乡建设快速发展，城市空间布局进一步优化，城市载体功能进一步提升，城市面貌发生显著变化，城市综合实力和竞争力进一步增强。

（一）促进了城市空间布局的完善

按照规划明确的中心城区“一主两副”布局结构，城市主中心“小白楼地区”的城市功能和业态进一步提升，城市副中心“西站地区”拆迁工作进展顺利，城市副中心“天钢柳林地区”的路、桥、泵站等市政基础设施建设将先行启动。滨海新区九个功能区通过规划整合，正在逐步形成“中服务、南重化、北旅游、西高新”的产业发展格局。

双港建设已经启动，太原重工、中航重工、中粮嘉悦等重大项目已在北港区动工。蓝星化工、中石油炼化一体化等重大项目已明确在南港区建设，南港区围海造陆的吹填工作正在加紧进行。

位于京滨综合发展轴和东部滨海发展带、西部城镇发展带的武清、宝坻、静海、宁河、蓟县等新城，建设标准提升为中等城市，有力地带动了区域城镇发展。南北生态保护和建设区用地得到有效的规划控制。

（二）促进了滨海新区的开发建设

随着滨海新区综合交通规划、三年基础设施建设规划、中心商务区、先进制造业产业区、临空工业区、中新天津生态城等规划的实施，天津港30万吨级原油码头建成，天津滨海国际机场新航站楼交付使用，京津城际于家堡车站已经动工，海滨大道北段建成通车，中央大道跨海河隧道正在推进，北疆电厂建成。按照规划，东疆港区已成陆25平方公里，东疆保税区封关运作，中新天津生态城开工建设，空客A320系列飞机总装、新一代运载火箭、千万吨炼油、百万吨乙烯等重大项目建设全面推进，滨海新区载体功能进一步提升，经济活力显著增强。

（三）促进了城市用地结构的优化

城市用地结构的变化，可以反映城市功能逐步完善的过程。从完善城市功能的长远出发，我们根据经济社会发展需要，加强了各类建设用地供应的规划行政许可审批，进一步合理优化了城市用地结构。2008年，全市共审批规划用地面积6620.7公顷。其中，对外交通用地比上年度增加2480公顷，是上年度的336.5%；绿地面积比上年度增加82公顷，是上年度的235.7%。

通过规划实施现状调查，在中心城区已建成的各类用地中，绿地面积比上年增加505公顷，占中心城区用地比例由5.37%增加为6.89%；道路广场用地增加69公顷，占中心城区比例由12.56%增加为12.76%；居住用地增加156公顷，占中心城区比例由29.02%增加为29.49%；商业金融等公共设施用地增加136公顷，占中心城区比例由12.48%增加为12.88%。

（四）促进了城市载体功能的增强

随着城市综合交通规划、高速公路网规划、干线公路网规划、中心城区道路网规划、中心城区轨道交通系统规划和滨海新区轨道网专项规划、客货运枢纽规划等的实施，城市载体功能进一步提升，明显改善了市民群众生活环境。京津和蓟平高速奥运会前通车，高速公路累计通车里程达到876公里，对外交通条件进一步改善。地铁2、3号线全面开工建设，地铁5、6号线将于今年启动。京津城际铁路按期通车，缩短了与北京的时空距离，形成了同城效应。

电力、燃气、供热、给水、排水、河道等专项规划加快实施，完成了纪庄子排水河等4条河道治理，建成津滨水厂，新建改造了17座污水处理厂和3座再生水厂，新建各类地下管网1300公里。

（五）促进了城市形象的提升

按照规划设计实施的市容环境综合整治工程，从街景轮廓、建筑立面、绿化环境到街道家具、道路路面、夜景灯光等诸多要素以及每一个细节，都进行了精雕细刻，形成了小白楼、解放北路、南京路、奥体中心、天津站等一批城市亮点，体现了城市的特色和品位，极大地改善了城市形象，得到了市民群众的一致好评。

海河上游经过5年来的规划建设，新建改造了大光明桥、大沽桥、永乐桥等16座桥梁，建成临河公园8座，累计开工商贸文化设施900万平方米，形成高端服务业“向心聚集”，服务产业梯次扩散，经济带、文化带、景观带交相辉映的城市特色，更加显示出海河作为城市母亲河所具有的独特魅力。

随着一批重点地区城市设计的转化实施，中心城区、滨海新区、各区县三个层面将形成更多的城市亮点，进一步净化绿化美化津城。津湾广场已按照规划开工建设。西站、文化中心、天钢柳林、东丽湖等地区正在开展规划成果转化工作，将在近期启动实施。

（六）促进了民计民生的改善

在民计民生规划方面，编制实施了天津市住房建设规划、教育卫生资源调整规划、应急避难场所布局规划以及菜市场、公厕、公交场站、停车场、人行天桥等专项规划，方便改善了群众生活，达到了顺民意、聚民气、得民心的良好效果。2008年，规划选址确定医疗卫生项目建筑规模46万平方米，文化设施项目建筑规模5万平方米，体育设施建设规模5万平方米。确定经济适用房25宗地块选址，建筑规模累计达219万平方米。按照规划，经济适用房新开工561万平方米，竣工248万平方米，分别是上年的1.84倍和1.46倍。新建人行天桥20座，按照三年建设计划建成了90座公交场站。在今年改造提升的6个公园内落实了应急避难场所设施。

三、市规划展览馆建设和规划公开情况

按照“务必搞出最好水平”的要求，在短短半年时间里，高质量、高水平完成了规划展览馆的选址、改建和布展工作，并开馆运营。共完成16个展区布展面积一万平方米，制作模型60个、展板180块，多媒体演示67个，影片6部。

这座展览馆是我市第一座大型的专业性规划展览馆，丰富的展示内容，记录了天津城市建设发展的历史，展现了改革开放三十年来天津城市建设发展取得的伟大成就，规划了未来天津发展的美好前景，成为宣传天津城市形象、加大公众参与的重要窗口，扩大开放、吸引投资的重要平台，促进提升城市规划上水平的重要基地。

利用展览馆这个载体，我们进一步加大了规划公开、政务公开的力度，做好规划方案的公开展示、公开征询，进一步增强规划的透明度。做到了规划公开招标或征集、规划设计多方案比选、规划实施全过程监督、规划许可审批备案事项与结果公开的四个“100%”，实现修建性详细规划公示率、论证率、公告率、公布率和建设工程设计方案总平面图公布率、建设项目总平面图悬挂率的六个“100%”。从今年初开馆，已接待国家领导人、兄弟省市领导和有关单位参观达 243 场，5814 人次，接待市民群众达 33 万人次。

四、为保增长渡难关上水平提供规划保障情况

围绕市委、市政府保增长渡难关上水平的总体要求，我们不断加大规划的执行力度、服务保障力度，成立了确保和促进重大建设项目开工规划保障活动领导小组，并制定了 16 条保障措施。通过创新工作思路，全面加强规划协调服务，确保一批条件成熟的项目快开工，积极创造条件促进一批项目能开工，策划推动一批项目早落地。

（一）确保一批条件成熟的项目快开工

对于已取得土地手续、原则确定规划方案且具备上半年完成施工图设计条件的，列为确保一批开工项目，共计 60 项。到 4 月底已审批 34 项，总建筑面积 1310.78 万平方米。

（二）促进一批项目能开工

对于已取得土地手续（或有明确投资意向）、正在进行规划方案深化且具备下半年完成施工图设计条件的，列为促进一批开工项目，共计 60 项，总用地面积 2091.7 公顷，总建筑面积 2762.78 万平方米，总投资规模 1080 亿元。

（三）策划推动一批项目早落地

结合 119 项重点规划编制成果转化，策划推动一批重点规划项目；从已经完成或计划今年完成土地整理的用地中，选择具有一定规模、对经济发展、对改善环境具有带动作用的用地作为重点策划推动项目；将各区县政府列入今明两年重点建设的项目作为策划推动项目。列为策划推动的项目共计 100 项，总用地面积 13022 公顷。

在规划策划中，与经济成本、市场需求充分结合，使策划储备项目更合理，达到了招商推介要求。在 2009 年中国天津城市土地交易会上，推出策划项目 45 个，投资意向踊跃。

五、规划管理和监督情况

（一）推动实施城乡规划管理体制改革

根据市委、市政府《关于深化城乡规划管理体制改革的意见》，我们按照“两级政府、三级管理”的框架，坚持统一规划、整体实施，坚持分级管理、分类管理，坚持放而不乱、管而有序，积极推进重心下移、事权下放，充分发挥区县和相关部门的积极性，基本建立了权责一致、分工合理、决策科学、执行顺畅、监督有力的规划管理体制。

通过建立完善“一个平台”和“六个机制”，形成了市、区（县）规划管理联动机制，实现了市、区县联网审批和市局实时监管，规范了全市城乡规划业务审批管理，提高了业务审批效率，缩短了项目审批时间。各区县政府普遍反映，改革后区县规划部门服务区县发展的意识更加强烈、服务能力和水平显著提高。

（二）切实加强规划法治建设

在市人大的大力支持下，我市规划立法成效突出，城乡规划法规体系初步建立，为依法行政提供了重要保障。《天津市城乡规划条例》制定取得重要进展，待市政府常务会审议通过后，将提请市人大常委会审议。《天津市地下空间规划管理条例》已由市人大会常委员会审议通过，于今年 3 月 1 日起施行；《城市规划管理技术规定》、《规划控制线管理规定》已经市政府第 14 次、第 21 次常务会议通过，并分别于今年 3 月 1 日、4 月 1 日走施行。

同时，我们还狠抓了制度建设，制定、修订出台了各类规范性文件、内部规章制度 40 余件。全面开展了规范性文件、内部规章制度清理工作。

（三）切实提高管理服务水平

坚持寓管理于服务之中的工作思路，进一步拓宽服务渠道、改进服务方法、制定服务措施，按照“天天都是服务日，月月都是服务月”的要求，变被动管理为主动服务，制定了加强规划服务的十项新举措。

调整简化了规划管理业务流程，将35项建设项目管理流程调整压缩为2类12项。实行了事前服务、超前介入、重点服务、现场服务、跟踪服务、开辟绿色通道等服务举措，切实转变工作作风，提高工作效率。2008年，组织赴区县、重点企业、建设单位服务78次，现场解决问题130多个。

（四）进一步加大规划监察力度

按照建设部、监察部要求，开展了全市城乡规划效能监察工作，对各区县城乡规划编制、审批、实施和调整情况进行了检查。按照“预防为主、事先防范与事后查处相结合”的工作思路，加大了在建项目的跟踪查验力度，开展了多层次的巡查、联查、抽查，有效地遏制了违法建设行为，证后违法建设案件呈大幅下降的趋势。2008年共对533项建筑项目进行规划验线，对1148项建筑项目进行规划验收，对221项市政管线工程进行规划验线。对中心城区175个规划违法建设案件进行立案查处。加强了与相关部门联合执法，向市综合执法部门移送违法建设案件41起。

（五）加强人大代表建议办理工作

我们对人大代表建议办理工作高度重视，当作一项重点工作切实抓紧抓好抓实，形成了办理工作的分工交办、落实、催办、联络、办理责任、奖惩等制度，在办理过程中，主动加强与代表沟通，通过电话联络、上门走访、召开座谈会等多种方式，听取代表的意见，共商解决问题的办法。高度重视对代表意见的转化运用，将办理建议的过程，当作向代表学习、了解社情民意的过程，当作改进工作作风、深入调查研究的过程。2008年，市规划局共承办人大代表建议183件，满意率达到97.3%。今年承办人大代表建议170件。

六、进一步加强和改进规划工作的思路

在当前国际金融危机持续蔓延、天津应对国际国内环境重大挑战、实现市委“一二三四五六”奋斗目标第一阶段任务的关键时期，规划工作面临着重大挑战，与实现“两个走在全国前列”、“一个排头兵”的重要要求相比，与市委、市政府的更高要求相比，与全市人民的热切期望相比，规划工作还存在着很多不足。主要表现在：一是规划视野还不够开阔，缺乏高深层次的规划研究，还不能自觉地把科学发展观的要求深入落实到规划工作的方方面面。二是规划编制体系、法规体系还不够完善，规划储备不足，还存在规划滞后的问题，法规制度建设还需要进一步加强。三是在既维护规划的科学性、严肃性、权威性，又很好地促进区县发展、各行各业发展方面，创新的招法还不够多、不够实，还存在违法建设发现慢、处理难、执行难的问题。四是规划宣传力度还有待进一步加强，还需要进一步提高全社会的规划意识，形成全社会参加规划、支持规划、自觉遵守规划的良好氛围。

下一步要着力抓好以下四方面工作：

（一）全面提升规划编制水平

坚持科学发展的规划理念。把科学发展观的要求贯穿于规划全过程，体现在规划理念、规划方法、规划内容、规划体系和规划实施的方方面面。在119项市重点规划的基础上，按照转化实施一批、充实完善一批、超前储备一批的思路，进一步完善规划编制体系，为城市长远发展积蓄后劲。坚持国际一流的标准。积极培育、开放规划设计市场，健全完善规划设计方案专家评审机制，设计方案征集比选机制，国内外高水平规划设计单位的参与机制，规划设计的公众参与机制，引进国内外先进的规划设计理念和工作方法，吸引国内外更多的高手名家参与天津的规划设计。突出城市的品位、特色和风格。加强城市特色研究，认真汲取地域文化和传统文化的营养，充分展现天津深厚的历史文化底蕴、独特的自然风貌和大都市现代化气息。

（二）全面提升规划管理水平

继续深化城乡规划管理体制改革。积极构建城乡规划三级管理体制，积极推动区县规划执法队伍、镇乡规划管理机构建设，逐步建立全市协调统一的规划管理体制，实现全市城乡规划管理的一张图、一体化、全覆盖。加强城乡规划法治化建设。积极配合市人大完成《天津市城乡规划条例》、《天津市历史文化名城名镇名村保护条例》等地方性法规的调研起草和审议出台工作，抓紧制订覆盖规划管理全过程的政府规章和规范性文件，切实做到规划管理全过程有法可依、有章可循。加强规划实施管理。强化控制性详细规划的控制作用，强化建设项目审批必须以控制性详细规划为依据，切实维护规划的严肃性。

（三）全面提升规划服务水平

提高规划服务意识，把提高工作质量和工作效率作为最好的服务，把做好服务作为规划工作的一个重要出发点和落脚点，通过卓有成效的服务，充分体现规划工作的价值。进一步扩大服务范围，建立区县调研、企业服务、现场协调的三级服务体系，与区县政府、相关部门和建设单位形成良性互动。着力创新服务举措，完善重大项目、重点项目的联合推动协调、跟踪服务机制，加大并联审批力度，优化业务流程，简化程序，减少、归并审批事项和管理环节。

（四）全面提升规划监督水平

依法对全市城乡规划的编制、审批、实施、修改进行统一监管、全过程监管。加强全市城乡规划实施情况动态监测，加大违法建设行为查处力度。加强城乡规划层级监督，加强人大监督、新闻舆论监督、人民群众监督，健全完善城乡规划公开力度，切实提高城乡规划工作的透明度，切实保障人民群众的知情权、参与权、表达权和监督权。

今后，市规划局将根据这次市人大常委会会议提出的意见和要求，按照市委“一二三四五六”的奋斗目标、工作思路，按照站在高起点、抢占制高点、达到高水平的要求，主动接受市人大的监督，竭尽全力做好城乡规划工作，为全面完成好保增长渡难关上水平的目标和任务，促进全市经济社会又好又快发展，全面落实国际港口城市、北方经济中心和生态城市的发展目标，做出新的更大贡献！

天津市规划局

关于《天津市城乡规划条例（草案）》的说明

（2009年7月22日在天津市第十五届人民代表大会常务委员会第十一次会议上）

天津市规划局局长　尹海林

主任、各位副主任、秘书长、各位委员：

我受市人民政府委托，就《天津市城乡规划条例（草案）》（以下简称《条例（草案）》）作如下说明。这个《条例（草案）》已于2009年5月31日经市人民政府第30次常务会议讨论通过。

一、制定《条例（草案）》的必要性

《中华人民共和国城乡规划法》（以下简称《城乡规划法》）于2008年1月1日起施行。这是全面贯彻落实科学发展观、统筹城乡协调发展的一部重要法律。《城乡规划法》的施行给城乡规划和管理工作带来了新的变化，提出了新的制度、规定和要求。贯彻实施《城乡规划法》，需要结合我市实际，制定具有可操作性的《条例》，做好与《城乡规划法》的匹配、衔接工作，从而切实加强我市城乡规划管理，适应天津新的发展历史时期的客观需要，促进城乡经济社会全面协调可持续发展。

为了贯彻实施《城乡规划法》，进一步提高我市规划和建设水平，市委、市政府于2008年7月下发了《关于深化城乡规划管理体制改革的意见》（津党发〔2008〕8号，以下简称《改革意见》），确定将市规划局的一些规划管理事权，尤其是建设项目管理事权下放给区、县规划管理部门。按照规划体制改革的要求，规划管理全过程必须做到有法可依、有章可循，市规划行政主管部门要加强规划的宏观管理与指导，加强对规划实施的监督检查。因此，制定《条例》是体现“搭建一个平台”、“建立六个机制”要求，实现规划管理体制改革“放而不乱、管而有序”的重要保障。

二、《条例（草案）》的立法指导思想

城乡规划是城市发展的总纲，是城市管理的依据。《条例（草案）》坚持以下立法指导思想：

贯彻落实科学发展观，统筹城乡协调发展，建立统一的城乡规划体系。树立城乡并重、城乡一体的新理念，着重解决当前乡和村庄规划缺位、缺失或规划虚化、缺乏刚性约束等问题，以切实加强乡和村庄规划管理水平，进而促进城乡联动，优化城乡布局，加快推进我市社会主义新农村建设，促进城镇化健康发展。按照“工业反哺农业，城市支持农村”的方针，在空间资源配置、发展目标协调、城镇基础设施等方面向乡村延伸。通过地方立法，促进和推动我市城乡一体化进程，并在全市建立统一的城乡规划体系。

提高城乡规划制定的科学性，保障规划实施的严肃性和权威性。城乡规划的权威性是保证规划实施和规划作用发挥的重要条件，地方立法应当在规划制定、实施、修改、监督等各个环节体现规划的严肃性和权威性。

建立事权统一的规划行政管理体制，保障规划的全面实施。明确各级人民政府包括乡镇人民政府在组织编制和审批城乡规划、实施城乡规划方面的权力和责任，以及各级人民政府依法行使各自的规划管理权、监督权。通过不同层级规划管理事权的划分，形成强有力的规划管理体制，保证城乡规划的实施。

三、《条例（草案）》的主要内容

《条例（草案）》以《城乡规划法》为依据，以现行的《天津市城市规划条例》为基础，并保留了其经过实践检验、行之有效，且与《城乡规划法》不抵触的条款，按照统筹城乡发展和先规划后建设的原则，以及我市发展实际和规划管理体制改革需要，确定了《条例（草案）》的基本框架和内容。《条例（草案）》共6章93条。

（一）在总则中，《条例（草案）》主要规范了以下内容：

明确城乡规划的权威性和法定性，《条例（草案）》第四条明确规定："本市坚持先规划后建设原则。城乡规划是进行规划管理和各类建设的依据。""任何单位和个人未经法定程序不得改变或者废止依法制定的城乡规划。"

明确各级人民政府及规划主管部门的规划管理权限（第五条、第六条、第七条）。《条例（草案）》第七条进一步明确规定："本市城乡规划工作实行统一领导下的分级管理。市城乡规划主管部门负责本市行政区域内的规划管理工作，并根据工作需要设立派出机构，负责指定区域的规划管理工作。区、县城乡规划主管部门，在市城乡规划主管部门的领导下，负责本行政区域内的规划管理工作。区、县城乡规划主管部门根据工作需要，在乡、镇设立派出机构，承办指定区域的规划管理工作。乡、镇人民政府负责本行政区域内的规划管理工作。"

为了增强规划的科学性，提高城乡规划实施和监督管理的效能，实现《改革意见》中"搭建一个平台"的要求，《条例（草案）》第十一条规定："本市规划管理应当采用先进的技术手段，建立统一的电子网络系统，实现城乡规划信息资源的共享，增强城乡规划的科学性，提高城乡规划实施及监督管理的效能。"第二款明确规定在同一个业务平台上"本市建设项目的规划许可审批实行统一标准、统一规范的制度"。

（二）关于城乡规划的制定和修改

依据《城乡规划法》的规定和《改革意见》中对规划编制管理的要求，《条例（草案）》注重规范以下主要内容：

为了进一步改进规划制定方法，增强规划的科学性、前瞻性，加强对规划编制的管理，《条例（草案）》第十五条规定建立城乡规划编制的计划管理制度。

为了提高规划的公信力，强调了规划编制的公众参与。《条例（草案）》第十七条明确规定了城乡规划报送审批前和批准后的公告程序，并要求编制机关采取各种方式征求有关部门、专家和公众的意见。

为了规范城乡规划的编制和审批权限，《条例（草案）》第二十条至第二十六条分别对各类城乡规划的编制和审批程序作了详细规定，在对我市城乡规划科学分类的基础上，理顺了城乡规划的编制和审批体制。

为实现城乡统筹发展，依法加强乡村规划管理，保证乡村建设严格按照规划实施，《条例（草案）》第二十七条规定了乡、村规划编制和审批程序。

为了推进我市的城市化进程，避免重复编制城乡规划，《条例（草案）》第二十八条规定："中心城区、环城四区、滨海新区和新城规划范围内的镇、乡和村庄，不再单独编制镇规划、乡规划和村庄规划。镇总体规划确定的镇区的规划范围内的村庄，不再单独编制村庄规划。"

为了规范城乡规划的修改程序，《条例（草案）》第三十一条至第三十六条对总体规划、近期建设规划、控制性详细规划、乡村规划的修改规定了权限和严格的程序。

（三）关于城乡规划的实施

《条例（草案）》根据《城乡规划法》的相关规定，对有关规划审批的要件和程序作出了具有可操作性的规定。

《条例（草案）》第四十六条进一步明确了办理选址意见书和规划条件的建设用地范围。第四十七条明确了办理选址意见书和规划条件的法定要件和办理程序。将办理选址意见书的时限由原来的 2 个月压缩到 20 个工作日。

《条例（草案）》第四十八条、第四十九条和第五十条分别规定了划拨方式、出让方式以及前两种以外的方式取得国有土地使用权的建设项目办理建设用地规划许可证的要件和程序。

《条例(草案)》第五十六条根据《城乡规划法》的要求明确了办理建设工程规划许可证的要件和程序。在审批环节上，取消了对建设工程设计要求的审查。在审批时限上，由原来的 44 天缩短为 20 个工作日。

《条例（草案）》增加了乡村建设规划管理的内容，为改变乡和村庄规划管理薄弱、村庄建设混乱、土地资源浪费严重的现状，保证我市新农村建设的顺利进行和城镇化发展的需要，《条例(草案)》对乡村建设规划许可证的申请、审查和核发程序进行了规定。

（四）关于监督检查

为贯彻实施《城乡规划法》规定的先规划后建设的原则，必须相应加强对城乡规划的监督检查，强化对实施规划的监督管理和对违法行为的查处力度。

《条例（草案）》明确了监督检查主体和监督检查情况公开的制度，《条例（草案）》第七十一条规定："市和区、县人民政府以及城乡规划主管部门应当依法对城乡规划编制、审批、实施、修改和各类建设活动进行监督和检查，并将监督和检查情况向社会公布。"

重点强化行政层级监督，《条例（草案）》第七十三条规定："城乡规划主管部门违规编制、审批、修改城乡规划或者审批建设项目、进行规划验收的，由同级人民政府或者上级城乡规划主管部门责令其撤销或者直接予以撤销，并通报批评，责令限期整改。区、县人民政府违规编制、审批、修改城乡规划的，由市城乡规划主管部门报市人民政府决定撤销，并责令限期整改。"

按照《改革意见》中关于建立事权调控机制的要求，确立了市人民政府对城乡规划管理的事权调控制度，对区县人民政府、规划部门违法情节严重或逾期不改正的，《条例（草案）》第七十三条第三款规定："市人民政府可以决定暂停该地区城乡规划的审批和调整该地区城乡规划主管部门的规划管理事权。"

加大对各类违法行为的查处力度，对违法进行规划编制、设计、建设、施工、测绘和不依法进行验收、档案移交等各方面违法行为规定了相应的行政处罚，做到严格依法行政、依法管理。

中心生态城

深入贯彻实施《城乡规划法》，全面推进天津城乡规划工作再上新水平

（2009年8月21日在中国城市规划协会规划管理委员会三届一次《城乡规划法》研讨交流会上的讲话）

天津市规划局局长　尹海林

随着天津滨海新区纳入国家发展战略，《天津市城市总体规划（2005-2020年）》经国务院批复实施，天津进入了新的发展时期。市委、市政府的高度重视城乡规划工作，将规划工作真正摆在了龙头位置，强调“规划是生产力，规划是投资环境”，对规划工作提出了更高的标准和要求，寄予了更大的期望。在天津加快发展的关键时期，又恰逢《城乡规划法》的颁布实施，一年多以来，我们围绕贯彻实施《城乡规划法》，积极应对天津发展新形势、新变化要求，努力探索创新，全面提升天津城乡规划工作水平，在城乡规划法规体系、规划体系、管理体系建设各方面，取得了一定的成果，实现了新的飞跃。下面，围绕本次会议议题，谈谈我们的一些实践做法。

一、狠抓规划地方立法，加快天津城乡规划法规体系建设

《城乡规划法》出台后，我们按照《城乡规划法》等法律法规的要求，围绕加强全市城乡规划的统一、规范管理，对天津城乡规划法规体系建设的总体目标进行了调整，将立法工作作为一项重要任务，在市人大、市政府的大力支持下，我们在规划地方立法上实现了新突破、新跨越。相继出台了《天津市地下空间规划管理条例》、《天津市城市规划管理技术规定》、《天津市规划控制线管理规定》、《天津市城市雕塑管理办法》等1部地方法规、3部政府规章，《天津市城乡规划条例（草案）》已经市人大常委会第一次审议。

（一）切实增强《天津市城乡规划条例》的针对性、操作性

在《城乡规划法》颁布之后，我们就对现行的《天津市城市规划条例》进行了逐条地对照分析和研究，明确了《天津市城乡规划条例》起草思路：以《城乡规划法》为依据，以现行的《天津市城市规划条例》为基础，结合天津发展实际和规划管理体制改革需要，保留现行条例中经过实践检验、行之有效的内容，进一步深化、细化落实《城乡规划法》的各项规定和要求，做好与《城乡规划法》的衔接。新起草的《天津市城乡规划条例（草案）》共计6章93条，主要有以下特点。

完善规划管理体制、机制，建立了事权调控机制，规定“市人民政府可以决定暂停该地区城乡规划的审批和调整该地区城乡规划主管部门的规划管理事权”。

增强规划的科学性、前瞻性，防止重复编制规划。建立城乡规划编制计划管理制度，确定天津的城乡规划体系和各类规划编制范围，明确各类规划编制、审批主体和专业管理部门组织编制专业规划的职能，强化规划部门的综合平衡作用。

进一步完善规划实施管理，提高《条例（草案）》的针对性、可操作性。将修建性详细规划、土地细分导则、城市设计及城市设计导则等纳入规划实施管理环节，促进规划的实施和精细化管理。围绕提高行政效率、减少管理环节，完善规划许可审批制度，强调核定用地图是规划条件、建设用地规划许可证的组成部分；取消规划验线环节，将规划放线作为申请建设工程规划许可证的要件。重视规划管理信息网络系统（业务平台）建设，对建设项目规划许可审批实行全市统一编码、统一标准制度。

强化规划监督检查和对各类违法行为的查处，遏制违法建设行为发生。强化了上级对下级的行政监督和整改措施，对城乡规划主管部门可以暂停建设单位的建设项目规划审批的情况进行了规定。为了从各方面遏制违法建设行为，加大对违法进行规划编制、设计、建设、施工、测绘等各类违法行为的处罚力度，并且规定对拒不停止施工的，城乡规划主管部门可以通知供电、供水部门停供施工用电、用水。

保留和完善了现行条例中行之有效的内容。例如，规划验收制度在天津已执行十多年并形成了一套较为完善的管理模式、规范，且被广泛认可接受，建设工程规划验收合格证已成为建设单位办理相关产权登记等的要件并在相关法规中体现。《城乡规划法》确定了建设工程竣工规划条件核实，但对如何执行没有具体、明确的规定。从作用看，规划条件核实和现行的规划验收相似，为此，我们沿用了“规划验收”的提法，将规划条件核实细化为规划验收制度。《城乡规划法》对建设工程竣工资料移交进行了规定，没有明确城乡规划、建设工程的档案管理，因此在条例草案中保留了现行的建设工程档案验收制度等。

（二）积极开展地下空间、规划控制线管理地方立法

城市地下空间是一种不可再生的资源，一旦建成就很难改变。加强地下空间规划管理尤为重要，更需要有相应的法律法规作保障。我们根据天津的实际需要，探索开展了《天津市地下空间规划管理条例》立法工作。该条例不仅是城乡规划法出台后全国首部规范地下空间开发利用的地方性法规，更是天津贯彻落实城乡规划法有关规定的具体措施。

多年的工作实践，我们感到加强各类规划控制线的管理，对保障规划实施很重要。我们在建设部“四线”管理规定的基础上，开展了《天津市规划控制线管理规定》立法工作，将规划控制线拓展为“六线”（红线、绿线、蓝线、黄线、紫线、黑线），将建设部“黄线”范畴内的城市轨道交通调整到天津的“黑线”（铁路、城市轨道交通）范畴内，细化了有关管理要求。

（三）大力推进以规划管理技术规定为核心的技术标准体系建设

城乡规划不仅政策性强、技术性也强，以地方立法形式，将规划管理技术层面的标准、要求等法定化，从立法角度规范规划管理中具体的技术问题，可为规划管理的技术层面提供可靠的法律支持。从2006年开始，我们加快了《天津市城市规划管理技术规定》立法工作，并确定了以该规定为核心的天津市城乡规划技术标准体系基本框架和建设目标，加大技术标准制定力度。

该《规定》共8编37章381条55000余字。一是内容比较全面，涉及城市规划管理工作各方面。从纵向上涵盖了规划编制审批、规划实施管理及规划实施的监督检查全过程，纳入了比较完整的规划编制体系，从横向上规范了各项城市规划的相关活动；二是借鉴先进经验，用创新思维解决实际问题，对已不适应的有关标准进行调整，体现自身特色。例如，在国家有关标准基础上，确定了天津市城市建设用地分类标准，将中小学、幼儿园用地从原有的居住用地公共服务设施用地中独立出来，增加了城中村用地、公寓用地、物流用地等。将以高度确定建筑退线距离调整为根据建筑物性质及实际情况退线，解决在同一条道路上的建筑物因高度不同而退线不同导致的建筑物里出外、犬牙交错的问题。对住宅、办公、商业等各类建筑的层高进行限制，规定了超出部分的容积率计算方法，杜绝利用层高变相增加面积提高容积率的现象。

二、不断深化规划管理体制改革，为全面提升规划管理水平夯实基础

为了进一步完善规划管理体制机制，全面提高城乡规划工作水平和综合调控能力，充分调动区县和相关部门的规划积极性，适应天津发展的需要，去年市委、市政府决定对规划管理体制进行改革，下发了《关于深化城乡规划管理体制改革的意见》，召开了全市规划工作会议，市委书记张高丽率四套班子领导参加，并做重要讲话。这次会议对天津的规划工作具有里程碑式的意义。

这次改革以加快职能转变为核心，以职能调整和事权划分为重点，推进重心下移、事权下放，充分发挥区县和相关部门的积极性，从而建立起权责一致、分工合理、决策科学、执行顺畅、监督有力的规划管理体制和机制，为实现科学发展和谐发展率先发展提供规划保障和服务。其主要内容：一是确立城乡规划三级管理体制，实现城乡规划管理一体化。加强市、区县和乡镇三级城乡规划管理机构建设，在天津中心城区的10个行政区设立规划分局，作为市规划局的派出机构，接受市规划局和所在区人民政府的双重领导。二是合理调整规划管理职能和管理事权。强化了市规划局的宏观管理、综合调控和监督检查职能，工作重点是研究制定有关政策法规、管理规则、技术标准，组织开展全局性、综合性规划的编制、审查工作，综合平衡相关部门组织编制的专业规划，监督检查和考核全市城乡规划工作；明确市相关部门组织编制产业布局规划、专业规划的职能；加强区县规划部门的规划实施管理职能，按照“重心下移、事权下放”的思路，将市规划局的建设项目规划管理事权下放到区县规划部门。三是搭建“一个平台”、完善

"六个保障机制"，确保规划管理体制改革的顺利实施。

按照市委、市政府的要求，我们积极稳妥地完成了局机关和十个分局改革，建立了覆盖市、区县规划部门的规划管理信息网络系统，加快了法规保障、规划编制管理、核查巡查、事权调控、评价考核、轮岗交流和培训等六个机制建设，加强了全市规划统一管理，基本形成了"一个平台，三级会审，四个严格，六个统一"的规划业务管理新模式，促进全市规划管理水平整体提升。

目前，全市20个区县局（分局、处）已在统一的业务平台上开展建设项目规划许可审批的受理、办理、审批、核发等工作，实现了市、区县联网审批和市局实时监管，规范了全市城乡规划业务审批管理，提高了业务审批效率，缩短了项目审批时间。

三、更新观念积极创新，全力落实城乡规划法的新规定新要求

《城乡规划法》的出台，进一步提升了城乡规划的地位，对规划工作的要求也进一步提高。面对新形势、新要求，我们围绕深化落实国务院批复的《天津市城市总体规划（2005-2020年）》,进一步解放思想，大胆开拓创新，集中精力开展了规划编制工作。尤其是去年7月以来，天津市委、市政府决定采取非常规手段加快规划编制，成立市重点规划编制工作指挥部，市领导亲自挂帅，动员全市各方力量大干150天，集中时间、集中精力编制了119项重点规划。参与规划编制的国内外一流规划设计单位达60多家，专业人员400多人。今年，我们着重开展了重点规划编制成果的深化、转化工作，积极稳妥地推进全市控制性详细规划编制，促进规划的实施，避免规划编制与管理"两张皮"。通过集中编制规划，不仅加快完善了天津城乡规划编制体系，形成了一批高水平的规划成果，也在天津迅速应对国际国内经济形势变化、积极引导各项建设活动等方面，提前进行了规划储备。

（一）加强关系天津长远发展的战略性规划研究

2006年对天津来说是重要的一年，党中央、国务院做出推进天津滨海新区开发开放的重要战略部署，国务院批复《天津市城市总体规划（2005-2020年）》。随着天津及滨海新区在国家战略地位的提升，国家级的大项目纷纷落户天津，天津加快发展的态势强劲，国际国内经济发展格局、发展形势的风云多变，天津加快发展的内外部环境更加复杂。面对新形势、新变化，天津提出了更高的发展目标。

为加快实施滨海新区开发开放的国家战略，深入落实天津城市定位，积极促进区域协调发展，我们依据2006年版《天津市城市总体规划》，加强了天津空间发展战略研究，重新审视在国家发展战略和区域格局中的天津。邀请中国城市规划设计研究院和有关院士、专家，编制完成了《天津市空间发展战略规划》。从东北亚、我国北方地区、环渤海地区的区域视野，统筹考虑京津冀地区的空间、经济、环境、生态等方面内容，着眼天津未来发展，着力优化空间布局、提升城市功能，提出了"双城双港、相向拓展、一轴两带、南北生态"的空间发展战略，对指导下一层次的规划编制和城乡发展具有重要意义。

（二）探索控制性详细规划编制与实施的有效方法

控规是规划实施管理的直接法定依据，控规水平的高低、是否适应经济社会发展的需要，直接影响到具体建设项目的布局、建设是否顺利等。在天津加快发展的新阶段，发展变化大、不确定因素多，许多建设需求、建设时机与规模等无法准确预测，按照传统的内容、深度和方法编制的控规缺乏灵活性、兼容性，加之受规划水平等因素的制约，在实施过程中，常常与建设需求不一致，出现这样那样的问题，修改控规几乎成了家常便饭。为提高控规的兼容性、弹性和适应性，妥善处理好维护规划严肃性和促进城市发展的关系，减少控规频繁修改带来的不利影响，在不违背城乡规划法前提下，我们对控规编制与实施进行积极创新与实践。

1. 学习借鉴兄弟省市好的经验做法，对建设部规定的控规编制内容进行了"粗化"尝试。

将"地块"控规改为"单元"控规，将规划控制指标由地块平衡改为单元平衡，应用"门槛理论"，考虑土地利用的兼容性，对开发建设强度、开发建设总量、绿地指标等按单元进行总量控制，对公益性公共设施、市政基础设施和城市安全设施等提出刚性要求，对市场开发的内容留有一定的弹性空间。对此，《天津市城市规划管理技术规定》做了明确规定，赋予该做法的合法地位。同时，建立控规动态维护管理机制，加强控规实施的"动态管理"，定期对控规实施情况进行评估，及时发现问题、解决问题，提高控规的应变能力。

2. 打破传统规划观念，探索建立“一控规两导则”（土地细分导则、城市设计导则）的规划实施管理机制。

（1）创造性地开展土地细分导则制定工作

一是通过土地细分导则制定，将控规确定的单元的各项规划控制指标和要求预先落实到具体地块，形成保障控规实施的具体、细化的管理措施，作为实施建设项目规划管理的依据。目前，我们依据中心城区控规方案，制定了中心城区土地细分导则并已在规划实施管理中试行。

二是在《天津市城乡规划条例》中对土地细分导则的制定与实施予以规定，为其作为规划管理的依据提供法律支撑。同时，为了加强土地细分导则管理，制定相应的管理规定，明确土地细分导则的编制、审批、应用和修改条件、程序等，允许土地细分导则在符合控规的前提下按照规定程序进行修改。

（2）探索城市设计与规划管理的有机结合

随着人类社会经济文化的不断发展进步，人们不再满足于城市提供物质生活保障的功能，更加重视城市空间环境品质。以提升城市景观形象水平、创造宜人的城市空间环境为首任的城市设计，无论是作为规划设计理念还是管理手段，都已成为探索城市空间形态的有效方法，日益受到关注。关于城市设计的概念、内容和具体应用，规划建筑界众说纷纭，相关的理论研究与实践活动在我国还处于初始阶段，尚未形成完整的体系，将城市设计作为独立的工作阶段还是体现在总体规划、详细规划等规划设计的全过程，没有明确的定论。由于城市设计还没有明确的法律地位，与规划管理的关系也不明晰，使得城市设计成果缺乏操作性，往往成为无用的“精美”蓝图。

在城市设计理论应用方面，5 年前我们也做过一些尝试，曾下大力量组织编制了一批详细蓝图，对一些主要道路、河流两侧和重点地区的空间形态、景观特色、建筑高度、风格、体量等进行设计，提出具体要求。由于这些规划成果和规划实施管理的关系不明，缺乏有机的结合，加之当时对规划管理水平的要求还不高，在建设项目规划许可审批过程中，未能转化成相应的管理依据，没有达到预期的引导或控制作用，最终被束之高阁。

近几年，天津发生了巨大的变化，城市功能作用不断完善，城市地位和知名度不断提升，进一步改善居住生活空间环境和品质，提升城市文化品位，塑造魅力城市，彰显城市特色，是实现天津城市定位的客观需要和全市上下的共识。这需要精细化的规划管理，通过精心规划、精心设计、精心管理，将城市物质形态的各种载体和建设活动的每个细节都纳入规划管理，城市设计因此受到市委、市政府的高度重视。去年以来，我们以全市重点规划编制为契机，积极进行城市设计编制及其在规划管理中运用的探索和实践。

结合迎奥运等市容环境综合整治工作，积极探索制定了一系列的规划设计导则、导引等，加强了对城市景观各种构成要素及细节的规划控制管理。目前已完成了天津市中心城区建筑特色控制导引、中心城区建筑色彩控制导引、中心城区高层建筑玻璃幕墙控制导引、中心城区建筑顶部控制导引、既有建筑综合整修设计导则、城市街道家具规划导引、店招牌匾整修规划设计导则、示范工业园区规划设计导则等，为建设项目规划管理和城市景观环境综合治理等提供了更为具体的技术性管理依据，促进了城市特色的保护与延续、城市景观水平的整体提升。

组织编制了中心城区、滨海新区、区县新城的总体城市设计和一批重点地区的城市设计，实现了中心城区城市设计的全覆盖。通过城市设计的尝试，第一次对全市各地区的空间结构、形态特色、功能布局、交通组织、建筑风格与色彩等有了较为明确、详细的引导、控制方向和相关规划要求。

研究建立将城市设计纳入规划管理体系的规范化、法定化管理模式和应用途径。首先，确定城市设计导则是实现城市设计与规划实施管理有机结合的主要途径，并拟在《天津市城乡规划条例》中解决其法定地位问题，明确重点地区应当编制城市设计，制定城市设计导则，并作为规划设计、规划管理的依据。其次，在总结分析已有城市设计成果和实践经验的基础上，研究制定相应的管理规定、技术标准，全面规范城市设计及导则的编制、审批和实施等工作。再次，按照“一控规两导则”的要求，将城市设计导则作为促进控规实施的有效措施，通过研究制定与控规单元相对应的城市设计导则，将控规的有关要求和相关城市设计成果提炼转化为相应的导则性要求，为建设项目规划许可审批提供更为细致的管理依据、技术规定。

积极促进城市设计及导则在天津滨海新区的先行先试。按照《滨海新区综合配套改革试验总体方案三年实施计划》，开展了“探索城市设计规范化、法定化编制和审批模式，做好重点区域和项目的城市设计”的改革实践。结合已经完成的城市设计成果，在试点地区探索将城市设计成果转化为城市设计导则的方法、内容和应用途径，促进城市设计与规划管理的有机结合。在实践基础上形成相关的管理办法和技术规定，在滨海新区全面推行，并为全市和其他地区提供经验借鉴。

（三）以规划展览馆为平台大力开展规划公众参与

建设高水平的规划展览馆是天津规划人的梦想，也受到市委、市政府领导的高度重视。虽然规划展览馆的选址、建筑方案等都已确定，由于各种原因一直未能开工建设。为了适应天津发展形势的需要，及时向社会公开展示天津规划成果，展现天津发展蓝图，激发广大市民参与天津规划建设的热情，让国内外了解天津的明天，去年7月，天津市委、市政府决定用半年时间高水平完成规划展览馆（过渡性）的选址、建筑内部改造和布展工作，并开馆运营。

规划的公众参与是公民参与社会事务管理的具体体现，是现代民主政治的要求。将规划的公众参与作为发扬民主、集中民智、凝聚民心的有效途径，体现了以人为本的执政理念，有利于汇聚民智，群策群力，提升规划水平，促进规划实施。为此，我们进一步完善规划公开、公众参与的机制，拓展公众参与的途径和方法，不断提高公众的规划意识、参与意识和监督意识，确保社会公众对规划的知情权、参与权、监督权。做到规划公开招标或征集、规划设计多方案比选、规划实施全过程监督、规划许可审批备案事项与结果公开的四个“100%”，实现修建性详细规划公示率、论证率、公告率、公布率和建设工程设计方案总平面图公布率、建设项目总平面图悬挂率的六个“100%”，规划展览馆建成后，我们充分利用这个载体，开展规划方案的公开展示、公开征询意见，城乡规划的公众参与程度和水平都有了明显提高。规划展览馆从今年1月开馆到8月初，已接待国家领导人、兄弟省市领导和有关单位参观达488场，11783人次，接待市民群众达60万人次。

尤其是2009年6月，市委、市政府决定将《天津市城市空间发展战略规划》、《文化中心规划设计方案》公开向全市征求意见后，广大市民群众表现出了极大的热情和高度的责任感，积极建言献策，在全市形成了声势浩大的规划热，天津规划公众参与工作进入了新阶段。从6月3日到12日的十天规划公示活动中，规划展览馆共接待市民群众3万余人，现场留言1836条，接听电话2306个，接收电子邮件、信件2521封。经梳理归纳，共形成2111条意见建议，直接采用579条，其他意见将作为决策参考体现在今后规划中，群众满意率97%。规划公示活动引起海内外新闻媒体的广泛关注。全市新闻媒体纷纷利用重要版面、黄金时段进行了全方位、多层次的新闻宣传报道，共刊登、播发新闻稿件516篇（条），在全市营造了浓厚的规划氛围，取得了规划宣传前所未有的实效。中央电视台、新华网、人民网、新浪、网易、搜狐、中国网、凤凰网和德国《法兰克福日报》、法国《加莱大区报》、新加坡《联合早报》、日本《千叶日报》、荷兰《恩舍德每日电讯》等数十家国内外媒体，以及城市规划网等规划行业网站，从不同角度进行报道，或发布相关信息,普遍对天津这一举动给予充分肯定。

7月13日至22日，根据市委、市政府决定和广大市民的要求，再次公示一批重大规划项目，将天津市中心城区“一主两副”规划设计方案、于家堡金融区规划设计方案、响螺湾商务区规划设计方案、天津市生态城布局规划设计方案、天津市海河教育园区规划设计方案向全市人民广泛征求意见。广大市民群众热情不减，通过各种方式积极参与。规划展览馆共接待市民群众39000余人，现场留言1939条，接听电话2705个，接收电子邮件、信件2687封，均超过了上一次。

各位朋友，近两年来天津城市面貌发生了喜人的大变化，城市活力增加了。我代表天津人民、代表天津市规划局真挚地欢迎大家来天津参观游览，并给我们多提宝贵意见和建议。

规划设计

2009年全市各项规划设计工作，包括总体规划、详细规划、专项规划和城市设计，取得了新成绩，达到了新水平。全市两次8项规划公示引起强烈反响。《天津市空间发展战略规划》经市委常委扩大会议和市政府常务会议审议通过。市政府批复实施静海县城乡总体规划、31个区县示范工业园区总体规划、子牙循环经济产业区总体规划、天津市排水专项规划、天津滨海国际机场综合交通枢纽集疏运规划、天津市现代服务业布局规划、天津市电力空间布局规划、泰安道历史文化街区保护规划等。市规划局批复实施中心城区概念性总体城市设计等一批总体城市设计和文化中心地区城市设计等一批重点地区城市设计。

天津市静海县城乡总体规划（2008-2020年）

【编制背景】 2006年国务院批复的《天津市城市总体规划（2005-2020年）》确定的十一座新城，静海包括两个。双城结构为静海的城乡发展提供了新的机遇，需要重新调整静海的城乡体系结构。位于县域西部的子牙环保产业园提升为国家级循环经济示范区，将对静海的经济发展产生重大影响，需要对全县域的产业结构和空间布局作出调整。

【制定过程】 2006年开始，静海县政府组织开展《静海县城乡总体规划（2008-2020年）》（以下简称《规划》）编制工作，2007年10月，《规划》方案通过专家论证，并征求了有关委局意见。2008年9月，市重点规划编制指挥部统一安排，对《规划》方案进行深化和完善，并通过指挥部审查。2009年5月6日，《规划》经市政府第28次常务会议原则通过。2009年9月30日，市政府下发《关于天津市静海县城乡总体规划（2008-2020年）的批复》（津政函［2009］134号），同意修编后的《规划》。

【静海县城乡总体规划（2008-2020年）要点】

（一）城市性质

国家级循环经济示范区，区域性物流中心，天津市体育基地和生态宜居城市。

（二）人口和城镇建设用地规模

2020年静海县常住人口规模控制在71万人（包括子牙循环经济产业区8万人口），其中城镇人口59.7万人。

2020年静海县城乡建设总用地198.76平方公里，其中城镇建设用地55.24平方公里。

（三）城乡体系及空间布局

规划静海县城乡体系结构：两个新城——三个中心镇——十一个一般镇——四十个中心村——六十八个基层村。至2020年，城镇化水平达到80%左右,构建“一带两城一区”的城乡布局结构。“一带”：南运河城镇发展和生态文化带；“两城”：静海新城和团泊新城；“一区”：子牙循环经济产业区。

（四）交通发展战略

进一步加大公路网建设的力度，优化公路网络布局，提高公路网整体技术水平，完善公路网结构，提高公路网络通达深度，整体提高公路网服务水平；建立以公共交通为主导的城镇布局模式，建设以轨道交通、快速公交为骨干，公交干线为主力，公交支线为补充的覆盖全县的公交网路，使公交成为静海县城乡居民出行的主导方式；重视客、货运枢纽建设，提高区域交通系统运行效率和服务水平。

（五）市政基础设施规划

以建设节水、节能、清洁城市为目标，结合区域市政基础设施体系，建立高效、安全、节约型现代化新城、中心镇、一般镇和中心村市政基础设施体系，为经济、社会可持续发展提供支撑和保障。规划新城以外地区的城乡市政基础设施，以新城为核心，积极完善城镇和中心村基础设施建设，充分发掘各村镇现有市政基础设施潜力。

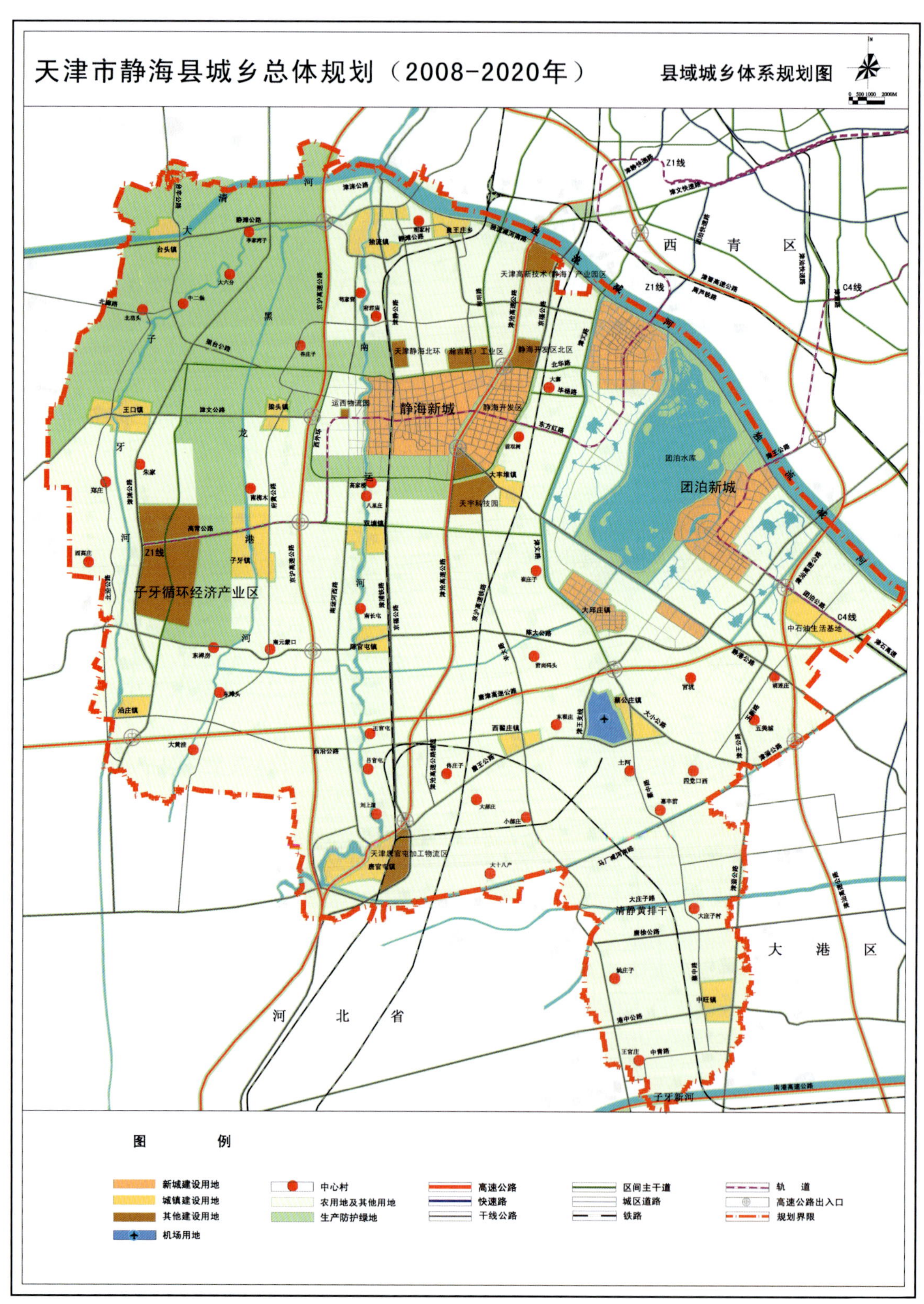

【静海新城总体规划要点】

（一）城市职能

静海县政治、经济、文化中心；天津市西南部现代制造业、物流业基地；天津市西部城镇发展带南部的重要节点和生态宜居新城。

（二）规划范围、人口及用地规模

用地范围：东至东外环（104 国道），西至南运河，南至南宁路，北到北华路，规划总用地 40.29 平方公里。

2020 年静海新城城镇人口规模 24 万人，规划城镇建设用地 24.52 平方公里，人均城镇建设用地约 102 平方米。

（三）城市空间结构

规划结构为：“一轴一带两心两区”。“一轴”：东方红路商贸、景观发展轴；“一带”：南运河生态文化带；“两心”：新城商业中心和行政文化中心；“两区”：新城生活区和津沧高速以东的产业区。

（四）用地布局原则

建立集中紧凑的发展模式，科学进行新城用地的功能布局。合理确定城区的用地结构和空间布局，适应新城未来发展的需要。充分考虑新城发展方向，从远景规划入手，引导新城向有序、合理方向发展，逐步实现城市远景空间形态。建立完善的新城对外交通体系与内部交通系统。以节约土地为原则，提高土地利用率，改善居住生活环境。

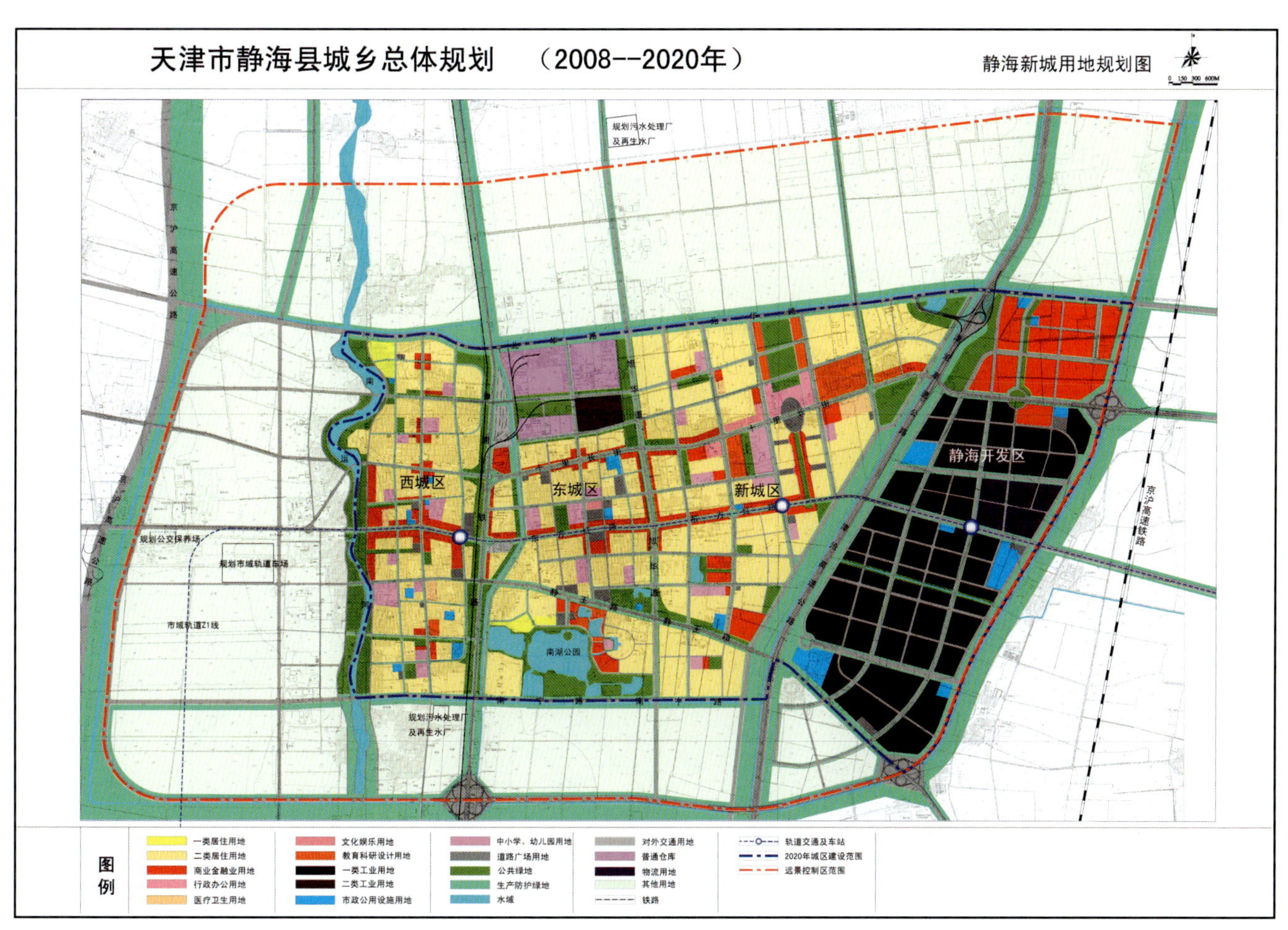

【团泊新城总体规划要点】

（一）城市职能

以科技研发、教育体育、创意产业、旅游度假为主的生态新城。

（二）规划范围、人口及用地规模

用地范围：东至规划的津汕高速公路，西至津文公路、大小路、静王公路一线，南至唐津高速公路，北至独流减河，规划总用地 210.52 平方公里。

团泊新城城镇人口规模 16 万人，规划城镇建设用地规模 16.04 平方公里，人均约 100 平方米。

（三）城市空间结构

团泊新城用地布局为组团式布局结构。远景规划为六个组团。至 2020 年建设体育组团、大邱庄组团、中心组团、团泊旅游特色镇四个组团。

（四）用地布局原则

以休闲、体育、教育科研、创意为主题，以水韵为特征，以组团为形式，建设集休闲博览、会展、教育、体育、工业、旅游、居住、商业为一体的多元化城市空间；实现产业、自然、社会的协调与共生，打造优质生活品质。

（宋晓然）

31 个区县示范工业园区总体规划

【概况】 为了解决全市工业园区普遍存在的布局散、规模小、水平低、资源消耗大、污染点源多的问题，切实转变发展方式，合理配置资源，节约集约用地，保护生态环境，促进区县经济又好又快发展，市人民政府决定，对全市区县工业园区进行资源整合，选择一批基础条件和发展前景好的，作为重点支持的示范工业园区，在政策上予以扶持，加大投入力度，促进健康发展，尽快培育成为全市新的经济增长点。市规划局组织编制完成了 31 个区县示范工业园区总体规划。

31 个工业园区分布在全市 11 个区县，其中东丽、汉沽、大港、宁河、蓟县各 2 个，西青、北辰、静海各 3 个，津南、武清、宝坻各 4 个。规划起步区共 125.1 平方公里，平均每个园区起步区 4 平方公里，远期控制总面积 381.9 平方公里，为今后发展预留了充足空间。

【制定过程】

2009 年 5 月 12 日，市政府召开区县示范工业园区规划编制工作会议，明确示范工业园选取原则及规划编制工作要求。5 月 19 日，印发《天津市示范工业园区规划设计导则》，初步确定示范工业园区名称、范围和规划设计单位。6 月 24 日至 30 日，市规划局组织市经济和信息化委、市中小企业局等 7 个部门召开 4 次审查会议，对 31 个工业园区的规划方案逐一进行详细审查，分别提出深化意见。7 月 24 日，市规划局第七次局长办公会议听取方案进展情况汇报。8 月 9 日、18 日，市政府分别召开第 33、34 次常务会议，原则通过 31 个区县示范工业园区总体规划方案。10 月 23 日，市政府下发《关于同意天津华明工业区等三十一个区县示范工业园区总体规划的批复》（津政函〔2009〕148 号）。

（宋晓然）

区　县	示范工业园区名称
东丽区	天津东丽航空产业区
	天津华明工业区
津南区	天津双港工业区
	天津八里台工业区
	天津海河工业区
	天津小站工业区
西青区	天津西青学府工业区
	天津西青高端金属制品工业区
	天津西青汽车工业区
北辰区	天津风电产业园
	天津陆路港物流装备产业园
	天津医药医疗器械工业园
汉沽区	天津茶淀工业区
	天津滨海物流加工区
大港区	天津太平工业区
	天津中塘工业区
武清区	中华自行车王国产业园
	天津地毯产业园
	天津武清汽车零部件产业园
	天津京滨工业园
宝坻区	天津宝坻低碳工业区
	天津马家店工业区
	天津宝坻塑料制品工业区
	天津宝坻节能环保工业区
宁河县	天津宁河现代产业区
	天津潘庄工业区
静海县	天津大邱庄工业区
	天津静海北环（瀚吉斯）工业区
	天津唐官屯加工物流区
蓟县	天津专用汽车产业园
	天津上仓酒业及绿色食品加工区

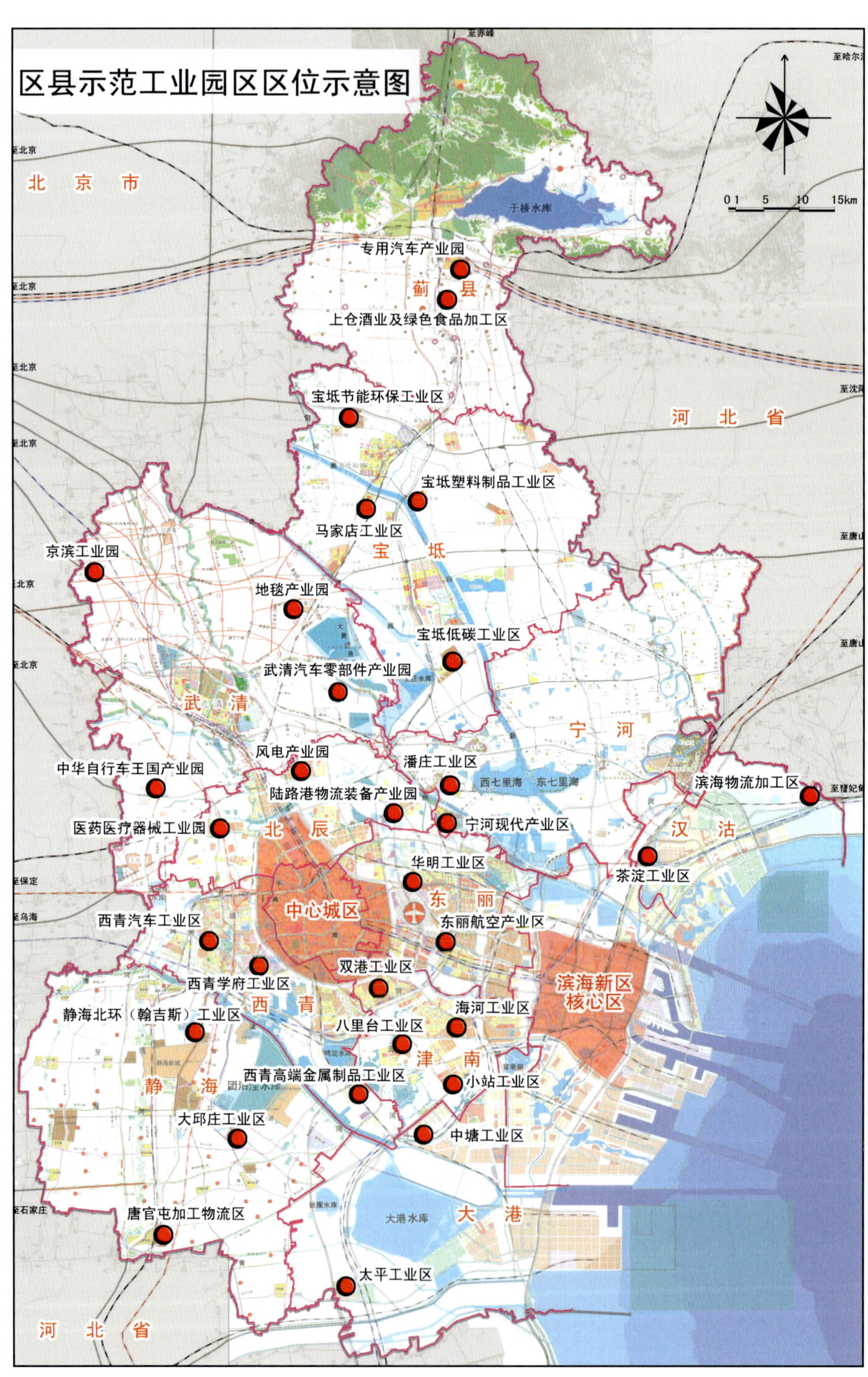
区县示范工业园区区位示意图
北京市
河北省
河北省
于桥水库
0 1 5 10 15km
专用汽车产业园
蓟县
上仓酒业及绿色食品加工区
宝坻节能环保工业区
宝坻塑料制品工业区
马家店工业区
宝坻
京滨工业园
地毯产业园
宝坻低碳工业区
武清汽车零部件产业园
武清
宁河
风电产业园
潘庄工业区
中华自行车王国产业园
西七里海
东七里海
滨海物流加工区
陆路港物流装备产业园
宁河现代产业区
医药医疗器械工业园
北辰
汉沽
华明工业区
茶淀工业区
中心城区
东丽
西青汽车工业区
东丽航空产业区
双港工业区
西青学府工业区
滨海新区核心区
西青
海河工业区
静海北环（翰吉斯）工业区
八里台工业区
津南
静海
西青高端金属制品工业区
小站工业区
大邱庄工业区
中塘工业区
大港水库
大港
唐官屯加工物流区
太平工业区

天津子牙循环经济产业区总体规划（2008-2020年）

【编制背景】 天津子牙循环经济产业区是中日循环型城市合作项目。2008年5月7日，天津市与日本北九州市签署开展中日循环型城市合作备忘录。为了高水平规划建设好产业区，加快合作进程，推动节能环保，促进循环经济发展，静海县人民政府自2008年5月底开始，采取“政府组织、专家领衔、部门合作、科学决策”的工作方式，组织进行规划编制。

【制定过程】 市规划局组织召开专家咨询和论证，对产业区规划定位、产业规模等进行深入研讨，规划编制组充分吸纳专家意见后，对规划方案进行反复修改、完善，形成上报方案。2008年10月29日，中日循环型城市合作委员会召开第一次会议，日方从资源配置、产业规模、废弃物残渣处理等方面提出建议，使《规划》得到进一步提升。同时，静海县政府将《规划》在全县进行公示，并经县人大常委会审议通过。2008年11月4日，市规划局组织召开规划专家论证及部门联席会议，原则通过《规划》。2009年9月11日，市政府下发《关于天津子牙循环经济产业区总体规划（2008-2020年）的批复》（津政函［2009］126号），同意《规划》。

【规划范围】 规划控制范围：西至子牙河，东至京沪高速公路，北至静文公路，南至陈大公路，用地面积132平方公里。其中2020年规划用地面积29.82平方公里。

【功能定位】 国际一流循环经济产业示范区；国家级循环经济产业带动基地；中国北方地区的“城市矿山”。再生资源拆解示范基地；再生资源技术研发中心；深加工与再制造业示范基地；环保技术设备开发示范基地；环保技术展示及再生资源交易中心。

【发展目标】 创新发展模式和发展机制，重视生态环境保护，提高产业发展质量和效益，实现资源生产率、循环利用率、废弃物处理量等循环经济主要指标以及生态环境、可持续发展能力等达到世界先进水平，提高生态环境质量和改善生存空间，达到人与自然和谐共生。

【人口、用地规模】 常住人口控制在8万人,建设用地规模29.34平方公里。

【区域协调策略】 发展以静脉产业为核心的循环经济，为周边地区、特别是滨海新区的动脉产业提供充足的原料，实现市域产业链条循环连接，促进动静脉产业的协同发展；加强以循环产业为代表的生态建设，与中新天津生态城共同构筑天津生态城市建设重点区域，实现天津生态城市建设目标；将产业区发展与静海县城乡统筹相衔接，妥善做好村民安置，以产业区发展带动新农村建设。

【空间布局结构】 规划构建“一心两带三轴三区”的总体布局结构。一心：高标准的科研服务中心，位于高常快速路与黑龙港河交界处，是全区发展的核心。两带：林下经济发展带和子牙河生态保护带。三轴：黑龙港河景观发展轴，高常快速路综合发展轴，迎宾大道（原新津涞公路）产业发展轴。三区：位于迎宾大道两侧的产业功能区以及位于黑龙港河两侧的科研服务功能区和居住功能区，其中产业功能区占地21.00平方公里，科研服务功能区占地4.86平方公里，居住功能区占地3.96平方公里。

【近期建设规划】 规划近期至2012年，产业区常住人口规模4万，建设用地规模21.26平方公里。在现状子牙环保产业园的发展基础上，结合子牙地区示范小城镇规划，建设不同性质的功能区，完善基础设施建设，改善生态环境，实现产业区内经济与人口、资源、环境的协调发展，为建设国际一流的循环经济产业示范区奠定基础。

（宋晓然）

天津市排水专项规划
(2008-2020年)

【概况】 天津市城市总体规划和天津市空间发展战略规划确立的新的空间布局，打破了原有的中心城区与滨海新区、环城四区及外围五区县的界限，需要对排水设施统筹进行规划。天津市城市总体规划提出建设生态城市目标，对市政设施运行提出了新的要求，需要对全市的排水系统、污水处理厂及排水泵站的空间布局作出调整，保护水环境，促进水资源的开发利用。

2009年4月19日，市政府下发《关于天津市排水专项规划（2008-2020年）的批复》（津政函〔2009〕58号），同意《天津市排水专项规划(2008-2020年)》（以下简称《规划》）；同意以全市行政区域城镇建设区为规划范围，空间分为主城区（中心城区及外围地区）、滨海新区、其他区县三大区域。按照不同区域确定不同的规划指标；同意雨水系统、污水系统、市政污泥处置的规划原则和方案以及近期建设计划内容。

【规划要点】 《规划》文本共九章,包括总则、标准与参数、主城区排水规划、滨海新区排水规划、两区三县排水规划、排水河道规划、市政污泥处理处置规划、近期实施计划、附则。

【规划目标】

排水管网普及率：主城区：≥95%
滨海新区：≥90%
其它地区：≥85%

污水处理率：主城区：95%
滨海新区：90%
其它地区：85%

【排水规划原则】 雨污分流制，对现状合流制地区按截流与分流相结合方式逐步改造。

【排水河道规划原则】 以城市防洪排涝安全为基本前提，以改善城市水环境和人居环境为重点，坚持以人为本、人与自然和谐相处的原则和排水与雨洪资源利用相结合。

【市政污泥处理处置规划原则】

为建设生态城市，进行污泥循环利用和处理处置，达到减量化、稳定化、无害化目标，在安全、环保的前提下实现污泥的资源化。

处理的集约化、处置的多样化、技术的多元化和目标的阶段化相结合。

（宋晓然）

天津滨海国际机场
综合交通枢纽集疏运规划
(2009-2020年)

【编制背景】 现行《天津市城市总体规划（2005-2020年)》确定天津的城市定位是：国际港口城市、北方经济中心和生态城市。同时明确，天津滨海国际机场发展成为中国北方航空货运中心及东北亚航空货运集散地，与首都机场共同构筑东北亚地区的国际航空枢纽。《天津市空间发展战略规划》提出“双城双港、相向拓展、一轴两带、南北生态”的总体战略，进一步明确了城市空间发展方向和拓展空间。天津滨海国际机场拥有良好的区位优势，位于“双城”（中心城区和滨海新区核心区）之间，距中心城区约13公里，距滨海新区核心区31公里，占地面积约6.5平方公里。随着滨海新区开发开放，滨海国际机场进入快速发展阶段。机场旅客吞吐量由2004年171万人次增长到2008年464万人次，年均增长33.8%。为适应机场旅客和货邮吞吐量的快速发展形势，建设与城市定位相匹配的国际机场，着手编制《天津滨海国际机场综合交通枢纽集疏运规划（2009-2020年)》（以下简称《规划》）。

【制定过程】 2008年11月开始，市规划局会同市交通运输管理局、天津滨海国际机场等组织市规划院、中国民航机场建设集团公司、铁三院、市市政院等开展《规划》的编制工作。依据天津城市定位和天津市空间发展战略规划，从天津滨海国际机场的功能定位和客货运规模出发，借鉴国内外城市机场规划建设的成功经验，结合周边地区规划情况，按照构建“客货分离、快速疏解”集疏运体系的原则，确定了由城际铁路、城市轨道交通、快速路、城市主干道等组成的集疏运网络体系。《规划》经专家论证通过。2009 年 5 月 11 日,市政府下发《关于天津滨海国际机场综合交通枢纽集疏运规划（2009-2020 年）的批复》（津政函［2009］68 号），同意《规划》。批复指出，《规划》立足天津滨海国际机场的长远发展，有利于改善机场地区的交通环境，有利于加强机场与周边地区的联系，对天津滨海国际机场建设成为大型门户枢纽和北方国际航空物流中心具有重要意义。批复同意《规划》确定的规划范围，同意《规划》确定的集疏运网络体系。批复要求加快滨海国际机场二期配套工程建设，充分发挥滨海国际机场的辐射和带动作用。

【天津滨海国际机场定位与发展趋势】 天津滨海国际机场定位为“北方国际航空物流中心和大型门户枢纽机场”。预计旅客吞吐量：2020 年 2500 万人次，远景 6500 万人次；货运吞吐量：2020 年 95 万吨，远景 400 万吨。客货运吞吐量的快速增长，亟需完善机场周边道路网络和轨道交通网络。

【集疏运道路网络规划】 结合航空客货运交通快速集散的特性，机场集疏运道路网络应实现“客货分离、快速疏解”。

集疏运客运道路网络规划：根据机场周边道路网络规划，通过“南北进场、快进快出、外围疏解”，构筑相对独立的机场集疏运客运网络。

集疏运轨道交通规划：随着滨海国际机场旅客吞吐量的快速增长，需要引入轨道交通，建立地面交通中心，保证快速便捷换乘。

【机场二期配套工程】 道路交通配套工程：结合机场二期扩建工程，完善机场周边道路网络，加快津滨快速路、成林道延长线、货运专用路等道路建设。

轨道交通配套工程：包括地铁 M2 线和京津城际机场联络线，总长度 14 公里。同时配套建设机场交通枢纽。

（宋晓然）

天津市电力空间布局规划修编（2008-2020 年）

【概况】 天津市电力空间布局规划于 2004 年开始编制，后经市政府批准，对保障全市的经济发展发挥了重要作用。为加快实施滨海新区开发开放的国家战略，落实国际港口城市、北方经济中心和生态城市的定位，支持城市空间结构的战略调整，提高电网抗自然灾害能力，按照“高起点规划、高水平建设、高效能管理”的要求，结合国家电网公司特高压电网规划，开展天津市电力空间布局规划修编工作。

2009 年 8 月 28 日，市政府下发《关于天津市电力空间布局规划修编（2008-2020 年）的批复》（津政函［2009］120 号），原则同意《天津市电力空间布局规划修编（2008-2020 年）》，同意电力目标网架结构、电网建设总规模和分区域规模。批复要求，协调好电力设施布局与城市发展用地的关系，结合绿化生态廊道归并架空走廊，实现土地节约和集约利用。

【规划依据】 天津市城市总体规划（2005-2020 年）、天津市空间发展战略规划、天津滨海新区城市总体规划（2008-2020 年）（方案）、国家电网总体规划设计（2008-2020 年）、华北电网“十一五”电网规划及 2020 年展望（2006-2020 年）、天津电网目标网架修编（2008-2030 年）、天津市电源发展规划（2008-2020 年）、天津城市电网“十一五”规划报告（2006-2020 年）、天津城市电网 2008-2012 年规划报告（2008-2012 年）、天津市电网“十二五”规划设计（2008-2020 年）、天津市滨海新区“十一五”电网规划（2006-2020 年）和其他相关规划。

【电网规划目标】 建设与天津定位相匹配的统一坚强智能电网。最终建成多端受电、多电源支撑、结构科学合理、安全可靠、自动化程度高的现代化城市电网。

按照电网规划建设适度超前于城市建设的原

则，依据天津电网远景年目标网架，科学合理地布置电力设施和电力线通道，将规划落实在用地上，使土地资源利用更加合理，电网规划实施更具有可操作性。

电网供电能力超过 4200 万千瓦，保证全市经济社会发展对用电的需求，满足城市建设可持续发展的总体要求。城市供电可靠率为 99.99%，达到国际一流供电标准。

【电力空间布局规划原则】 根据确定的规划电力网架结构，结合城市发展，以节约集约利用土地为原则，沿城市规划道路、铁路、河渠、绿化带布局电力架空走廊，合理归并现有走廊。

【电网近期建设项目】 扩建军粮城电厂，建设南疆热电厂、北塘热电厂、临港工业区热电厂、大港二厂等 4 座电厂；新建天津南 1000 千伏特高压变电站及一期电源线路、500 千伏线路；建设蒙古直流换流站项目;新建板桥、静海、西郊、南蔡等 4 座 500 千伏变电站；形成西郊-吴庄-静海-板桥-滨海-东丽-北郊-西郊 500 千伏双环网；新建南港工业区、生态城、新华路等 23 座、重建卫国道、新开河等 6 座 220 千伏变电站。

（宋晓然）

天津市现代服务业布局规划（2008-2020 年）

【概况】 科学合理布局现代服务业发展空间，有利于高效利用优势资源，有利于与先进制造业协调互动，有利于产业集聚和创新发展，对于促进和保障现代服务业又好又快发展具有重要作用。

2009 年 9 月 30 日，市政府下发《关于天津市现代服务业布局规划（2008-2020 年）的批复》（津政函 [2009] 131 号），原则同意《天津市现代服务业布局规划（2008-2020 年）》（以下简称《规划》）。批复要求，紧紧抓住滨海新区开发开放的历史性机遇，顺应经济全球化、区域经济一体化潮流，坚持国际化、市场化、产业化和社会化方向，拓宽领域、优化结构、科学布局、规范市场、增强功能，构建与北方经济中心和现代化国际港口大都市相适应的高增值、强辐射的现代服务业体系。批复同意以全市行政区域为规划范围，八类行业为产业范围。原则同意天津市现代服务业发展目标、发展定位、布局结构、主要集聚区和组团，现代服务业主要行业的发展重点和规划布局，各区县服务业的发展定位、主导产业和空间布局。

【发展定位】 建成与北方经济中心相适应的多元化、多功能、多层次的现代金融服务体系和全国金融改革创新基地；国际贸易、国际航运和国际物流中心；体现大都市繁荣繁华的现代商贸中心；国际化的科技服务、人才培育与技术创新基地；中国近代历史和山河湖海泉特色突出的国际滨海旅游城市；中国北方的创意之都。成为立足中国北方、辐射东北亚、具有国际影响力的服务型大都市。

【增加值目标】 到 2011 年，全市服务业增加值达到 4500 亿元，占地区生产总值比重达到 45%；到 2020 年，全市服务业增加值达到 1.6 万亿元，占地区生产总值的比重达到 50%，9 年间年均增长 15.1%。

【布局结构】 紧紧围绕北方经济中心城市定位、“双城双港”发展战略和“三轴两带六板块”市域空间结构，依托产业基础和海空两港、自然生态、历史文化、科教等优势资源，构建“两核两轴两带”的全市现代服务业布局结构。

两核：中心城区和滨海新区核心区。

两轴：沿河（海河和北运河）形成集商务、商贸、旅游、文化于一体的现代服务业综合发展轴；沿海形成以滨海旅游、航运物流为主的现代服务业特色发展轴。

两带：沿汉沽、宁河、宝坻、蓟县，构建北部旅游-商贸带，重点依托生态资源发展休闲旅游业，结合新城发展综合商贸业；沿大港、静海，构建南部物流-商贸带，重点依托区位和交通优势发展现代物流业，结合新城发展综合商贸业。

在“两核两轴两带”总体结构下，重点建设中心城区 CBD、滨海新区 CBD、文化商贸城、中新天津生态城、航运城、智慧城、科学城、商贸城、航空城、会展城等十大现代服务业集聚区，以及蓟县山地旅游和商贸组团、宝坻温泉旅游和商贸组团、宁河湿地旅游和商贸组团、武清物流和商贸组团、静海物流和旅游组团、大港物流和旅游组团等六大现代服务业组团。

（宋晓然）

泰安道历史文化街区保护规划

【概况】 泰安道地区位于规划中心城区的核心地带，在《天津市空间发展战略规划》和《天津市城市总体规划》中，规划定位为现代金融区、商务旅游区，是现代服务业的核心区，是总体规划确定的历史风貌保护区。现状有市委、市政府、市经济和信息化委、市机关事务管理局等办公机构，利顺德、皇宫饭店、第一饭店等服务设施，历史遗存丰富，绿化环境良好。地区现状大部分为行政办公用地，大量的历史建筑和土地资源没有得到充分利用。为了落实规划，使现有历史建筑和文物得到更好保护和开发利用，规划对地区的城市功能进行提升，打造成为高品位、业态鲜明、特色突出的历史街区。

2010年2月7日，市政府下发《关于泰安道历史文化街区保护规划（控制性详细规划）的批复》（津政函[2010]11号），原则同意《泰安道历史文化街区保护规划（控制性详细规划）》（以下简称《规划》）。批复指出，《规划》以科学发展观为指导，坚持以人为本的规划理念，符合建设资源节约型、环境友好型社会的总体要求。《规划》深入挖掘街区历史文化内涵，对发挥资源优势，提升整体环境品质，完善城市综合功能，促进泰安道历史文化街区的保护与发展具有指导作用。批复同意《规划》确定的街区风貌特征和保护原则。同意《规划》确定的建筑高度、退让、密度、贴建、色彩、形体及绿地率等控制要求。批复要求建立健全基础设施保障体系，按照《规划》，加快基础设施建设。强化规划引导，高效、合理使用建设用地，引导区域性基础设施建设。

【规划范围】 北至保定道，南至南京路与曲阜道，东至台儿庄路，西至新华路，总用地面积49.5公顷。其中，规划核心保护范围约9.3公顷，建设控制范围约40.2公顷。规划总建筑面积99万平方米。

【规划定位】 英式风貌特色为主、功能完善的商务商业综合街区。

【规划要点】 综合考虑规划地块的区位条件、交通条件,兼顾保留建筑的功能，划分为以解放北园为核心的三个功能区：一号院（现状为皇宫饭店）、四号院（现状为市政府机关办公地点）连同利顺德饭店为高档酒店及酒店式公寓综合区；二号院（现状为十八集团军办事处原址）、五号院（现状为市委机关办公地点）为商务商业综合区；三号院（现状为市经济和信息化委）为高档住宅区。街区建筑风格充分遵循天津城市文脉，融合文艺复兴及维多利亚时期的建筑艺术特点（如灰顶、砖墙、柱廊、角塔、木质阳台、庭院等），着力塑造内敛、精致、高雅的街区特点与氛围，形成与津湾广场、新意街功能互补、相映成趣的特色街区。

（张燕荣）

泰安道历史文化街区保护规划　总平面图

泰安道历史文化街区保护规划　一号院效果图

泰安道历史文化街区保护规划　二号院效果图

泰安道历史文化街区保护规划　三号院效果图

泰安道历史文化街区保护规划　四号院效果图

泰安道历史文化街区保护规划　五号院效果图

城市设计

2009 年共完成编制城市设计 32 项，其中总体城市设计 15 项，重点地区城市设计 17 项。

总体城市设计

	项 目 名 称	批复情况	批复时间
1	中心城区概念性总体城市设计	规景字［2009］837 号	2009.12.1
2	中心城区建筑特色规划控制导则	规景字［2009］840 号	2009.12.1
3	中心城区建筑风格规划控制导则	规景字［2009］838 号	2009.12.1
4	中心城区建筑色彩规划控制导则	规景字［2009］839 号	2009.12.1
5	和平区总体城市设计	规景字［2009］746 号	2009.10.6
6	南开区总体城市设计	规景字［2010］71 号	2010.2.11
7	河西区总体城市设计	规景字［2010］78 号	2010.2.12
8	东丽区环内地区总体城市设计	规景字［2009］748 号	2009.10.6
9	津南区环内地区总体城市设计	规景字［2009］744 号	2009.10.6
10	西青区环内地区总体城市设计	规景字［2009］742 号	2009.10.6
11	北辰区环内地区总体城市设计	规景字［2009］743 号	2009.10.6
12	天津高新区环内部分总体城市设计	规景字［2009］748 号	2009.10.6
13	红桥区总体城市设计	未批复	
14	河东区总体城市设计	未批复	
15	河北区总体城市设计	未批复	

重点地区城市设计

	项 目 名 称	批复情况	批复时间
1	河东区六纬路地区城市设计	规景字［2009］745 号	2009.10.6
2	河西区陈塘科技文化园城市设计	规景字［2009］747 号	2009.10.6
3	西站地区城市设计	规景字［2010］77 号	2010.2.12
4	文化中心城市设计	规景字［2010］60 号	2010.2.2
5	东丽湖地区城市设计	规景字［2008］1172 号	2008.9.27
6	天钢柳林城市副中心城市设计	规景字［2008］1175 号	2008.12.2
7	海河（北洋桥–海津大桥）两岸城市设计	规景字［2008］1174 号	2008.12.8
8	张贵庄地区城市设计	纳入东丽区环内总体城市设计方案，已批复	
9	南开区天拖地区城市设计	规景字［2010］185 号	2010.3.26
10	金钟河大街城市设计	拟结合土地出让条件一并批复	
11	天塔绿荫里城市设计	拟结合土地出让条件一并批复	
12	南淀风景区方案	结合新乐园方案深化完善中，方案确定后再行报审	
13	京津公路城市设计	待北辰分局报审，即可批复	
14	天津高新区（华苑）商务公园城市设计	未批复	
15	西青区杨柳青城市设计	未批复	
16	河北区八马路地区城市设计	未批复	
17	津南区咸水沽城市设计	未批复	

（张燕荣）

总体城市设计实例

中心城区概念性总体城市设计

目标定位

区域性综合服务中心

国际化大都市

生态宜居城市

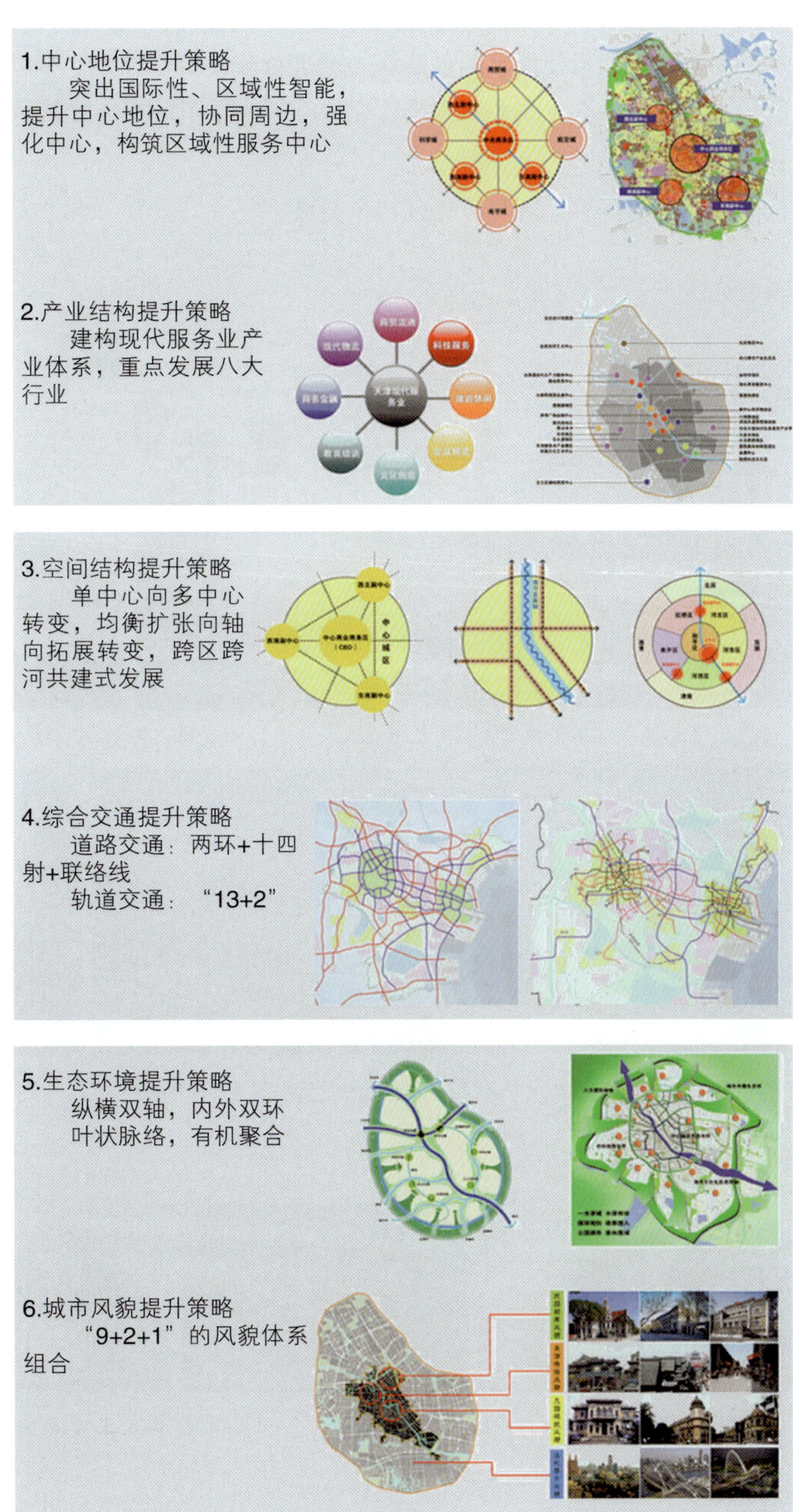

中心城区建筑特色规划控制导则

通过总结中心城区现状建筑特点，控制引导各类建筑的修缮、改造与新建，逐步强化突显天津特有的精致、大气、洋气、亮丽的城市精神与气质。导则以《天津市中心城区建筑风格研究报告》、《天津市中心城区建筑色彩研究报告》和相关规划导引文化为基础。对主导城市特色的历史风貌区建筑、办公文体建筑、商业建筑和居住建筑四种建筑类型进行分类要素控制，根据建筑特色的形成规律，对建筑形式、建筑色彩及建筑材料三个关键要素进行引导，形成城市的主导建筑风貌。

总体控制　整体多元融合，分区特色突显。

四个分区

精致典雅的历史风貌区

洋气繁华的商业商务区

大气活力的办公文体区

亮丽宜人的生活居住区

四个主色

保护历史文脉延续的砖红色、砖灰色

点亮城市未来发展的亮灰色

引领城市环境提升的暖黄色

和平区总体城市设计

和平区总体城市设计鸟瞰图

功能布局 功能复合，避免死城，互相补充，互相支撑，成为充满活力的城市综合体。

城市空间 城市肌理的再生，塑造空间，形成秩序、连续性和重要节点相结合。保护整体城市肌理，形成街坊式建筑和点式高层之间的控制。

历史文物保护 功能置换，适应新的发展需求。合理开发旅游，展示百年和平风貌。

交通布局 在保持原有路网密集的特色基础上，加强等级差距。加强公共交通体系和地铁交通，建议考虑地面轨道交通。

绿化布局 发扬原有林荫道系统，进行补充整理，使之成为和平的一大特色。适当增加集中绿地公园。充分利用海河畔开放空间。

可持续性发展 建筑资源再利用，以及节能技术的推广和利用。

南开区总体城市设计

南开区总体城市设计鸟瞰图

功能定位　“一个中心，两个基地”。

一个中心：天津地区独具魅力的商贸服务中心。老城厢民俗文化商贸区、长江道商贸办公服务区、西营门综合商贸服务区、天拖生产性商贸服务区、水上公园都市综合商贸服务区五大板块。

两个基地：环渤海地区重要的科学研究、科技成果转化基地。津京地区富有吸引力的民俗文化旅游基地。

规划结构　“二轴三带、四片五核、片带协同、点线互动”。

二轴：两条南北向贯穿全区的城市功能发展轴——红旗路、卫津路。

三带：三条东西向的功能发展延伸带——黄河道、长江道、鞍山西道。

四片：北、中、西、南四个片区。

五核：老城区、西营门、科贸街、西南角海光寺、水上公园五个区域。

红桥区总体城市设计

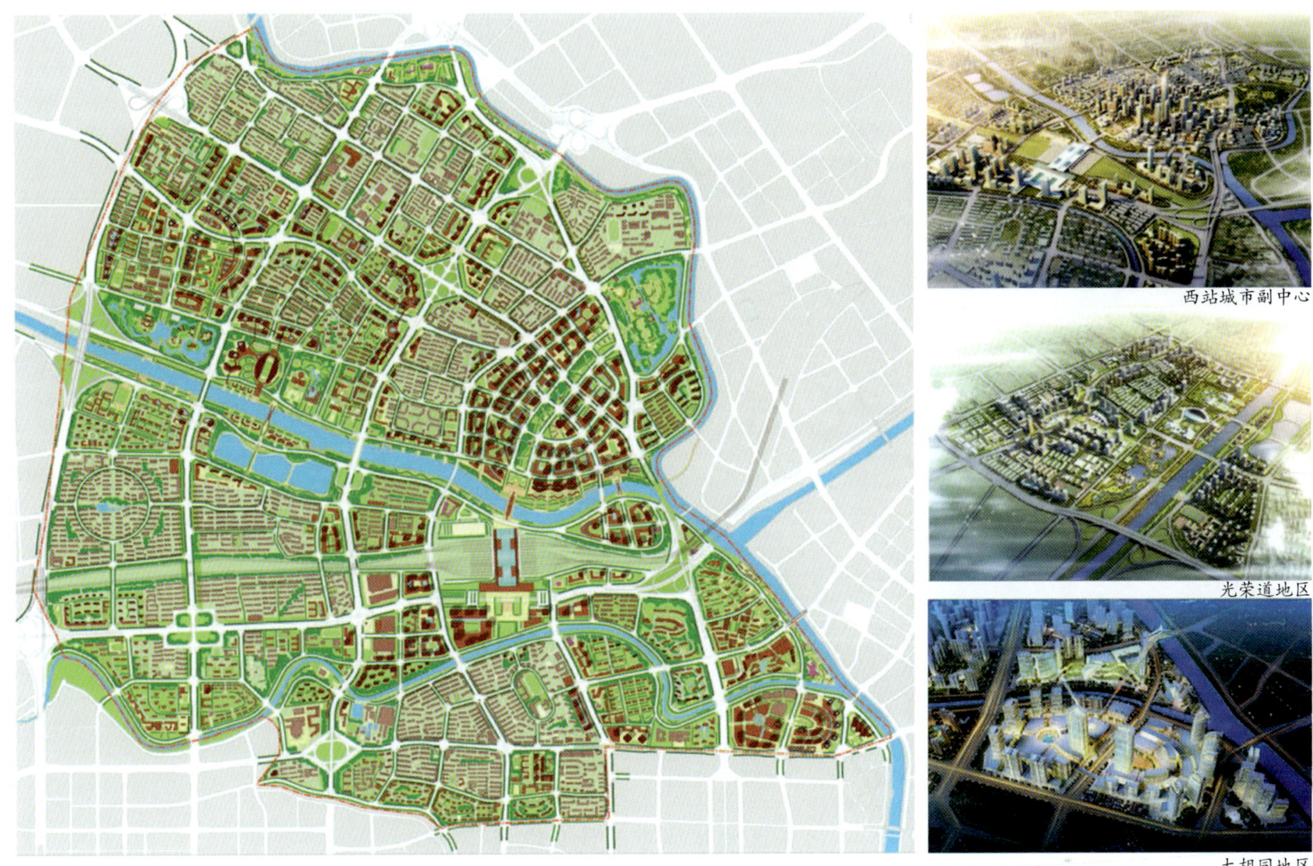

西站城市副中心

光荣道地区

大胡同地区

红桥区总体城市设计平面图

功能定位 区域交通枢纽，市级商务、商业副中心，滨水宜居城区。
发展策略 生态依托，智力创新，文化休闲。
规划理念 强化核心，指状放射，城绿相间，有机聚合。
综合多层面区域分析，强化红桥区作为天津市中心城区和两个副中心之一的主导职能。
规划结构 一心双核，五带七区，蓝绿交织，点轴布局。

河东区总体城市设计

河东区总体城市设计鸟瞰图

本次设计是河东区在战略上重新定位，空间上重新整合，找准自身位置的过程。依据河东区作为“京津滨”发展轴的重要交通枢纽，市中心区重要组成部分，对接空港、海港、陆港的现代服务业高地的城市总体定位，提出功能结构框架；针对交通问题提出交通发展战略；统一规划绿化开敞空间和城市景观系统；抓住河东历史文脉系统和滨水景观特色，从城市设计空间要素和强度、高度、界面角度引导未来总体城市空间发展。还提出了城市设计导则和规划策略。

东丽区环内地区总体城市设计

东丽区环内地区总体城市设计效果图

东丽区环内地区总体城市设计总平面图

东丽区环内地区总面积39.1平方公里，地处天津市的东部，位于津滨发展主轴上，是中心城区与滨海新区的连接地区，周边汇集了航空城、智慧城、海河中游等多处重要功能区，区位优势、交通优势十分明显。规划定位为“天津市城市副中心、东丽区政治经济文化中心、服务于空港的现代服务业集聚区”。形成一轴三带的规划结构，一轴指位于地区中部贯穿南北的活力发展轴，三带指卫国道航空商业商务带、津滨大道信息产业带和海河会展商务带。在城市空间上形成两大风格分区、五个特色区、三类景观廊道和串联整个地区的绿地开放空间。

津南区环内地区总体城市设计

津南区环内地区总体城市设计鸟瞰图

津南区环内地区总体城市设计效果图

津南区环内地区总体城市设计效果图

津南区环内地区占地约 15 平方公里，位于中心城区和滨海新区之间，具有东连西进的战略性地位，功能主要定位为高品质国际居住区。基地北端的柳林地区是未来城市副中心海河以南的核心地带，西端的梅江南解放北路以东地区将成为中心城区南部重要的生态商贸服务区。这两个区域以及中部的国际社区由特色中央林荫大道——渌水道东西相连，形成从梅江南到海河的生态绿化廊道。整体城市设计形成“三区四廊”+精彩节点网络。沿外环线约 8700 米长的街道立面连续性强，突出节点地标建筑，体现津南区环内部分明快、丰富又充满活力的整体城市风貌。

北辰区环内地区总体城市设计

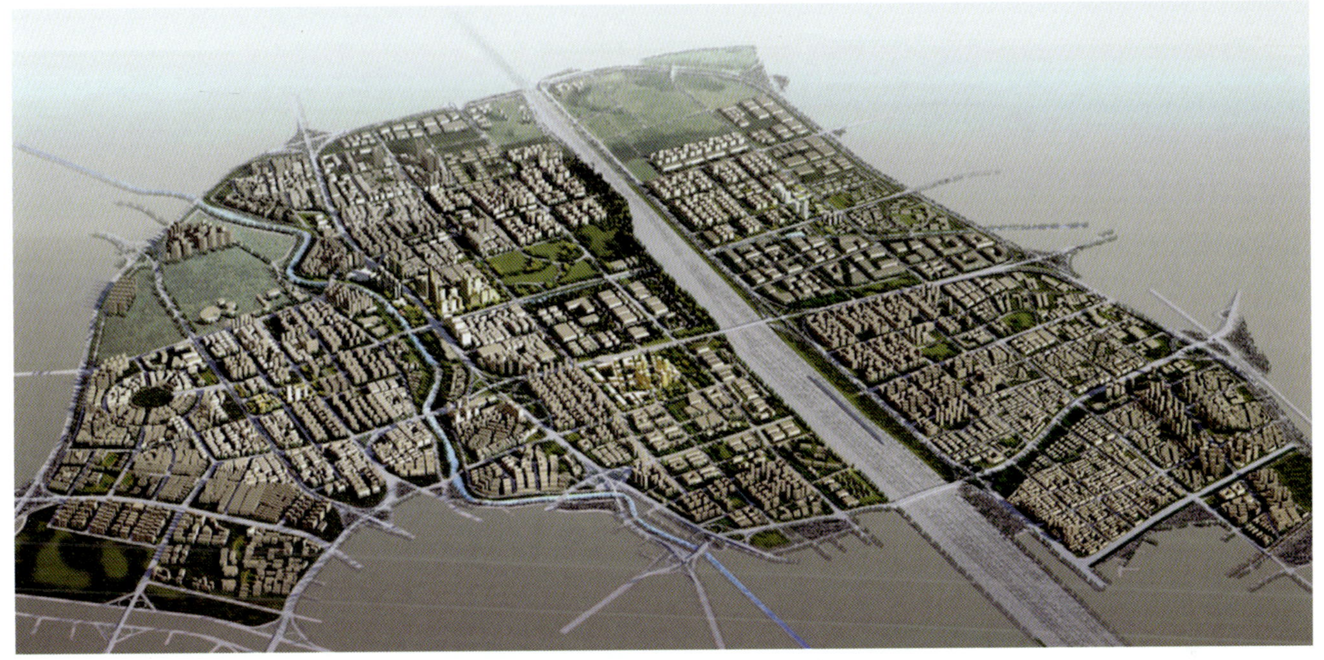

北辰区环内地区总体城市设计鸟瞰图

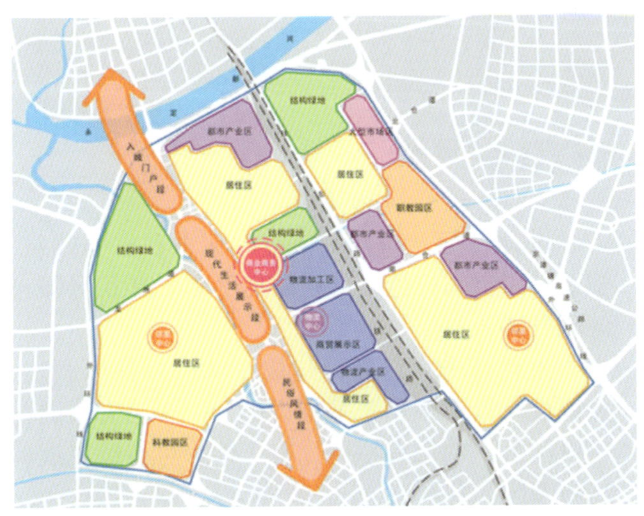

北辰区环内地区总体城市设计功能结构图

北辰区环内地区总体城市设计片区中心鸟瞰图

北辰区环内地区的区位优越，自然环境资源丰富，民俗文化独特。城市设计以形成充满活力的地区经济、提升地区整体形象和构建可持续发展的生态环境为目标，建设成为中心城北部的重要门户、现代商贸物流基地和滨水宜居城区。地区以京津路-北运河为主轴，结合物流区、产业区和宜居区形成完整的功能结构，用地布局合理，社会公共服务设施和道路交通体系完备，同时具有特色鲜明的城市风貌景观。

天津高新区环内部分总体城市设计

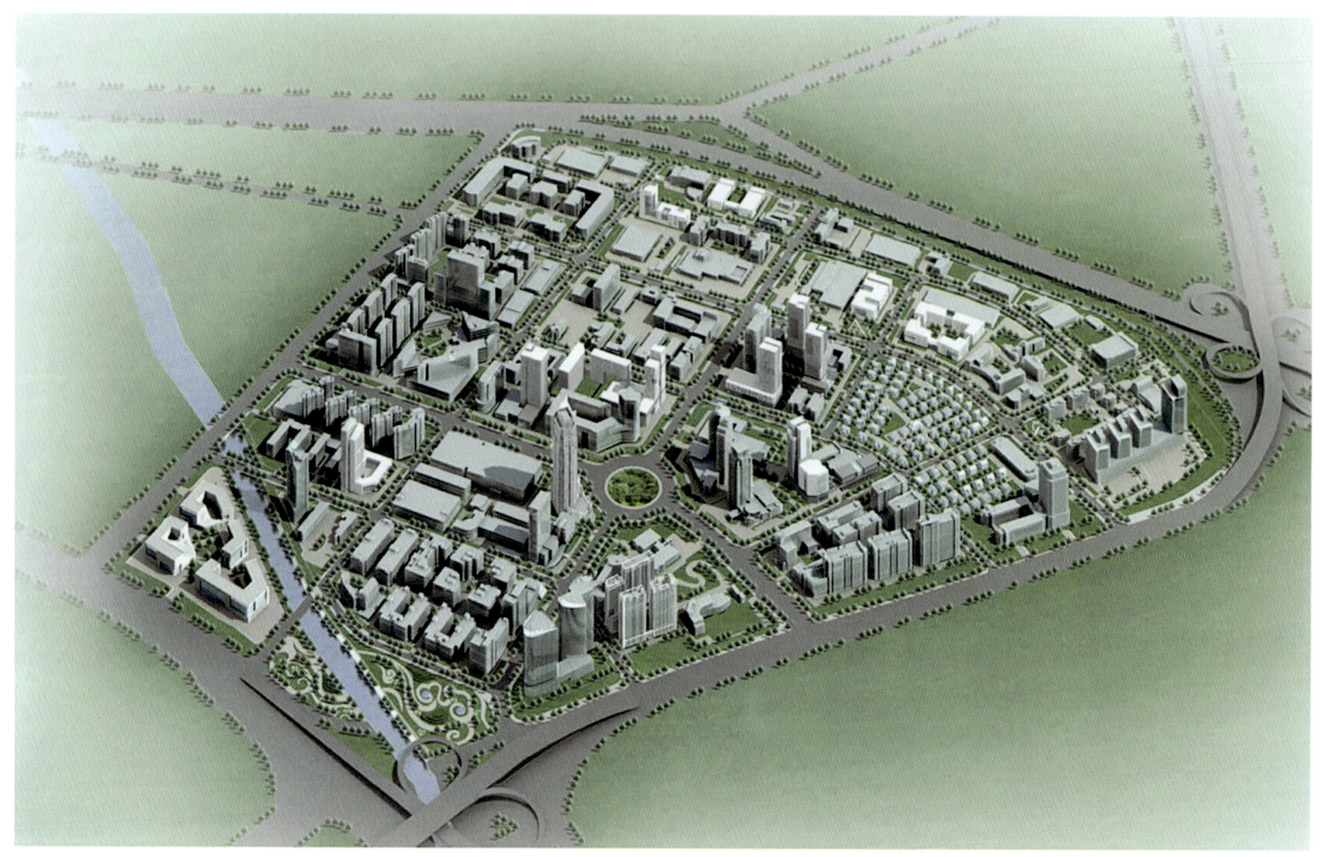

天津高新区环内部分总体城市设计鸟瞰图

天津高新区环内部分总体城市设计效果图

设计目标 提升城市空间活力和空间效益，塑造城市空间特色，优化景观环境品质,引导城市健康发展。

主要任务 对尚未建成区域进行整体调整，强调城市景观，完善基础设施。配合已有道路与建设项目，创造有特色、有个性、可持续发展的高新园区。

工作重点 部分地块建筑设计，道路网优化设计，整个园区绿化调整，城市公共空间与公共设施调整、设计。

天津高新区环内部分总体城市设计效果图

重点地区城市设计实例

文化中心城市设计

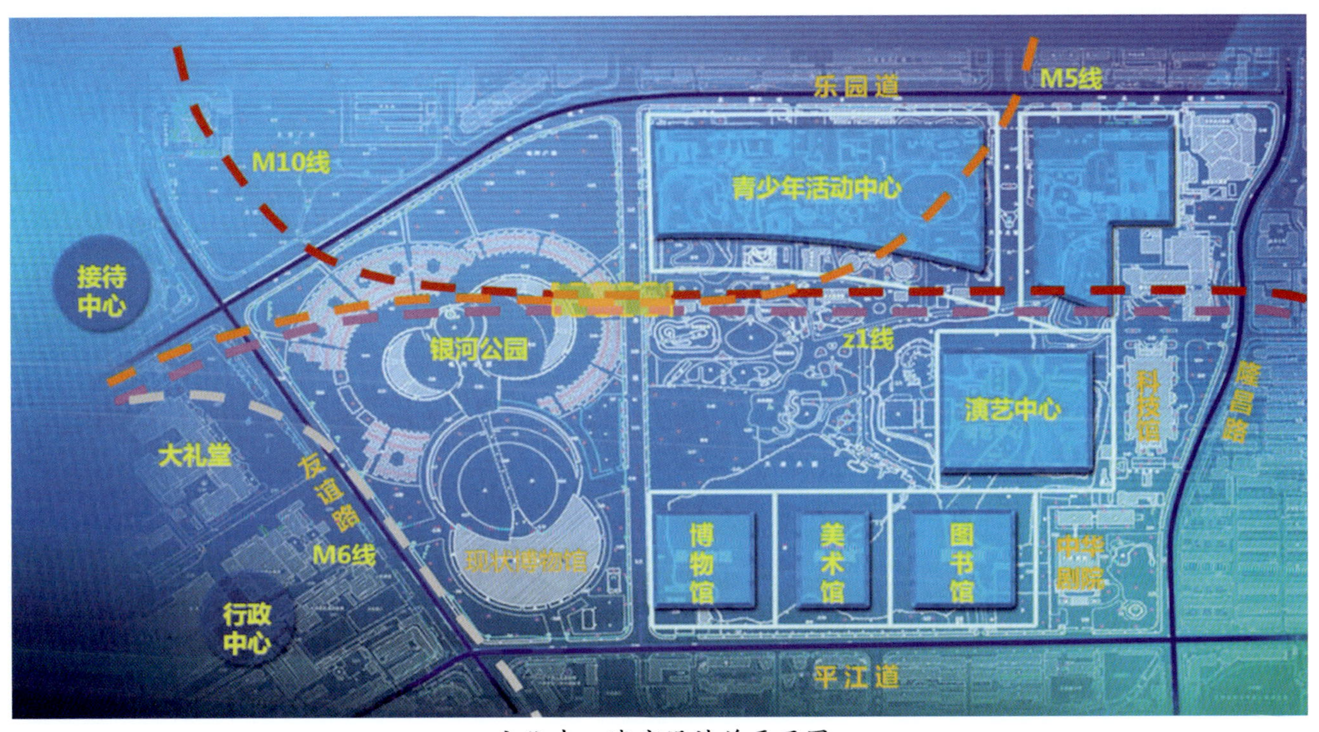

文化中心城市设计总平面图

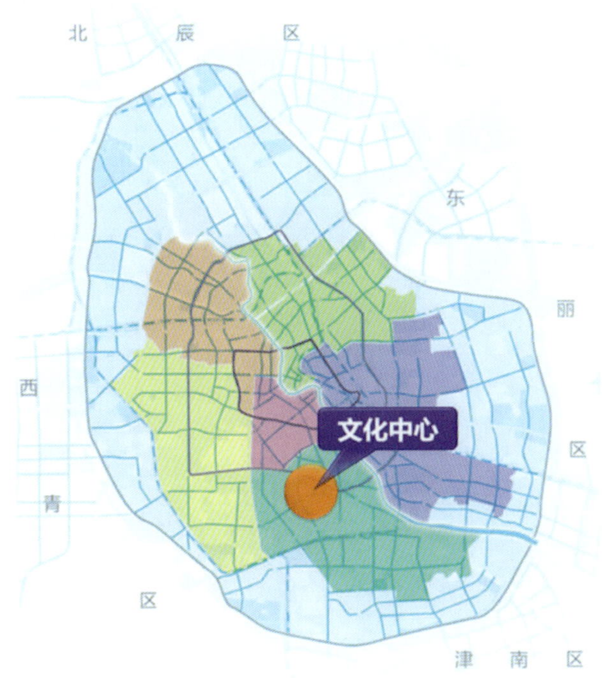

文化中心城市设计区位图

利用银河公园与青少年活动中心（天津乐园）的绿化、湖面形成开敞空间。从现状大礼堂向东引伸景观轴线，在轴线底景布置演艺中心（天津大剧院），面向湖面，与水景相映成趣，打造以“文化、人本、生态”为主题的城市文化中心。

湖面南侧结合现状保留的天津博物馆（改造为自然博物馆）与中华剧院，自西向东布置新博物馆、美术馆、新图书馆，形成文化带。

湖面北侧布置青少年活动中心（天津乐园）与精品商业街，形成全天候的娱乐商业综合体。

河东区六纬路地区城市设计

河东区六纬路地区城市设计鸟瞰图

六纬路中央商务大道位于河东区，毗邻天津站综合交通枢纽，通过地铁 9 号线与滨海新区相连，是“京津滨”发展轴上的重要节点。根据现行的天津市城市总体规划，南站–六纬路地区将成为中心城区 CBD 的重要组成部分，形成以中介咨询、法律顾问、财务会计类商务办公和高端商业服务为主的城市商务中心区。

河东区六纬路地区城市设计总平面图

河西区陈塘科技文化园城市设计

河西区陈塘科技文化园城市设计鸟瞰图

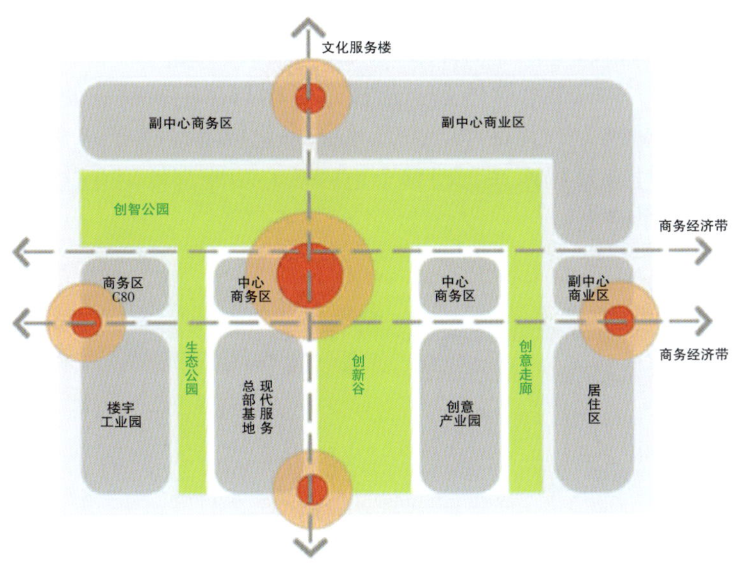

河西区陈塘科技文化园城市设计园区结构图

规划定位 陈塘科技文化园得天独厚的生态环境和绿色的办公空间，作为极具竞争力的滨水园区，将成为新型科技产业商务中心。

规划结构 强化河西区经济实力和文化底蕴，形成城市副中心态势，结合“金十字”主路网建设，提出商务经济带与文化服务带概念，提出“一横三纵四区”的园区结构，建立鲜明的城市功能与形象个性。

设计目标 最大限度地利用基地自然资源优势，快速交通和轨道交通发展优势，以两条河流交汇之特征建设“创新谷”，形成显著的城市空间特征。

东丽湖地区城市设计

东丽湖地区城市设计鸟瞰图

东丽湖地区城市设计区位关系图

规划定位 依托滨海新区，建设国际会议中心；依托中心城区，建设高档生态滨水社区；利用地区资源，建设特色旅游休闲度假区。

设计方案 围绕“生态之旅”概念展开，强调生态、湖、生活、水疗、会议、居住六大功能。

两个核心区域：以国际会议集群为核心的会议区域，以小镇生活体验为核心的度假区域。

一个水脉体系：连接东丽湖与永定新河，使东丽湖成为一片活水，降低水体净化成本。做足水文章，打造 U 型水系，将整个地区核心功能都依附在这个水系之上。

海河（北洋桥–海津大桥）两岸城市设计

海河（北洋桥–海津大桥）两岸城市设计效果图

规划定位 天津城市发展主轴线上的重要组成部分，城市发展的经济带、文化带、景观带。

方案设计 打造标志区域，突出城市主副中心；完善用地功能，打造公共岸线活力；传承历史文脉，突出历史风貌特色；增加城市公园，完善绿化生态系统；构建空间层次，突出区域规划特色。

海河（北洋桥–海津大桥）两岸城市设计总平面图

天塔绿荫里城市设计

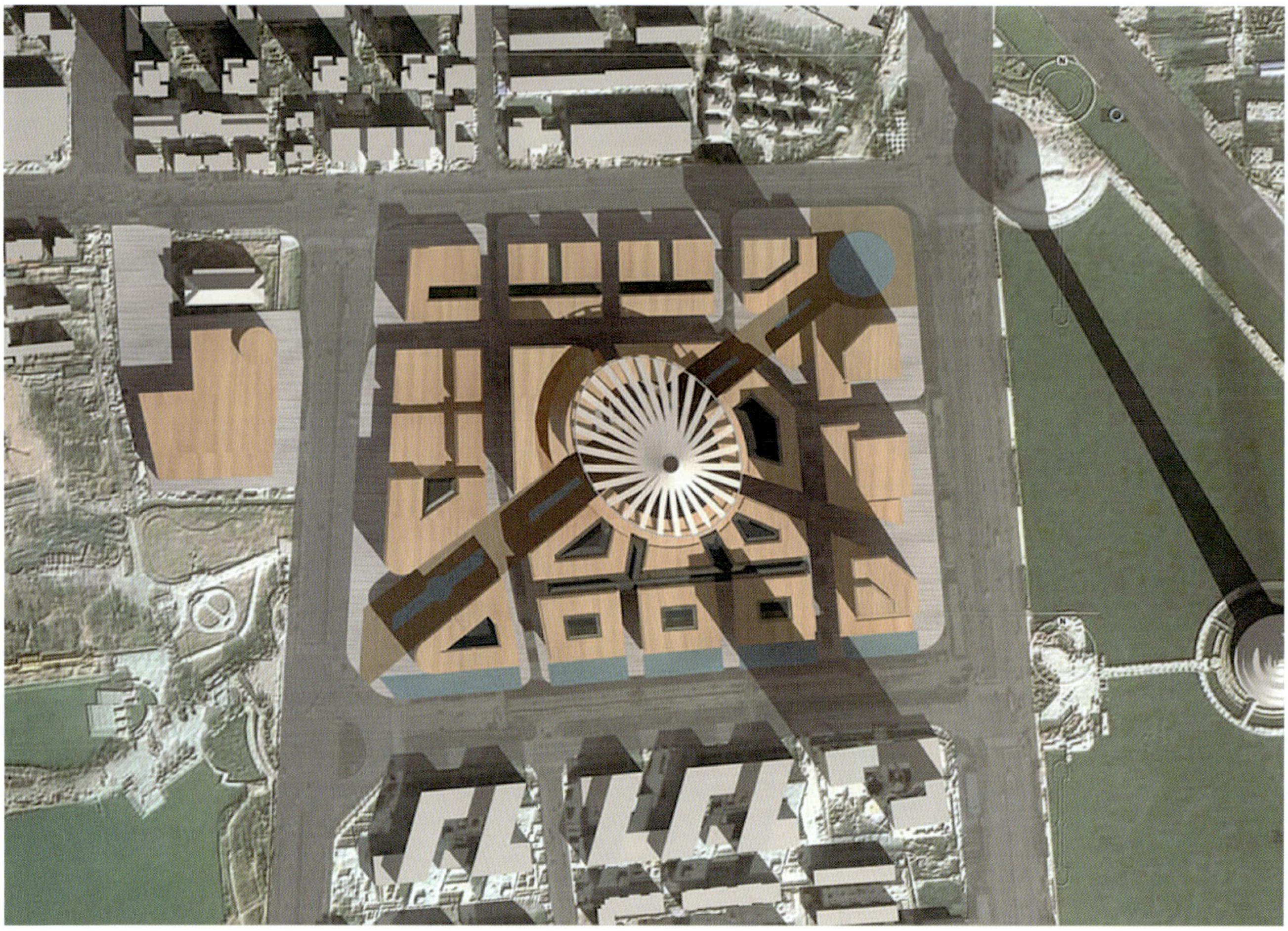

天塔绿荫里城市设计鸟瞰图

天塔绿荫里城市设计总平面图

天塔绿荫里位于南开区天塔湖与水上公园之间，处于全市最具旅游休闲消费潜力的区域。

规划定位 从城市结构上创造联系，从区域上连接天塔湖与水上公园的景观廊道。

规划结构 将周边具有区域主题特色的文化商业项目聚集，形成市级商业综合体，面向不同的消费人群。引入介入式开放空间，形成多种空间类型与周边互动，通过街区细分，营造更多的临街面和不同的商业氛围。结合商业、景观、交通等，塑造个性鲜明、极具时尚和新潮元素的都市中心。

北辰京津路沿线城市设计

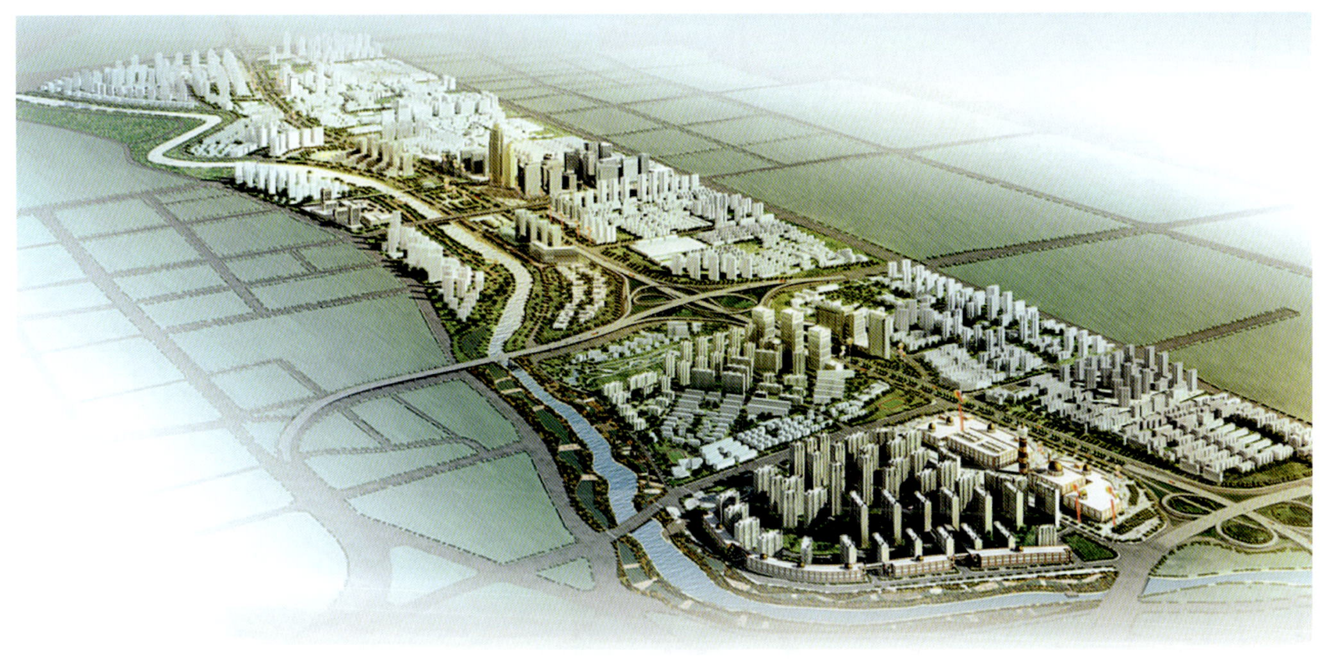

北辰京津路沿线城市设计鸟瞰图

规划定位 京津塘产业带上现代服务业聚集发展的黄金走廊，以特色文化为主题的旅游、购物、休闲中心，中心城区北部主要生态景观大道。

一轴两带 构建骨架 一轴：京津路中段横贯东西方向的中轴线。两带：沿线现代服务业发展带，北运河旅游观光休闲带。

一心多点 突出标志 结合地铁站点构建一心六点，重点集聚现代服务业功能，提升开发强度，作为沿线重要的空间节点。

生态优先 打造廊道 挖掘北运河生态环境资源，打造沿线绿化景观，构建多条生态景观廊道。

组团布局 纵深发展 结合功能结构，形成三个功能组团，确立向纵深发展的结构形式，减少两侧相互交通联系，避免交叉干扰。

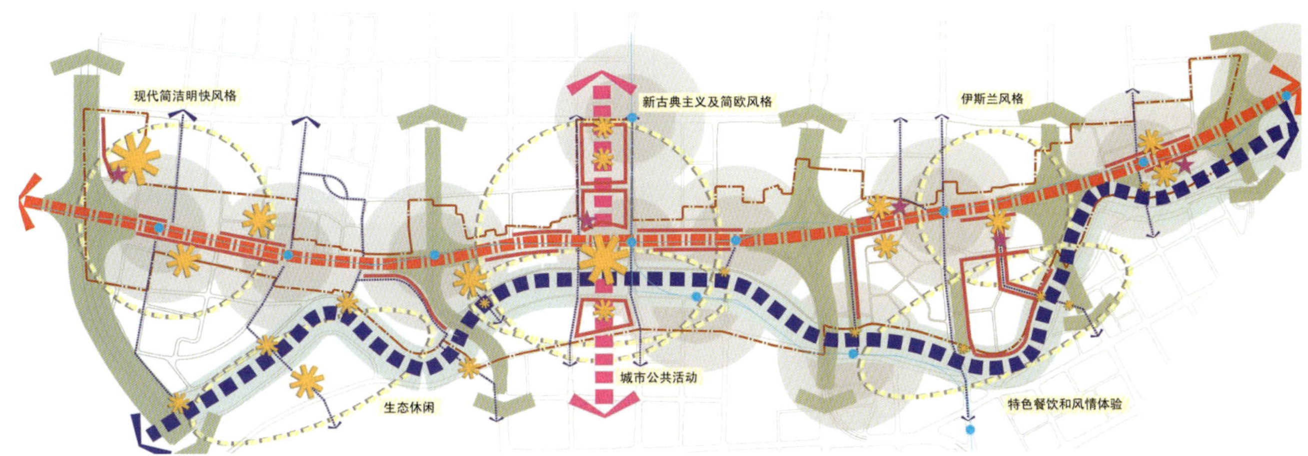

北辰京津路沿线城市设计结构图

天钢柳林城市副中心城市设计

天钢柳林城市副中心城市设计总平面图

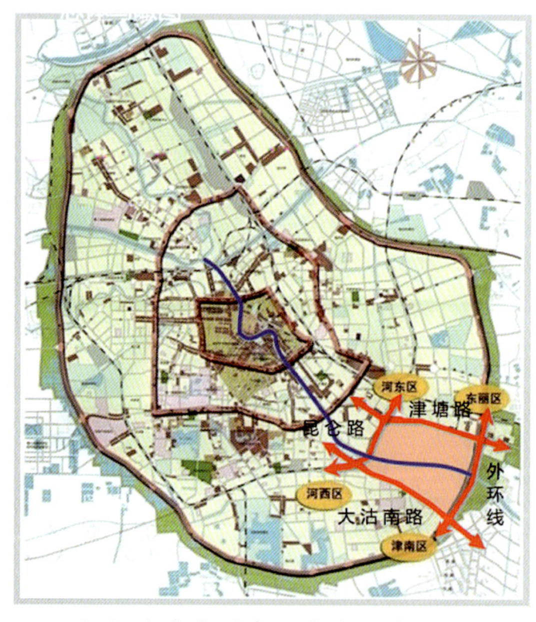

天钢柳林城市副中心城市设计区位图

规划定位 面向世界，以商务会展、商业娱乐、创智产业和休闲居住（国际社区）于一体的、展示天津城市形象的生态型城市副中心。

方案设计 突出亲水理念。在整体延续上游堤岸设计风格的同时，强调地区特色。海河北岸以商务、办公、会议、展览功能为主，南岸以休闲、游乐功能为主。两岸堤岸设计采用统一元素、符号和构件，统一布置亲水平台、木栈道等，提供人性化的步行、休憩、亲水空间，达到整体软硬对比、变化有致、细节统一的景观效果。

滨海新区规划设计

2008年全市集中开展的119项重点规划编制，其中滨海新区38项，包括滨海新区总体规划、分区规划、专项规划、控制性详细规划及城市设计。2009年对这38项规划设计进行深化提升，18项完成报批。深化提升的重点是各区域和各产业功能区进行系统整合优化，解决滨海新区快速发展面临的空间结构不清晰、产业布局不合理、布局分散、多头发展等问题。这些规划保证了滨海新区“十大战役”顺利实施，发挥了滨海新区率先发展的带动作用。

2008年底，滨海新区完成除围海造陆部分的控制性详细规划全覆盖，2009年进行深化完善，完成分片区汇总，第一次形成全区统一路网和控规统一编制。临港工业区、大港官港森林公园、民营经济园、中心渔港四个片区控规2009年1月21日由滨海新区管委会和天津市规划局联合审批（津滨管批〔2009〕11号）；西部片区、北塘分区、于家堡东西沽区域及天津港集装箱物流中心控规2009年10月28日由滨海新区管委会和天津市规划局联合审批（津滨管批〔2009〕115号）。全区规划面积约2700平方公里（包括填海部分），已经完成控规审批约540平方公里，尚未审批约2160平方公里。

滨海新区于家堡金融区、响螺湾商务区和中新天津生态城三项规划设计方案，详见本年鉴“特载”部分。

滨海新区城市总体规划（2009–2020年）

2009年，结合滨海新区行政体制改革，再次对滨海新区城市总体规划方案进行深化完善。召开了专家咨询会议，征求了市人大、市政协的意见、建议。2009年8月，滨海新区城市总体规划经滨海新区管理委员会第22次主任办公会议审议通过。

2009年规划深化完善的重点是，根据滨海新区新的发展要求与发展阶段，针对空间结构不清晰、产业布局不合理、港城矛盾突出、盐田和海岸线资源利用不充分等问题，创新城市发展模式，进一步明确新区的发展目标、深化空间布局、资源利用和交通体系，改善生态环境、完善生活服务，建设生态示范城区。

此外，进一步深化完善前期五个专题研究，包括易道公司《滨海新区生态环境发展策略研究》，清华大学《滨海新区城市总体设计》，中规院《环渤海视野下滨海新区产业功能定位的再思考》《滨海新区交通研究》《深圳、浦东发展经验借鉴》等。在前期成果的基础上，结合新形势、新要求，进一步发挥规划的前瞻性作用，为新区总规提升提供理论支撑。

规划的深化完善注意新区总规与天津市城市总体规划、新区土地利用总体规划的协调、衔接，新区总规与全市总规进一步结合，与新区土地利用总规进一步衔接。

（高　蕊　胡　源）

天津滨海新区城市总体规划(2009--2020年)

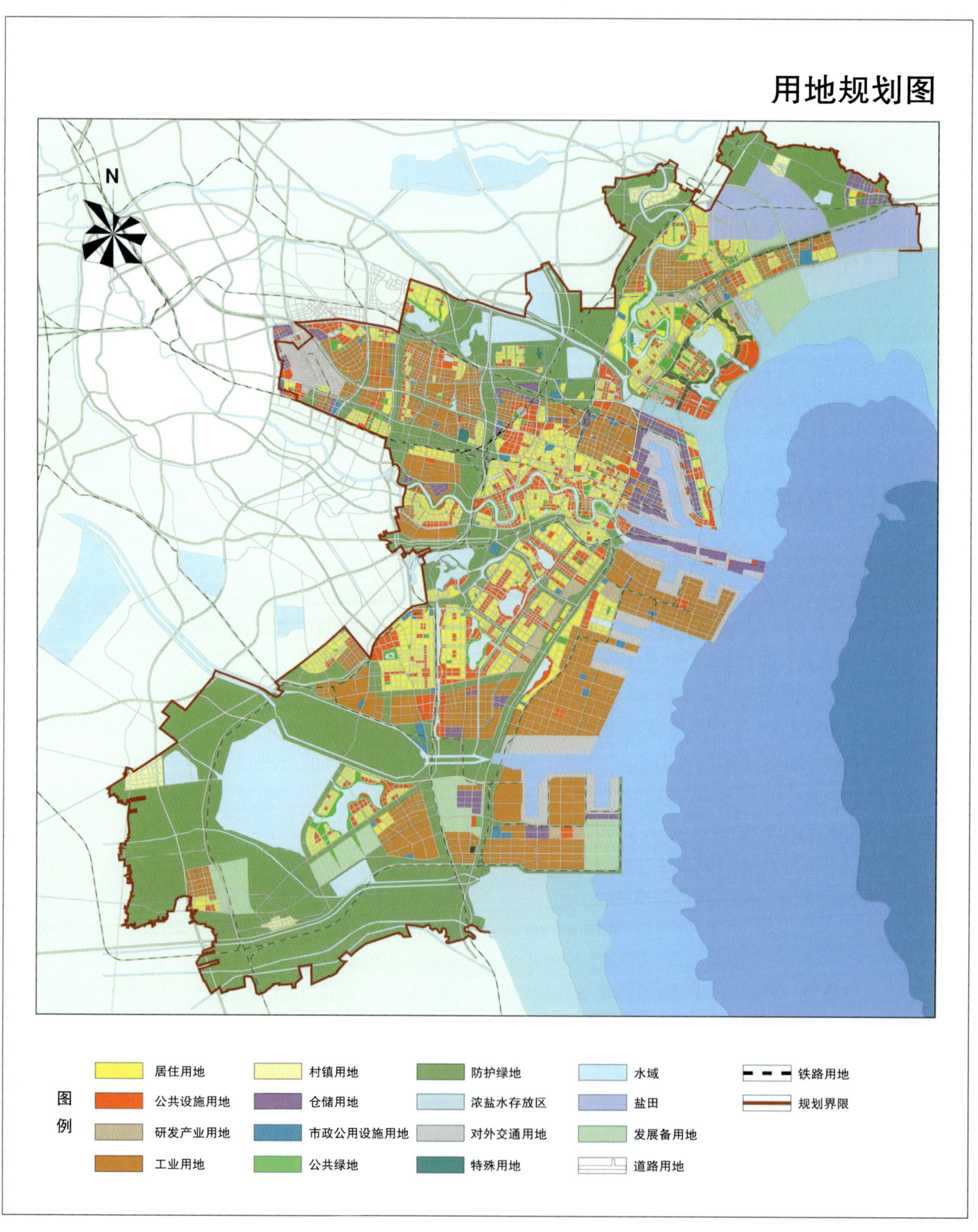

天津南港工业区分区规划
（2009-2020年）

【编制背景】 2008年8月，中国城市规划设计研究院与天津市规划院编制的《天津市空间发展战略研究》，结合国家政策、产业机遇和天津未来发展趋势，对天津原空间发展战略进行调整，提出“双城双港、相向拓展、一轴两带、南北生态”的总体发展战略。“双城双港”战略思想将对天津未来城市发展布局产生重大影响。新建南港工业区将给大港地区和滨海新区的发展带来前所未有的机遇。

【制定过程】 按照实施“双城双港”城市发展战略、加快南港工业区规划建设的要求，中国城市规划设计研究院负责编制《天津南港工业区分区规划》。2008年完成规划初稿的编制，2009年进行深化完善。2009年11月4日，市政府下发《关于同意天津南港工业区分区规划（2009-2020年）的批复》（津政函〔2009〕155号），同意《天津南港工业区分区规划（2009-2020年）》（以下简称《规划》）。批复指出，《规划》全面落实“双城双港”空间发展战略要求，对于实现天津重化产业布局调整，扩大天津港口规模，更好地发挥欧亚大陆桥优势，加快建设北方国际航运中心和国际物流中心具有重要意义。批复要求，坚持资源集约节约和可持续发展原则，大力发展循环经济，重点发展石化产业、冶金装备制造产业、港口物流产业以及相关的配套服务产业，逐步建设成为世界级重化产业和港口综合功能区。

【规划范围】 北至独流减河南治导线，西至津歧公路，南至青静黄河北治导线，东至海水等深线约-4米处。东西长约18公里，南北宽约10公里。总规划范围约200平方公里，其中航道港池水域38平方公里，成陆162平方公里。已有陆域约38平方公里，填海造陆约124平方公里。

【发展定位】 世界级重化产业和港口综合功能区。包括四个方面：世界级重化工业基地、与北港区共同构建北方国际航运中心、区域产业带动枢纽、国家循环经济示范区。

世界级重化工业基地：依托国内充足的市场需求，打造强大的以石化、冶金装备制造为核心的重化工业生产基地，参与世界重化工业竞争。

与北港区共同构建北方国际航运中心：近期构建工业港区，远期承载天津北港区散货港口功能转移。

区域产业带动枢纽：建立区域通道，以核心产业链环节为龙头，形成天津南部产业拓展轴，形成上下游产业整体带动效应。

国家循环经济示范区：建立南港工业区内部物质与能量的循环关联系统，形成“资源-产品-再生资源”的反馈式循环经济流程。

【规划结构】 规划形成“一区一带五园”的总体发展结构。

一区：南港工业区，世界级重化产业基地；国家循环经济示范区。

一带：在南港工业区西侧，沿津岐路和光明大道之间建设宽约1公里的生态防护隔离带。考虑南港工业区发展重化产业的功能定位和化工区安全防护，设置隔离带形成大港油田生活区之间的绿色生态屏障。

五园：石化产业园，面积约80平方公里；冶金装备制造园，面积约24平方公里；综合产业园，面积约25平方公里；港口物流园，面积约30平方公里。公用工程园，面积约3.5平方公里。每个产业园区都有可依托的码头岸线。

（高　蕊　胡　源）

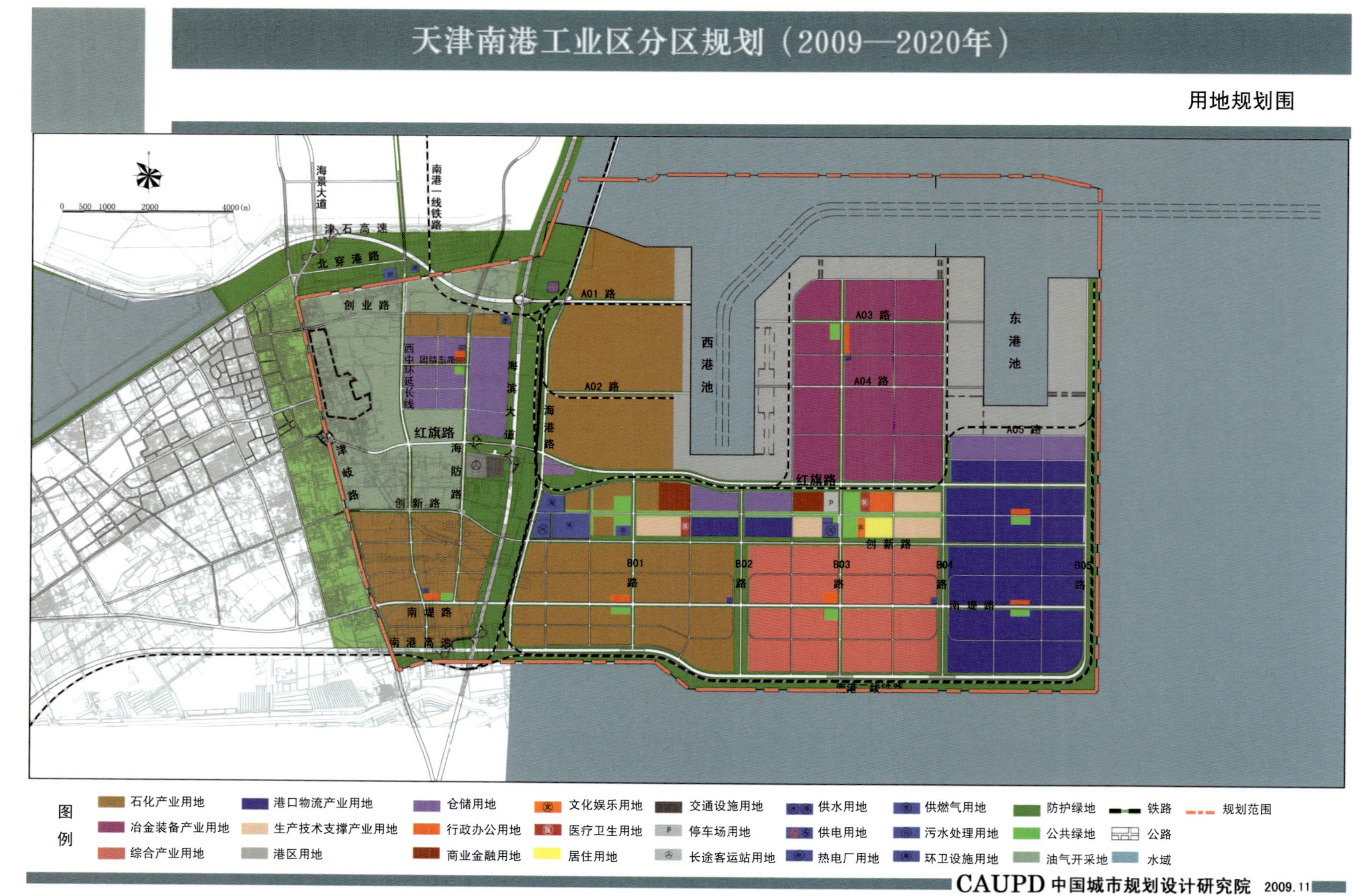
天津南港工业区分区规划（2009—2020年）
用地规划围
海景大道
南港一线铁路
津石高速
北穿港路
创业路
A01路
A02路
A03路
A04路
A05路
西港池
东港池
西中环延长线
海滨大道
海港路
红旗路
海防路
津岐路
创新路
B01路
B02路
B03路
B04路
B05路
南堤路
南港高速
0 500 1000 2000 4000(m)
图例
石化产业用地
冶金装备产业用地
综合产业用地
港口物流产业用地
生产技术支撑产业用地
港区用地
仓储用地
行政办公用地
商业金融用地
文化娱乐用地
医疗卫生用地
居住用地
交通设施用地
停车场用地
长途客运站用地
供水用地
供电用地
热电厂用地
供燃气用地
污水处理用地
环卫设施用地
防护绿地
公共绿地
油气开采地
铁路
公路
水域
规划范围
CAUPD 中国城市规划设计研究院 2009.11

天津滨海旅游区分区规划
(2009–2020年)

【编制背景】 滨海新区国民经济和社会发展“十一五”规划和滨海新区城市总体规划确定了九个功能区，滨海旅游区是其中之一。功能定位为“以世界级主题公园、海上休闲总部为核心的国际旅游目的地，京津共享的海洋之城。”

【制定过程】 天津滨海旅游区规划始于2004年，天津市规划院2005年编制完成《总规纲要》及一轮总规方案。为了更科学地指导开发建设，滨海新区管委会成立了规划建设领导小组，引进先进规划理念和调整落实旅游项目，规划目标从最初的单纯扩张工业用地到中期的发展旅游产业，演变为融合生态环境培育及海洋产业、旅游综合功能于一体的综合性滨海旅游区。

2009年9月，滨海新区管委会和市规划局组织进行新一轮的概念方案设计，在得到专家和有关领导认可的基础上，进行功能区规划编制。2010年3月1日，市政府下发《关于天津滨海旅游区分区规划（2009–2020年）的批复》（津政函[2010] 19号），原则同意《天津滨海旅游区分区规划（2009–2020年）》（以下简称《规划》）。批复要求，坚持资源集约节约和可持续发展原则，大力发展旅游产业，促进相关研发、创意产业及配套产业的发展，努力把天津滨海旅游区建设成为以主题公园、休闲总部、生态宜居、游艇总会为核心，津京共享的滨海旅游城。批复对《规划》与滨海新区城市总体规划及汉沽、塘沽、中新生态城规划的衔接，建立健全基础设施体系，能源、水资源的集约节约利用，生态环境保护，开发建设、经营管理模式研究，发展时序等，提出了明确要求。

【规划范围】 北起津汉快速路，南至永定新河，西至汉北路和中央大道，东至渤海，总规划面积99平方公里。陆域28平方公里，海域71平方公里，其中围海造陆52平方公里，保留海域19平方公里。

【发展定位】 规划建设成为以主题公园、休闲总部、游艇总会为核心，京津共享的生态宜居综合城区，以主题公园、体育休闲、各类游艇为主要特色的功能区。

【规划结构】 结合滨海旅游区主要功能区构成，规划形成“一心四区”的规划布局。

一心：为中心岛，位于南湾和北海之间，与生态城中心呈轴线联系，以城市生活和综合服务为主，成为未来城市的交通枢纽和商务中心。

四区：

主题公园区：以旅游观光、参与互动、休闲娱乐等活动为主题，突出北方海洋特色的国内一流主题公园集群，打造国际级欢乐创意中心。

休闲总部区：在内海与外海之间，发展以休闲度假为主要功能的总部区，建设游艇码头、公共沙滩、体育运动休闲走廊、赛车场、休疗养中心、特色商业街区等旅游休闲为主题的公共设施。

产业南区：结合生态城规划，建设产业研发基地及其配套服务设施；依托港口优势，建设客运码头、游艇保税港及大型商业等。

产业北区：规划为绿色产业园，建设成为以旅游用品为主的研发、制造、加工基地，培育成为北方旅游产品集散地。

（高　蕊　胡　源）

N
0 500 1000 2000米
津汉快速路
中心渔港
中新天津生态城
北海
南湾
北塘
天津经济技术开发区
东疆港
渤海
项目名称
天津滨海旅游区分区规划 2009-2020年
Tianjin Binhai Tourism Zone District Planing
图名
——用地布局规划图
编制单位
天津市城市规划设计研究院
图例
城市居住用地
中小学用地
商业金融业用地
公共绿地
总部会所用地
文化娱乐用地
公益性配套设施
体育用地
生产防护绿地
主题公园用地
产业研发用地
公路用地（长途客运站）
港口用地
广场用地
社会停车场库用地
市政基础设施用地
防浪挡沙堤
水域
规划界线
时间
2009.11
编号
T3

临港工业区分区规划
(2009-2020年)

【概况】 现行的《滨海新区城市总体规划(2005-2020年)》将临港工业区、临港产业区作为滨海新区的两个产业功能区,其中临港工业区定位为化工产业区。根据《天津市空间发展战略规划》提出的"双城双港"战略,调整临港工业区的化工产业定位,将拟建的蓝星新材料、中石油炼化一体化等化工项目调整至南港工业区;整合临港工业区和临港产业区,形成新的临港工业区,重点发展重型装备制造业。2009年3月,开始编制临港工业区规划调整方案,将原临港工业区和临港产业区用地合并。规划调整方案按照《天津市空间发展战略规划》提出的岸线利用总体要求,对填海深度进行相应调整;依据《天津市空间发展战略规划》和《天津市工业布局规划》,落实"构筑高端产业高地、自主创新高地、生态宜居高地"的目标,调整临港工业区功能定位,深入论证产业发展和布局,调整、优化和完善临港工业区的各类用地布局、交通和市政基础设施规划、安全防灾规划等。

【规划范围】 北至海河口大沽沙航道,南至独流减河口,西至海滨大道,东侧原则上至-3米等深线附近(目前现状成陆区已至-4~-5米等深线附近),成陆面积200平方公里。规划用海面积230平方公里。

【发展定位】 国家级重型装备制造基地。发挥大港口、大土地优势,发展大型、重型、成套装备,海上石油开采设备、轨道交通设备、风电设备、核电设备和港口机械等大型重型成套装备研发制造水平进入全国前列,成为全国重要的重型装备基地。

【规划结构】 本着远近结合、长短结合、最大限度利用岸线资源、有利于构建产业链形成产业聚集的原则,形成"三区一线一带"的空间布局。

三区:成套装备区(80平方公里)、配套产品区(50平方公里)和通用设备区(70平方公里)。

一线:规划区域的岸线,总长度68.5公里,合理划分公共码头和业主码头岸线,布局对岸线需求大的企业和海港物流业,满足2020年货物吞吐量1亿吨的需求。

一带:规划区域西侧沿海滨大道的综合功能带,集区域交通、市政廊道、配套设施和生态绿地于一体,服务临港工业区产业发展。

(高 蕊 胡 源)

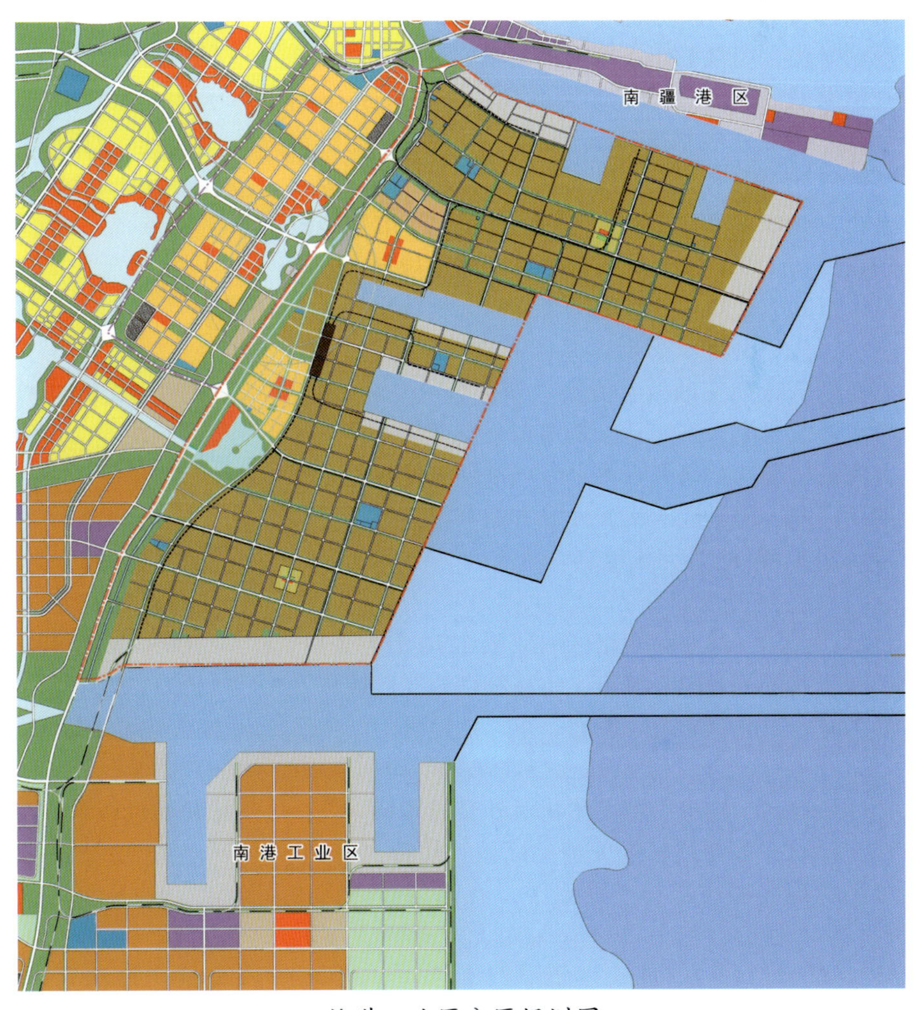

临港工业区分区规划图

滨海新区综合交通规划
(2009-2020 年)

【编制依据】 为实施滨海新区开发开放的国家战略要求，强化交通基础设施的支撑能力，依据《天津市城市总体规划（2005-2020 年)》、《天津市空间发展战略规划》、《滨海新区城市总体规划（2009-2020 年)》阶段成果、《滨海新区空间战略规划(2008-2020 年)》阶段成果、《市域综合交通规划(2008-2020 年)》阶段成果，编制《滨海新区综合交通规划（2009-2020 年)》。

【编制过程】 自 2006 年 1 月着手编制，9 月 15 日召开专家咨询会议，2007 年 1 月滨海新区管委会主任办公会议原则通过。自 2007 年 2 月着手开展规划深化、完善工作，征求相关单位意见，同时展开道路及轨道专项的控制网确定工作，8 月 14 日市规划局技术委员会审查通过。9 月 11 日向滨海新区领导小组第 5 次会议成果汇报，根据会议要求进行深化、完善。2008 年 6 月纳入天津市重点规划指挥部 119 项规划，与市域空间战略规划、滨海新区空间战略规划、市域综合交通规划等进行充分结合，先后开展滨海新区基础设施三年建设方案、滨海新区近期交通改善方案、新区公交专项规划、海河通航研究、滨海新区轨道与公交链接方案、海上商务机场选址研究等多个专项规划，使规划从深度、广度、科学性、实施性等方面都得到进一步提升。2009 年 12 月完成编制。

【规划范围】 滨海新区辖区内陆域 2270 平方公里，扩展研究范围为中心城市、市域和京津冀区域以及环渤海、三北（华北、西北、东北）地区。

【发展目标】 构筑区域一体化对外交通体系以及公交为导向、多方式转换便捷的高效、快捷、安全、绿色的现代城市综合交通系统。在滨海新区形成“生活、通勤、都市、产业”四大交通圈，实现“13136”时空通达目标。

【规划指标】 规划到 2020 年，实现海港货物吞吐量 7 亿吨、2800 万标箱；空港旅客吞吐量 3000 万人次，货邮吞吐量 270 万吨；铁路总长 630 公里；干线公路总里程 3226 公里；塘沽、汉沽、大港三个城区道路网密度 7 公里/平方公里，其他组团、功能区道路网密度 5 公里/平方公里；三个城区公共交通出行占客运出行总量的比例提高到 40%以上。

【发展策略】 一是“一体化”策略，重点为完善通往腹地的铁路、公路大通道，强化新区陆路交通大枢纽功能；二是“双中心”策略，重点为提升两空两港功能，完善集疏港交通系统；三是“路网完善”策略，重点为构筑新区路网骨架，实现区间快捷、畅达；四是“公交先导”策略，重点形成以轨道交通、快速公交为主的快速客运骨架。规划涵盖海港、空港、铁路系统、公路系统、道路系统、公共交通系统、物流系统、静态交通系统、慢行交通系统、近期建设等多个专项内容。

【近期建设规划项目】 中央大道、西中环快速路、天津大道、津港高速等多条道路均已开工建设，京港高速、津石高速、南港高速等进入规划前期工作，滨海新区交通基础设施服务水平显著提高。

（范丙泽　胡　源）

滨海新区市政基础设施规划
(2008-2020 年)

【编制依据】 为加快滨海新区市政基础设施建设，推动新区开发开放，依据《天津市城市总体规划（2005-2020 年)》、《滨海新区城市总体规划(2009-2020 年)》及相关专项规划，编制《滨海新区市政基础设施规划（2008-2020 年)》。

【编制过程】 2008 年 7 月完成初稿，向有关部门和区县政府征求意见，修改后，10 月再次征求意见，10 月 28 日召开专家论证会议，然后进一步修改完善。2009 年，多次与滨海新区总体规划项目组和市域相关专项规划项目组研究，修改完善规划方案，并与市域规划保持一致。9 月纳入滨海新区总体规划，12 月完成规划编制。

【规划范围】 滨海新区范围，陆域 2270 平方公里及填海造陆部分。

【发展目标】 树立“安全、资源、环境”三位一体的思想，引导新区建设技术先进、安全可靠、节约高效、可持续发展的现代化市政基础设施体系，增强市政基础设施服务保障能力，为滨海新区又好又快发展提供支撑和保障，为建设生态宜居的滨海新区创造条件。

【建设指标】 推动水资源梯级利用和循环利用，加大雨污水和海水资源化利用力度，形成以区域供水为主要模式的供水系统，实现水功能区划目标。

加强电力、燃气和供热设施建设，保障能源供给，增强清洁能源供给能力，促进能源结构改善，节能减排，实现能源利用可持续发展。

建设结构合理、反应迅速的消防指挥系统，建立陆地、水上、空中相结合的立体联合消防体系。

发展循环经济，实现城市生活废弃物处理、处置减量化、资源化、无害化，建设城乡一体化的环卫系统。

（范丙泽　胡　源）

滨海新区住房建设规划（2008–2020 年）

【编制依据】 为加强滨海新区近期城市住房建设的控制和引导，根据《天津市住房建设规划（2008–2012 年）》和《滨海新区城市总体规划（2009–2020 年）》阶段成果等，编制《滨海新区住房建设规划（2008–2020 年）》。

【规划范围】 滨海新区范围，陆域 2270 平方公里及填海造陆部分。

【近期规划】 依据上位规划，2012 年滨海新区常住人口 300 万人。规划至 2012 年，人均住房建筑面积 28 平方米，住房总建筑面积约 8400 万平方米，新增住房建筑面积 3800 万平方米；人均居住用地 38 平方米，居住用地总面积约 11400 公顷，其中新增居住用地 3080 公顷。规划期内，滨海新区核心区新增居住用地 1760 公顷；北部宜居旅游片区新增居住用地 620 公顷；南部石化生态片区新增居住用地 390 公顷；西部临空高新片区新增居住用地 310 公顷。

【远期规划】 依据上位规划，2020 年滨海新区常住人口 600 万人。规划至 2020 年，人均住房建筑面积 30 平方米，住房总建筑面积约 1.77 亿平方米，新增住房建筑面积约 1.31 亿平方米；人均居住用地 28 平方米，居住用地总面积约 16830 公顷，新增居住用地面积 8510 公顷。规划期内，滨海新区核心区新增居住用地 2730 公顷；北部宜居旅游片区新增居住用地 2600 公顷；南部石化生态片区新增居住用地 1780 公顷；西部临空高新片区新增居住用地 1400 公顷。

【套型和用地控制】 建设经济适用房和限价商品房的同时，建设一批为产业功能区配套的公寓型居住区，解决“职住平衡”问题。保障性住房的标准在新区内进行统一控制，新建住房套型建筑面积 90 平方米以下的住房面积不小于住房建设总面积的 70%。各功能区中低价位、中小套型普通商品住房（含经济适用房）的年度土地供应量占居住用地供应总量的 70%以上。个别功能区，如中新生态城、天津经济技术开发区等相应指标略有不同。

（范丙泽　胡　源）

滨海新区产业布局规划（2008–2020 年）

【编制背景】 国家对于滨海新区发展战略的部署，迫切需要滨海新区的产业发展和布局战略作出相应的调整，实现国家对于滨海新区的功能定位。依据《国务院推进天津滨海新区开发开放有关问题的意见》、《天津市城市总体规划（2005–2020 年）》、《滨海新区城市总体规划（2009–2020 年）》阶段成果等，编制《滨海新区产业布局规划（2008–2020 年）》。

【规划范围】 滨海新区范围，陆域2270平方公里及填海造陆部分。

【产业发展指导思想】 遵循城市产业演化规律，落实国家和天津市对滨海新区发展定位的战略要求，推动以产业链为纽带的产业体系重构，率先形成高端化、高质化、高新化的产业结构；以项目集中园区、产业集群发展、资源集约利用、功能集成建设为指导，统筹产业布局规划和功能区开发建设。

【产业发展方向】 瞄准国际先进水平，打造先进制造业和新兴服务业“双轮驱动”的示范区，构建精细化、知识化和生态化相互渗透与融合发展的开放式新型产业体系,形成与城市战略定位相匹配的综合实力与服务功能。重点发展“八大工业、七大服务业”。

【产业发展目标】 2020年地区生产总值约15000亿元，其中第一产业生产总值45亿元，第二产业生产总值8730亿元，第三产业生产总值6225亿元，工业总产值35000亿元，高新技术产业产值占工业总产值比重超过60%。第二产业用地控制在440平方公里，服务业用地控制在110平方公里以内。

【产业总体空间布局】 形成“一核心、两轴带、三片区”的产业布局结构，以九大产业功能区为发展载体，以滨海新区核心区、北部宜居旅游片区、南部石化生态片区、西部临空高新片区四个组团整合滨海新区产业功能区，实现产业集聚发展，形成“中服务、西高新、南重化、北旅游”的产业布局。

（范丙泽　胡　源）

滨海新区加油加气站布局规划（2008-2020年）

【编制依据】 根据国务院办公厅《关于开展成品油专项整治工作的通知》（国办发〔2002〕18号），国家经贸委、建设部《关于完善加油站行业发展规划的意见》（国经贸贸易〔2003〕147号）和《商务部办公厅关于进一步完善加油站行业发展规划的通知》（商改字〔2004〕14号）、《滨海新区城市总体规划（2009-2020年）》阶段成果等，编制《滨海新区加油加气站布局规划（2008-2020年）》。

【规划范围】 滨海新区范围，陆域2270平方公里及填海造陆部分。

【规划特点】

1. 根据滨海新区地区行政特点及加油站布局特点，将建成区划分为30个小区，分别控制加油站数量和布局。

2. 通过对国内外加油、加气站进行研究分析，提出适合滨海新区加油、加气站发展的模式。

3. 对衍生内容如非油品业务的发展、加油站建设指导等进行研究分析。

4. 综合分析滨海新区能源特点，对发展清洁能源汽车和加气站作了较为详细的分析。

【规划目标】 规划期末实现城区、功能区加油站服务半径0.9~1.2公里，城市外围加油站平均间距高速公路、快速路25公里、功能区间干道6~8公里，加气站网络覆盖整个新区，年减少尾气量4.8亿方。

【近期建设规划】 根据2010年新建加油站计划制定近期建设规划，2010年1月底完成阶段性成果：

分析加油站单站规模，提出单站规模建设意见；

分析和确定近期规划范围及加油站功能等级分布；

近期建设加油站及综合服务区布局规划；

确定控制和引导滨海新区加油站近期发展的原则和措施。

（范丙泽　胡　源）

滨海新区核心区控制性详细规划

核心区位于滨海新区中东部，处于滨海新区核心位置。北至永定新河南路；西至唐津高速、港塘路、海滨大道；南至津晋高速、津港二期；东至大海。本片区涉及16个分区，101个控规单元。16个分区分别为：北塘分区、永定新河湿地生态区、开发区建成区、塘沽海洋高新区、塘沽老城区、塘沽西部新城区、中心商务商业区、北疆港分区、南疆港分区、东疆港分区、保税区分区、散货物流区、发展备用地分区、临港工业区分区、临港产业区分区、塘沽盐场发展区。规划总用地面积809.9平方公里。

核心区为城市、港口的综合功能片区，东部以港口生产功能为主，中部以城市生活功能为主，北部以水库、湿地等生态功能为主，南部为城市发展区。

到2020年，核心区规划常住人口规模240万人。城镇建设用地面积370.38平方公里，规划总建筑面积20584万平方米，其中住宅建筑面积7798万平方米；公共设施建筑面积7531万平方米，工业建筑面积1888万平方米，仓储建筑面积3367万平方米。

（高　蕊　胡　源）

滨海新区西片区控制性详细规划

西片区位于滨海新区西部，紧邻中心城区。四至范围自北开始顺时针依次为：津汉快速路、津岐路、金钟河、唐津高速公路、汉港快速路、京山铁路、外环东路。辖东丽区、塘沽区和津南区部分，涉及9个分区，49个控规单元。9个分区分别为：机场分区、空港物流加工区、民航学院分区、军粮城分区、东丽湖休闲度假区、滨海高新区、开发区西区、现代冶金产业区、葛沽镇分区。规划总用地面积332平方公里。

西片区以临空产业、高新技术产业为主导功能，包括：临空产业、航空制造产业、生物、新能源等新兴产业、研发转化、航天产业及现代服务业；以配套生活和旅游度假功能为辅。

到2020年，西片区规划常住人口规模为84.5万人，就业岗位76万个。城市建设用地面积218.73平方公里，规划总建筑面积12430万平方米，其中住宅建筑面积3010万平方米；公共设施建筑面积2900万平方米。

（高　蕊　胡　源）

滨海新区北片区控制性详细规划

北片区位于滨海新区北部，紧邻滨海新区核心区。四至范围西、北至汉沽区界，南至永定新河，东至海域。辖汉沽区土地，涉及8个分区，30个控规单元。8个分区分别为：汉沽新城、高新技术产业区、中新生态城、海滨旅游区、中心鱼港、IT产业园、循环经济区、小城镇分区。规划总用地面积490平方公里。

北片区规划重点功能为生态宜居、旅游休闲。要求调整城市规模，明确新区发展目标，优化空间布局，有序拓展发展空间，按照区域一体化格局，构筑对外交通体系，完善生活服务，建设和谐宜居新区。

到2020年，北片区规划常住人口规模113万人，就业岗位110万个。城镇建设用地面积196.42平方公里,规划总建筑面积10597万平方米，其中住宅建筑面积4692万平方米；公共设施建筑面积2934万平方米。

（高　蕊　胡　源）

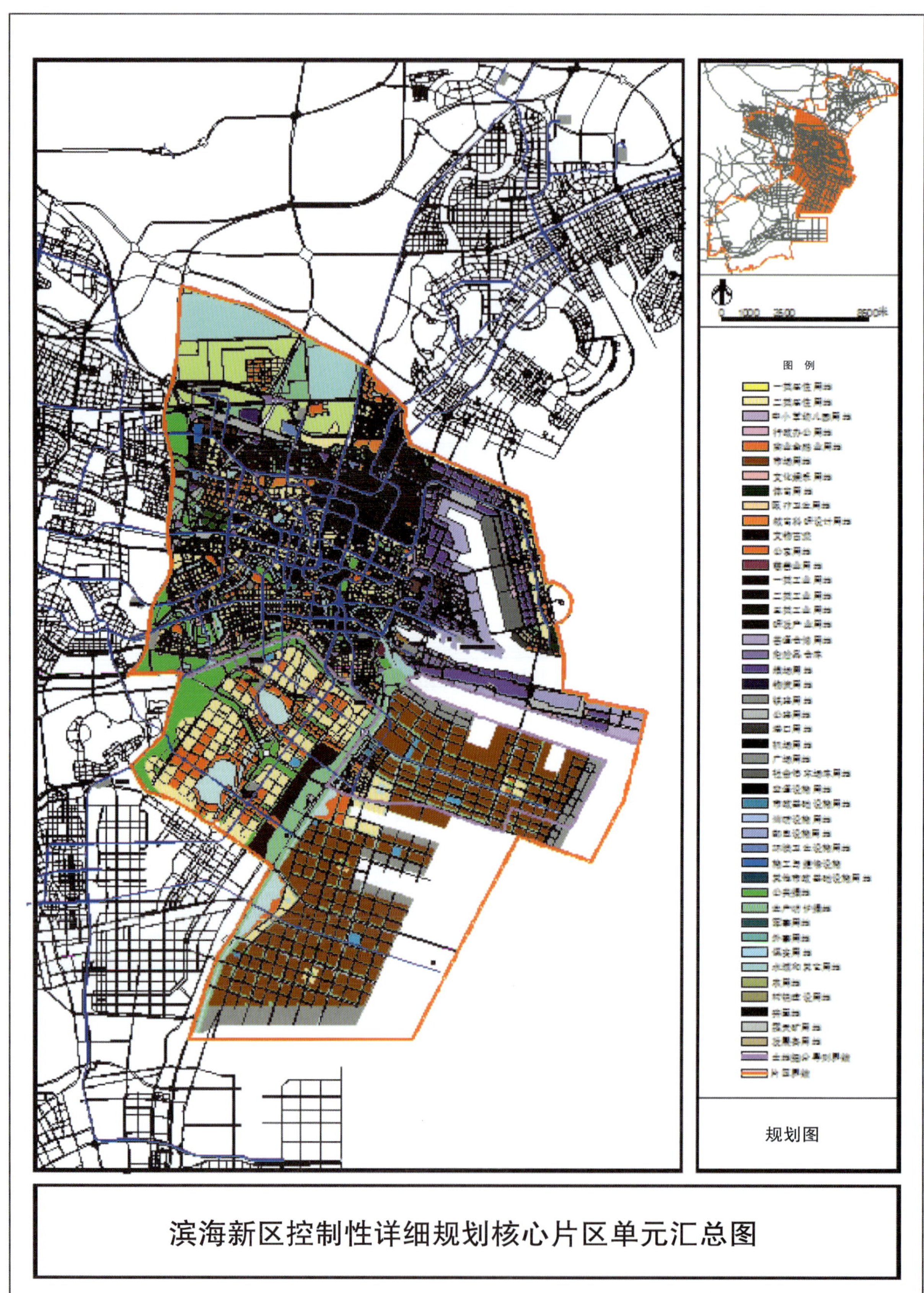

滨海新区控制性详细规划核心片区单元汇总图

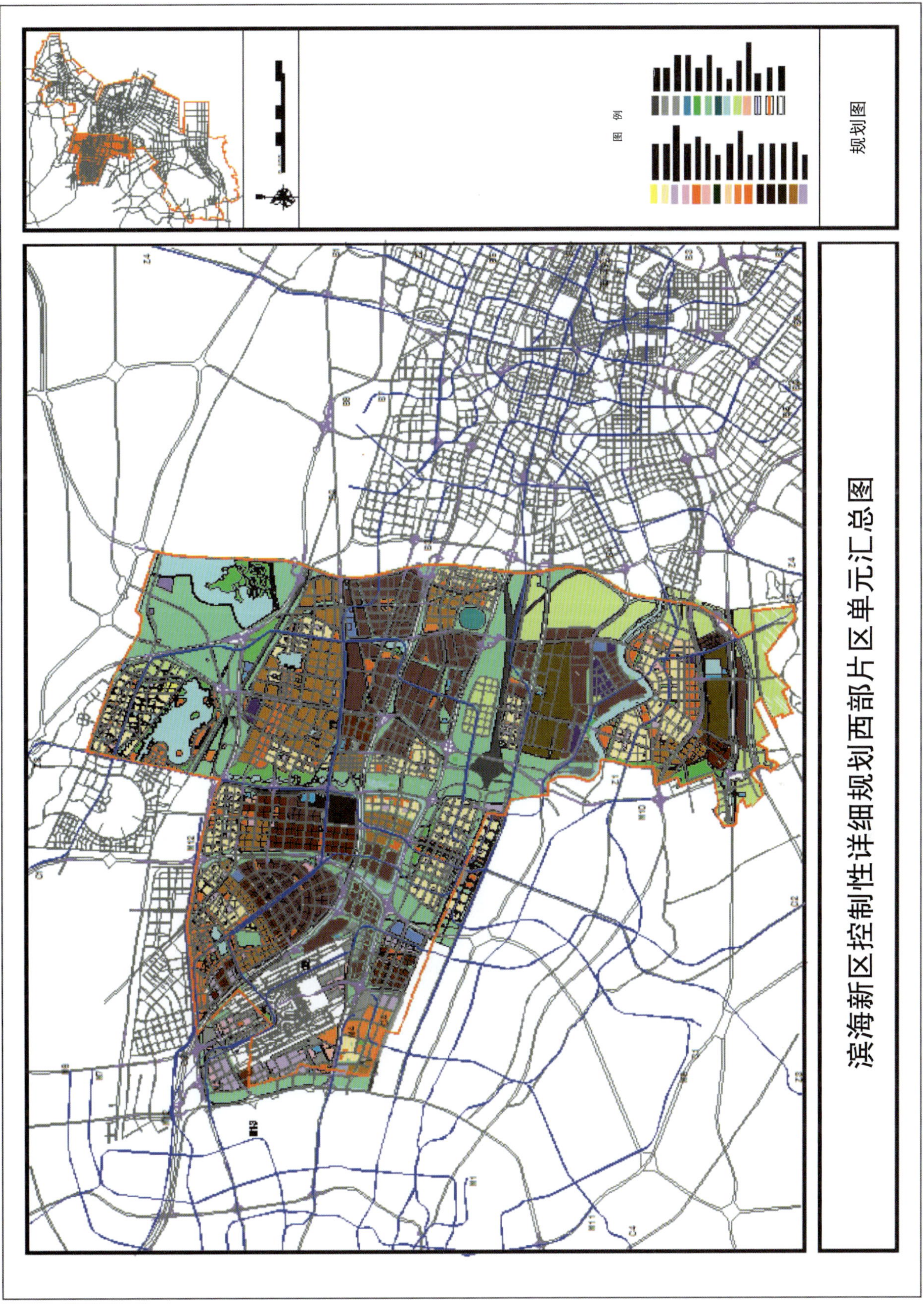
滨海新区控制性详细规划西部片区单元汇总图
图例
规划图

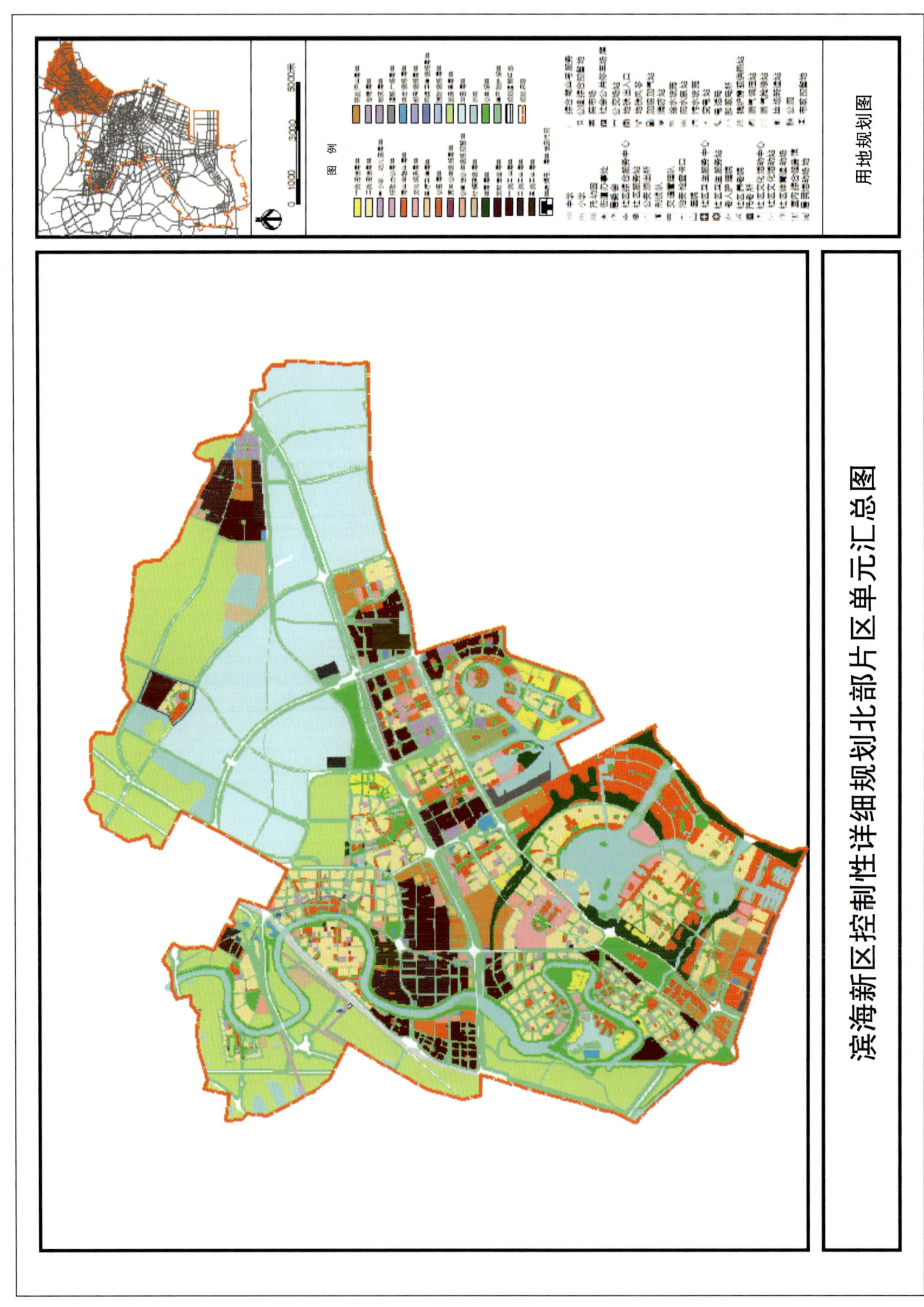
用地规划图
滨海新区控制性详细规划北部片区单元汇总图

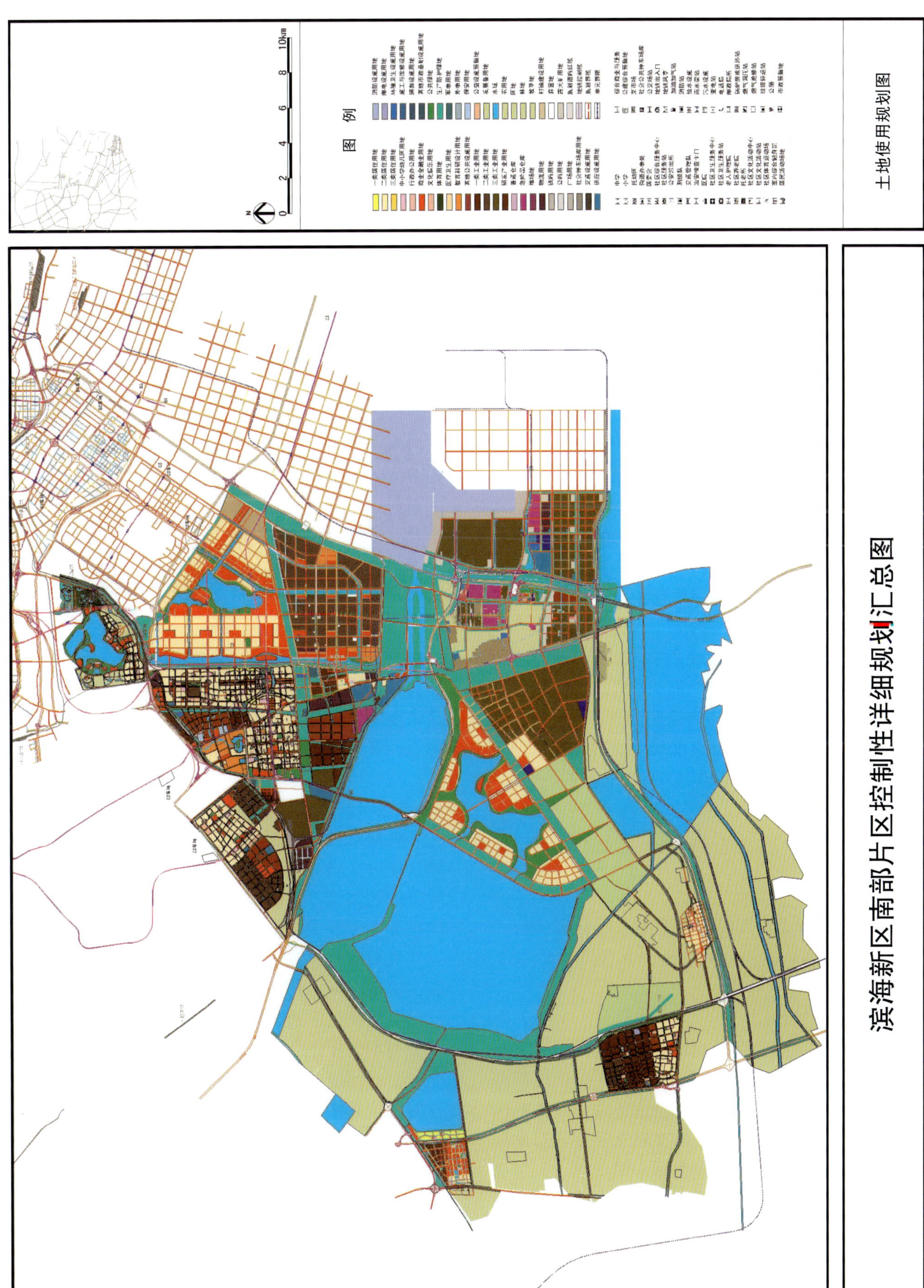
土地使用规划图
滨海新区南部片区控制性详细规划汇总图

滨海新区南片区控制性详细规划

南片区位于滨海新区南部。四至范围：东至津港快速路、海滨大道、渤海湾，南、西至大港区界，北至大港区界、津晋高速。辖大港区和塘沽区的部分土地，涉及8个分区，17个控规单元（15个建设单元，2个生态单元）。8个分区分别为：大港城区、石化三角地、大港水库生态区、太平镇农业种植区、大港油田、南港工业区、官港水库休闲区，以及南港生活区、轻纺工业园。规划总用地面积1244平方公里。

南片区的城市功能包括三个方面：

产业功能：世界级重化产业基地

交通功能：滨海新区国际航运和国际物流中心的重要组成部分。

服务功能：天津市高等教育基地、生态休闲旅游基地以及生态宜居城区。

至2020年，南片区规划常住人口规模97.3万。城镇建设用地面积227平方公里，规划总建筑面积13330万平方米，其中住宅建筑面积3746万平方米；公共设施建筑面积2205万平方米；工业、仓储、及其他设施建筑面积7379万平方米。

（高　蕊　胡　源）

滨海新区重点地区城市设计实例

【北塘片区城市设计】

规划定位　承办高端论坛的滨海新区国际会议中心区域，与于家堡功能互补、中小企业总部基地，集会议休闲、渔镇风情和特色餐饮于一体的国际旅游目的地，与中新生态城交融互补，具有地域文明与生态文明的滨海国际生活小镇。

规划结构　划分为五个区域：酒店区、北塘小镇区、还迁生活区、中小企业总部及综合配套区和特色旅游区。整个区域采用“窄路密网”、“低层高密度”风格，结合北塘小镇开发，既体现了历史传承，又具有现代气息。

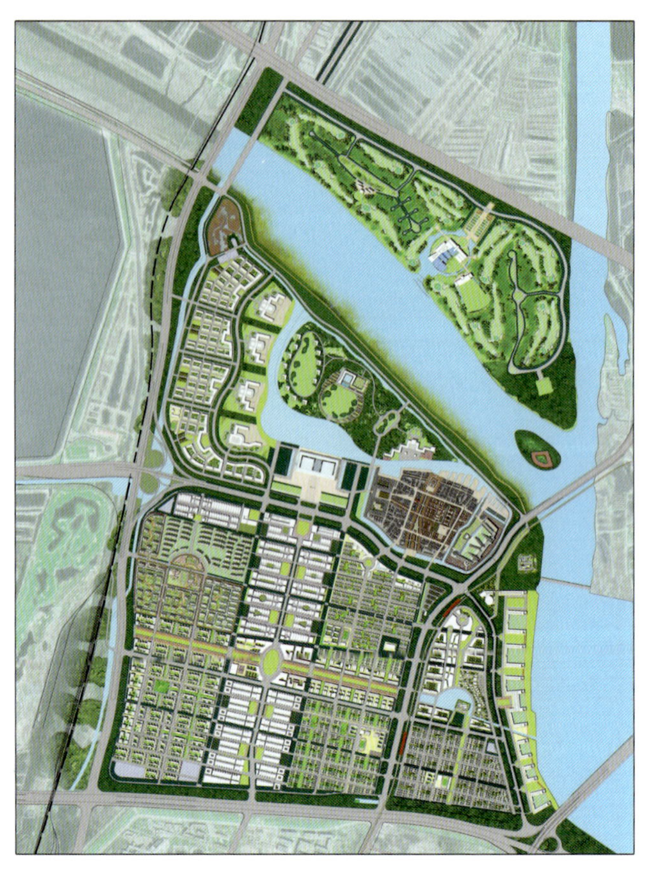

北塘片区城市设计总平面图

【开发区现代服务产业区城市设计】

规划定位　为现代服务产业的快速发展提供载体，促进金融业、总部经济等高端服务业及生产型服务业的集聚，建设超一流的甲级写字楼，打造现代服务业发展的国际化平台。

规划结构　包括办公、商业、商务、酒店等功能，满足区域业态的多种需求。

功能特色　追求内在功能与品质的提升；突出以人为本，提供完善的商务配套设施，创造绿色节能，交通便捷的城市空间；塑造简洁统一、美观大方的建筑风格，形成独具魅力的特色区域；倡导人与建筑的有机融合，构建功能复合的城市载体，成为滨海新区的活力中心。

（高　蕊　胡　源）

开发区现代服务产业区城市设计效果图

【东疆港综合配套服务区城市设计】 东疆港综合配套服务区位于东疆港区东侧、亚洲路以东，总面积12平方公里，海岸线长约15公里。规划总建筑面积1014万平米，容积率0.84，常住人口8.5万人。

规划理念

人文城市——突出营造富有地域特色的城市文化氛围、强调建设连续的、景观优美的城市公共交流空间。

人性化城市——强调城市应向居民提供适合“人”的尺度、文化、审美、心理、生理需求的各种设施和活动场所。

绿色生态城市——通过建立战略性的生态网络、运用合乎自然生态规律的方法营造城市居住环境,实现人与自然和谐共生。

适度密度——防止因资源过渡拥挤，造成城市运行效率低下。

全天候城市——功能混合，24小时不间断使用，持续的繁荣。

绿色交通——在城市尺度上寻求车行交通与步行开敞空间的科学解决策略。

总体定位

1. 从国际港口大都市门户标志区的高度出发，以发展现代港口配套服务产业为核心，突出保税港区特色；

2. 发展特色商贸金融功能，为保税港区发展为自由贸易区创造条件；

3. 利用区位及资源优势发展科技交流和技术研发；

4. 深化港口旅游、休闲、文化及娱乐功能，利用优质海岸资源形成高品质滨海旅游度假区；

5. 突出混合发展模式，以区内居住服务保税港区，成为区内商业设施的重要支撑。

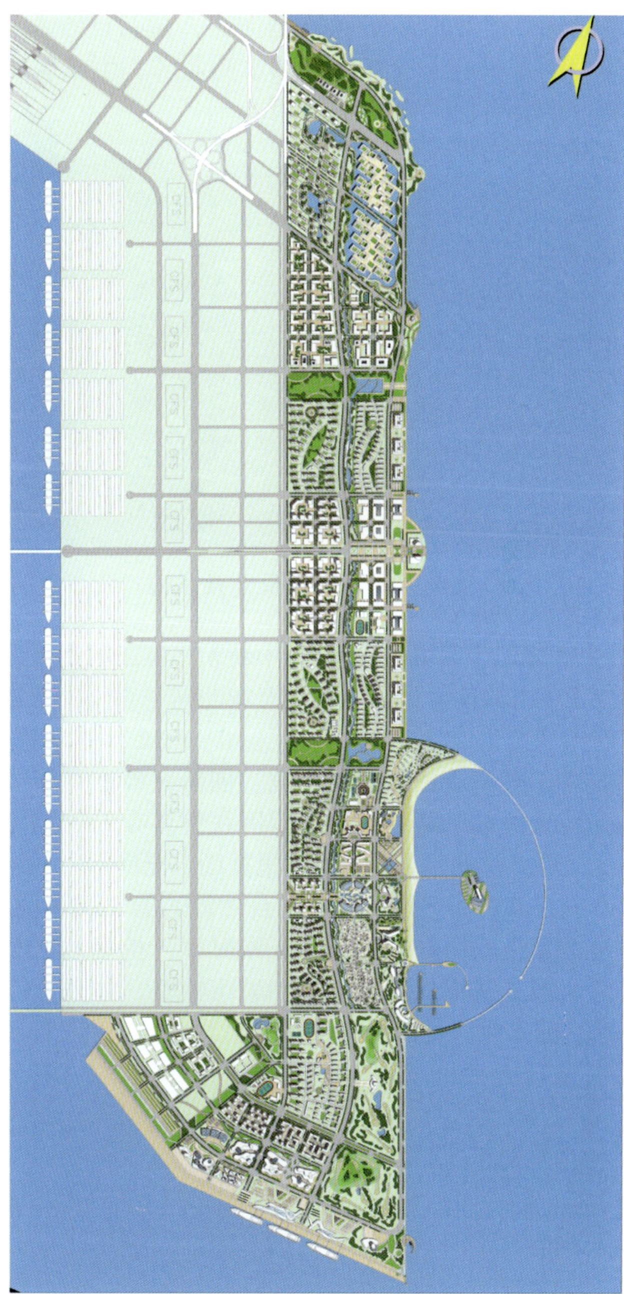

东疆港综合配套服务区城市设计总平面图

【渤龙湖地区城市设计】 渤龙湖地区西承滨海高新技术产业区商务商业主轴，东邻配套居住区，用地面积 328.45 公顷。以自然优美的滨水景观为核心，作为高新区对外形象的展示舞台。规划围绕渤龙湖地区构筑高新区的科技文化中心和公共景观绿廊，塑造最具活力的滨水宜居宜业城区。包括自然休闲区、科技文化与交流区、滨水商业区、生态居住区、产业研发区等五大功能区。

渤龙湖地区城市设计效果图

【生态城起步区城市设计】 中新天津生态城起步区位于生态城南片区，包括生态城的副中心。生态城起步区城市设计遵循“三和”和“三能”的理念，坚持“博采众长、因地制宜、创新突破、形成亮点”的基本思路，结合起步区在整体布局中的定位，重点打造温馨和谐的邻里社区、充满活力的城市中心以及商务园区，创造自然舒适的气候环境，建立绿色环保的公交体系。同时深入挖掘地区特色，塑造独特的城市形象和城市性格，体现示范性、标志性，发挥引领作用。

生态城起步区城市设计效果图

【空港物流加工区城市设计】 空港物流加工区是滨海新区重要功能区、临空产业区的核心区、现代服务业示范基地。城市设计旨在将空港物流加工区打造成为可持续发展，资源节约型、环境友好型示范区。强调循环经济、步行可达公共服务设施网络、用地功能适当混合、人性化城市尺度的控制、城市节能、分阶段滚动发展的设计理念。形成一主两副三中心、四个功能带的城市结构，强调引入和运用城市规划的生态主义理论和整体城市设计概念，对区域进行用地布局优化。通过三条绿带联系不同地块功能结构，使各地块具有丰富的层次结构，又使整体区域结构得到统一。

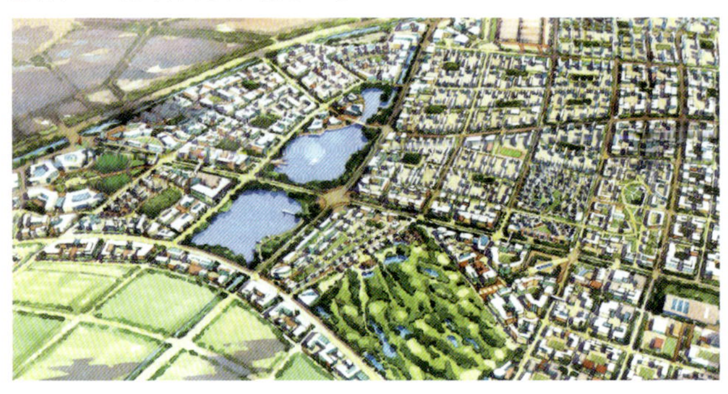

空港物流加工区城市设计效果图

（高　蕊　胡　源）

规划体制

天津市规划管理体制改革

2009 年规划管理体制改革基本完成。按照市委、市政府关于城乡规划管理体制改革的总体要求，天津城乡规划管理体制改革逐步深化，完成了全市城乡规划管理事权调整工作，局机关、10 个规划分局的人员、机构、职能已全部到位。初步形成了独具特色的业务管理模式，即“一个平台、一套标准、二级监督、三级会审”体系，各分局、各区县局与市局的业务工作关系得到有效加强。2009 年 12 月，市委、市政府下达市规划局“三定”方案。

天津市规划局各机关处室职责：

办公室：负责机关文电、会务、机要、档案等工作；承担机关安全、保密、新闻宣传等工作。

政策法规处（研究室）：起草有关地方性法规、规章草案，拟订相关技术标准规程、规范和办法；组织研究城市空间发展战略，研究城乡规划、测绘和地名管理工作等重大问题；承担重要文稿起草工作。

业务处：拟定城乡规划业务管理的措施、办法；负责城乡规划业务管理的组织、协调、督办、统计工作。

总体规划处：组织编制天津市城市总体规划等全市性、战略性规划以及总体规划实施评价工作；组织指导、综合平衡其他专业和专项规划；承担职责范围内规划的审查、报批和备案工作。

详细规划处：组织指导控制性详细规划的编制，承担职责范围内控制性详细规划的审查和备案工作。

保护规划处：承担历史文化名城、名镇、名村保护的规划管理工作；承担城市雕塑的规划管理工作。

建设用地处：承担建设用地规划管理工作；承担职责范围内依法实行建设项目选址意见书和建设用地规划许可证管理制度的有关工作。

建设项目处：承担建设工程规划管理工作；承担职责范围内依法实行建设工程规划许可证管理制度的有关工作；承担地下空间规划管理、城乡规划设计招投标管理工作。

市政基础设施处：承担市政基础设施规划管理工作；承担职责范围内市政基础设施项目的规划许可审批工作。

执法监察处（信访办公室）：组织城乡规划、测绘、地名管理、城市建设档案各类违法行为的查处工作；承担城乡规划系统依法行政的监督检查工作；承担有关行政复议受理和行政诉讼应诉工作；承担受理群众来信来访工作。

区县处：承担对区县规划局的业务指导；对区县的规划编制及实施进行监督检查与指导、服务。

地名管理处（市地名委员会办公室）：承担全市地名规划和管理工作；承担核发标准地名证书工作；承担市地名委员会办公室的日常工作。

测绘管理处：承担全市测绘管理工作；拟订测绘发展规划和计划，承担测绘成果的管理和运用工作。

科技信息处：承担全市城乡规划信息化建设管理工作；承担机关和所属单位的科技管理工作。

财务处（审计处）：承担机关和所属单位财务后勤管理；承担机关和所属单位国有资产管理和审计工作。

人事处：负责机关和所属单位人事、编制、劳资、福利、职称管理工作。

组织干部处：负责本系统党的组织、思想、作风和干部队伍建设等工作。

老干部处：负责机关老干部工作，指导所属单位的老干部工作。

机关党委：负责机关和所属单位的党群工作。

工会、纪检、市规划委员会办公室秘书处，按照相关规定履行职责。

天津市规划委员会

【概况】 天津市规划委员会于2001年9月24日经市政府批准成立。它是市政府议事机构，主要负责：审议全市性、战略性的重要规划方案，审议对城市形象和城市特色具有重大影响的标志性建筑设计方案，审议规划管理方面的重大政策等。包括全委会、执委会、专业委员会（规划设计委员会、建筑艺术委员会）及规委会办公室。

【市规划委员会全委会】 实行席位制。由市长任主任，常务副市长和分管副市长任副主任，其他各位副市长、市政府正副秘书长以及有关22个委、办、局（市政府办公厅、市政府研究室、市发改委、市经委、市建委、市市容委、市外经贸委、市交委、市农委、市商委、市教委、市科委、市滨海委、市人防办、市公安局、市财政局、市规划局、市国土房管局、市水利局、市文化局、市卫生局、市环保局）和天津警备区后勤部的主要负责人为规划委员会成员。

【市规划委员会执委会】 是市规划委员会的常设机构，由市规委副主任主持，市政府分管副秘书长协助，市发改委、市建委、市市容委、市交委、市教委、市规划局、市国土房管局、市环保局、市市政局、市公安交管局、市电力公司、市公用事业办等12个部门的负责人为执行委员会成员，其他成员视会议需要，由副主任确定。执委会主要负责审议规划设计委员会、建筑艺术委员会提交的规划、建筑成果和有关技术规定等。

【规划设计委员会】 主要负责审查重要的专项规划、重要地区和路段的控制性详细规划、重要的规划管理技术规定等。鉴于天津市规划委员会、规划设计委员会委员任期已满，根据市人民政府《批转市规划局拟订的天津市规划委员会组建方案的通知》（津政发[2001]73号）规定，并经市人民政府同意，决定聘任新一届委员会组成人员。规划设计委员会主任委员为谢世楞（中国工程院院士，交通部一航院正高级工程师）。成员由10名公务人员、20名非公务人员组成。公务人员采用部门席位制，非公务人员包括市人大代表、市政协委员各1名，规划专业专家10名，经济、交通（市政工程）、土地、电力、园林、环保、法律、社会科学等方面专家8名。

【历史文化名城保护和建筑艺术委员会】 主要负责审查重点地区、重点路段及反映城市特色的重要建筑设计和街景设计、城市雕塑等。根据市人民政府《批转市规划局拟订的天津市规划委员会组建方案的通知》（津政发[2001]73号）规定，鉴于天津市规划委员会建筑艺术委员会委员任期已满，经市政府同意决定聘任新一届委员会组成人员，同时将建筑艺术委员会更名为历史文化名城保护和建筑艺术委员会。历史文化名城保护和建筑艺术委员会主任委员为彭一刚（中国工程院院士，天津大学建筑学院教授），成员由10名公务人员、20名非公务人员组成。公务人员采用部门席位制，非公务人员包括市人大代表、市政协委员各1名，建筑设计、城市规划专家10名，园林、城市艺术、环保、民俗、文物、文化等方面专家8名。

【市规划委员会办公室】 与市规划局合署办公，为市规划委员会的日常办事机构。市规划局局长兼任办公室主任。

天津市重点规划编制工作指挥部

【概况】 天津市重点规划编制工作指挥部于2008年7月21日成立。副市长熊建平任总指挥，规划建设工委书记沈东海、市规划局局长尹海林等任副总指挥。在市指挥部的组织协调指导下，各区、县以及有关委办局也相继成立了分指挥部。2009年指挥部召开各类会议共787个，与会人数16849人，其中市长会议95个，为领导的会务及工作的正常进行提供了强有力的保证。

指挥部下设办公室，办公室内设空间（协调）组、分区组、滨海组、村镇组、重点组、专项组、保障组7个组。空间（协调）组负责天津市空间发展战略规划和天津市新农村布局规划2项工作。分区组负责38项分区规划编制工作。滨海组负责33项滨海新区规划编制工作。村镇组负责17项示范小城镇和挂钩试点规划编制工作。重点组负责12项重点地区城市设计工作。专项组负责16项专项规划编制工作。保障组负责指挥部后勤保障工作。临时规划展览馆负责规划展览馆布展和开馆运营工作。

【主要任务】 重点规划编制工作主要包括六个方面的内容：

空间发展战略规划；

滨海新区、中心城区、各区县及新城三个层面的分区规划，已完成验收的重点规划项目，经市政府审批的工作5项，经市规划局、滨海委审批的工作1项，经区县政府审批的工作10项；

市域综合交通、现代服务业布局、工业布局、水系连通等专项规划，已完成验收的经市政府审批的工作5项；

示范小城镇规划，已完成验收的经区县政府审批的工作17项；

重点地区规划城市设计，已完成验收的经市规划局审批的工作1项；

分区规划编制工作。已完成验收的经市政府审批的工作6项，经市规划局审批的工作13项，经区县政府审批的工作5项。

天津市规划局

【概况】 具体内容详见本年鉴“概况”【天津市规划局】【天津市规划系统】条目。

【局领导】

职务	姓名	任期
党组书记、局长	尹海林	
党组副书记	战秋艳	
纪检组长	刘胜利	（1~11月）
常务副局长	李春梅	
纪检组长	曹慧泉	（11月~）
副局长	鲁承斌	
	郭凤平	
	郑嘉轩	
	沈　磊	
总规划师	霍　兵	
总建筑师	秦　川	
副巡视员	诸　铭	
	刘　荣	
	侯学钢	

【机关处室】

职务	姓名	任期
办公室主任	陈　波	（1~3月）
	李迎春	（3月~）
业务处处长	朱映水	
总体规划处处长	葛　龙	
详细规划处处长	范鸿印	
建设项目处处长	孙　银	
市政基础设施处处长	郭力君	
城市雕塑和景观处处长	李津莉	
规委办秘书处处长	马战英	
地名处（市地名委员会办公室）	周道成	
测绘管理处处长	王汝海	
执法监察处处长	张占佳	
区县处处长	葛　龙	
政策法规研究处处长	郭新天	
史志办主任	房志国	
人事处处长	石　英	
财务处（审计处）处长	李振军	
党委办公室主任	段立凯	
组织部部长	诸　铭（兼）	
宣传部部长	刘　建	
老干部处处长	王润萍	
工会主席	刘　芳	
团委副书记	徐　宁	
纪检组副组长（监察室主任）	阎　港	
机关党委书记	肖秀英	

规划管理

规划业务管理

【规划管理机制建设】 在2008年城乡规划管理系统全面通达的基础上，进一步整合资源、优化流程，取消了3个审批事项，合并了5个审批事项，办理时限由原来平均14个工作日缩减为9个工作日，时限缩减了36%。简化行政许可审批事项申报条件32项，并及时在全系统进行了推动落实。拟定了《天津市城乡规划管理事权调整方案》并全面组织实施，取得了较大进展，管理事权调整的目标基本实现。重新编印了《天津市城乡规划管理业务手册》《天津市城乡规划业务管理指导手册》《天津市城乡规划管理服务手册》《天津市城乡规划管理系统用户手册》，为业务管理的统一规范提供了保证。顺利推行一网通工程，基本实现了在统一的业务管理系统平台办理规划审批业务，实现了全市联网、规范管理、统一标准、全程监控、工作平台共用、信息资源共享、审批成果实时公开的预期目标，初步形成一体化管理机制。经过一年多的努力，初步形成了“一一三二”的管理构架，即：“一个平台、一套标准、三级会审、二级监督”体系（见附1），各分局、各区县局与市局的业务工作关系得到有效加强。

【窗口业务管理】 根据市政府《关于取消调整行政审批事项和向区县下放审批权限的通知》（津政发[2009] 8号）的要求，组织对行政审批事项相关内容、办结时限和申报要件进行了调整。审批事项调整的内容包括：调整建设工程规划验线办理规程，将建设工程规划验线与建设工程规划许可证同一阶段办理；取消重要修建性详细规划方案和市政工程规划设计成果审批；将原“市政工程规划设计要求”调整为“建设工程规划设计要求（市政工程）”，将原“市政工程规划设计方案”（建设项目）调整为“建设工程设计方案（市政工程）”。

结合审批大提速，进一步加强指导协调驻市行政许可中心工作，2009年服务月活动中市规划局窗口被评为优秀窗口。全系统的接待窗口管理进一步规范，得到了建设单位的普遍好评。2009年全系统办理各类业务案件13420件，基本符合业务管理要求，没有发现突出问题。

按照《天津市规划局指令性任务管理规定》的要求，编制下达了年度指令性任务工作计划，并建立了半年督查、年终验收的工作制度。对具体的项目努力做到计划落实、进度落实、质量落实。全年共下达指令性任务50项，其中列入2009年指令性任务计划的16项，临时任务34项。对规划院下达任务38项，对测绘院下达任务6项，对勘察院下达任务5项，对地下管网中心下达任务1项。各类计划任务均按照计划进度实施，临时任务在要求期限内都已完成。

【综合统计、业务督办】 坚持每年统计公报制度，适时公布业务管理相关数据。建立月份和季度快报数据系统，每月、每季度、每年度的最后一天把全系统规划业务管理数据报告局领导，保证局领导在第一时间了解项目审批的基本情况。充分利用城乡规划业务管理系统平台的资源优势，对全市承办业务案件审批情况进行综合分析。2009年全市核发建设用地规划许可证674件，审批建设用地面积4322公顷；核发建设工程规划许可证2302件，建设总规模5308万平方米；审批建设规模较2007年增长了156%，较2008年增长了81%；全市建设工程规划验收1129项，验收总建设规模1881万平方米。

强化督查管理，组织开展了全系统城乡规划业务管理检查，针对三大类64项指标、170个子项进行考核，探索建立业务管理考核评价机制。对行政许可审批事项、局长业务会议议定事项、市重点工程项目、民心工程项目、会议专报和指令性任务六个方面的督办工作进行规范。对局长、副局长召开的118次业务会议，议定与协调的783个规划建设相关问题进行落实，印发督办通知48期，印发督办报告12期，印发会议专报390期。

【业务综合协调】 积极贯彻落实市委市政府“保增长、渡难关、上水平”总体要求，印发了《关于实施三一一三保障服务措施为重点建设项目提供规划服务的通知》（规业字〔2009〕157号），提出“三一一三”工作措施和“十六条”服务保障措施（见附2）。做到“承办一路绿灯，衔接一线贯通、审批一个会议、结果一次告知”，确保成熟项目快开工、促进一批项目能开工、策划推动一批项目早落地。这些对策措施在全市“保增长、渡难关、上水平”活动中起到了引领示范作用，得到市有关部门的充分肯定，天津日报头版作了专题报道。

发挥信息综合和政策导向作用。积极参与市政府招商服务各项活动，建立了与发改委、经信委、市建委等信息沟通机制，对全市投资信息整合在局域网发布，为全系统规划前期研究提供信息服务；牵头组织各有关部门投资项目联席会议30多次，将具体问题解决在过程中；组织各处室、各单位服务协调会100多次，对180多个涉及规划问题予以协调落实。在规划展览馆组织召开了大型开发建设单位规划工作恳谈会，沟通情况，宣传政策，推出措施，全市主流媒体均到现场采访并做了报道，塑造了规划系统的良好形象，在全市对外开放工作会议上，市规划局首次荣获对外开放工作服务特别奖。

附1：

“一个平台、一套标准、三级会审、二级监督”

一个平台，即全市统一利用业务管理系统平台办理业务案件；一套标准，即全市业务管理事权划分依据统一，审批管理标准统一；三级会审，即局长业务研究会、市局分管局长联合会审会、区县局（分局）局长会审会；二级监督，即市、区两级规划监督。

附2：

“三一一三”工作措施：

在规划支撑保障上，做到“三个一批”——确保一批条件成熟的项目快开工；积极创造条件促进一批项目能开工；策划推出一批项目早落地。在审批管理上实现大提速，完善一体化服务机制。在规划咨询和信息服务上，完善拓展一个业务工作平台（一网通）。在服务发展审批提速上，落实“三个一批”——取消一批审批事项，整合一批审批环节，简化一批审批要件。

“十六条”保障措施：

实行项目责任制。在全局系统开展确保和推动规划建设项目开工提供规划保障服务活动。实行重大规划建设项目责任制，市区两级规划管理部门领导干部为重点项目责任人，落实重点项目跟踪督办制度。

建立协调联动机制。市局与分局上下联动，每周召开专题会议，汇总招商和投资信息，反馈规划相关信息；每月与市发改委、市商务委、市国土房管局等有关委办局召开联席会议，推动重大项目实施。

实行一日审批制度。由市局审批的规划建设项目，做到分局当日上报、市局当日会审、当日答复；对于重点规划建设项目存在的问题及时研究、及时协调、及时答复。

下放审批管理事权。全部下放规划建设项目行政许可审批管理事权，按照市审批办的要求，做好取消、调整、缩减、简化审批事项和作业流程的相关工作。

实行供图优惠。以优惠价格提供建设项目基础信息数据。纳入保促项目的1/2000和1/500现势地形图，费用一律按售价50%（地铁等重大基础设施项目按售价25%）收取，地下管网信息查询费按规定价格50%收取（地铁等重大基础设施项目免费）。

组织部门联审。对规划审批前期手续暂不完备的项目，主动召开相关委办局联合办公会议进行联审，将会议纪要作为项目审批依据，及时核发建设工程规划部位许可证。

实行同步审批。对符合有关城乡规划技术管理规定的项目，规划总平面与建筑方案同步审批；对于建筑方案尚需完善的建设项目，在规划总平面审定后，可核发建设工程规划部位许可证。

实行分阶段审批。针对历史遗留项目涉及日照间距、拆迁等老百姓切身利益的问题，采取“五步式”进行规划审批。可分打桩、基础和主体3个阶段办理建设工程规划部位许可证；对多栋建筑的项目，可分栋办理建设工程规划许可手续。

提供全天候服务。对建设项目放验线工作，及时组织测绘单位提供全天候服务，做到当日到达现场、当即开展测量，当日反馈结果。

超前提供管线信息。对涉及综合管线信息不完善的建设项目，提前组织安排实测工作，为建设项目尽早开工创造条件。

实行“三方”沟通。对地块规划和建筑设计方案的审查要点提前组织开发建设单位和规划、设计单位沟通研究，做好规划设计技术交底工作。

实行“开放式”审查。邀请建设项目规划设计负责人列席建设项目业务会审会，减少信息沟通和反馈环节，并对完成设计成果的时间及标准提出明确要求。每周组织规划设计单位联席会，协调解决相关问题。

超前提供规划条件。对由于城市建设涉及居民群众住房拆迁，需还迁安置项目，超前研究地块规划条件，保障项目用地空间落实。

策划服务招商。对已基本完成土地整理且符合规划要求的地块，一季度全部完成规划条件，达到可招商深度，其他规划策划项目上半年完成；并将工作成果汇编成册，为各区县招商提供规划信息服务。

多形式公开信息。利用规划网络信息平台和规划展览馆等场所，及时公布城乡规划管理的相关政策措施，定期发布重点项目规划策划信息，征集投资开发商及社会各界对规划工作的意见和建议。

组织规划推介会。与各区政府及招商部门联合召开重点项目规划策划推介会，近期组织重点规划项目专题推介会，邀请国内外有实力的投资企业参加，加快规划项目落实。

（李维东）

规划编制管理

【城乡规划编制计划管理】 为执行好《天津市城乡规划编制年度计划管理暂行规定》，2009年年初，市规划局组织市各委办局、区县政府填报了2009年拟组织开展的规划编制项目，经反复研究，拟定了《天津市2009年度城乡规划编制计划》，并经市政府审查同意，于4月底批转执行。5月12日市规划局局长尹海林、常务副局长李春梅主持召开了天津市2009年度城乡规划编制计划工作会议部署城乡规划编制工作。9月25日和29日，市规划局分别组织18个区县政府，以及市滨海委、市建交委等十多个委办局，召开了2009年城乡规划编制工作中期推动会。

2009年度纳入全市城乡规划编制计划的规划共有43项（含指挥部的规划项目14项），包括海河中游地区总体规划等4项总规，中心城区及环城四区控制性详细规划等6项控规，中心城区地下空间利用规划等25项专项（业）规划，1项一般镇规划，7项城市设计。按照规划的审批等级分，报市政府审批的规划有20项，由市规划局及相关委局审批的有14项，由区县政府审批的有9项。纳入规划编制计划43项规划中，共分为109个小项，截止年底,报市政府审批的20项（24小项）规划中，有2项已经批复，5项已由市领导或组织单位审定，2项征求有关部门和专家意见，10项形成阶段成果，4项形成初步方案，1项没有开展工作。

市规划局及相关委局审批的14项规划中，有2项已经批复，1项上报政府待批，5项已由委局领导审定，2项征求有关部门和专家意见，1项形成阶段成果，2项形成初步方案，1项刚开展工作。

区县政府审批的9项（71小项）规划中，有2项已经批复，3项已由区县领导审定，4项征求有关部门和专家意见，15项形成阶段成果，32项形成初步方案，15项刚开展工作。

【控制性详细规划编制管理】 近郊五区县新城控规编制工作于2009年7月正式开展，以区县政府组织编制、审批为主，市局主要负责在控规落实总规、大系统专项设施落位和成果内容、深度上进行把关，先后召开了成果初步方案、中期方案汇报会及部分新城控规成果技术审查会审会，计划于2010年6月底前完成成果报批工作。

报市政府审批的规划编制项目（20项）

层次	序号	组织编制单位	规划项目名称	审批机关	备注
总规	1	市规划局	海河中游地区总体规划	市政府	*
控规	2	市规划局 区规划分局	中心城区控规修编及环城四区控规	市政府 各区政府	*
专项规划18项	3	市规划局	天津市中心城区地下空间总体规划及重点开发地区控规	市政府	*
	4	市规划局	天津市城市总体规划实施评价指标体系及2008年度评价报告	市政府	
	5	市规划局	天津市中心城区雕塑总体布局规划	市政府	
	6	市规划局 市旅游局	海河上游段旅游规划	市政府	*
	7	市规划局	天津市中心城区历史文化街区、历史风貌区保护规划	市政府	*
	8	市市容委	天津市环境卫生设施布局规划	市政府	
	9	市建委	天津市公交专项规划	市政府	*
	10	市交委	天津市客货运交通主枢纽规划	市政府	*
	11	市商务委	天津市加油站行业发展规划	市政府	
	12	市水利局	天津市除涝规划	市政府	
	13	市水利局 蓟县政府	于桥水库周边保护发展规划	市政府	
	14	市水产局	天津市养殖水域滩涂规划	市政府	
	15	市邮政局	天津市邮政设施布局规划	市政府	
	16	市民政局	天津市民政事业设施布局规划	市政府	
	17	市气象局	天津市气象设施布局规划	市政府	
	18	市乡镇企业局	天津市乡镇工业布局规划	市政府	
	19	西青区、津南区、蓟县政府	杨柳青、葛沽历史文化名镇 蓟县历史文化名城保护规划	市政府	
	20	宁河县政府	七里海保护区修复与综合利用规划	市政府	

注：备注栏带“*”的为列入2009年市规划指挥部的项目。

市规划局及相关委局审批的规划编制项目（14 项）

层次	序号	组织编制单位	规划项目名称	审批机关	备注
控规	1	滨海委 滨海规划分局	滨海新区控规全覆盖及汇总	市规划局 滨海委	*
专项规划7 项	2	市整修办 市市容委 市规划局	天津市城市道路界面景观环境规划（含户外广告控制规划）	市规划局	
	3	市政公路局	天津市中心城区人行过街通道规划	市规划局	
	4	市交委	军粮城高铁站交通规划	市规划局	*
	5	市交委	滨海国际机场二期配套工程规划	市规划局	*
	6	滨海委 滨海规划分局	滨海新区轨道网规划	市规划局 滨海委	*
	7	滨海委滨海规划分局	滨海新区近期环境综合整治、竖向规划、综合防灾规划等专项规划	市规划局 滨海委	
	8	蓟县政府	九龙山国家森林公园总体规划	市规划局 市林业局	
城市设计6 项	9	和平区政府 市规划局	和平路城市设计	市规划局	*
	10	市规划局	迎宾馆及周边地区规划	市规划局	*
	11	河西区政府	河西尖山地区城市设计	市规划局	
	12	滨海规划分局 塘沽规划局	塘沽盐田城市设计及南部新城规划	市规划局 滨海委	*
	13	滨海规划分局	滨海新区北部湿地公园城市设计	市规划局 滨海委	
	14	滨海规划分局	中央大道、海滨大道、天津大道等沿线城市设计	市规划局 滨海委	

注：备注栏带“*”的为列入 2009 年市规划指挥部的项目。

区县政府审批的规划编制项目（9 项）

层次	序号	组织编制单位	规划项目名称	审批机关	备注
总规3 项	1	宝坻区规划局	宝坻经济开发区、九园工业园、潮白湖地区总体规划	宝坻区政府	
	2	蓟县规划局	蓟县长城文化休闲功能区、黄崖关长城风景游览区、九龙山林休闲功能区、翠屏湖水休闲功能区总体规划	蓟县政府	
	3	宁河县规划局	宁河现代产业区、产业拓展区、中国（京津）水城总体规划	宁河县政府	
控规4 项	4	区县规划局	武清等 7 个新城控规	各区县政府	
	5	区县规划局	15 个中心镇镇区控规	各区县政府	
	6	宝坻区规划局	宝坻经济开发区控规	宝坻区政府	
	7	宁河县规划局	中国（京津）水城控规	宁河县政府	
镇规划	8	各镇政府	35 个一般镇规划	各区县政府	
城市设计	9	各规划分局 区县规划局	区县重点地区城市设计	各区县政府	

【规章制度建设】 为增强规划工作科学性、规范汇报标准、提高规划研究能力和研究水平，制定了《关于规范规划汇报的有关标准》。

为进一步完善我市城乡规划管理机制，规范规划编制和审批工作程序，结合修订的城乡规划条例，起草了《天津市城乡规划编制和审批办法》总体规划和近期建设规划部分的初稿。

制订了《天津市近郊地区控制性详细规划编制技术要求》、《天津市近郊地区土地细分导则技术要求》和《天津市近郊地区控制性详细规划成果要求》，用以指导五区县新城控规编制工作。

【管理机制建设】 2009年着重加大服务区县工作力度。采取事前指导、提前介入、跟踪服务等举措，以走访、座谈等形式，建立健全了区县沟通协调机制。围绕促进区县经济发展、保障重大规划项目落地，局领导带队走访18个区县达7轮次，组织现场协调会34次，召开各类服务协调会100余次，对180多个规划问题予以协调落实，促进了各区县经济社会发展和重点项目开工建设。

【规划研究成果】 建立国际大城市发展数据跟踪系统：2009年开展了洛杉矶、汉堡、东京、旧金山、伦敦、新加坡六座城市的研究工作。通过对各城市经济、社会、基础设施等情况基础数据整理、分析，选取城市相关专项规划案例，与天津经济社会发展概况、国际大城市的相关数据、规划策略进行对比分析。

（宋晓然）

建设项目规划管理

2009年建设项目管理确立以市局宏观管理为主的指导思想，全面下放审批权限，进一步转变工作作风，提高规划管理工作效率和行政效能，对规划分局业务案件、公文的办理严格控制办件时限，加大督办力度，对重点项目特事特办，要求分局缩短审批时限。结合区县规划部门的组建和城乡规划法的实施，统一规划建设管理的程序、依据和机制，完善了对区分局、区（县）局的宏观指导、检查、督办、备案制度，发挥局系统整体优势。在注重业务审批工作的同时，加强宏观管理研究，将上下统一、规范管理、城乡统筹作为工作重点。实现统一管理程序、统一管理依据、统一管理机制。编制管理文件汇编印发各区县规划部门执行，组织有关人员进行研究、制定加强规划和建筑设计管理的有关要求，深化中心城区城市特色、中心城区建筑特色的研究工作。

在全市规划建设项目管理部门的推动、努力下全年房屋施工面积10192.58万平方米，增长11.3%；房屋竣工面积2837.52万平方米，增长10.7%。全市房地产开发投资735.18亿元，增长12.5%，商品房销售面积1590.02万平方米，增长27%，实现销售收入1094.85亿元，增长45.4%。市容环境综合整治成效显著，对滨江道商业街、天津市市容重点区域天际线整治等重点地区实施了景观提升，对主要城市节点、公共空间进行了综合整修，市容市貌焕然一新。大力推进高教园区等高校建设，海河教育园区全面开工建设。医疗卫生建设取得新突破，医大总医院二期、市中心妇产科医院、南开医院等建设加快。新农村建设进程加快。以宅基地换房建设示范小城镇试点工作成效显著。

【修建性详细规划管理】 结合城乡规划法的实施及事权下放的有关要求，重点加强了对区县规划部门培训和指导。推动实行了规划设计方案的招标、征集、专家评审和多方案比较的审查机制，组织勘察院完善三维数字规划管理系统研究工作，完成中心城区大部分地区三维场景模型制作和重点区域建筑贴图工作，实现了模拟真实场景审查重点地区规划和建筑方案的目标要求，最大限度为建设高水平建筑提供技术保障。充分利用城市色彩和建筑风格的研究成果，加强对建筑形式和建筑外檐的严格管理，将重点地区城市设计和控制导则，作为审查建筑规划布局和城市空间的重要依据。

加大政务公开力度。确保了修建性详细规划公示率、论证率、公告率、公布率4个100%的目标。

深入全市各区分局做好规划调研工作。每季度到分局调研，统一规划建设管理的程序、依据和机制，完善了对区规划分局的指导、检查、督办、备案制度，并将统一的规划建设管理程序和依据及时对各规划分局进行讲解、宣传。确立市局以宏观管理为主的指导思想，结合区规划分局的组建，进一步统一规划建设管理的程序、依据和机制，完善了对区规划分局的指导、检查、督办、备案制度，发挥局系统整体优势。通过每月组织到市内六区和环城四区规划分局服务、及时完善落实项目进度、坚持定期组织土地、建设、设计、消防联席会、组织每日会审，实行开放试审查、每周督查项目办理进度，落实同步和分段审查要求，为实现全市一体化管理提供管理保障。

【建设用地规划管理】 加强建设用地容积率指标管理，明确调整程序。组织各区县、开发区、保税区相关人员进行培训，促进全市各区县规划管理依法行政。根据中办、国办《关于开展工程建设领域突出问题专项治理工作的意见》和《天津市工程建设领域突出问题专项治理工作实施方案》精神，按照《天津市开展工程建设领域突出问题规范城乡规划管理专项治理工作实施方案》，按计划、按步骤，积极有效地推进了专项治理工作的落实。在排查问题阶段，从5月份开展了房地产开发中违规变更规划、调整容积率问题的排查，重点对2007年1月1日至2009年3月31日期间取得建设用地规划许可证的房地产开发项目逐一核实，7、8月份市专项治理领导小组办公室先后三次组织有调整容积率项目的单位反复进行项目核查，查明凡涉及提高容积率、改变土地使用性质是否有法定依据、是否按照法定程序进行，是否依法公开，是否有土地价款和配套规费流失等情况。按照建设部和监察部要求，全市共对611个项目进行了核查，存在容积率和规划调整的项目有74个，其中调整不规范的项目有46个。在46个中，欠交土地出让金和配套规费32个；项目规划和容积率调整虽经区、县政府同意，但未正式履行文字批复程序3个；历史遗留项目，未实施建设开发6个；其它项目涉及因市政基础设施和公益性公共设施调整造成可用地面积相对减少。在排查的基础上，针对调整容积率项目的实际情况，对照原有调整容积率的有关管理规定，市专项治理领导小组办公室制定了《容积率调整分类和办理标准》，并于8月下旬专程到北京向建设部规划司领导进行了汇报，在听取了意见和建议的基础上，修改完善了办理标准，及时组织各区县、开发区、保税区相关人员进行了培训，以此作为整改规范的依据和标准。从10月份起再次开展了排查，对各区县存在的突出问题，深刻分析原因，提出治理对策和有针对性的措施，及时整改。10月20日，市委常委、市纪委书记臧献甫深入市规划局主持召开工程建设领域突出问题专项治理工作督查督办会，听取了专项治理工作汇报，提出了工作要求。11月27日，住房和城乡建设部稽查办副主任刘春生率住房和城乡建设部、监察部联合检查组来天津市检查专项治理工作情况，听取了市专项治理和关于群众举报天津市长芦房地产开发公司提高柏丽花园小区容积率等有关问题的情况汇报。建设部、监察部对天津市开展房地产开发中违规变更规划调整容积率问题专项治理工作给予了充分肯定，认为天津作为全国直辖市对此项工作高度重视，专项治理工作开展得有声有色、有成效，有许多宝贵经验值得借鉴。

加强对出让地块规划条件办理工作管理。重点对市内六区及环城四区拟出让地块规划条件进行汇总梳理，核实控制性详细规划、城市设计及技术规定的要求。建立了规划条件核发前的汇报制度，保证核提规划条件工作的规范性和规划指标的科学合理性。

努力做好重点建设项目“落地”工作。为加快海河教育园区、梅江会展中心、文化中心以及保障性住房等一批重点项目实施进度，积极与有关部门和区县规划局协调沟通，在确定用地范围、给定规划条件等方面提前介入，组织研究，推动这些工程在最短的时间内取得了“选址意见书”等规划手续，为重点工程的建设赢得了时间。

【建设工程规划管理】 加强对建筑外檐的管理。为贯彻总书记胡锦涛提出“要着力提升城市规划建设管理水平，真正把天津建成独具特色的国际性、现代化宜居城市”和市委书记张高丽对城市建设“构筑生态宜居高地，突出大气、洋气，体现文脉传承，彰显城市特色，打造精品工程”的指示精神，市规划局高度重视建筑外檐规划管理工作，把加强建筑外檐规划管理与创新规划管理体制机制联系起来，与突出天津城市特色联系起来，与提升城市品位和风格联系起来，与改善和优化城市投资环境、增强城市竞争力联系起来，从规划技术审查和规范业务管理两个层面不断加强规划管理对建筑外檐的控制引导，充分发挥规划在社会经济发展中的引领作用。

梳理中心城区范围内所有在建和已批待建高层建筑，积极推动整改落实。从 2009 年 4 月份开始，市局对中心城区范围内，已批在建和已批待建的高层建筑，从建筑顶部、建筑色彩、立面形式、外檐材料等方面进行多轮次排查，全年共梳理出不符合现行规划管理要求的 110 个项目 733 幢高层建筑。本着“经济节约、技术可行、效果显著”的原则，制定整改方案,尽可能以较小代价达到提升建筑立面效果的目的。截至年底已按方案实施整改 169 幢，占总数的 23%，正在按方案实施整改 263 幢，占总数的 36%，已确定方案尚未实施整改 155 幢，占总数的 21%，继续深化方案 146 幢，占总数的 20%。

实施中心城区重点地区天际线整治。针对现状高层建筑存在的主要问题，市局从建筑风格、色彩、顶部、材料等四方面入手，将奥体中心地区、梅江会展中心地区、文化中心地区、人民公园地区、水上天塔地区等五个地区作为天际线重点整治提升地区，通过对建筑风格的协调统一，对建筑顶部造型的简化整合，提出了层次分明、错落有致、富有韵律的城市天际线整治方案。做为 2010 年大干 300 天的重点任务，按规划实施整改。

梅江会展中心北侧整改前

梅江会展中心北侧整改后

梅江会展中心东侧整改前

梅江会展中心东侧整改后

鼎福大厦整改前

鼎福大厦整改后

格调艺术花园整改前

格调艺术花园整改后

加大政务公开力度。确保了建设工程设计方案总平面图公布率和建设项目总平面图悬挂率达到两个100%的目标。

全力支持重点项目的开工建设。加大服务力度，不断提高审批效率。对市、区级重点工程全程跟踪、主动服务，坚持每两周组织一次对建设单位的义务咨询会或上门服务。采用不同的方法，简化审批环节，变串联审批为并联审批，为建设项目的早日实施创造条件。全力以赴地支持重点工程的建设，对重点工程实行专人跟踪负责制，及时提供规划保障。

积极贯彻落实市委市政府“保增长、渡难关、上水平”的总体要求，重点支持现代服务业和民计民生类项目的开工建设。确定了60项2009年上半年确保开工项目和60项下半年推动开工项目，为保证项目的开工建设，制定了保障措施，每周督查项目办理进度。加大服务力度，不断提高审批效率。

全力做好局重点工作的组织和落实工作。组织开展了友谊路34号院新建工程方案设计，梅江会展中心招标设计、梅江风景区设计和会展中心室内装修设计，并参与现场的实施建设；组织开展了中心城区特色地区规划提升方案设计，滨江道改造项目方案设计，并参与了现场的实施建设；联合商务委、旅游局编制了天津市商贸旅游重点项目实施规划；参与了海河改造提升工程，负责6个高层项目外檐整治的实施建设；按照局党组要求向兄弟省市派遣2名挂职学习干部；积极配合其他部门参与了文化中心、新乐园、北洋园、机场扩建、地铁沿线设施建设、重点建设领域专项治理、业务检查、效能监察等重点工作。

【规章制度建设】 按照城乡规划法和建设部有关文件要求，制定了《容积率调整分类和办理标准》，明确了容积率调整的办理程序和技术要求。

为配合规划管理事权下放，制定出台了《关于进一步加强城乡规划用地、建设管理政务公开工作的通知》，确保全市修详规公示、论证、公告、公布、建设工程设计方案总平面图公布和建设项目总平面图悬挂标准统一，规范全市规划审批政务公开

梅江会展中心效果

天宾商务中心效果

北洋园设计方案

工作。

为加强高层建筑外檐审批，提升城市形象，制定出台了《关于加强高层建筑外檐规划管理的通知》，对高层建筑顶部处理、色彩把握、材料把关提出了具体要求，有效加强了全市高层建筑规划审批工作。

为规范全市规划审批中建筑面积计算标准，针对市场出现的利用设备平台、装饰性阳台等增加开发面积的情况，出台了《天津市建筑飘窗、设备平台及阳台建筑面积规划计算规则》，保证了全市城市空间的合理开发利用，维护了购房业主的权益。

为规范全市《建设工程规划许可证》核发，保证分期开发项目按规划实施，制定出台了《关于进一步加强〈建设工程规划许可证〉附图管理的通知》，对制图标准、技术经济指标测算、施工总平面要求、分期开发审批原则等提出了要求。

针对全市新建项目报审名称与实际地面不符，地名规划管理证前、证后不衔接的现状，制定出台了《关于进一步加强〈建设工程规划许可证〉地名管理的通知》，规范了全市地名规划管理。

针对城乡规划法的出台住宅建筑间距标准提升，由此可能引发的信访问题，制定出台了《关于五步式审批的说明》，有效的加快了建设项目的实施进度，保证了历史遗留项目的顺利开发。

结合城乡规划法实施，对于住宅类项目间距控制与国家标准统一，《天津市建设项目日照分析办法》经过2008年以来的试行，于2009年6月正式公布执行。

结合市城乡规划条例的完善，参与研究了规划放线验线流程调整涉及的审批内容调整工作。对《建设工程规划许可证》申报表、通知书、建设工程设计方案审定通知书等审批表格进行了调整完善，满足流程调整要求，同时对涉及的总平面图等图纸深度要求进行了细化。

【规划研究成果】 为提高城市天际轮廓线美感水平，通过总结建筑顶部形式，以城市建筑群来研究单体，强调其整体性，将全市建筑顶部按照历史风貌区、商务办公区、居住区三种分类编制了《天津市中心城区建筑顶部控制导引》，要求各类建筑顶部不采用“搭架子”、“戴帽子”等处理手法。有效指导了全市建筑顶部设计工作。

通过总结天津城市现状高层建筑玻璃幕墙特点，控制引导高层建筑玻璃幕墙面积，形成天津的风格特色，彰显精致、大气、洋气、清新、靓丽的城市精神与气质，制定了《天津市中心城区高层建筑玻璃幕墙控制导引》，要求不得采用大面积的玻璃幕墙，可采用石材、金属幕墙和高档新型材料。高层公共建筑分为24米至50米、50米至100米、100米至250米、250米以上提出不同的窗墙比例要求。

针对全市编制规划设计导则情况，为便于统一管理、统一标准，2009年下半年，市局率先在国内开展了建筑外檐控制导则的探索与实践，从规划篇、建筑篇、设施篇三方面对原有导则进行汇总、提升，又编制了《天津市规划建筑导则汇编》，对建筑特色、建筑色彩、建筑高度、建筑顶部、玻璃幕墙、围墙、街道家具、店招牌匾整修等八个方面进行了研究。从近万张优秀建筑方案和照片中甄选出二百余张具有代表性的建筑，作为规划说明指导，有效的指导全市规划审批管理工作。《天津市规划建筑导则汇编》上报市委、市政府主要领导审查同意并下发执行，作为全市规划管理重要的技术管理依据，在加强建筑和景观设施建设方面发挥了重要的控制和引导作用。

为提升全市城市面貌，市局组织了滨江道商业街改造、海河改造提升工程、商业文化旅游产业发展规划、中心城区特色地区规划提升等工作，截至2010年底滨江道商业街改造、海河改造提升工程已基本完成，商业文化旅游产业发展规划已移交市商务委按规划实施，中心城区特色地区规划提升方案编制完成，用以指导2010年大干300天工作指导。通过一系列城市现状的提升，有效地改善了全市城市面貌。

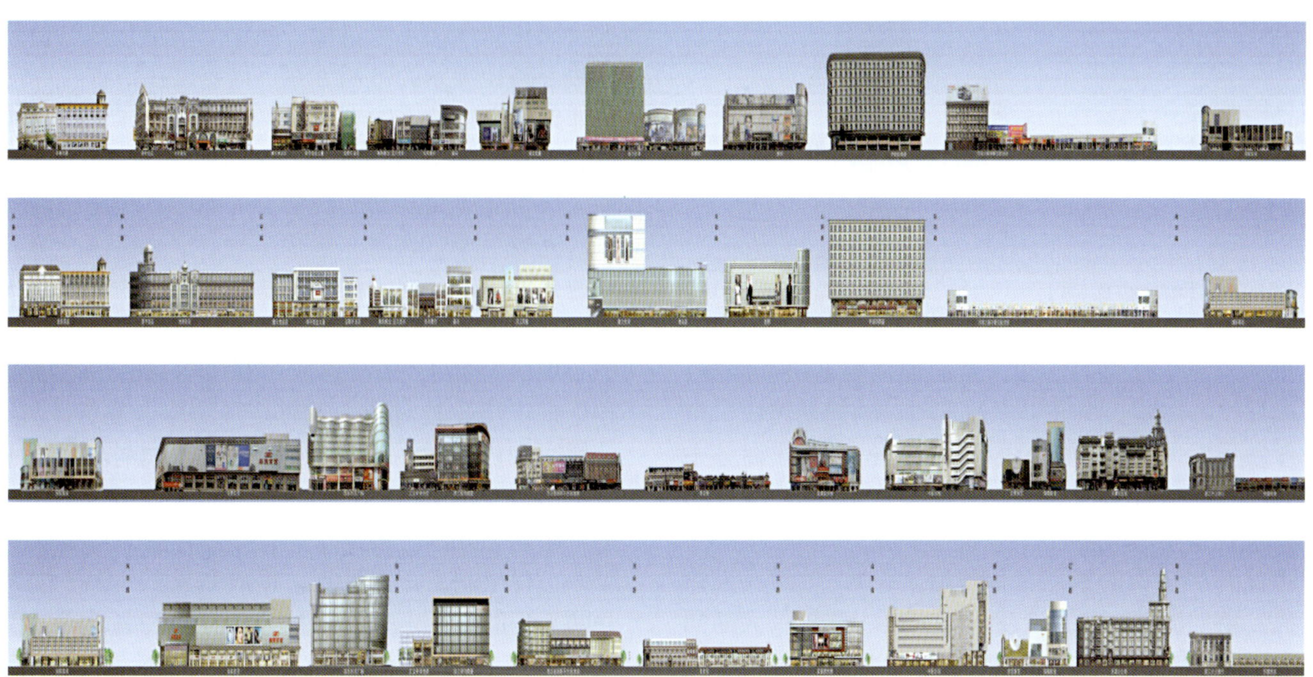

滨江道整治效果

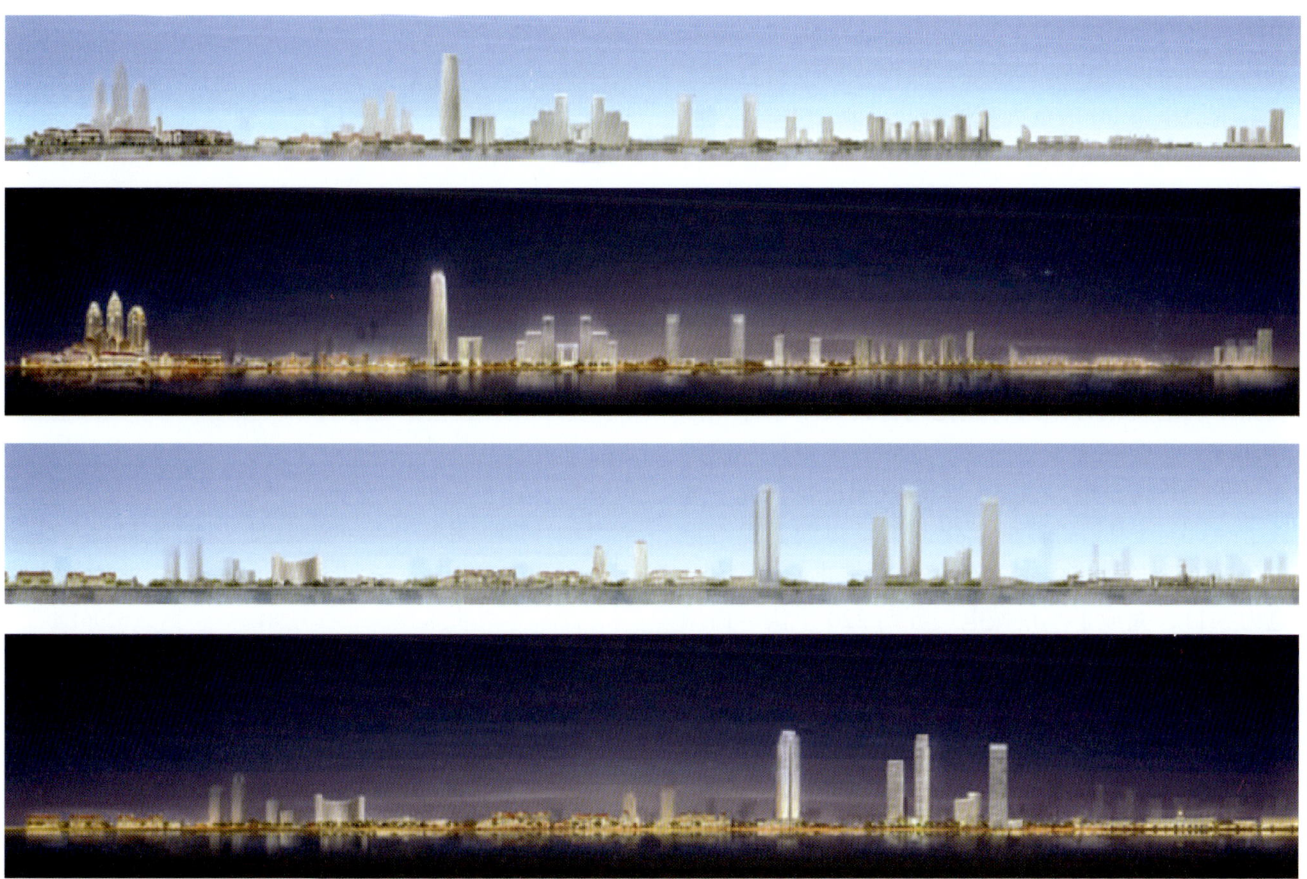

海河两岸提升改造效果

（滕人瑶）

市政基础设施规划管理

【市政工程规划管理】

保促民心工程 2009年按照市局的统一部署，狠抓重点工作目标落实，全面加强规划协调服务，确保民心工程、保开工促开工项目的规划建设。全年共召开40次市政修详规审查会，对天宾商务中心项目、天津远洋大厦、天津文化中心等93个项目进行了审查，其中，涉及中心城区2009年上半年保开工建设的重点工程项目12项，包括：天津湾二期、津湾广场、合生国际大厦、红桥区大胡同地下人防工程等6项现代服务业项目；人民医院二期、二五四医院住院楼、张贵庄新市镇城中村改造、柳林还迁房等6项民计民生项目。涉及中心城区2009年下半年促开工建设的重点工程项目4项，包括：天河广场、天津市文化中心2项现代服务业项目及天津医院、胸科医院2项民计民生项目。

围绕全市20项重大交通项目、新20项重大服务业项目和20项民心工程、市局120项重点项目以及申请国债资金项目，完成了一批重大市政基础设施规划设计方案的审查和审批工作，为天津市经济又好又快发展提供了优质高效的规划保障服务。

重点市政基础设施建设 集中力量对京津城际延伸线、津秦客运专线、津保铁路、蓟港铁路4项铁路工程的规划方案进行优化完善，其中京津城际延伸线、津秦客运专线完成了规划方案审批和建设用地规划许可证的核发工作。地铁项目，完成了地铁2、3号线规划方案的优化调整及规划方案审批工作。对地铁4、5、6号线规划方案进行了优化。电力项目，完成了军粮城电厂五期220千伏、白塘口220千伏、板桥-临港220千伏、海河下游-板桥220千伏、陈甫220千伏、地铁3号线宜兴埠35千伏专用线等35千伏以上等级电力规划方案的审查和审批工作，并通过多次实地踏勘及研究论证，完成了河西区天宾商务中心35千伏、数字大厦35千伏、和平区津塔35千伏、天津站、梅江会展中心等重点项目的电力线路审查及规划审批工作。途径天津市的南水北调工程方面，通过组织相关区政府及水利部门赴外环线实地踏勘，以工程对现状绿化破坏最小为目标，确定了南水北调工程外环线段路径规划的微调方案。借鉴以往审查、办理快速路项目经验，顺利完成了天津大道、津汉快速路、蓟汕快速路3条快速路的规划方案优化工作，并完成了复康路立交的规划审批工作。高速公路项目，完成了津宁高速、塘承高速、津汕高速、津滨高速4条高速公路工程的规划方案优化调整工作和规划方案审批工作。集中完成水环境专项治理工程中心城区全部11条河道截污管线项目的规划审查和审批工作。针对新一轮市容环境综合整治工程，一周时间内完成了光荣道、津塘路等14条市容环境整治道路的管线切改规划方案审查和审批工作。鉴于小锅炉并网工程涉及民计民生，提早安排现场服务，提早制定审查计划，提前完成了小锅炉供热并网工程的路径审查和审批工作。燃气主干管工程方面，完成了宝坻-静海-大港高压燃气管线（宝坻段）路径规划方案的审查和审批工作。其他市重点工程方面，完成了市文化中心、梅江国际会展中心、海河教育园、海河后五公里、泰安道地区等重点项目修详规及其它市政工程规划审查及部分审批工作。

2009年共核发《建设工程规划许可证》（市政）768件。

2009年全市核发《建设工程规划许可证》（市政）统计表

序号	项目	数量（件）	长度（米）
1	电力	161	536724
2	给水	119	265115.81
3	通讯	29	584797
4	燃气	67	119805
5	雨水	109	174148.99
6	污水	110	230791.56
7	供热	81	52961.4
8	铁路	0	0
9	道路	30	321677.68
10	桥梁	8	226006.5
11	河道	1	1300
12	中水	42	98565.41
13	其它	11	49333.2
	总计	768	2661226.55

【规章制度建设】 围绕全局系统开展确保和推动规

划建设项目开工服务活动，从加强制度建设、规范审查程序、积极推动市政信息化系统的建设入手，加快审批进度，提高工作效率。

建立健全市政工程规划管理制度。完成了天津市市政工程规划管理规定、修建性详细规划审查工作规程、市政长输管线规划审查工作规程、市政道路等项目建设工程设计方案审查工作规程、市政管线综合规划审查工作规程5项管理制度的制定。

结合新版市政表格及规程编制完成市政基础设施规划管理业务工作手册，进一步规范了市区两级规划管理部门的审批行为。

【管理机制建设】 为充分发挥规划保障工作，建立了对口服务保障机制和市区两级联动工作机制。

深入有关部门和基层单位现场调研。分别组织和参加赴市城投集团、市供热办、水环境指挥部、市天津大道指挥部、市铁路指挥部、市西站指挥部、东丽分局、西青分局、津南分局、北辰分局、宝坻规划局11个单位的调研和服务工作,专题研究，专人负责，定期落实。

制定市政处与各分局联络员制度，专人负责，每周组织召开局、处两级市政业务案件会审会，通过具体业务案件分析研究，对各分局市政基础设施规划管理工作进行业务指导。多次组织区县规划部门开展市政业务培训工作，就规范审查程序、业务流程调整、经典案例讲解等工作进行了培训和指导。

由分管局长带队，与其他业务处室一起对市内六区、环城四区规划分局、园区处及五区县规划局进行业务检查，对其办理业务案件的规范性、合理性、合法性及是否按照业务流程办理案件进行核查，以此规范、统一各分局及区县局业务案件的办理标准，实现依法行政和规范管理。

【规划研究成果】 探索管线综合规划新模式。通过赴广州、深圳等城市学习经验，积极探索本市管线共同沟的规划课题研究，为工程管线规划建设、修缮维护、集约土地、节约成本提供技术支持。同时拟在有条件的地区将新建管线敷设至人行道和绿化带内，避免车行道开挖建设所造成的交通拥堵，也减少车行道内检查井的设置数量，提升行车条件。

修订相关标准。完成了新版停车配建标准的修订工作，并经第10次局长办公会审查通过。

（张　洁）

区县规划管理

【区县规划业务督导】 重点对局年初确定的“三个一批”项目、纳入市联合审批的重点项目，以及国家投资的重大项目等进行指导、协调、促办，督促各区县提高项目审批效率，做好重大项目的规划审批服务，确保了各项工作顺利开展。

完善区县“一个平台、六项机制”建设。推动五区县落实“一网通”工作，使五区县业务案件网上办理率从51%上升到100%。采取多种方式帮助区县解决业务办理中的问题，不断提高区县管理水平。开展业务管理网上督查、重点项目备案和业务培训，集中进行业务管理检查，使区县业务管理不断规范化。

【规章制度建设】 制订了《天津市村庄建设规划编制技术导则》，拟结合试点村庄建设规划的编制，对导则进一步修改、完善。

（宋晓然）

地名管理

【地名管理机构调整】 根据市委、市政府《关于深化城乡规划管理体制改革的意见》的精神，2009年第一季度完成和平、河东、河西、南开、河北、红桥六区地名机构调整。六区地名办公室由原区建委、区市政局、区市政园林局调整到六区规划分局。市局地名处多次深入六区指导地名工作衔接、地名档案移交和人员培训等，保证了六个区规划分局地名工作纳入正常轨道。

【地名命名】 2009年，市、区县两级地名管理部门依照《行政许可法》和《天津市地名管理条例》等法律法规的要求，全年共办理地名命名、更名、注销审批1224条。其中外环线以内及开发区、保税区地名命名、注销914条（居民区、公建名称

86条，道路、桥梁、隧道名称9条包括更名3条，注销地名819条）；外环线以外命名、更名、注销地名310条，（居民区、公建名称242条包括更名3条，道路名称66条，注销地名2条）。

【地名规划】 2009年2月24日天津市人民政府批复《天津市中心城区道路地名规划方案》开始实施。2009年结合环城四区道路网调整，在2008年编制的《环外环道路地名规划》基础上，将道路地名规划范围，扩大至东丽、津南、西青、北辰（环外）四区，继续由天津市规划院景观所编制。下半年《环外四区道路系统地名总体规划》进入征求意见阶段。为推动区县地名规划工作开展，市局成立了地名规划工作领导小组，下发了《关于在武清区、宝坻区、静海县、宁河县开展地名规划工作的通知》，并在蓟县规划局召开四区县地名规划推动会，推广蓟县地名规划试点经验，进一步规范区县地名规划编制程序，至年底四区县地名规划已完成规划文本的编制。

【地名法规】 结合地名体制、管理工作流程，2009年制定了《天津市地名管理工作规程》，下发全市各区县地名管理部门执行。为配合《天津市地名商业冠名管理办法》的执行，制定了《天津市地名商业冠名基准价格计算规则》，已经征求全市地名系统意见，修改后报局法研处审修。

【地名信息化管理】 2009年开展网上办件，进一步规范地名数据录入标准，结合地名命名更名、注销实现地名申报、审批、备案的统一规范。自实施网上办件新举措后，全市地名申报审批业务流程时限由原来的15个工作日减至5个工作日，大幅度提高地名审批办件效率。地名处与局信息中心合作，共同建立《天津市地名信息系统》。通过到有关区县调研，对现有的地名资料及地名信息资源进行分析，从地名管理整体性考虑，年底完成《天津市地名信息系统》需求设计，初步形成地名信息系统构架。加强地名档案信息的开发利用，2009年编印出版“天津市地名指南”图集。共印制了2000套分发市区、（县）政府和各相关部门，受到普遍欢迎。指导区县上报档案备案资料348件。

【地名宣传】 全年完成人大政协建议提案4件，回复满意率达100%。随时解答群众有关地名信访20余件次，做到有问必答，不断提高地名知信度。2009年是地名与网通合作开通“114电话声讯查询地名”两周年之际，进一步加大电话声讯查询地名的宣传力度，在报纸媒体刊登文章和广告。同时在天津日报和今晚报、天津电视台、天津电台和互联网刊登消息，报道《天津市中心城区道路地名规划方案》和《蓟县地名总体规划》成果，受到社会的关注。大型电视文献片《千年古县——蓟县》，自2009年2月4日起在中央电视台、香港阳光卫视等电视节目陆续播出，让世界了解蓟县，全面展示蓟县地名文化遗产——千年古县风采。2009年还在天津日报、今晚报公告标准地名92条。继续开展地名公共服务工程，设置各类地名标志牌13503块。参加天津市社联组织的科普周活动，多渠道、多角度宣传地名。

（杜伟明）

测绘管理

2009年，测绘管理工作紧紧围绕局中心工作，按照局《二〇〇九年工作要点》，认真贯彻实施《国务院关于加强测绘工作的意见》和《天津市测绘事业发展“十一五”规划》圆满完成了各项工作任务，为城乡规划建设经济社会发展起到了服务保障作用。

【测绘行政许可管理】 依法办理测绘行政许可事项52件次。其中国家基础测绘成果资料提供使用审批23件次，对外提供测绘成果审批7件次，测绘资质（乙、丙、丁级）审批14件次，测绘作业证审核1件次，地图编制审核7件次。出具国家秘密基础测绘成果资料使用证明函53个。

【测绘市场管理】 加强测绘质量监督管理，提高测绘产品质量。以对历史负责、对人民负责的精神做好测绘产品质量监督检验工作。组织市测绘产品质量监督检验站制定了《天津市测绘成果质量监督检验技术方案》和《测绘单位技术、质量保证体系考核标准》，召开了测绘产品质量监督检验培训会。

聘请了测绘专家参与检验。在原每单位抽取2个项目的基础上，2009年按作业范围各抽取2个项目，从2008年汇交测绘成果中随机抽取了212个测绘项目进行检验，同比增加47个项目。已有79家测绘单位上报检验成果资料175件，全部检验完毕，并适时召开检验结果发布会。

加大执法监察力度，规范测绘市场。为维护国家安全，根据国家测绘局等八部委关于开展地理信息市场专项整治工作安排，配合市局法监处起草下发了《关于天津市从事地理信息活动单位开展自查自纠工作的通知》（规测字〔2009〕534号），要求全市各测绘单位开展自查自纠工作，上交自查报告100份，占全部测绘单位的100%。并联合保密局、国家安全局、测绘产品质量监督检验站等单位和部门，先后对天津迪特科技发展有限公司、国家海洋信息中心、中铁隧道勘测设计院有限公司和天津市锦润信息科技有限公司等四家测绘资质单位进行了实地检查，未发现违法问题。

测绘宣传力度不断加大。组织参加国家测绘局7月1日至5日在北京展览馆举办全国地理信息产业峰会和全国地理信息应用成果及地图展览会，天津市测绘院和天津勘察院设立展位，全市各区县测管部门和各测绘单位500余人参加了峰会，参观了展览。市规划局荣获优秀组织奖，测管处周鸿翔同志荣获先进个人称号。

根据国家测绘局的统一部署，8月28日上午，组织各区县测管部门和各测绘单位500人进行《测绘法》大型宣传咨询活动。广泛宣传了《中华人民共和国测绘法》《中华人民共和国测绘成果管理条例》《基础测绘条例》和《天津市测绘管理条例》。详细讲解了测绘工作在城乡规划建设、经济社会发展及人民群众生活中的作用、测量标志保护、地图种类、如何使用地图、判断真假地图等方面的情况，回答了市民关于房产测绘、测绘资质管理、测绘成果管理等方面的问题。宣传活动中制作展版200余块，发放各种宣传材料近万份，接待群众5000余人。天津电视台、每日新报、北方网、中国测绘报等新闻媒体均作了专题报道。

【测绘成果管理】 基础测绘工作：1:10000地形图全市域覆盖12000平方公里，80坐标系553幅，90坐标系773幅。1:2000数字化地形图全市域覆盖12000平方公里，15069幅；1:500数字化地形图覆盖中心城区400平方公里，7970幅；建立了各类地形图数据库和地理信息服务系统；机载LIDAR航空摄影完成飞行24个架次，3930平方公里，完成城市三维立体建模，中心城区精模98平方公里，外环线以内体块模型334平方公里。

测绘成果应用水平不断提高。基础测绘成果广泛应用于城市规划、滨海新区开发开放、小城镇规划建设、社会主义新农村建设及重点工程规划建设。为实现“每一寸土地都有规划”的目标奠定了坚实的基础。工程测绘广泛服务于铁路、公路、桥梁、国土、海洋、水利、规划建设等各个领域。有的测绘单位还走向了全国市场，打入了国际市场。

完成天津市湿地地理信息采集与动态变化分析项目，并经国家测绘局组织的专家评审获得好评。与燃气集团合作开发了天津市燃气管网地理信息管理系统、与自来水集团合作开发了天津市自来水管网地理信息管理系统、与园林局合作开发了天津市园林绿化地理信息管理系统、与公安警卫局合作开发了奥运安保地理信息管理系统。

依据《中华人民共和国突发事件应对法》《中华人民共和国测绘法》《中华人民共和国测绘成果管理条例》《国务院关于加强测绘工作的意见》《天津市测绘管理条例》，制订《天津市测绘应急保障预案》。健全了天津市测绘应急保障工作机制，有效整合利用我市测绘资源，提高测绘应急保障能力。

【测绘资质管理】 为贯彻2009年6月1日实施的《测绘资质管理规定》和《测绘资质分级标准》并为2010年初测绘资质复审换证工作做好准备，组织全市各区县测管部门和测绘单位在静海进行了集中学习培训。邀请国家测绘局行管处李媛媛处长授课，北京四维益友公司专家讲解国家测绘局强制推行的《测绘资质管理信息系统》，收到良好效果。

加强测绘资质管理，严格准入制度。按照国家测绘局《关于做好2009年测绘资质年度注册工作的通知》（测办[2009] 9号）的工作部署，结合天津市实际，组织实施并完成了2009年测绘资质年度注册工作。在既有测绘资质单位97家中按要求进行筛选确认，有91家需要注册。经过严格审查，同意按期注册的88家。不同意注册，注销测绘资质的3家，其中乙、丙、丁级各1家。达到了优胜劣汰，不断整合提高的目的。

起草拟定了2010年测绘资质复审换证和配发

作业证方案，并征求了各区县测管部门意见。提出按注册地点申报，市区县两级联合审查，市级审批的工作思路，为今后属地化管理创造条件。

2009 年，新批准测绘资质 8 家，其中乙级 2 家；丙级 4 家；丁级 2 家。批准升级和增项的 3 家。受理 4 家法定代表人、单位名称、单位住所变更申请。

截止目前，全市共有测绘资质单位 100 家，其中甲级 16 家；乙级 27 家；丙级 51 家；丁级 6 家。

【测绘基础设施建设工作】 建立天津市 GPS 连续运行参考站网 12 个。市域平面控制 A 级点 1 个；B 级点 27 个；C 级点 197 个。市域高程控制一等水准点 512 个，路线长 1475 公里；二等水准点 1440 个，路线长 5436 公里。各类测量标志 4087 个，形成了完善的测绘控制网。全市统一启用天津市 1972 年大沽高程系、2008 年高程，1990 年天津市任意直角坐标系，正在推进国家 2000 大地坐标系转换工作。

【测绘人才队伍建设】 按照国家测绘局、人力资源和社会保障部的部署，积极组织注册测绘师考核认定工作。经多方努力，全市测绘行业中有 23 人被认定为注册测绘师，其中市管单位 7 人，中央驻津单位 16 人。

为做好测绘行业职业技能鉴定工作，组织 13 人参加了国家测绘局组织的考评员培训，其中 5 人获得了高级考评员资格，8 人获得初级考评员资格。

组织测绘行业职业技能鉴定天津站，开展了天津市测绘行业职业资格技师鉴定工作，各测绘单位有30 人报名，其中 18 人通过技师资格认证。

积极组织测绘单位参加国家测绘局举办的首届全国测绘行业职业技能竞赛，天津市测绘院、天津市勘察院代表天津市测绘行业分别参加了大地测量工程测量竞赛，取得较好成绩。

组织测绘计量检定人员资格认证考试，进一步规范测绘计量人员管理。

【测绘科技工作】 天津市机载 LIDAR 航测（环外环以内）已列入市财政预算备选项目，通过获取环外环范围内的 LIDAR 点云和数码航片数据，制作大比例尺 DSM、DEM 和 DOM，建立全数字三维地形模型，为制作中心城区三维虚拟场景提供依据。

（刘亚杰）

城建档案管理

【城建档案立法】 2009 年依据《天津市城市规划条例》、《关于印发<关于深化城乡规划管理体制改革的意见>的通知》（津党发〔2008〕8 号文），研究编制了《天津市城市建设档案移交管理办法》、修改完善了《天津市城市建设档案利用办法》。《天津市城市建设档案移交管理办法》，明确了规建系统专业管理单位和专业部门、建设单位在规划、建设、管理活动过程中，应承担的城建档案工作职责，疏通了城建档案的接收渠道，从而保护了城建档案资源；明确了工程档案的具体接收内容，使档案接收工作更具可操作性；规定了城市建设档案管理部门应采取“一站式”服务，设立接待窗口统进统出，在规定时限内对工程档案的验收分别开具认可文件。进一步规范规划、建设管理系统各专业主管部门依法移交有价值的各类城建档案，规范各建设单位依法移交新建工程档案，从而保护天津市的城建档案资源，更好地为城市建设服务，为经济建设服务。《天津市城市建设档案利用办法》，主要完善了三个方面管理工作：对档案利用方式进行了调整，增设出具档案证明，在档案复制件上注明利用原因，更好的维护档案信息的安全；正确处理政府信息公开与受理、档案开放与利用的关系，在城建档案的利用活动中明确了开放档案的内容，最大限度的落实政府信息公开条例，满足人民群众对城建档案的利用需求；对利用城建档案的市民和单位，做了明确规定，方便了更多的用户对城建档案进行利用，以上两个办法已报市规划局待批。

参加了建设部办公厅《城建档案业务管理规范》和《城市轨道交通工程归档整理规范》两个国家级业务规范的起草工作。《城建档案业务管理规范》规定了城建档案业务指导、接收与移交、整理、编目、统计、鉴定、保管与保护、电子文件与电子档案管理、声像档案、信息化与信息安全、档案编研、信息公开与服务、综合评估体系等方面业务工作的内容与程序、管理方法、要求、控制措施或手段以及指标体系。并对城建档案的基本工作用表、目录等进行了统一示例。为全国统一信息平台、实现城建档案资源共享奠定了基础。《城市轨道交通工程归档整理规范》明确了城市轨道交通工程文件归档范围、组卷方法及归档质量要求，规定了竣工档案验收及移交程序和要求。此标准共分8章，包括总则、术语、基本规定、工程文件的归档范围及内容、工程文件的归档质量及组卷、工程文件的归档、工程档案的著录、工程档案的验收与移交。

《天津市建设工程文件归档整理规程》于2004年颁布实施，实施五年来，对全市新建工程档案管理、整编、归档工作起了重要作用，有利保证了档案整编质量，保护了档案资源。为使其更好的为建设单位服务，2009年着手修改该《规程》，已经在天津市建委正式立项，完成调研工作、合同的上报工作，计划于2010年6月完稿。修改的主要内容包括：城市建设档案管理程序；归档内容、声像档案具体归档的材料名称、著录结构；纸质档案的著录项目、扫描内容等。修改后的《天津市建设工程文件归档整理规程》进一步明确了纸质、电子、声像载体档案的具体接收内容，更具操作性，实用性。为统一建设工程档案验收标准、为建设工程档案完整、准确、系统的归档提供技术标准和质量保障。

《天津市城市建设档案管理规定》自2003年颁布实施，对我市城建档案管理工作起到了重要的作用。2009年市政府规范性文件清整，城建档案管理处以此为契机，重新研究讨论该《办法》的作用和意义，建议保留并修改部分条款，已上报修改说明。

【区、县城建档案管理】 围绕“保增长、渡难关、上水平”的工作大局，全面加强城建档案的协调服务。以保障规划行政审批效率为重点，压缩档案预验收时间，简化程序，提高效率。进一步完善建设工程档案管理流程，《建设工程档案验收认可证》申办流程，形成规范化表式及填写样式。制定了《天津市建设工程档案归档范围及内容》、编写制作了《工程档案培训手册》，不断完善城建档案法规体系，指导与规范日常工作。

针对环城四区工程多，数量大的情况，制定了《环城四区工程档案验收暂行办法》，实行了急事急办、特事特办，为环城四区规划验收行政审批缩短了时间，保证了工程项目早日投产。

为使区县城建档案管理工作顺利开展，加大调研力度，调研了新四区规划局、塘沽区城建档案馆、开发区城建档案馆图书馆、大港区规划局等十余个单位，了解城建档案管理近况，了解在工作中存在的问题，为全面推动我市城建档案管理工作整体上水平，确定北辰区规划局档案室、蓟县规划局档案室为试点单位，全面开展城建档案工作。

【市局机关档案管理】 以天津市规划局机关档案室为试点单位，加强业务档案管理，组织人员修改完善了《天津市规划局局机关业务档案分类方案》。先后到局机关相关业务处室学习、研究，提出修改意见，请各专业技术人员给予指导，同时征求相关分局档案工作人员的意见，使修改后的《分类方案》能够满足局机关档案管理工作和各分局档案管理工作的需求，推动全局、全系统档案工作整体水平的提升。

为保证市局机关业务档案及时、完整、准确地归档，组织人员编写了《建设项目规划管理文件档案整理规范》。统一了整编标准，为形成完整、准确的建设项目规划管理档案奠定了基础。

【执法、培训与服务】 强化了依法管理、程序化管理和质量管理，调整了新建工程档案管理业务工作流程，严格新建工程档案的质量把关，对整编合格的报验档案开据档案预验收证明480个工程，其中市区159个，新四区316个，市局5个；认可证确认函63个工程，其中市区21个，郊区县42个工程项目。

市城建档案管理处每季度定期开展告知培训。凡新建工程建设单位在领取规划许可证的同时，都得到告知培训通知，2009年培训5次，其中4次告知培训。1次津秦铁路客运专线专题培训，200余人参加。

深入贯彻执行国家档案局8号令，组织了规划局档案专兼职人员培训，共40个单位130人参加，培训内容为文书档案的整编要求和《建设项目规划管理文件档案整理规范》，进一步提高了局系统档案管理人员的业务水平。

对市规划局及各分局的执法、监察人员开展了建设工程档案管理流程的培训，从城建档案的定义、范围，到全市城建档案、新建工程档案的管理，进行了详细的讲解，同时制作相关规范化表式，且全部要求规范化填写，将工程档案的监察管理落到实处。

市城建档案管理处加大了对重点工程建档工作的服务力度。工作中积极宣传贯彻城建档案工作的法律法规和有关标准规定，坚持依法治档。从建设单位需求的角度出发，耐心细致地为来访单位讲解工程档案的报验程序和质量标准，服务方式上突出主动性、超前性和及时性，主动深入到天津站、京津城际、津秦铁路客运专线、天津机场等重点工程现场，为其工程建档、报验提供指导服务。派专人根据工程进度及档案整理工作需要，不定期深入工程现场服务，协助建设单位督促各参建单位进行工程档案资料的积累和整理工作，指导工程档案的整理方法，并定期对该工程档案的整理成果进行检查纠正，直到工程竣工后档案资料顺利移交城建档案馆。

（李丽婷）

西岸艺术馆

法治建设

2009年全市规划法治建设取得新进展。《天津市城乡规划条例》经市十五届人大常委会第十三次会议全票通过。《条例》的实施，对于完善城乡规划法规体系，充分发挥规划作用，维护规划严肃性、权威性，具有重要意义。目前，初步形成两个地方性法规（天津市城乡规划条例、天津市地下空间规划管理条例）、三个政府规章（天津市城市雕塑管理办法、天津市城市规划管理技术规定、天津市规划控制线管理规定）和多项规范性文件构成的法规体系框架。

市十五届人大常委会第十次会议听取并审议市政府委托市规划局作的《关于我市城乡规划编制（修编）和执行情况的报告》，认为全市规划系统认真落实市委、市政府对城乡工作的要求，规划编制体现了中央对天津的城市定位，城市功能显著提高，城乡面貌明显改变，投资环境明显改善，有力地促进了全市经济社会协调发展。

开展了全市城乡规划效能监察工作，对各区县城乡规划编制、审批、实施和调整情况进行检查，形成“两个体系、三个层面、二级督查”城乡规划巡查工作框架。加大在建项目的跟踪查验力度，有效遏制了违法建设行为，证后违法建设案件呈大幅下降趋势。

天津市城乡规划条例

【制定背景】 《城乡规划法》自2008年1月1日起施行。这一法律的施行给城乡规划和管理工作带来了新的变化，提出了新的制度、规定和要求。贯彻实施《城乡规划法》，需要结合天津实际，制定具有可操作性的《天津市城乡规划条例》（以下简称《条例》），适应天津新的发展历史时期的需要，促进城乡经济社会全面协调可持续发展。

为贯彻实施《城乡规划法》，进一步提高规划和建设水平，市委、市政府2008年7月下发《关于深化城乡规划管理体制改革的意见》，确定市规划局的一些规划管理事权，主要是建设项目管理事权下放给区、县规划管理部门。按照规划体制改革的要求，规划管理全过程必须做到有法可依、有章可循，市规划行政主管部门进一步加强规划的宏观管理与指导，加强对规划实施的监督检查。制定《条例》是体现“搭建一个平台”、“建立六个机制”要求，实现规划管理体制改革“放而不乱、管而有序”的重要保障。

规划是城乡发展的总纲，是城乡管理的依据。《条例》的制定坚持贯彻科学发展观，统筹城乡协调发展，建立统一的城乡规划体系。树立城乡并重、城乡一体的理念，着重解决当前乡和村庄规划缺位、缺失或规划虚化、缺乏刚性约束等问题，切实加强乡和村庄规划管理水平，促进城乡联动，优化城乡布局，加快推进社会主义新农村建设，促进城镇化健康发展。按照“工业反哺农业，城市支持农村”的方针，在空间资源配置、发展目标协调、城镇基础设施等方面向乡村延伸。通过地方立法、促进和推动城乡一体化进程，全市建立统一的城乡规划体系；坚持提高城乡规划制定的科学性，保障规划实施的严肃性和权威性。这是保证规划实施和规划作用发挥的重要条件。地方立法应当在规划制定、实施、修改、监督等各个环节体现规划的严肃性和权威性；坚持建立事权统一的规划行政管理体制，保障规划的全面实施。明确各级人民政府包括乡镇人民政府组织编制和审批城乡规划、实施城乡规划方面的权力和责任，以及各级人民政府依法行使各自的规划管理权、监督权。通过不同层级规划管理事权的划分，形成强有力的规划管理体制，保证城乡规划的实施。

【制定过程】 2008 年《城乡规划法》实施后，开始着手《天津市城乡规划条例》起草的前期工作，组织进行起草、调研，分别征求规划系统各单位意见和有关委、办、局以及区、县政府意见，进行研究、修改，形成送审稿，2009 年 3 月 18 日报送市政府法制办。

2009 年 5 月 31 日，市政府第 30 次常务会议审议并原则通过《天津市城乡规划条例（草案)》，提请市人大常委会审议。

7 月 22 日，市十五届人大常委会第十一次会议第一次审议《条例（草案)》，市规划局局长尹海林受市政府委托做了《条例（草案)》的说明。

会后，市人大常委会法工委通过市人大网站、规划展览馆等方式广泛征求社会各界意见、建议，并征求了部分立法专家的意见。

9 月 23 日，市十五届人大常委会第十二次会议第二次审议《条例（草案)》。会议决定，由市人大法制委员会根据会上所提意见对法规草案进行修改后，再提请常委会会议审议。

11 月 18 日，市十五届人大常委会第十三次会议第三次审议《条例（草案)》。

11 月 19 日，市十五届人大常委会第十三次会议审议通过《天津市城乡规划条例》，自 2010 年 3 月 1 日起施行。

【主要内容】

一、总则

一是明确城乡规划的权威性和法定性。《条例》第三条规定：“本市坚持先规划后建设原则。城乡规划是进行规划管理和各类建设的依据。各类建设活动必须符合城乡规划，服从规划管理”。

二是明确各级政府及规划主管部门的规划管理权限。《条例》第六条规定：“本市城乡规划工作实行统一领导下的分级管理。市城乡规划主管部门负责本市行政区域内的规划管理工作，并根据工作需要设立派出机构，负责指定区域的规划管理工作。区、县城乡规划主管部门，在市城乡规划主管部门的领导下，负责本行政区域内的规划管理工作。区、县城乡规划主管部门根据工作需要，在乡、镇设立派出机构，承办指定区域的规划管理工作。乡、镇人民政府负责本行政区域内的规划管理工作。规划管理权限的具体划分，由市人民政府规定。”

三是为了增强规划的科学性，提高城乡规划实施和监督管理的效能，实现《关于深化城乡规划管理体制改革的意见》中“搭建一个平台”的要求，《条例》第九条规定：“规划管理应当采用先进的科学技术手段，建立统一的电子网络系统，实现城乡规划信息资源共享，增强城乡规划的科学性，提高城乡规划实施及监督管理的效能。第二款规定：“本市建设项目的规划许可审批应当统一标准、统一规范。”

二、城乡规划的制定和修改

一是为了进一步改进规划制定方法，增强规划的科学性、前瞻性，加强对规划编制的管理，《条例》第十三条规定，建立城乡规划编制的计划管理制度。城乡规划编制计划由市城乡规划主管部门组织编制，报市人民政府批准后实施。

二是为了提高规划的公信力，强调规划编制的公众参与。《条例》第十五条规定，城乡规划报送审批前，城乡规划组织编制机关应当依法将规划草案予以公告，并采取论证会、听证会或者其他方式征求有关部门、专家和公众的意见。总体规划的公告时间不得少于三十日。公告期内，公众可以向城乡规划组织编制机关对规划方案提出书面意见和建议。城乡规划组织编制机关应当充分考虑有关意见和建议，并在报送审批的材料中附具意见采纳情况和理由。城乡规划组织编制机关应当自批准之日起二十个工作日内向社会公布经依法批准的城乡规划。

三是为了规范城乡规划的编制和审批权限，《条例》第十八条至二十四条分别对各类城乡规划的编制和审批程序作了详细规定，在对城乡规划科学分类的基础上，理顺了城乡规划的编制和审批体制。

四是为实现城乡统筹发展，依法加强乡村规划管理，保证乡村建设严格按照规划实施。《条例》第二十五条规定了乡、村规划编制和审批程序。

五是为了规范城乡规划的修改程序，《条例》第二十八条至三十二条对总体规划、近期建设规划、控制性详细规划等规划的修改规定权限和严格的程序。

三、城乡规划的实施

一是《条例》第四十三条进一步明确办理选址意见书和规划条件的建设用地范围。第四十四条明确办理选址意见书和规划条件的法定要件和办理程序。将办理选址意见书的时限由原来的 2 个月压缩到 20 个工作日。

二是《条例》第四十五条、第四十六条和第四十七条分别规定划拨方式、出让方式以及前两种以外的方式取得国有土地使用权的建设项目办理建设用地规划许可证的要件和程序。

三是《条例》第五十四条根据《城乡规划法》的要求，明确办理建设工程规划许可证的要件和程序。审批环节取消对建设工程设计要求的审查。审批时限由原来的 44 天缩短为 20 个工作日。

四是增加了乡村建设规划管理的内容。为改变乡和村庄规划管理薄弱、村庄建设混乱、土地资源浪费严重的现状，保证新农村建设的顺利进行和城镇化发展的需要，《条例》第五十九条、第六十条和第六十一条等对乡村建设规划许可证的申请、审查、核发和变更等程序做了规定。

四、监督检查与法律责任

一是确立监督检查主体和监督检查情况公开制度。《条例》第七十条规定“市和区、县人民政府及其城乡规划主管部门应当依法对城乡规划的编制、审批、实施、修改和相关建设活动进行监督检查，并将监督检查情况向社会公布。”

二是进一步明确对建设工程规划许可情况的查验。《条例》第七十一条规定：“建设单位或者个人应当按照建设工程规划许可证或者乡村建设规划许可证的要求施工，接受城乡规划主管部门的监督检查。城乡规划主管部门的工作人员履行监督检查职责，应当对建设工程是否符合建设工程规划许可证或者乡村建设规划许可证的要求进行查验。被检查的单位或者个人应当如实提供情况和必要的资料，不得拒绝和阻挠。检查人员应当为被检查的单位或者个人保守技术秘密和商业秘密。”

三是强化行政层级监督，确立市政府对城乡规划管理的事权调控制度。《条例》第七十二条规定“城乡规划主管部门违规编制、审批、修改城乡规划、审批建设项目或者进行规划验收的，由同级人民政府或者上级城乡规划主管部门责令其撤销或者直接予以撤销，并通报批评，责令限期整改。区、县人民政府违规编制、审批、修改城乡规划、对违法建设行为不依法履行监督检查职责，或者监督检查不力的，由市城乡规划主管部门报市人民政府决定撤销或者责令履行职责。有前两款所列行为情节严重或者逾期不改正的，市人民政府可以决定暂停审批该区、县城乡规划,暂停该区、县的规划实施的行政审批。暂停期间，其行政审批由市城乡规划主管部门行使。”

四是加大对各类违法行为的查处力度，对违法进行规划编制、设计、建设、施工、测绘和不依法进行验收、档案移交等方面违法行为规定相应的行政处罚。

（李维东　穆　静）

执法监察

【机制建设】 结合各区县证后管理、违法案件查处规定执行情况的调研，进一步完善违法行为查处工作规程和违法行为处理标准等相关配套管理规定，保证执法监察全过程有法可依、有章可循。制定下发《关于加强城乡规划巡查工作的通知》，对各分局、区县局巡查时间、巡查覆盖率、台帐记录、巡查任务完成情况、案件查处率、结案率等进行统一规范，推动执法监察工作实现全市域“一套机制”监管，保证城乡规划对建设的引导和调控作用。

【证后管理与服务】 按照“预防为主、事先防范与事后查处相结合”的工作思路，加大在建项目的跟踪查验力度和重点项目现场服务力度，有效地遏制了违法建设行为，证后违法建设呈大幅下降的趋势。2009 年全市共开展规划验线的建筑工程 520 项，建筑规模 1046.73 万平方米；规划验收的建筑工程 1117 项，建筑规模 1870.13 万平方米；规划验线的市政管线工程 217 项,建设规模 17.6 万米；规划验收的市政管线工程 29 项，建设规模 5.8 万米。对中心城区存在问题的证后管理和违法查处案件进行市局各部门会审，共组织会审会 14 次，会审 48 个案件，统一了各分局的案件处理标准。全年以片会交流、到各区县规划（分）局和建设单位服务 40 多次。

【违法建设查处】 建立健全城乡规划实施的监督检

查体系，形成“两个体系，三个层面，二级督查”的城乡规划巡查工作框架。利用网络系统、定期不定期抽查、现场巡查、阶段性数据统计等开展监督检查工作。全年规划巡查共出动4854人次，巡查677个重点地区，发现违法建设行为210起，其中转各级综合部门139起，其余71起,正在按相关程序办理。

【违规变更规划调整容积率专项治理】 按照住房和城乡建设部、监察部专项治理工作领导小组办公室的安排部署，从2009年4月起先期开展了违规变更规划、调整容积率问题的专项治理。一是成立了专项治理工作领导小组。二是制定了实施方案，明确了指导思想和工作依据、组织机构和职责分工、主要内容、进度安排和有关要求。同时明确了规划、监察和国土资源主管部门的工作职责，完善了各负其责、联动办公、信息共享、情况互通、齐抓共管的协调机制。三是组织了学习培训，规范了标准。四是进行了自查自纠和整改规范。从自查和审查的87个项目情况分析，容积率和规划调整的主要是一些遗留未实施建设开发的项目；未按照出让合同或批准的规划方案进行开发建设造成实际总建筑面积超出合同规定的项目；因市政基础设施和公益性公共设施调整造成可用地面积相对减少的项目等。制定了整改标准，进行了调研督查，取得了阶段性工作成效。

【地理信息市场专项治理】 围绕地理信息获取、提供、使用、生产、出版和传输6个环节，完成了地理信息市场总体情况摸底；对全市100家测绘单位下发通知，组织开展自查自纠；进行专项整治抽查，责成市测绘产品质量监督检验站对43家测绘单位2008年1月1日–2009年5月31日期间的测绘成果进行检查，针对问题及时下达了《责令限期整改通知书》。

【互联网地图和地理信息服务专项治理】 以地图网站整治为重点，共搜索检查网站75个，发现问题网站4个，均进行了立案查处，已结案。

（刘庆文）

长虹公园

2009年执法监察工作情况统计表

表1　　中心城区违法建设案件办理统计表

	立案数（件）	办结案件数（件）	在办案件数（件）	罚款（万元）	备注
2008年	175	163	16	681.5	
2009年	77	59	18	4641.9	

表2　　中心城区建设工程证后管理统计表

	规划验线		规划验收	
	数量（件）	面积（万平米）	数量（件）	面积（万平米）
2008年	367	1044.88	624	1998.75
2009年	520	1046.73	1117	1870.13

表3　　中心城区市政工程证后管理统计表

	规划验线		规划验收	
	数量（件）	长度（万米）	数量（件）	长度（万米）
2008年	221	21.12	24	1.3
2009年	217	17.6	29	5.8

表4　　行政复议工作统计表

		受理（件）	结案（件）	维持（件）	撤销（件）	终止（件）	驳回（件）	备注
2008年	市局立案	51	51	50	0	1	0	
	市政府立案	0	0	0	0	0	0	
	合计	51	51	50	0	1	0	
2009年	市局立案	14	11	9	0	0	2	
	市政府立案	53	53	53	0	0	0	
	合计	67	64	62	0	0	2	

表5　　行政应诉工作统计表

	受理（件）	维持（件）	撤诉（件）	备注
2008年	26	26	0	
2009年	175	174	1	

表6　　信访工作统计表

	接待群众来访批次（批）	接待群众来访人次（人）	收到群众来信（件）	接听专线电话（个）	列入督查事项（件）	督查案件办结（件）
2008年	395	1738	242	4693	13	13
2009年	369	1193	342	4387	12	12

科技调研与信息化建设

科技工作

【科技研究】 积极组织协调重点课题和研究项目，2009年在住宅建设部申报并获批立项项目7项，分别为：《生态城市规划编制方法与技术体系研究——以天津市为例》、《混凝土自动元胞数值仿真试验研究》、《基于GIS的城市规划编制协同工作决策研究》、《公共建筑中央空调系统节能技术及运行策略研究》、《天津市地下管线信息动态管理决策支持平台建设》、《可持续系统整合模型在天津市塘沽区城市规划中的应用研究》、《CBD中市政工程规划的研究与应用——以滨海新区于家堡金融区共同沟的规划建设为例》。

【科技管理】 2009年共召开6次局技委会，分别审议了《天津市大悦城项目交通影响评估》《天津市规划局技委会工作规则》《天津市中心城区控制性详细规划修编方案》《天津市建设项目配建停车场（库）标准》《天津市地下空间总体规划(2009-2020年)》《天津市城市总体规划实施评估》并审查了指挥部重点组京津公路地区、西站地区、文化中心地区、东丽湖地区和海河后5公里等5个地区的城市设计以及《天津市控制性详细规划编制规程（试行)》和《天津市土地细分导则编制规程（试行)》（2009年度技委会会议纪要原文见附录)。

【科技进步】 完成局系统科技进步先进集体和先进个人的评选工作，市规划研究院等5单位被评为局科技进步先进集体，市规划院宋志英、市建院卓强、市勘察院王力、刘月辉、市测绘院王光升、廉光伟等6名同志被评为局科技进步先进个人。加强了与建设部科技司和市科委有关部门的联系，先后走访了上述单位，密切了关系，赢得了对市局科研工作的支持。

按照中国城市规划协会“关于开展二〇〇九年度全国优秀规划设计评选活动的通知”、住房和城乡建设部“关于开展二〇〇九年度全国优秀村镇规划设计评选活动的函”的要求，为了做好天津市优秀规划设计项目的推选和申报工作，科技处组织开展了2009年度天津市优秀规划设计和村镇规划设计评选活动。局领导对此项工作高度重视，尹海林局长与主管副局长多次召集会议进行研究，根据局领导的要求，为把评选工作做好、做实、评出水平，先后到市规划院、渤海规划设计院、市建院等单位进行调研，同时组织全市各规划设计编制资质单位进行报优工作专项培训，对各单位上报的48个项目，认真地进行初审，对存在问题与有关处室积极配合协调。于11月21日召开专家评审会，44个项目符合申报要求，参加市评优。对获二等奖以上的项目将推荐参加全国优秀规划设计和村镇规划设计评选活动。

在全局系统开展科技论文征集工作，共征集科技论文147篇。完成了2009年度科技论文评选工作，共评出局系统优秀论文一等奖6篇、二等奖9篇，三等奖22篇，同时筹备第一次局系统优秀论文点评会，以扩大2009年优秀科技论文评选工作的影响，提升研究水平。通过年会的筹备工作，锻炼了能力，增长了才干，高质量地完成了会议保障任务。

高质量完成了第23届科技活动周的组织活动，市局获市第23届科技活动周先进组织单位称号。

【制度建设】 为落实局领导提出的二十项重点工作，针对局科研工作中存在的薄弱环节，研究拟定了《关于改革科技工作管理机制提升科研水平的实施意见》，改革管理模式，创新管理机制，将实行多年的科研计划管理模式改革为科研项目招标制，紧紧围绕制约市规划系统发展的瓶颈问题，确定研究重点、聘请专家领衔、提高经费配比，对下一步局加强科技工作管理，加快科技机制改革提出了指导性意见。

为进一步提高市局管理工作水平，年初局技委会重新进行了调整，充实人员、落实责任、完善制度，较好地处理了规划管理工作中编、管、用三者之间的关系。就全面加强局系统技术审查机制进行研究，重新起草《技委会工作规则》，起草《天津市规划局特聘专家管理办法》和《天津市规划局专家评审费管理办法》，对技委会工作、特聘专家管理以及评审经费都做出了具体规定。

加强基础工作，下发了《天津市规划局优秀科技论文评选办法》，起草了《天津市优秀城乡规划设计奖评选管理办法》及《天津市规划局科技项目管理办法》。

【行业管理】 2009年初在学习实践科学发展观的教育活动中，针对天津市规划设计资质管理的现状，研究加强行业管理规范设计市场，实施对策并制定计划抓好落实，从规范规划设计合同入手，加强行业管理工作，先后3次与市工商局进行沟通，并以天津市规划局、天津市工商局名义印发了关于执行《天津市城乡规划设计合同》的通知，并与市工商局联合召开由全市各规划设计单位和各区县规划分局负责同志参加的“执行规划设计合同文本发布会”，该合同2009年6月1日起全面执行。

经过与局业务处和财务处的多次协调，落实规划设计资质信息系统开发经费，完成政府采购招标和网络设计任务。

对“点石规划设计有限公司”未按规定重新申报的问题，按法律规定程序撤消原行政许可并在天津日报上发布公告，加强了行业管理，规范了设计市场。

与天津城市规划学会合作，完成了2009年度规划行业科技论文有奖征文活动，评出一等奖2篇，二等奖3篇，三等奖3篇。

2009年度规划局系统获奖科技论文

一等奖：（6篇）		
规划院	《禁建区、限建区生态控制性详细规划编制技术初探》	杨建敏、马晓萱、董秀英
规划院	《环放式路网在天津的实践发展》	蒋寅、曹伯虎
规划院	《对我国城市设计审议制度建立完善的若干思考——美国城市设计审议制度经验借鉴》	霍玉婷、白慧艳
规划院	《城市抗震防灾规划元数据标准研究——基础设施元数据模型》	李刚、许倩英、刘惠瑾
规划院	《风貌建筑在城市复兴中的作用》	张润兴
规划院	《大面积填土对桩基产生负摩阻力中性点位置确定》	王华、王东、周健永
二等奖：（9篇）		
规划院	《城市边缘区空间扩展规划策略研究——以天津市环外新家园居住区选址建设研究为例》	陈新、柴秀梅、王魁
规划院	《循环经济产业区规划研究——以天津子牙循环经济产业区规划为例》	田野、宫媛
规划院	《应对城市蔓延的天津滨海新区“多中心”模式》	周艺怡、范小勇
规划院	《变革思路厘清水系整体提升——优先改善天津中心城市水环境的策略》	赵树明、王方、刘健
规划院	《文化生态视角下的天津工业遗产再利用》	于红
建院	《概念设计在超高层结构设计中的应用》	赵宇欣
测绘院	《车载GPS定位系统在奥运安保工作中的应用》	王冬
测绘院	《基于连续运行参考站网系统的天津市地面沉降分析》	张志全、汪伟
勘察院	《静力触探确定沉管灌注桩单桩极限承载力方法》	周玉明、郭阳旭、王晓建、孙怀军

续表

三等奖：（22 篇）		
规划院	《大型枢纽机场对外交通集疏运方法研究——以天津滨海国际机场为例》	杨夫军、阴炳成、李科
规划院	《天津市城乡交通统筹规划的思考与实践》	原涛、初红霞
规划院	《大都市地区新农村建设规划探讨》	马晓萱
规划院	《轨道交通市域线与城区线衔接模式研究——以天津市为例》	崔扬、袁文凯、周欣荣
规划院	《浅谈城市文化与城市规划的关系》	王海天
规划院	《新农村公共设施配置体系探讨》	谢水木
规划院	《旅游开发中的非物质文化遗产保护》	史延冰
规划院	《谈目前我国新农村规划内容的偏离》	杨建敏
规划院	《持续性城市设计的滨海实践》	沈佶
规划院	《天津市城市色彩研究（一）——城市色彩规划方法》	赵春水、沈佶、谭春雷、吴静子、赵大鹏
规划院	《华明镇景观规划与设计（初稿）》	赵春水
规划院	《协调人地、人海关系：天津滨海新区的空间绿洲化》	赵树明
规划院	《海河下游沿岸地区钢铁产业链环境影响及布局对策》	白丽萍、赵树明
规划院	《滨海新区生态绿地网络研究》	蒋智、李长华
规划院	《历史街区空间研究与保护更新——以天津劝业场地区为例》	兰旭、秦云
执法大队	《天津发展快速公交（BRT）系统浅析》	陈继伟
建院	《混凝土结构局部大跨度方案比较》	时春波
建院	《地板采暖的经济分析与应用》	马晓莉
测绘院	《基于 DEM 量算耕地坡度的方法研究》	陈楚、周奎
勘察院	《低应变反射波法检测钻孔灌注桩桩身完整性的难点和应对原则》	刘万恩、陈志琦、徐建江
规划院	《开发权转让的现实应用研究》	吴静雯、严杰
规划院	《浅议天津的文化成因与城市特色》	王学斌、孙雁

2009 年度规划行业获奖科技论文

一等奖：（2 篇）		
天津大学建筑学院	《震后重建地区新农村建设若干问题的探讨——以汶川县映秀镇渔子溪村详细规划为例》	陈天、王懿娜、曾坚、张玉坤、王蕊
渤海规划设计院	《城市 CBD 控制性详细规划控制指标新探析》	刘威
二等奖：（3 篇）		
天津市经济发展研究所	《“三规合一”的理论与实践》	王天伟、赵立华、赵娜
渤海规划设计院	《于家堡城际车站交通枢纽规划组织研究》	王学勇、邵勇、马元直
天津大学建筑学院	《过境交通穿越的小城镇用地布局模式探讨——以天津蓟县别山镇为例》	陈天、李晓晓
三等奖：（3 篇）		
渤海规划设计院	《老城改造中住宅拆建经济损益研究——以滨海新区核心区塘沽区为例》	汪涌、谭健、巢元凯
渤海规划设计院	《天津滨海新区发展中教育设施布局的研究——以塘沽为例》	刑燕、巢元凯
天津大学建筑学院	《基于生态城市理论的战略规划策略应用》	柴冠求、陈天、张赫

（刘茂国）

调研工作

【概况】 2009年出台了《天津市规划局调研工作管理规定》，对调研课题确定、调研计划管理、调研成果上报、调研成果考核评比、调研经费管理等做出相关规定。

【调研计划】 发布了《关于做好二〇〇九年局重点调研课题研究和处级领导干部调研工作的通知》，对局领导承担的局重点调研课题和局机关及派出机构处级领导干部承担的调研任务进行了统一部署。2009年，共安排调研课题79项。其中，局领导承担的重点调研课题12项，局机关处级领导干部承担的调研课题35项，派出机构处级领导干部承担的调研课题28项。

【调研成果】 局重点调研课题和局机关及派出机构处级领导干部调研课题，均按照调研计划的部署完成。此外，市局与市政府研究室合作开展了《关于全面实施区县总规促进区县加快发展的调研》、《关于将空间发展战略成果转化为指导天津加快发展重要依据的建议》等三项课题调研，有关文章在市政府调研刊物上发表，得到市领导重视。

【成果应用】 加强调研成果转化和应用。向市政府研究室、规建交工委等上级部门积极推荐调研成果。局长尹海林《关于充分发挥规划龙头作用的研究与思考》在市委规划建设交通工作委员会《决策参考》（第2期，总第238期）等刊物上发表；局长尹海林、处长郭新天《探索适应天津实际的控制性详细规划编制与实施的有效方法》在《天津体改研究》（2009年8月25日第8期总第142期）发表。总规划师霍兵《改革滨海新区规划管理体制机制适应滨海新区发展需要的研究》在《天津体改研究》（2009年5月25日第5期总第139期）发表。

使上述调研成果在规建系统和全市范围推广应用，提供理论支持。

2009年度局级领导干部调研课题汇总表

序号	课题名称	负责人	备注
1	关于做好天津市历史文化名城保护的研究	尹海林	
2	以人为本文化育人努力营造干事创业良好氛围促进规划事业又好又快发展	战秋艳	
3	关于深化规划管理工作机制，为天津经济社会发展提供规划保障和服务的研究	李春梅	
4	关于城市规划管理贯彻和谐思想的研究	鲁承斌	
5	切实加强保障性住房规划建设管理是政府应对金融危机时期关注民生的重要举措	郭凤平	
6	城市设计与当前建设管理的指导作用	郑嘉轩	
7	关于城市规划中天津城市文化显现的思考	沈磊	
8	关于城市设计标准化规范化的研究	霍兵	
9	天津市近期发展策划及行动计划编制技术研究	秦川	
10	关于规划展示在规划管理工作中的作用研究	诸铭	
11	创新区县基础设施规划管理工作推动全市基础设施建设	刘荣	
12	天津市地下空间规划编制创新研究	侯学钢	

2009年度局机关处级领导干部调研课题汇总表

序号	课题名称	部门	责任人	备注
1	关于优化局政务督办系统的对策研究	办公室	李迎春	
2	新形势下规划工作需要处理的几个关系	办公室	蔡胜任	
3	创新档案管理模式，推动局系统档案管理工作上水平	办公室	李蓓	
4	关于城乡规划管理公共政策的研究	业务处	朱映水	

续表

序号	课题名称	部门	责任人	备注
5	关于城乡规划管理业务数据整合分析的研究	业务处	张红	
6	城乡规划管理业务流程设置的研究与对策	业务处	郑晓辉	
7	关于天津市城市规划编制体系研究	总体处	陈跃	
8	关于加强建筑方案三维审查的分析研究	建管处	孙银	
9	关于加强居住区配套设施管理的分析研究	建管处	王樾	
10	关于加强地下空间管理的研究	建管处	李津威	
11	加强市政基础设施规划规范化管理的对策研究	市政处	郭力君	
12	地下管线的纵向管理	市政处	王蔚	
13	研究转化城市设计成果，强化城乡规划的精细化与特色化管理	景观处	李津莉	
14	创新历史文化风貌区规划模式，强化整体特色风貌保护	景观处	柳红卫	
15	关于控制性详细规划动态研究	详规处	范鸿印	
16	关于容积率激励机制的研究	详规处	刘薇	
17	违法建设现状调研	法监处	张占佳	
18	对规划行政处罚中“一事不再罚”原则的理解	法监处	刘庆文	
19	关于区县规划编制体系研究	区县处	葛龙	
20	关于村庄规划编制和管理研究	区县处	刘健	
21	关于天津历史文化名城名镇名村保护地方立法的思考	法研处	郭新天	
22	关于市规划委员会工作章程修订工作的研究	秘书处	马战英	
23	关于规范规划行业管理的调研与思考	秘书处	黄跃红	
24	关于测绘标准体系的研究	测管处	王汝海	
25	关于测绘法规体系的研究	测管处	李征	
26	关于天津市地名商业冠名基准价格标准的研究	地名处	周道成	
27	转变观念，营造环境，促进高层次人才队伍建设	人事处	石英	
28	充分发挥审计职能，为规划工作保驾护航	财务处	李振军	
29	对行政事业单位预算会计的思考—执行中存在的问题与对策	财务处	李春	
30	关于提高全系统综合治理水平的对策研究	党办	段立凯	
31	关于如何在重点工程重大项目中培养锻炼干部的探索	机关党委	肖秀英	
32	加强基层党组织和党员队伍建设的思考	组织部	陈忠尧	
33	以科学发展观为指导，努力开创离退休工作的新局面	老干部处	王润萍	
34	求真务实是做好离退休工作的基本原则	老干部处	刘伯伟	
35	浅论新时期工会工作	局工会	刘芳	

2009年度派出机构处级领导干部调研课题汇总表

序号	课题名称	部门	责任人	备注
1	强化新区和各区两级管理，努力提高规划管理水平	滨海分局	章培新	
2	城市设计规范化研究	园区处	白艳霞	
3	高新技术企业用地管理	园区处	白艳霞、海澎	
4	以科学发展观为指导，全面提升规划管理水平	河东分局	杨凯	
5	关于都市工业园规划的几点思考	河东分局	岳军廷	

续表

序号	课题名称	部门	责任人	备注
6	谈简化程序提高效率	河东分局	王建	
7	大背景下的分局规划管理工作	和平分局	阎安	
8	规划管理中需要解决的重点、热点、难点问题	和平分局	薛俊玲	
9	探索城市规划引领河北区经济社会发展的新模式	河北分局	单国雁	
10	关于改造铁路天津北站拉动区域经济增长的研究	河北分局	王传明	
11	关于建筑对环境的融合与创造的研究	河北分局	赵明	
12	全面创新规划长效机制，引领南开区科学发展——南开区规划分局学习和实践科学发展观的思考	南开分局	陈继顺、王德义	
13	违法建设产生的原因和对策	河西分局	周健	
14	建设管理工作浅论	河西分局	窦川茸	
15	关于如何发挥规划保增长渡难关上水平作用的思考	红桥分局	贺高潮	
16	加大执法监察力度，确保规划编制成果转化的顺利运行	红桥分局	曹文亮	
17	城市设计成果转化为控制性详细规划，为城市建设和经济发展提供规划保障	红桥分局	沈英华	
18	商业性街道环境景观管理措施的研究	红桥分局	王勇	
19	关于城市近郊城市化的思考	东丽分局	李维秋	
20	提高区县规划管理水平为经济社会发展提供保障	东丽分局	李咸群	
21	东丽区违法占地违法建设问题分析及对策	东丽分局	刘广文	
22	发挥城市规划的公共政策属性职能，积极推进津南区城乡一体化	津南分局	赵怡本	
23	以科学发展观统揽全局为规划工作提供政治思想保障	津南分局	刘建国	
24	提升全区规划水平的调研报告	西青分局	于振祥	
25	浅析城乡一体化发展	西青分局	赵建新	
26	关于加快建设京津路黄金走廊的调查与思考	北辰分局	张宝祥	
27	研究引起信访的诱因及解决对策	北辰分局	陈铁铎	
28	关于工业项目（出让）分割转让规划审批手续的调研报告	北辰分局	王瑛	

2009年局党组选派6批处级干部赴兄弟城市学习调研情况见“国内外交流合作”篇

（穆　静）

信息化建设

【概况】 2009年，紧紧围绕城乡规划管理工作需要，规划信息化取得了新的进展和突破，实现了“三个覆盖、三个推进、三个提升”。“三个覆盖”即：全市地形图全覆盖、全市遥感图全覆盖和全市规划部门一网通应用全覆盖；“三个推进”即推进规划审批大提速、推进业务审批与系统同步运行、推进地名联网审批；“三个提升”即：提升规划管理效能、提升规划审批效率、提升运行环境。“一网通”已成为市规划管理的基本形式与制度。

【规划业务管理信息系统提升改造】 根据市规划管理体制改革整体部署，按照信息网络、系统平台、许可事项、业务流程、基础数据和审批成果“六统一”的工作思路，全面升级改造规划业务管理系统，形成覆盖全部城乡规划许可审批业务的管理信息系统，为推进城乡规划体制改革，提供先进的技术保障。建立规划业务监控管理机制，严格业务考核和督办管理，实行业务审批分级监控，加强规划业务管理的监控、督办和管理工作力度。开发业务督办和发证细目查询等新功能，实现全市“六证一书”核发实时查询，及时掌控区县许可审批发证、防伪等情况，进一步规范了许可审批证书管理，为督办人员提供了实时、灵活、准确的业务督办信息。

开展市内六分局地名联网审批，延伸规划信息服务范围。根据市内六区地名审批改革工作要求，保证了分局地名业务办理和整体业务交接。修订居住区和公建的地名命名申报表和承办表，开发规划地名管理和重名检核功能，紧密结合地名规划、地名审批和地名实施工作，实现了地名审批的信息共享，提高了地名审批的科学性。

改造升级电子申报系统，提升窗口申报工作和服务水平。开展电子申报系统改造升级工作，实现网上实时电子申报和下载，电子申报与业务系统进行了无缝衔接，实时修正电子申报业务变更，使电子申报系统与业务系统实现了同步。编制《电子申报系统使用手册》，推广应用电子申报系统，提高了建设单位申报质量，提升了规划业务管理水平。

整合全市城乡规划管理信息，建立高水平信息平台。加强全市城乡规划管理信息的整合，统筹信息资源，规范信息成果，完善共享机制，采用“统一汇总，集中存储、服务全局”的方式，将规划基础数据、规划成果数据、规划审批数据、规划监督数据和规划档案数据进行有效整合，为全市域规划业务审批提供了先进的管理信息平台和丰富的城乡规划空间地理信息库。

【局属单位信息化建设】 建筑设计院全面应用自主研发的“天津市建筑设计院协同设计管理平台”，自主创新，提升了建筑设计工作的技术手段，在“天津市建筑设计院协同设计管理平台”上建成并继续完善“天津建院图框、图集”、“天津建院示例工程库”等实用图库，并积累80余项设计工程资料，将逐步整合成为建院资料库。在软件“正版化”工作中，加强宣传，提高认识，责任落实。11月，顺利通过市版权局、市建委、天津市勘察设计协会组织的勘察设计行业软件“正版化”检查。

勘察院继续完成天津市三维数字城市规划管理系统、建设用地动态管理系统的更新与维护，进行了激光雷达测量技术的研发及应用。天津市中心城区三维数字城市规划管理系统，已完成三维基础平台与天津市建设用地规划动态管理系统集成工作，建立了天津市三维数字城市规划管理系统，开发出功能点180余项，基本上满足规划管理和审批工作需求。天津市建设用地动态管理系统在西青区规划分局、南开区规划分局、河西区规划分局部署了系统应用，已在用地管理工作发挥重要作用。武清规划分局的系统业已建设完毕。系统全年完成的数据更新包括：中心城区334平方公里范围内房屋、道路、水系、绿地更新；核定用地更新；规划实施现状更新；红线、绿线更新。引进了机载雷达和亚洲第一台车载雷达等先进技术装备，完成了天津市中心城区和武清区次干道机载LIDAR航测项目及以上道路的车载LYNX激光扫描测量和内业地物特征提取工作，较好解决了三维数字城市建设的数据源瓶颈问题。

规划院新版项目管理系统和新版规划项目查询系统开发完成并投入运行。年内完成了“国际大城市发展跟踪系统”，翻译收集了伦敦等6个国际大城市发展指标数据，建立了相应专题GIS数据库和典型案例库；完成多项规划成果GIS数据库建设，建设完成用地项目、中心城区控规、交通（道路、轨道）、历史风貌保护、水系等多项规划GIS数据库。建立了典型规划案例库，完成数个国内外典型规划案例，拓展了规划信息化应用领域。结合院承担的住房与城乡建设部科学技术项目《城市规划编制协同工作决策系统研究》（2009-R2-35），开发并申请软件著作权1项——《数字城市规划》V1.0，具备规划辅助决策的基本功能。

测绘院全面推进“天津市基础地理信息综合服务平台”建设，完成“天津市基础地理信息公共服务平台网站”第一版开发工作，并通过互联网对社会发布；先后开发了“天津市大港油田、天津港地籍管理系统”、“生态城定位系统”、“天津市电子地图”；丰富完善了原有的“档案管理系统”及“市政局道桥处网格化二级平台”等项目，为天津经济发展及城市建设提供了便捷的GIS管理服务。拥有完全自主知识产权的“信息化测绘数据采集系统软件”开发工作进展顺利。与武汉大学共同开发并拥有自主知识产权的三维管理系统“三维VR-GIS系统”已完成单机版开发工作，并应用于“滨海高新区三维GIS系统”和“三维黄骅港部件管理系统”开发建设中。开展了完善遥感变化监测软件系统的研究和GPS连续运行参考站稳定性研究。

《滨海新区 1:2000 地形图测绘》项目获得 2009 年度天津市“海河杯”优秀勘察设计工程勘察一等奖及中国测绘学会优秀测绘工程金奖（部级奖项）。

城建档案馆完成了媒体信息系统研发，并通过专家鉴定。该课题历时两年全面完成研发工作，第一次在城建档案领域引入泛媒体管理理念，实现了对图、文、视音频等多种载体、多种类型信息的综合管理，满足了档案收集、管理、利用等方面的技术和管理需求，是中国城建档案管理领域的首次尝试。该项目成果实现了声像资料从传统磁带介质到数字化存储的迁移，抢救保护了馆藏各个历史时期的珍贵声像资料，强化了声像档案的提供利用能力，满足了社会各界对城建档案的利用需求。

（李维东）

外滩之夜

党群行政工作

党群工作

【学习实践科学发展观活动】 学习实践科学发展观活动圆满完成整改落实阶段的各项任务。在2008年学习调研、分析检查取得阶段性成果的基础上，进一步制订完善了市局学习实践活动整改落实方案；并结合“回头看”活动加大了各项措施的落实力度，集中力量解决存在问题，明确整改内容74项，制定整改措施134条，根据整改落实方案解决突出问题53个，答复网民意见建议66条，用学习实践成效带动了局各项中心工作取得显著成果，得到市委学习实践活动办公室、市委督导组的充分肯定；城建交通工委先后5次专题刊发局学习实践活动的做法和经验。同时，此项活动也赢得局系统广大党员和群众的拥护和社会各界的好评，群众满意度测评率达到100%。至此，局学习实践活动整改落实方案中涉及的5个方面（保增促、规划编制、规划管理、规划保障、队伍建设）、28项整改目标，已全部完成。

【班子建设】 领导班子建设水平进一步提升。深入学习贯彻落实党的十七届四中全会和市委九届六次全会精神，局党组制订了《天津市规划局党组关于加强自身建设的意见》，进一步加强局党组政治核心作用。以“四个一”活动（精读一本理论书籍、撰写一篇调研报告、主讲一次主题党课、做好一本读书笔记）为重点，不断创新中心组理论学习形式，把下基层调研与学习中央和市委全会精神相结合，有计划、有重点、有目标地完成学习实践任务。组织开展了创建“四型”（学习型、创新型、实干型、廉政型）领导班子、提高领导干部“四种能力”活动，围绕中心工作，坚持把抓理论武装、抓学习培训、抓实践锻炼、抓能力提高、抓作风改进、抓工作效率贯穿创建活动的始终，紧紧围绕全市经济社会发展的各项要求，通过高质量、高水平、高效率地完成各项重点工程任务，进一步提升各级领导班子的综合能力、研究能力、实战能力和协调能力。

【干部队伍建设】 干部队伍建设质量进一步提高。修订下发《基层领导班子和处级领导干部绩效考核工作暂行规定》、《赴外省市规划部门学习交流管理暂行办法》等8项规章制度。根据《干部选拔任用工作条例》要求，进一步健全完善局属各单位干部选拔任用程序。加大干部调整和管理力度，积极稳妥地推进机构改革。2009年累计选拔处级干部22名，交流处级干部7名，干部挂职锻炼29名，拓宽干部培养途径，搭建干部培养平台，调动了广大干部职工干事创业的积极性和创造性。

【组织建设】 深入开展创先争优党性实践活动，在基层党支部和党员队伍中组织开展“在保增长、渡难关、上水平和新20项民心工程中创一流业绩、争当时代先锋”为主要内容的主题实践活动。结合纪念建党88周年，对全系统评选出的5个最佳先进党组织、15个先进党组织；5名优秀共产党员标兵、30名优秀共产党员；8名优秀领导干部标兵、15名优秀领导干部；1名优秀党务工作者标兵、5名优秀党务工作者；5个最佳党性实践活动党组织进行了表彰。树立典型，鼓舞士气，增强基层党组织的创造力、凝聚力和战斗力。加大党员发展力度，把好党员“入口关”。开展党员培训活动，举办规划局系统2009年度入党积极分子培训班，对来自局系统11个基层单位的62名入党积极分子进行党的基础理论、中共党史、党员的权利与义务教育，经过考核全部达到合格标准。

【廉政建设】 廉政建设力度进一步加大。坚持教育、监督、健全制度、查办案件并重。以作风建设为核心，加强廉政教育。把“讲党性、重修养、强作风、做贡献”廉政主题教育活动与实际工作结合起来，实施“小金库”专项治理以及领导干部配偶子女从业等项情况的登记工作，将教育落实到工作中。以服务中心为主线，加强监督工作。强化规划行政审批效能监察作用，开展对违规调整容积率、变更规划和工程建设领域突出问题的专项治理。以落实“三重一大”制度为重点，加强制度建设。编印了《天津市规划局系统“三重一大”制度汇编》，加大各级党组织落实“三重一大”的推动力度。以维护党纪国法为宗旨，加强案件查办力度。2009年上半年，共受理信访举报12件，均及时调查上报。

【宣传工作】 精神文明建设、窗口建设和文化建设进一步深化。精神文明建设和窗口建设以深化思想道德和职业道德建设为核心，从“树立职业理想，强化职业意识，提高职业技能，严守职业规范，优化职业作风”入手，以创“服务品牌”、树“服务标兵”、评“窗口先进”为示范引导，不断提升局系统职工队伍整体素质。兴起“同在一方热土、共建美好家园”活动新热潮，全面提升窗口服务水平。文化建设通过整合精神文化，完善价值理念系统；规范行为文化，落实行为规范系统；选树先进典型，实现标准具体化，基本形成凝聚人心、鼓舞士气的文化体系。

对外宣传工作，紧密围绕全局的中心工作和任务目标，积极拓展宣传报道渠道，加大宣传报道力度，取得了显著成绩。重要稿件在上稿级别、数量和质量上实现新的突破，全年共播发、登载新闻稿件2551篇（条）。特别是对两次重大规划项目公示、迎国庆六十年规划成就2009年中国城市规划年会等新闻报道活动取得了空前的社会宣传效果。

【统战工作】 进一步健全完善局统战工作制度，组织开展统战工作调研，对局系统统战代表人物进行摸底调查，确定重点统战对象。撰写《凝聚人心、汇聚力量，为天津发展提供高水平规划服务保障》调研文章，参加了规划建设系统统战工作经验交流会，市局的经验材料被刊登在《天津统一战线》刊物上。

【社会治安综合治理】 防控体系建设紧密结合规划工作实际，突出职能保障作用，从项目选址、修详规审批到建设管理的各个环节，做到主动服务、积极沟通、严格把关，起到了规划宏观调节的作用。在“平安创建”活动中，各单位领导思想重视，认识统一，舍得加大投入，全局系统共投入资金96万元用于安全设备维护更换，提高了安全保障的物质基础。专项工作摸索实践出一整套有效的管控措施，建立起“三级监控网络”，将社会和单位资源有效整合，提高了管控效能。实现城建交通工委“三个坚决杜绝”的目标要求，为全局系统的安全和稳定提供可靠保障。

【机关党建工作】 结合学习实践科学发展观活动，选准突破口和切入点，下发《关于在“保增长、渡难关、上水平”活动中充分发挥党支部战斗堡垒作用和共产党员先锋模范作用的通知》，开展学习型机关和学习型个人的创建活动，评选出2个先进处室和3个先进个人，表彰了在重点工程、重点工作中表现突出的机关处室和干部。开展“四佳”党支部和“五模范”党员评选活动，结合纪念建党88周年，弘扬先进，树立典型，在局机关大力宣传优秀共产党员、优秀领导干部、优秀党务工作者和先进党支部、最佳党性实践活动支部的先进事迹（计5个先进党支部、12名优秀共产党员、2名优秀领导干部、2名优秀党务工作者、1个最佳党性实践活动党支部），有效地发挥先进典型的示范引领作用。认真做好发展党员工作，选送17名入党积极分子参加工委党校的学习培训；在重点工程一线发展预备党员2名，转正党员4名。开展机关文化建设，组织机关合唱活动活跃机关文化氛围，关心机关干部生活，开展捐资助学、扶贫济困等社会公益活动，局机关所在社区被资助的两名学生2009年分别考取理想的学校。

【老干部工作】 截止到2009年底，市规划局系统共有离休干部43人，退休人员1267人。其中局机关离休干部17人，退休人员174人。老干部工作坚持实施目标管理，层层签订《老干部工作领导干部目标责任书》，确保老干部的政治待遇、生活待遇得到全面落实。

开展丰富多彩主题活动，营造“健康、快乐、幸福、和谐”的良好氛围，寓教于乐，凝聚人心。以增加“幸福感”为主题开展文化娱乐活动，组织参观规划展览馆、津湾广场，观看《开国大典》等电影，举办台球、象棋、麻将比赛，在“三八”妇女节组织北京一日游、春季长虹公园踏青，使老同志充分感受改革开放的伟大成果与晚年的幸福生活。以纪念建党88周年为主题开展教育活动，举办了“颂党情”征文展、“回顾与展望”摄影展，组织上一次党课、唱一组红歌、发一本学习资料的“三个一”活动，使党员在活动中受教育、启发和震撼，不断增强党性观念，牢记党的宗旨，发挥党员作用。局机关离退休职工党总支被评为局级先进党支部。以庆祝新中国成立60周年为主题开展纪念活动，组织“大家谈”、“纪念新中国成立60周年歌咏大会”、“迎国庆百艺展”，通过活动赞美祖国的发展和取得的伟大成就，激发大家爱党爱国的热情，获得全市退管系统庆祝新中国成立60周年爱国主题教育优秀组织奖。以“我为‘十一五’做贡献”为主题开展实践活动，积极搭建平台，与市局史志办共同组织离退休老同志圆满地完成《天津规划年鉴》（2009年版）和《天津通志·规划志》（天津城市开端—1990年）的编辑修订出版工作，志、鉴编辑部荣获《天津通志》修编工作市级先进集体。

【工会工作】 进一步加强民主管理力度，修订出台《关于天津市规划局系统加强民主管理的实施意见》。结合局系统文化建设，掀起全民健身热潮，有计划地组织了一系列文娱健身活动，局工会负责承办的京津两地规划年会文艺演出受到各方好评。积极组织2009年度市级劳动模范和先进集体推选工作，规划院城市设计研究所、勘察院测量公司被授予市“五一”劳动奖章先进集体称号，勘察院、测绘院被授予“五一”劳动奖状先进单位，建院刘军、测绘院刘俊卫被授予“五一”劳动奖章先进个人，规划院黄晶涛被评为全国劳动模范。

【共青团工作】 加强基层团组织建设，全年调整、健全、组建10个团支部，选举出9个支部书记，建立了1个支委会，增强了基层团组织力量。积极选树先进典型，结合全市大干150天表彰工作，局系统评选出9个青年突击队、26名青年突击手；局团委被团市委授予“天津市青年志愿者工作优秀组织奖”，建筑设计院、规划院、测绘院、勘察院团委分别被评为市“优秀青年志愿者服务集体”，勘察院的杜占磊同志被评为“天津市优秀青年志愿者”；规划院的田野、赵春水等同志分别被推荐为市“青年岗位能手”、“青年服务明星”。高标准完成2009中国城市规划年会志愿者招募、选拔、培训、管理、服务等各项工作任务。

（毛燕菲）

政务工作

【协调服务】 围绕市委、市政府的决策部署和局“一二三四”奋斗目标，强化全年重点工作目标的制定、分解下达和监督检查，着力搞好市局和部门、单位两级季度工作计划的组织制定和推动工作，确保全局各项重点工作任务的落实。强化综合协调服务。跳出局部谋全局，把协调服务置于全市改革发展的大背景中去思考，坚持用创新的思路应对挑战，用创新的方法破解难题，用创新的理念谋划和推动工作。顾全大局，统筹协调，创新协调服务方式，认真做好对内对外、对上对下全方位的协调与服务，确保信息沟通通畅。

【秘书文书】 针对市规划局公文起草中存在的问题，建立了公文三级会审制度，进一步加强公文审核把关，并通过开展多种形式的教育培训活动，全面提高机关处室经办人的公文写作水平。严格遵守公文办理程序规范，开展公文重点辅导工作，严格把关，保证公文的严肃性，多次邀请有关专家就公文的办理与流程工作进行专题培训和辅导，使局业务类公文办理逐步纳入规范化、标准化的轨道。通过短短几个月的努力，市规划局上报公文的质量和水平有了明显提升，在市政府办公厅开展的每月公文质量考核活动中，从8月份起，公文质量连续5个月名列前茅，受到了市政府办公厅的好评。全年共处理各类公文3187件，其中市领导批示469件，全年发文901件；全年完成各类领导讲话和重要文稿100余篇；审修各类文件2000余件。

【会议会务】 2009年，承办了2009中国城市规划年会、中国城市规划协会专业委员会年会、建筑实录论坛、商业地产发展规划高峰论坛、京津文艺汇演等10余次大型会议、交流活动。其中，中国城市规划年会首次在天津市召开，这也是首次通过投票形式确定举办城市的年会。本届年会规模之大、水平之高、参会人数之多、影响范围之广，都是前所未有的。对年会的精心策划和组织，得到建设部、市政府有关领导和专家的充分肯定，充分体现了全局系统通力协作的精神，展现了天津规划系统的综合素质和良好形象。此外，还接待了来自上海、重庆、西安等60多个城市、500多名同行的学习交流。这是近年来到市规划局交流学习人数和次数最多的一年。这些交流活动全面展示了天津城市形象、规划建设成就，进一步扩大了天津规划的对外影响。

【督查督办】 2009年，围绕局中心工作，坚持把抓落实作为重要工作任务，下大力量督促检查市委、市政府对规划工作决策部署的贯彻落实。进一步健全和完善督前、督中、督后三个阶段和立项、实施、反馈三个环节的督查制度和工作规范。在实际工作中把加强督查、狠抓落实作为工作重点和落脚点，特别是抓住督查任务的立项、督查事项的办理、督查结果的反馈、督查情况的通报等重要环节，推动各项督查工作的顺利开展。

【提案建议】 2009年，做好人大代表建议和政府提案办理工作。市规划局高度重视建议提案的办理工作，通过不断加强组织领导、完善制度建设、加强督促检查等一系列措施，较好地完成了建议提案的办理工作。2009年承办市“两会”建议、提案198件，满意率为97%。

【信息调研】 2009年，紧紧围绕市委、市政府和局中心工作，进一步发挥了政务信息决策参谋服务作用，在规划局系统形成了以重点工作月报为主线，以每日要情为基础，以政务网和局域网为窗口，以局内新闻和工作动态栏目为载体，信息网点覆盖全系统的政务信息工作体系。加大向市政府报送信息的力度，提高信息采用率。围绕领导关注的最新城乡规划工作动态，以及反映规划工作中的热点、难点和重点问题的信息，及时报送，为领导决策提供服务。组建了局系统政务信息员队伍，并邀请专家举办信息讲座，提高了全局政务信息工作的业务水平。创办了重点工作月报，为领导决策提供信息服务。组织了向市政府主管领导和局系统单位向局领导报送重点工作月报工作，涵括了城乡规划重点工作进展情况、城乡规划业务管理工作情况和市领导、局领导批示文件落实情况，为领导了解情况、指导工作提供了决策参考。加强局系统政务信息交流，充分发挥信息的纽带桥梁作用。并在局域网上建立了每日要情栏目，为局领导、各单位、各部门提供了动态信息服务。整合局系统各类信息，加强局系统信息库建设。全年向市政府报送信息80多条，采纳42条，共计得分145分；刊登在局外网、局域网信息318条；全年刊发每日要情245期，2457条；重点工作月报6期。

【保密保卫】 根据市保密委相关文件精神，开展保密法宣传活动，对干部职工进行保密教育，增强保密意识。2009年7月至9月，配合市保密局开展两次保密安全检查，特别是对涉密计算机进行抽查，做到警钟常鸣，确保不发生失泄密事件。在应急管理和安全保卫工作中，依据市应急办要求，制定了天津市规划局突发事件应急预案，保证在出现地震、水情等突发性、灾害性情况时能够快速、高效、准确、有序地为市委、市政府提供信息资料。同时做好自身抢险救灾工作，最大限度减轻各种灾害造成的损失。

【档案管理】 市规划局档案室截止2009年底室存各种业务、文书、会计档案共计10221卷、29965件，录音带144盘，照片档案608张，录像档案35盘。科技档案42卷，信访档案167卷，资料423卷。

2009年以来，积极贯彻国家档案局8号令的精神，根据8号令的要求，对各种门类文书档案进行了重新审核和整理，同时，举办了全系统档案工作业务培训，有40多个单位、部门，130多人参加，通过培训使全局档案特别是业务档案的整理标准得到统一，对局各部门及所属单位的立卷归档工作起到了较强的指导作用，达到了较好的效果和预期的目的。在各部门档案人员积极配合支持下，有效提高了档案整编质量，规范了文书档案整理，提升了档案管理水平，为更好地发挥档案效能奠定了基础。

2009 年，局档案室接收 2008 年文书档案 2854 件，资料 28 卷，接收市政项目 120 个，2008–2009 年建管项目 368 个、修详规项目 12 个，用地项目 75 个，在接收过程中尽可能补齐缺件、剔除重件，基本上达到了齐全完整的标准。向天津市档案局移交 92 年之前文书卷 439 卷。

2009 年，市局档案室为局机关各部门、局系统各单位提供查档接待 121 人次，复印材料 1475 页（包括接待为规划志编修查询 5 人次，复印材料 310 页）。

2009 年，局档案室制定了《建设项目规划管理文件归档整理规范》，修改完善了《天津市规划局业务档案分类方案》并下发到各分局。这些工作丰富和完善了市规划局档案管理工作的法规体系。

【志鉴工作】 2009 年，全市规划志鉴工作取得突破性重大进展。《天津通志·规划志》第一册和《天津规划年鉴 2009》两书 12 月同时出版发行。市规划局当选全市修志工作先进单位。

在《天津通志》第二轮编修工作中。根据市政府批准的工作规划和市地方志办公室意见，将 1994 年 9 月出版的《天津市城市规划志》（记述年限：城市发端—1990 年）进行全面修订，纳入《天津通志》系列，作为《天津通志·规划志》（简称《规划志》）的第一册。在市地志办指导下，根据局编委会确定的修订原则，从 2008 年初开始，经过一年多的努力，2009 年 4 月完成修订初稿。9 月和 11 月，市地志办召开两次评审会议，充分肯定修订工作，同意审查验收，要求进一步补充修改后，按程序上报出版。编辑部多次研究修改，数易其稿，12 月报请编委会和市政府审批。市领导对规划工作十分重视，7 位市领导审批同意《规划志》出版。整个编修工作大体分为校订、增删、对关键性内容作全面记述、突出几个亮点四个方面。原作 54.9 万字，增补 10.1 万字，修订后全书 65 万字。

根据 2009 年 3 月 6 日市规划局第 3 次局长办公会议关于从 2009 年起，结合修志工作，编印《天津规划年鉴》（简称《年鉴》）的决定，成立了《年鉴》编委会、编委会办公室和编辑部，下发了《关于编印〈年鉴〉的通知》，5 月 13 日召开《年鉴》工作会议，要求参编部门和单位按照规定的任务、要求和时限，结合各自的实际情况做出具体安排，确保完成。编委会办公室和编辑部负责组织推动和监督检查。12 月 3 日，第 12 次局长办公会议（局志鉴编委会第二次会议）审议并原则通过《规划志》第一册和《年鉴 2009》。《年鉴 2009》分为概况（包括图照、序、综述、大事记、领导讲话、重要文件），正文（包括规划设计、滨海新区规划设计、规划体制、规划管理、法治建设、科研调研、党群行政工作、派出机构和区县局工作、局属单位工作、社团组织工作），附录（包括法律、法规、规章和规范性文件、相关文件以及规划系统各单位简介）三个部分。全书 62.5 万字，照片、图纸 200 余幅。

（汪 勇　谢 方　陈 力　叶玉林　张春林）

人事工作

【规划管理体制改革】 根据天津市委印发的《关于认真做好部门“三定”工作的意见》精神，完成了市局“三定”方案的拟定工作，积极与市编制部门沟通，密切配合有关部门，研究拟定局主要职责，合理设定内设机构，争取人员编制和职数。加强对环城四区规划分局组建执法监察队伍、镇乡规划管理 机构的前期调研。召开座谈会，深入研究环城四区、五区县规划执法队伍、镇乡规划管理机构的组建问题，并将环城四区组建规划执法队伍的请示上报市编办。完成了规划展览馆机构组建、人员配置、岗位设置、工资福利、安全生产、职称管理等工作。

【规划管理队伍】 2009 年，市规划局制定了《关于对天津市市内六区环城四区规划分局人事调配与人才流动的管理意见》并下发各分局，规范城乡规划系统人事调配与人才流动工作，统一规划人才引进标准，确保城乡规划队伍精干、素质优良、结构优化。截至 2009 年底，我市共有规划管理人员 462 人。

公务员考试录用。坚持统一的局系统公务员招录条件及规程，严格按照年初的公务员招录计划，选择重点院校优秀毕业生，2009 年共招录公务员 21 名，其中研究生 2 名，本科生 19 名。完善公务员管理，强化公务员试用期满考核工作，下发考核文件，加大考核力度，对试用期考核不合格的人员取消其录用资格。2009 年取消试用期满不合格人员 1 名；2009 年 8 月，根据市委组织部、市人力资源和社会保障局转发的《关于对<公务员登记表>进行集中审核的通知》（津党组通［2009］37 号）精神，市局对局机关、滨海分局、高新区规划处、执法监察总队 147 名公务员登记表进行了集中审核，对存在问题，及时给予更正，进行重新登记审批。

【规划设计队伍】 专业技术人员情况。截至 2009 年底，天津市规划队伍中专业技术人员 2426 人，其中高级专业技术人员 838 人，中级 743 人，初级 857 人。

执业制度管理。根据全国执业制度管理委员会的要求，市规划局协助天津市人才考评中心组织完成了 2009 年度注册规划师执业资格考试管理、继续教育和注册规划师的注册登记管理工作。截至 2009 年底，我市共有注册规划师 235 人。

加强制度建设，优化人才成长环境。2009 年人事处多次深入基层单位调研，了解人才队伍建设情况，查找问题，研究对策，制定了《天津市规划局人才队伍建设中长期规划》；召开了局系统人才队伍建设工作会议。

在人才引进工作上，结合专业需求，注重质量，注重人才结构科学配比。局系统事业单位接收高校毕业生坚持统一的入门条件，按照用人单位自主、面向社会公开考录的原则，2009 年局系统事业单位共接收高校毕业生 114 名，其中博士 2 名、硕士 36 名，为城市规划事业的发展提供了人才储备。

专家培养推荐。推荐了国家百千万人才工程人选 2 人、国家测绘局青年学术技术带头人 2 人、天津市青年科技奖人选 6 人;开展了局级授衔专家选拔表彰工作，选拔局级专家 28 名，并召开人才表彰大会；在勘察院建立了博士后工作站，进站 1 人，实现人才灵活流动，提高局系统单位的科研创新能力。

【教育培训】 制定了《天津市规划局教育培训管理办法》，经 2009 年第 4 次局长办公会审议通过，并印发全局系统遵照执行；建立了培训档案制度，规范了培训工作流程，为培训工作考核奠定了基础。开展学历教育，着力改善规划队伍学历层次。与天津大学联合举办城乡规划专业工程硕士班，为规划队伍储备人才。举办各类业务、行政知识培训。人事处年初组织机关各处室、局属各单位制定局教育培训计划，并根据工作实际情况进行了调整，全年举办业务培训 14 项共计 18 期，参训人次 1100 余次。

【工资、福利、保险】 完成了 2009 年度局系统工资总额的预算，核定年度医疗保险基数；按市人力资源和社会保障局要求，完成了局属事业单位工资收入调查工作；完成了本年度局系统职工提职晋升、聘任、调出调入及退休、考核工资兑现工作计 560 人次；完成了全年度劳动工资统计工作。

【安全生产】 制定 2009 年局安全生产工作要点，召开了局系统安全生产工作会议，并组织各基层单位签订安全生产责任书。多次深入基层单位和生产一线进行安全检查，在重大节日期间组织集中检查。开展“安全月”活动，排查隐患、消除危险。在本年度“安全月”活动期间结合实际广泛开展“五个一”活动：即每个单位都要制作一个活动展牌；组织一次安全生产知识答卷；搞好一次安全生产知识讲座；进行一次安全生产检查；进行一次安全生产月活动小结，通过安全月活动，使每个职工增强安全生产理念。在市安全生产监督管理局组织的先进评比中，局机关获得优秀组织奖，天津市勘察院、天津市城市建设档案馆和天津市建设工程技术开发中心的工作人员获得了优秀个人奖。

（杨玉娟）

财务工作

【财务管理】 认真做好全局系统 20 余家行政、事业及企业单位各项财务统计报表的编报、汇总工作。在预算方面，按照“事前有预算，事中有控制，事后有审计”的原则，严把预算关，顺利完成2010年度部门预算编制工作；在决算方面，积极组织和带动全局系统财务人员做好2009年度财务决算的编制、汇总和上报工作。在全市近200家行政事业单位财务工作评比中，过去8年，市局共获得7次“一等奖”，为局争得了荣誉。同时，加大对局属四院的财务监管力度，帮助他们盘活资产，切实提高各院财务管理水平及资金运作水平，发挥资金的最大效益。

【基础工作】 不断完善财务管理升级软件，进一步做好财务电算化管理工作；按时、准确地向市国资委、市建委、市统计局等单位编报各类财务月、季及年度报表；加强财务制度建设，用制度从源头进行约束，在局内部倡导节约，压缩开支，完善经费审批程序。在保证资金的同时，提高财政资金的管理水平和工作效率，有效降低了行政成本；不定期召开事业单位财务工作例会，学习传达财政部门有关文件，布置财务工作，分析讨论并解决各单位在财务工作中存在的问题；组织局属单位财会人员参加市财政局举办的会计人员继续教育学习班学习。

【机关财务】 2009年，完成局机关财务决算的编制和2010年度预算编报；实行人员经费按实际，公用经费按定额，专项经费按计划。并做好财务保障，规范财务制度，强化事先控制，严格执行年初各项预算，合理使用资金，使有限的资金发挥更大效用。

【专项经费管理】 配合市局中心工作的开展，做好专项经费收支的财务管理工作。2009年，市局对全市城市规划开展了多角度、深层次的编制工作，如：天津城市空间发展战略研究、重点地区城市规划、全市域基础测绘更新以及天津市社会主义新农村小城镇规划编制等，为保证这些规划编制的顺利开展，财务处积极与财政等相关部门协调沟通，在大力宣传规划工作重要性的同时争取资金支持，为局规划工作提供了有力的资金后盾。此外，还落实了规划展览馆的部门预算。

【审计工作】 根据2009年度审计计划，有条不紊的对局属相关单位开展领导经济责任审计及常规审计工作。同时，接受市财政局以及市审计局等单位的审计，顺利完成规划展览馆筹建阶段的投资评审等工作。事实证明，局各项财务管理工作能够认真执行国家财经法规，没有违法违规问题。

【基建工作】 指导协助局属各单位完成基建项目的申报、立项，并圆满完成基建报表汇编、报送工作。

（王永刚）

奉化桥

派出机构和区县局工作

天津市规划局滨海新区分局

【概况】 2009年，按照市委市政府构筑“三个高地”、打好“五个攻坚战”的部署，滨海新区以“十大战役”开发建设为平台，打响开发开放攻坚战，努力抓好项目引进和建设，共完成生产总值3810.67亿元。工业保持稳定增长，先进制造业架构初步形成。新区新投产、达产项目效果显著，全年新增产值722亿元。服务业发展进一步加快，服务业占生产总值比重32.4%，港口货物吞吐量3.81亿吨，增长7.1%，集装箱吞吐量870.4万标箱，增长2.4%;固定资产投资势头迅猛，去年共完成全社会固定资产投资2502.66亿元，增长49.2%，全年竣工项目258个。

在天津市规划局（以下简称市局）领导下，天津市规划局滨海新区分局（以下简称滨海分局）紧紧围绕新区开发开放的中心任务，精心组织开展了38项滨海新区重点规划的编制和审批，形成了比较完整的规划体系，对各个区域和各产业功能区进行了系统整合优化，有效解决了滨海新区快速发展中所面临的空间结构不清晰、产业布局不合理、分散布局、多头发展等问题。

认真贯彻市委、市政府“保增长、渡难关、上水平”的总体部署，按照“三个一批”的要求，提出并实施了五项保障措施，全力服务和保障了106项重点工程项目的开工建设。

加强规划综合业务管理，推动滨海新区全面实现了规划业务审批“一网通”。推动地下空间规划信息管理，制定了统一规范和标准，按照不欠新帐的要求，基本建立了地下空间信息管理机制。

【机构人员】

局长　霍　兵

常务副局长、党支部书记　章培新

处室负责人

办公室主任　杨志勇

规划管理处副处长　郭志刚

市政规划管理处副调研员　孔继伟

综合管理处副处长　裴校定

截至2009年12月31日，滨海分局在岗人员10名，其中处级干部6名，科级干部4名。

滨海新区各区规划管理机构共有14个。其中，纳入区政府或管委会政府序列11个：塘沽区、汉沽区、大港区、津南区、东丽区五个区规划局，开发区建设发展局、保税区规划建设管理局、滨海高新区规划管理处、东疆保税港建设发展局、中新天津生态城建设局、滨海旅游区建设局；企业规划管理部门2个：天津港（集团）有限公司规划建设部和大港油田矿区建设部。

【规划设计编制审批】 在2008年7月30日，全市集中开展的119项重点规划编制中，新区编制了总体规划、分区规划、专项规划、控规及城市设计四个层面38个项目，延续到2009年，对38项规划进行了深化提升，18项完成了报批。

滨海新区城市空间发展战略和总体规划

完成滨海新区城市空间发展战略和总体规划编制工作及相关审查手续，进一步深化完善后，报市政府审批。

分区规划

完成南港工业区、临港工业区、滨海旅游区、中心商务区、先进制造业产业区，塘沽、汉沽、大港分区规划编制。

南港工业区分区规划，2009年11月4日由市政府批复（津政函〔2009〕155号）。滨海旅游区分区规划已报市政府审批。临港工业区分区规划由市经信委上报市政府审批，正进行深化完善。

中心商务区、先进制造业产业区分区规划通过专家审查和部门审查。

塘沽区、汉沽区、大港区分区规划，完成专家评审、部门审查以及向区人大汇报等审查程序。按照滨海委主任办公会要求，结合滨海新区体制改革，不再上报审批。

控规与城市设计

滨海新区列入市重点规划编制计划的10个城市设计项目，完成编制和验收。计划将城市设计管理要求纳入控规一并审批。部分试点地区城市设计正在编制导则。

滨海新区控规全覆盖编制工作，完成分区汇总，第一次形成全区统一路网和控规统一编制机制。临港工业区、大港区官港森林公园、民营经济园、中心渔港和西部片区、北塘片区、于家堡东、西沽区域及天津港集装箱物流中心控规通过滨海新区管委会和天津市规划局联合审批。全区规划面积约2700平方公里（包括填海部分），完成审批约540平方公里。

滨海新区“十大战役”相关规划设计工作

按照立峰书记在滨海新区第十次工委扩大会上提出的全力以赴组织实施好“十大战役”的要求和部署，重点承担了加快滨海新区核心区建设、加快响螺湾和于家堡中心商务区建设、加快南港工业区和轻纺工业园生活区建设相关规划工作的服务和保障。

滨海新区核心区“填平补齐”

组织编制了《滨海新区核心区近期项目策划》方案，组织策划了滨海新区行政文化中心，开发区MSD、塘沽区海河两岸区域以及商业街、综合交通系统和配套设施提升改造等重点项目。8月3日，滨海新区核心区市容环境综合整治指挥部正式挂牌成立。按照2009年“十一”、2010年“五一”、“十一”三个节点，开展核心区夜景灯光改造、绿化景观提升、交通改善等市容环境整治工程。

滨海新区行政中心确定了选址，开展了修详规深化及主要建筑方案设计工作，完成阶段成果。

于家堡、响螺湾地区规划深化

完成于家堡地区总体城市设计。完成于家堡、响螺湾地区控规并已批复。

依据于家堡控规，组织完成了京津城际于家堡车站地区修建性详细规划、起步区建筑设计方案及地下交通规划。按照市领导要求，开展于家堡区域天际线及会展酒店的建筑设计工作。

北塘片区规划设计

完成北塘片区控规编制并已批复。道路交通、水系统、管线综合、竖向绿化景观系统等相关专项规划和北塘片区城市设计工作基本完成。总部区、酒店区、古镇等试点区域设计导则及建筑设计初步方案取得了阶段成果。北塘片区一期道路及基础设施全面开工建设。

【规划管理】

建设工程规划管理 2009年核发城市规划行政许可项目共计34个。其中《选址意见书》2个、《规划条件》9个、《规划设计要求》5个、《建设用地规划许可证》4个、《建设工程规划许可证》15个。

共办理《建设工程规划许可证》14个，规划建筑面积98040平方米。项目最多的是仓储类用地共9个，规划建筑面积70066平方米；市政设施项目2个，规划建筑面积2040平方米；行政办公项目2个，规划建筑面积3132平方米；公寓类项目1个，规划建筑面积22800平方米。

市政工程规划管理 推进道路交通、水资源、能源、环境整治四大系统工程。跟踪掌握新区93项基础设施项目，保障26项重点基础设施项目，确定了规划方案。

整合新区路网，确定了310公里高速公路、485公里快速路、2500公里道路控制线，主干道及以上级别道路用地控制线，形成滨海新区统一路网。

配合铁道部鉴定中心开展津秦滨海站、滨海北站站房招标工作，完成招标规划条件的编制。完成滨海站、滨海北站站区交通规划和同步建设的道路、轨道方案。

完成南疆电厂、北塘电厂、开发区第二污水处理厂等市政重点工程选址。海滨大道汉沽段通车，实现了与河北省沿海高速的连通；北疆电厂500KV输电线路送电；中央大道海河隧道、西中环开工；津秦高铁、京津城际延伸线到于家堡的前期工作全部展开，地下管线的切改工作正在进行中。

2009年完成《市政工程规划方案》审查13件，核提《建设条件》1件，《建设方案》审查6件，核发《建设工程（市政工程）规划许可证》10件。

【综合业务管理】 滨海新区各规划单位全面实现"一网通"平台办理业务审批。滨海分局和塘沽规划局实现"一网通"的带图作业。

对滨海新区各规划管理部门规划业务管理工作进行了首次检查，依据检查成绩对各区规划管理部门进行排名，并以书面形式进行反馈，向相关区政府或管委会通报检查结果，促进了新区规划管理的标准化和规范化。

积极参与《天津市地下空间规划信息管理办法》修订工作，与市管网中心联合下发《加强滨海新区地下空间规划信息管理的通知》，制定统一的技术规范和标准，提出新区项目建设地下空间规划管理不欠新帐，现有管线调查工作逐步进行的要求，地下空间信息管理工作取得新的进展。

加强分局建设，强化综合协调和管理职能，调整内设机构，由原来的两个处调整为4个处，协助市局下发《进一步加强滨海分局综合协调和管理职能的通知》，进一步明确了分局的事权。

【城建档案管理】 发放认可证6个，预验收证明15个。

【监督检查】 2009年研究制定天津港区证后管理工作流程，完善规划验线验收测量技术规范；办理《建设工程规划》验线10件，建筑面积5.6万平方米，《市政工程规划》验线11件；《建设工程规划》验收10件，建筑面积12.8万平方米，其中工业建筑5.1万平方米，公建建筑7.7万平方米；《市政工程规划》验收4件，竣工管线长度1410米，码头549.92米，防风网及管架5475.58米；开展施工过程现场查验，每次查验都做到现场填写过程查验记录表；坚持开展对已审批规划建设项目巡查工作，做到每周巡查1至2次。落实市规划局的部署，完成了对塘沽区、汉沽区、大港区、开发区、保税区证后工作业务检查和考核工作。完成对两起违法建设案件基本情况的调查工作，并按规定及时向有关部门作了移交。

重要项目建筑工程规划许可证审批统计表

序号	项目名称	审批规模（平方米）	审批日期	许可证号
1	五矿物流站场工程	13793.18	2009-4-28	2008滨海建证0018
2	65万方油库项目二期工程	23081.18	2009-3-20	2009滨海建证0001
3	天津港散货物流中心商贸区公寓一期工程	22800.1	2009-4-3	2009滨海建证0002
4	三货场集装箱堆场改造工程	835.4	2009-4-3	2009滨海建证0003
5	天津北方石油有限公司南疆库区扩能项目	903	2009-4-29	2009滨海建证0004
6	天津滨海泰达物流集团股份有限公司集装箱堆场	11021.65	2009-5-26	2008滨海建证0023
7	北海救助局天津基地综合用房改造工程	1198.1	2009-6-9	2009滨海建证0006
8	天津北方港航石化码头改造项目	5604.4	2009-5-26	2009滨海建证0005
9	一航局一公司天津港南疆船舶基地综合楼	1934.06	2009-7-16	2009滨海建证0008
10	天津港北疆港区污水处理设施改扩建工程	3144.26	2009-7-1	2009滨海建证0007
11	天津港集装箱物流中心1#雨水泵站	718	2009-7-21	2009滨海建证0009
12	迅通储运发展（天津）有限公司堆场工程	7865.91	2009-8-5	2009滨海建证0010
13	物流堆场02-12	2239.5	2009-9-29	2009滨海建证0012
14	天津市汇海国际物流基地工程	7076.86	2009-8-27	2009滨海建证0011
15	沥青厂改性沥青扩建工程	876	2009-12-25	2009滨海建证0013

重要项目市政工程规划许可证审批统计表

序号	项目名称	审批规模（米）	审批日期	许可证号
1	天津汇荣石油有限公司临港项目管道输送项目	8000	2009-2-20	2009 滨海线证 0002
2	天津北方港航石化码头改造项目	339.2	2009-3-19	2009 滨海线证 0004
3	北疆电厂送出 500kV 输变电工程	32712	2009-2-18	2009 滨海线证 0001
4	天津港保税区扩展区污水处理厂配套管网（天津港集装箱物流中心污水管线）	17994	2009-3-2	2009 滨海线证 0003
5	天津港南疆港区南部路桥工程	6920	2009-7-31	2009 滨海线证 0005
6	天津国际贸易与航运服务区燃气工程	6100	2009-11-4	2009 滨海线证 0006
7	天津港新港三号路、厂东路改造工程	2804	2009-11-19	2009 滨海线证 0009
8	液化空气环渤海有限公司海通达（工业气体管网）项目（临港-荣程钢厂）	23668	2009-11-19	2009 滨海线证 0008
9	天津港北疆港区污水处理设施改扩建工程（污水管网部分）	5319.2	2009-11-19	2009 滨海线证 0007
10	黄港高压天然气输气管道	46000	2009-12-18	2009 滨海线证 0010

（杨志勇）

天津滨海高新技术产业开发区规划处

【概况】 天津滨海高新技术产业开发区规划处是天津市规划局驻天津滨海高新技术产业开发区（以下简称高新区）的派出机构，负责高新区规划范围内华苑园外环线以内、华苑园外环线以外及滨海园24.9平方公里的规划建设管理工作。华苑园外环线以内规划区东起陈塘铁路支线，西至外环线，北起复康路，南至规划的迎水道，规划面积1.98平方公里，是高新区发展最早的区域，规划用地以高新技术产业为主，保留配套的科贸、行政办公、金融商贸等公共设施用地。华苑园外环线以外规划区东至京沪高速公路代用线、第三高教区西边界；西至京福公路、规划的京沪高速铁路；北至海泰北道（即原大学道）；南至海泰南道，规划面积9.58平方公里，规划目标为以外向型经济为指导，高新技术产业为基础，高教、科研为依托，发挥科技、政策、人才、环境等综合优势，建设成为一座功能齐全、基础设施完善、环境优美的现代化科技新城区。滨海园规划区位于沿海河和京津塘高速公路的城市发展轴上，东至唐津高速公路、南至杨北公路、西至生态廊道控制线东边界、北至北环铁路，规划的目标是把滨海高新技术产业区打造成引领未来全球科技及新技术产业化发展，全球的科技龙头；具有良好的创业环境和多元的创业机会，成为科技创业者的乐园；具有宜人的生活环境，独具特色的、高水平的城市服务；具有多元的城市文化功能，成为科技人才的理想憩息地。

2009年度规划处完成高新区环外软件和服务外包基地综合配套区项目（简称“117”项目）的规划审批工作、渤龙湖总部基地规划审批工作、高新区环内控规修编工作、高新区滨海园控规修编与报审工作、高新区滨海园市政工程跟踪服务、二项重点课题研究、高新区规划志与年鉴的编制等工作。规划处审定建设项目建筑面积131.76万平方米。其中工业项目94.48万平方米、服务业项目35.50万平方米、居住项目0.30万平方米、市政基础设施项目1.48万平方米。截止2009年12月31日，规划处共处理业务件570个，平均每天处理业务件2.4个，平均每人每天处理0.4个，无错件、漏件，无群众上访，全部业务案件都在行政许可有效期内办结，做到“两不误、两促进”，管理和服务并重，优质服务、高效管理，实现了规划“9个100%”。获得企业奖旗11面。在高新区的行政效能评比中名列前茅。实现企业满意率100%。

【机构人员】 天津滨海高新技术产业开发区规划处（2009年4月17日前天津新技术产业园区规划处）

处长 白艳霞

主任工程师 海　澎

科室负责人

综合管理科科长 张　炜

2009年4月17日前，园区处行政编制8名，工勤事业编制2名。实有人数9名，其中，公务员编制6名（处级干部2名，科级干部4名），处试用期干部1名，临时聘用人员2名。

截至2009年12月31日，高新区规划处行政编制8名，工勤事业编制2名。实有人数8名，公务员编制6名（其中，处级干部2名，科级干部4名），临时聘用人员2名。

【规划设计编制审批】

环内 2009年滨海高新技术产业开发区华苑园区环内完成控制性详细规划土地细分导则的编制和审查工作，进一步落实2008年完成的城市设计成果，为下一步规划建设审批提供了法定依据。2009年滨海高新技术产业开发区华苑园环内重要建设项目有吉姆大厦、鑫茂科技大厦、力神大厦、大宇宙三期、海岸带二期等。其中吉姆大厦、海岸带二期总平面已经审定，鑫茂科技大厦、大宇宙三期已核发《规划设计条件》，力神大厦已核发《建设工程规划许可证》。

环外 2009年滨海高新技术产业开发区环外（外环线以外部分，规划范围9.58平方公里）重点建设项目及进度为：高新区软件和服务外包基地综合配套区项目（117项目）已开工建设。十八所搬迁项目，一期规划建筑面积13.9万平方米，开工1.02万平方米，占规划规模的46%，已核发太阳能电池厂房、国防实验室、综合动力站、电池材料厂房1-2#、锌银电池楼、热锂电池楼、条件保障楼、科研管理楼《建设工程规划许可证》；年产25MW非晶硅柔性太阳能电池项目，已全部开工建设；天津高新区国家软件及服务外包产业基地核心区（含农行客户服务中心）《建设用地规划许可证》已发；福建三安集团LED外延片项目南区《建设工程规划许可证》已发；锐新电子热传技术二期厂房《建设工程设计方案》已审定；民用航空器模拟训练设备研发、生产及培训已开工建设；华鼎高科技创业中心已开工建设。

滨海 2009年滨海高新技术产业开发区滨海园重点建设项目及进度情况为：渤龙湖总部基地已核发《规划设计条件》，正处于建筑设计方案阶段；滨海高新区综合服务中心已经建设完成，待验收；滨海高新区国际交流中心《建设用地规划许可证》已发，正在进行建筑设计方案阶段；航天五院航天器制造及应用产业基地已核发《规划设计条件》；天津市新药安全评价研究中心已核发《建设工程规划许可证》，并已开工建设；明阳电器风电机组已核发《规划设计条件》；抗生素产品产业化项目已核发《建设用地规划许可证》。同时，110kv变电站、燃气抢修基地及高调站项目、雨污水泵站项目等基础设施也陆续开工建设。市政基础设施建设完成滨海高新区道路工程管线成果的审批。补办市政道路及管线手续已达到90%。

【规划管理】

重要建设项目管理 按照“五个统筹”的要求，树立城市生态系统平衡的观念，积极参与调整滨海园西侧绿廊的工作；树立空间整合的观念，走出过去单纯追求平面规划的误区，重视城市立体三维空间的协调与整合，利用不断完善的三个区域城市设计指导项目建设，对117项目、渤龙湖等一大批重点项目进行立体效果审查；同时变城市规划指标的定向控制为动态控制合理的环境容量，并确定科学的建设标准，积极为企业提出合理化建议，使城市规划既立足当前，又着眼未来。

高新区软件和服务外包基地综合配套项目（117项目）是天津市重点建设项目，2009年度规划处组织完成了该项目设计方案的专家技术审查和市规划局审查，已部分开工建设。不定期下现场服务办公，经常与建设单位和设计单位研究规划和建筑设计方案，召开各类工作会议51次，其中市级会议3次、局级会议15次、专家审查会2次。同时，打破常规，在不符合办理建设规划手续的情况下，为该项目预审修建性详细规划，建筑设计方案，为促进项目尽快完善手续、合法建设、加快建设进度奠定了良好的基础。

配合渤龙湖总部经济区的建设，充分发挥规划的龙头作用，渤龙湖总部基地项目初期就成立了以规划局总规划师霍兵为组长的“规划设计服务组”。结合工作实际，细分节点，第一时间介入管理，建立由规划设计人员与建筑设计师在设计前沟通的工作机制，为项目充分贯彻规划理念、早开工赢得了时间，已开始动工。规划处为渤龙湖总部基地项目组织各种会议22次，现场服务3次，发专报4次，发简报5次。

规划处以加强为企业服务为准则，推动企业发展为目标，建立重点项目定期通报制度，根据项目进展情况随时向市局、管委会报送各类简报27篇、工作通报30期。同时还开展规划流程、相关法律法规宣传5次，接受天津电视台采访1次。在做好为建设项目服务的同时，先后完成了《天津规划年鉴2009》、《天津通志·规划志》、《天津高新区年鉴》高新区部分的写作。

业务案件办理 至2009年12月底，受理各项行政许可审批579项，其中核发行政许可308项，核发行政审批审定事项180项，核发行政审批修改事项83项。核发行政许可审定事项包括：《建设工程规划许可证》71项；《建设用地规划许可证》51项；《选址意见书》35项；《规划条件》52项；《总平面》审批30项；《规划方案》审批1项；《建设工程设计方案》42项；《市政设计要求》24项；《市政设计方案》16项；《市政设计成果》2项；《市政工程规划许可证》82项；《验收》31项（其中建筑验收20项，市政验收11项）；《验线》34项（其中建筑验线13项，市政验线21项）。

证后管理 按照《关于加强天津市城乡规划巡查工作的通知》要求，坚持“健全机制、提高效能”，建立具有园区特色的巡查工作制度。规划处采用分级制度与结合机制，将巡查工作融入到日常工作之中，巡查工作可分为专项日巡查（每周一、三、五）、专项夜间巡查（每周一次）和日常工作沿途巡查（不定期）。

截止12月31日执行专项巡查200余次，各类巡查总计220余次，发现违法建设3件。

2009年度规划处立案三起（分别为吉姆、赛象及环外燃气调压站），结案两起，吉姆尚在协调中。规划处牵头组织，并与高新区国土与房屋管理局及高新区监察室配合完成了四项执法检查工作，分别为天津市工程建设领域突出问题专项治理工作、容积率专项治理工作、高尔夫球场（含练习场）专项治理工作、公墓专项治理工作，所有检查规划处全部合格。宣传教育方面，规划处本年度开展规划流程、相关法律法规宣传5次，收到良好效果。

【规划研究成果】 在2009年度各层次规划编制中，完善公众参与及强制性内容标准，通过三项课题研究成果直接指导规划编制工作。其中课题一“高新技术产业用地分析与研究”解决了目前全国高新区普遍存在的高新技术产业用地分类无统一标准与相关技术规定问题。课题二“滨海高新区地下管网综合利用系统”采用多项技术手段以三维动态的演示模式呈现包括地上建筑与地下管线在内的真实效果，用于辅助规划建设的动态管理。课题三“滨海高新区城市设计规范化研究”侧重于在技术体系层面对城市设计导则的主要任务、控制内容（含控制层次与控制深度）、成果体系与控制架构作出规定。其成果对高新区城市外部空间环境与质量的统一管理起到重要的技术保障作用。

【城建档案管理】 整理临时档案142卷，正式档案122卷，其中建设工程档案82卷，证后档案40卷。

规划设计报批统计表

序号	规划名称	上报日期	审批		
			单位	日期	文号
1	滨海高新区技术产业开发区控制性详细规划	2009年12月1日	滨海新区	2009年10月28号	津滨管批[2009] 115号
2	天津新技术产业园区环内部分总体城市设计	2009年3月20日	市规划局	2009年12月6日	管景字[2009] 748号
3	天津滨海高新区重点地区（渤龙湖）城市设计	2009年3月20日		未批复	未批复
	天津新技术产业园区环外商业公园城市设计	2009年3月20日			
4	天津滨海高新技术产业开发区（起步区外）主要道路及管线综合规划	2009年1月20日	新技术产业园区规划处	2009年1月24日	2009园区线成申字0001号
5	天津滨海高新技术产业开发区主要道路及管线综合规划	2009年11月11日	新技术产业园区规划处	2009年11月16日	2009园区线成申字0001号变更
6	天津高新区软件及服务外包基地综合配套居住区08、09R地块修建性详细规划	2009年9月25日	市领导	2009年9月29日	2009规案申字0002

重要项目建设工程规划许可证审批统计表

序号	项目名称	项目级别	建筑面积（平方米）	审批日期	许可证号
1	尤尼索拉-津能年产25MW非晶硅柔性太阳能电池项目	2009年第一批市重点工业项目	10717.8	6月17日	2009园区建证0006
2	十八所统筹规划项目单体建筑	2009年第一批市重点工业项目	14181.75 537.51 34122.41	4月15日 8月21日 12月8日	2009园区建证0010 2009园区建证0028 2009园区建证0042
3	天仪集团智能化仪器仪表产业化项目	2009年第四批市重点工业项目	15642.30 20582.90	6月19日 6月22日	2009园区建证0016 2009园区建证0017
4	天津高新区国家软件及服务外包产业基地核心区（含农行客户服务中心）	2009年市重点服务业项目	4878 48703	12月16日 12月17日	2009园区建证0043 2009园区建证0044
5	滨海高新区综合服务中心	2009年高新区重点项目	79492	10月27日	2009园区建证0035
6	天津市新药安全评价研究中心	2009年高新区重点项目	14076.35	8月10日	2009园区建证0026
7	福建三安集团LED外延片项目	2009年高新区重点项目	26550.83	8月6日	2009园区建证0025
8	华翼蓝天民用航空器模拟训练设备研发、生产及培训	2009年高新区重点项目	9042.6	9月3日	2009园区建证0030
9	华鼎高科技创业中心	2009年高新区重点项目	24444 89004.58 40395.10	4月14日 6月8日 7月2日	2009园区建证0008 2009园区建证0002 2009园区建证0009

（李　威）

天津市规划局和平区规划分局

【概况】 2009年是规划管理体制改革后的第一年，也是规划工作应对挑战、共克时艰，促进经济平稳较快发展的重要一年。在局党组的领导下，和平区规划分局对照年初制定的工作计划，圆满完成了各项任务，为和平区城市建设和经济发展做出贡献。在思想政治建设上，深入开展学习实践科学发展观活动，达到党员干部受教育、科学发展上水平、人民群众得实惠的目的；严格落实“三重一大”制度，增强了领导班子和干部队伍的民主意识、责任意识、监督意识，提高了领导班子科学民主决策水平，有效预防了决策失误、避免了腐败的发生。在规划编制工作上，组织完成了和平区总体城市设计、哈密道地区、南京路地区、南市地区等四项城市设计；做好控制性详细规划深化完善，并充分结合和平区城市设计、区重点招商整理项目，为和平区近期远期建设提供切实的规划保障；做好重点项目方案策划。在规划业务和服务工作中，按照“保增长、渡难关、上水平”的部署，深入做好区内重点建设项目的管理和服务；优质高效做好规划业务工作，2009年核发各类规划业务手续249件；加强巡查，严肃查处违法建设行为。此外，在时间紧、任务重的情况下，分局抽调骨干力量，深入做好上级交办的重点专项任务。积极配合滨江道提升改造工作；大力支持小锅炉并网、人行天桥建设、电力切改等20项民心工程；全力配合创建卫生城区工作；强化高层建筑外檐管理工作；认真开展房地产开发中违规变更规划调整容积率问题的专项治理。

【机构人员】

局长、党组书记　阎　安
副局长　薛俊玲
副调研员　王会永
　欧成华
科室主要负责人
办公室主任　刘德明
综合业务科副科长（主持工作）　许　国
规划管理科科长　芦　山
建设管理科副科长（主持工作）　李　勃
建设用地科副科长（主持工作）　阎　冬
执法监察科科长　（兼任）　王会永

截至2009年12月31日，分局共有公务员编制人数23人，其中处级干部4人，科级干部11人，科员8人。

【规划设计编制审批】 做好重点规划编制工作。作为区重点规划编制指挥部办公室成员单位，按市重点规划编制指挥部统一要求组织完成和平区总体城市设计、哈密道地区、南京路地区、南市地区等四项城市设计的上报。此后，按照市局统一部署，完成城市设计与原控规方案的对照比较，为规划设计成果的转化落实奠定了基础。

做好控制性详细规划深化完善工作。按照《中心城区控制性详细规划深化完善工作方案》的要求，完成准备阶段、修改征求意见阶段、完善汇总阶段的各项交办工作，确保控规方案顺利报审、报批。在控规深化完善工作中充分结合和平区城市设计、区重点招商整理项目，为和平区近期远期建设提供切实的规划保障。完成对和平区 165 个商业和居住用地的容积率核查工作。在成果制作阶段，完成对和平区 01、02、03、04、05、07、08、09 等八个控规单元土地细分图和一览表的审查。

做好重点项目方案策划工作。配合区招商办、区项目办开展地铁东南角 A、金街停车场、紫阳里、南市、华胜村等重点项目的成本测算以及方案策划工作。配合完成南市 5 个地块申报平衡地块工作。

认真做好人民银行、津湾广场、天河城等“三个一批”项目及其它重点项目的推动落实和服务保障工作。

认真做好上级交办的重点专项任务。积极配合滨江道提升改造工作，为项目顺利实施提供规划保障。大力支持小锅炉并网、人行天桥建设、电力切改等 20 项民心工程。

强化高层建筑外檐管理工作。分局将过去五年的已批项目进行梳理，在已核查的 160 个项目中，共发现一些有问题的项目 91 处，将发现的问题分别进行归类，有针对性地逐一加以解决，促进和平区城市环境和城市面貌有进一步改善提升，中心城区精致大气、洋气靓丽的城市精神与气质得到进一步强化和彰显。

【规划管理】

依法行政、管理工作 把每周一次的业务学习和培训作为一项制度坚持下去。每月组织相关法律、法规的学习，结合具体事例进行研究和讨论。严格按照行政许可法的要求履行各项职责。严格按照业务审查程序和审查要点办件，做到审查意见一次性告知，避免多次审批，切实提高办件工作效率。由承办人负责全程跟踪业务案件流转时限，保证所办业务件按时出件，杜绝出现红灯件。强化服务意识，将被动办件向主动服务转变。

业务案件办理 2009 年，分局优质高效做好日常规划管理工作。本年度核发建设用地审批手续 50 件，其中核发《选址意见书》13 件，《规划条件》6 件，《规划设计要求》12 件，《建设用地规划许可证》13 件，《出让用地证》6 件。核发建设工程审批手续 71 件，其中核发《规划设计方案》、《总平面》、《建筑设计方案》39 件，核发《建设工程规划许可证》25 件，核发《部位建设工程规划许可证》7 件。核发市政工程管理手续 49 件，圆满完成分局承担的小锅炉并网及补建、城市综合整治道路改造和燃气旧管网改造工作中的市政审批工作。核发执法监察审批手续 40 件，其中核发《建设工程规划验线》14 件，《建设工程规划验收》18 件，《市政工程规划验线》8 件。按照市内六区地名机构调整移交工作要求，与区建委认真做好地名交接工作，正式受理地名业务，共办理地名业务 5 件。

【监督检查】

违法建设查处 在有效实施证后监管过程中，严格依据《中华人民共和国城乡规划法》《天津市城市规划条例》《天津市城市管理相对集中行政处罚权规定》以及《关于明确城市管理执法职责的通知》的要求，积极按责任分工履行违法建设查处职责，2009 年共查处违法建设 3 项。

全力配合和平区创建卫生城区工作。核实、办理综合执法协助调查函 32 件次，涉及各类违法建设近 106 处，建筑面积 3172 余平方米。

日常巡查 根据市局两个体系，三个层面，二级督察的城乡规划监督检查框架，为确保全市城乡规划实施巡查做到“不漏项、全覆盖”。全年对辖区范围内 107 个建设项目和 32 个市政项目进行定期巡查，并按计划对辖区内各个区域进行道路巡查，发现非分局职责的违法建设 6 处，均及时将有关材料移送至相关执法单位。

【档案管理】 2009 年共整理业务档案 168 件。

重要项目建设工程规划许可证审批统计表

序号	项目名称	建筑面积（平方米）	审批	
			日期	许可证号
1	和康名邸	49920	2009-1-6	2009 和平建证 0001
2	金之谷大厦	71800	2009-1-6	2009 和平建证 0002
3	保定道 16 号、湖北路 2 号（十七中学建设历史名校工程）	18520	2009-2-23	2009 和平建证 0003
4	总医院医学中心改扩建二期工程、神经病学中心	90405	2009-2-25	2007 和平建证 0016
5	君隆广场	30828	2009-2-26	2007 和平建证 0004
6	世纪都会商厦、都会轩	260907	2009-4-2	2007 和平建证 0018
7	合心园	59835.27	2009-5-19	2009 和平住证 0002
8	和康名邸一期	42991.64	2009-7-16	2009 和平建证 0001
9	利顺德大饭店改造项目	19088	2009-8-17	2009 和平建证 0011
10	天津铁狮门成都道项目	9996	2009-8-21	2009 和平建证 0013
11	融信大楼	9950	2009-8-27	2009 和平建证 0005
12	朗文名邸 1、2、7、8、9 号楼	120854.6	2009-9-10	2006 和平住证 0004
13	吉利花园 A 区工程及社区老年服务中心和社区卫生站	33472.42	2009-9-28	2006 和平住证 0007
14	旅馆街改造项目	41989.56	2009-10-29	2009 和平建证 0016
15	滨江道 205 号	11833	2009-10-29	2009 和平建证 0015

（蔡海莹）

天津市规划局河西区规划分局

【概况】 2009 年按照“保增长、渡难关、上水平”的要求，成立了重点项目服务保障领导小组，制定了十项具体措施和工作计划，建立了服务热线，做到随叫随到。尤其对河西区所属市、区重点项目采取落实责任到人的方法进行促办。分局领导带队先后深入到天津市陈塘科技商务区、天宾商务中心、河西区教育局、天津市联合广场项目、天津市外国语学院、天津医院、天津湾、滨江万丽酒店、肿瘤医院、河西区教育中心和中国电子科技集团公司第四十六研究所等 50 多家单位现场服务，帮助解决实际问题。同时，还就规划建设中涉及到的临时建筑、电力和公共设施及施工过程监察等问题进行了服务。为加快市容综合整治项目实施速度，对人民公园改造工程做到当日进件当日发证，保证了工程的顺利实施，受到了市局和区政府领导的肯定。天津市文化中心建设是 2009 年市级重点建设项目。为此，河西区规划分局专门抽调 1 名分局领导和 1 名工作人员进驻项目指挥部，对文化中心建设项目进行全方位的跟踪服务，为保障该项目顺利开工铺平了道路。

陈塘科技商务区建设项目是河西区经济发展和城市建设新的增长点和新亮点。分局领导多次赴陈塘科技商务区现场服务，协调解决项目在建设方面遇到的实际困难。为了给区招商工作创造有利条件，分局领导多次接待北京中植集团、德邦公司和上海瑞安公司、大连万达集团等开发建设单位代表，帮助陈塘科技商务区做好招商引资工作，积极为该项目规划的实施出谋划策，提供优质服务。

为尽快适应新形势和工作的需要，河西区规划分局利用 2009 河西商务商贸节的契机，成功组织承办了“国际化都市中心区发展论坛”活动，与上海、深圳等地区城市规划部门进行了管理经验交流和学术探讨，借鉴兄弟省市的成功经验，加以应用，使河西区规划管理工作能够少走弯路。同时，与深圳市规划局直属分局和上海市徐汇区规划和土地管理局签订了《友好协作议定书》，结为跨地区友好协作单位，搭建了与兄弟省市规划管理部门沟通交流的平台。

在新一轮环境综合整治工作中，充分发挥城市规划的龙头作用。天塔湖地区综合环境整治工程、纪庄子地块散片平房的前期方案的编制及设计审批工作、名仕达三期违章建筑的综合整治拆迁工作都取得了很好的效果。结合信访工作的新形势和新要求，以切实维护群众的合法权益为指导思想接待群众来访，做好宣传和耐心的解释工作，稳定群众的情绪。全年信访量大幅减少，未发生非正常上访情况。

【机构人员】

局长、党组书记　周　健
副局长　窦川茸
见习副局长　孙　革（~10月）
副局长　孙　革（11月~）
机关科室主要负责人
综合科　侯志刚
建设管理科　王　若
用地管理科　洪　波
执法监察科　毕　凯

截至2009年12月31日，分局机关在岗人员共计19人，全部为行政编制。其中处级干部3人，科级（含副科级）干部5人，科员11人。

【规划设计编制审批】 2009年，河西区规划分局在城市规划编制工作中，超前策划，积极为区委、区政府提供建议，并集中了国内外一流的设计团队对重点地区的城市规划进行了深入的研究，取得了高质量的成果。受到了区委、区政府领导的高度肯定。

在2008年城市设计规划编制的基础上，着手开展了河西区2010年重点地区规划编制前期准备工作，特别是对市行政中心、文化中心周边地区土地现状的摸底统计及首轮城市设计工作的超前开展，为后期高水平编制该市级重点区域的城市规划奠定了良好的基础。积极配合市局各主管部门，开展多个专项调查研究工作。特别是参与天津市土地细分导则调整公示制度的研究制定工作，由河西区规划分局起草的管理办法已在局内推广实行。

2009年，河西区规划分局继续做好重点规划的深化和落实工作。首先，结合控制性详细规划的调整将河西区整体城市设计进行了一轮梳理，与控规相对应，使之真正起到了对日常规划管理工作的指导和依据作用。其次，重点编制了《天津市文化中心、重点地区城市设计》《河西区尖山八大里地区城市设计》及《文化中心周边城市设计》，以应对全市行政、接待、文化中心向河西区的转移，超前计划，做好规划储备工作。此做法受到市局和区委、区政府领导的高度称赞。

【规划管理】 为确保天津市规划局领导关于建筑外檐和景观有关指示要求的落实，河西区规划分局制作了认知手册、认知地图，建立了领导挂帅负全责、全员参与查情况、相关科室保落实、责任到人管理工作机制。2009年在局系统业务考核工作中取得优秀成绩。

依法行政、管理工作 河西区规划分局在依法行政工作中充分发挥主导监督作用，有计划、有重点地开展对行政执法、政务公开工作的检查，重新调整聘请了社会监督员，进一步发挥了宣传、建议和监督作用。2009年，河西区规划分局深入开展上门服务活动，对重点工程由分局领导带队“送证上门，现场办件”，受到了建设单位的好评。

业务案件办理工作 按照“三级审批制度”，坚持集体研究，做到每件均由区、市两级审查，并根据会审会形成的意见印发《会议纪要》，再由相关业务科室按照《会议纪要》要求办理，使每一个业务件都在规定的程序之中得到及时有效的办理。

河西区规划分局严格按照《河西区社会各届评议政风实施方案》及河西区纠风办的统一部署，在全分局范围内深入开展行风、政风评议活动，主动接受评议，结合学习实践科学发展观活动，邀请监督员、区人大代表、政协委员和社会监督员召开群众满意度测评会，针对服务质量、工作效率和依法行政等方面存在的问题提出建议和意见，群众满意率达到100%。通过严格落实行政执法责任制，不断加强监督，坚持“便民、利民、为民”的原则，认真解决群众反映强烈的热点、难点问题，促进了区域经济的发展和社会的进步。

核发证书工作 2009年共办理核发《建设工程规划许可证》40件，核发（部位）20件，《规划设计方案》3件，《规划总平面》23件，《建筑设计方案》34件。办理市政规划设计要求，规划项目3件，建设项目21件。市政规划设计方案，规划项目15件，建设项目20件。《市政建设工程规划许可证》69件。核发《选址意见书》21件，

《建设工程规划设计要求》22 件，（规划条件）6 件，《建设用地规划许可证》17 件。在顺利完成地名管理工作交接后，在学习中工作，在工作中不断学习，基本上掌握了地名命名及管理工作的方法、程序，同时注重对工作中具体问题的深入研究，业务能力有了较大进步。2009 年 4 月至 12 月共核发《标准地名证书》6 件，门牌 36 件，《建设工程档案认可证》3 件。

【监督检查】 核发《市政工程验线合格通知书》26 件，10146 米；市政工程验收 3 件，321 米；《建设工程验线合格通知书》32 件，109.57 万平方米；《建设工程竣工验收合格证》57 件，121.53 万平方米（地上 99.89 万平方米，地下 21.64 万平方米）；其中整改件 18 件。受理信访事项 46 项。

在违法建设查处工作中查处违法建设案件 9 件。坚持每周巡查工作，违法建设行为得到及时有效的查处。

【档案管理】 河西区规划分局为国家二级档案管理单位。档案管理工作严谨、规范。到目前，保管城市建设档案 4325 卷，规划管理档案 100 卷，证后管理档案 1866 卷，地名档案 2015 卷，财务档案 416 卷，行政、人事档案 322 卷。

规划设计报批统计表

序号	规划名称	上报		审批		
		单位	日期	单位	日期	文号
1	天津市文化中心重点地区城市设计	方案设计审批中				
2	河西区尖山八大里城市设计					
3	文化中心周边地区城市设计					

重要项目建设工程规划许可证审批统计表

序号	项目名称	发证（地上建筑）面积（平方米）	审批情况	
			日期	许可证号
1	温州道德式风情区	11402.74	2009-3-13	2009 河西建证 0004
2	博轩	81390.05	2009-6-1	2009 河西建证 0011
3	万丽天津宾馆	75000	2009-8-24	2009 河西建证 0027
4	天宾商务中心 1-4 号楼	70286.7	2009-9-2	2009 河西建证 0028
5	鼎润公寓	78200	2009-10-30	2009 河西建证 0032
6	海景商业楼	15398.5	2009-12-23	2009 河西建证 0039

（侯志刚）

天津市规划局河东区规划分局

【概况】 2009年是规划管理体制机制改革后的关键一年，河东区规划分局努力在提高工作人员业务能力、业务水平、办件质量上下功夫，使工作达到高标准、高质量、高效率；在认真遵循现有法规条例和各项管理规定的前提下，进一步解放思想、开拓思路，认真研究思考工作还有无改进的余地。在科学工作、提高城市规划建设管理方面向市局提出好的建议，当好参谋。

结合河东区发展重点和特色，河东区规划分局着力做好重点建设项目服务工作：积极推行上门服务、现场服务，到各建设单位现场办公，提高办事效率，有效推动了如嘉里中心、九龙建业、渤海银行、红星美凯龙、中粮等项目的建设进度；对重点项目实行超前服务、跟踪服务和责任人制度，随时了解项目进展情况，掌握进度，积极落实规划审批，保证了如直沽商城、万达广场、帝旺凯悦酒店等一批重点项目的建设。以城市设计为依据，完成了河东区24个单元的控规修编工作，并在充分征求各相关部门意见的基础上完成了21个控规单元土地细分导则的编制和审批工作，确定每个地块的用地性质及控制指标；完成了区内劝业香江、渤海银行、万辛庄等十七处招商地块规划方案的策划工作；结合河东区发展及地块招商实际情况，开展了包括六纬路棉纺一厂、十五经路建材公司、华龙道供热站、六纬路渤海银行、津滨大道劝业香江、新开路李公楼、晨光路壁板厂等7地块的土地细分导则的调整工作。为河东区城市经济建设提供了规划保证。

此外，还承担并圆满完成了市规划局和区委、区政府下达的各项临时任务，主要包括：对全区高层建筑外檐项目进行调查并组织修改；对容积率大于“3”的已审在审项目方案进行调查；对已批临时建筑进行调查清理；对涉及市容委下达道路整治计划范围内的围墙进行调查清理；对全区现状雕塑开展普查筛选；对房地产开发中违规变更规划调整容积率情况开展专项治理；对小锅炉并网改造项目上门服务办理规划手续等多项工作。

【机构人员】

局长、党组书记	杨　凯
副局长	岳军廷
	王　建
科室负责人	
办公室主任	徐金胜
综合业务科负责人	熊连仲
地名办主任	王　勇（2月~）
规划管理科（建设用地科）科长	李福强
建设管理科（市政工程科）科长	张爱萍
执法监察科（信访办公室）科长	杨俊礼
执法监察科（信访办公室）副科长（主持工作）	李伟琦

截至2009年12月31日，局机关共计人数25人（公务员编制24名），其中处级干部3名，科级干部16名，科员5名。工勤编制1名，为高级工。

【规划设计编制审批】 完成了河东区总体城市设计和六纬路、津滨大道及新中心等重点地区的城市设计，确定了河东区空间发展战略，明确了城市空间结构，经重点规划编制河东区分指挥部审查后按整体工作进度要求已上报；在城市设计基础上完成了区24个控规单元的控规修编工作，同时在充分征求意见的基础上完成了除18、23、24单元外的21个控规单元土地细分导则的编制工作，确定每个地块的用地性质及控制指标，为今后规划管理提供了基础保障；完成并网小锅炉房现状调查及其用地规划安排工作和未来三年建设临时停车场的选址工作；为配合区政府招商引资工作，完成了对区内包括劝业香江、渤海银行、万辛庄等17处招商地块规划方案的策划工作，其中11处地块策划方案已纳入控制性详细规划，五个地块核提了规划条件实现了挂牌上市。为区域经济发展提供了规划保证。同时结合区发展及地块招商实际情况，依据土地细分导则调整程序，完成了对包括六纬路棉纺一厂、十五经路建材公司、华龙道供热站、六纬路渤海银行、津滨大道劝业香江、新开路李公楼、晨光路壁板厂等七地块的土地细分导则的调整工作。

【规划管理】 严格按照业务审查程序和审查要点办件，做到审查意见一次性告知，避免多次审批，为提高办件效率，承办人负责全程跟踪业务案件流转时限，保证所办业务件时间，杜绝“红灯件”。积极开展为企业及建设单位服务活动，针对重点建设项目、重大基础设施项目、保障性住房项目进行跟踪服务、超前服务，提出修改建议，缩短前期审查的时间。做好与市规划相关部门及横向的沟通协调，提高工作效率。在为保障性住房项目解难题的过程中采取了联合办公的形式，请市规划局建设项目管理处和区政府相关领导联合办公会，听取建设单位的问题和要求，为项目进一步办理规划相关手续提出解决方案。

核发“一书两证”　2009年核发《选址意见书》21件，《建设用地规划许可证》21件，《规划条件》10件，《建设工程规划设计要求》3件。《规划设计方案》7件，《规划总平面》24件，《建筑设计方案》46件，核发《建设工程规划许可证》57件，总建筑面积51.24万平方米，核发《建设工程规划许可证（部位）》14件，核发《市政工程规划设计方案（规划项目）》16件，《建设工程规划许可证（市政项目）》36件。

【监督检查】　2009年共办理规划验线39件，其中建筑工程27件，107.83万平方米，市政工程12件，总长度6052米；规划验收27件,66.66万平方米。施工过程查验率100%，办结率100%，2009年共发现违法建设21件，其中立案查处违法建设3件，并进行了行政处罚，罚款总额6.5万元；发现不属分局职责范围内的违法建设18件，均已按照职责分工移送区综合执法局。

巡查工作的认真落实主要领导负总责，分管领导抓好日常工作责任制。划分巡查区域，确定巡查人员，制定巡查工作计划。把巡查工作分为日常巡查（工作时间一、三、五全天）、上下班沿途巡查、节假日巡查和夜间巡查。日常巡查由执法监察科承担。上下班沿途巡查由分局人员按照各自上下班责任路线进行。节假日巡查由执法监察科牵头，分局领导带队，分局统一组织实施。夜间巡查由执法监察科牵头，与夜间的验线、验槽工作相结合。确保巡查工作达到“不漏项、全覆盖”的要求，有效地遏制违法建设行为发生。全年共巡查176次，360人次，发现违法建设21件。

【档案管理】　2009年整理业务档案162卷，文书档案8卷。

规划设计报批统计表

序号	规划名称	上报		审批		
		单位	日期	单位	日期	文号
1	河东区总体城市设计	河东区规划分局	2009.03	尚未审批		
2	六纬路重点地区城市设计	河东区规划分局	2009.03	市规划局	2009年10月6日	规景字（2009）745号

重要项目建设工程规划许可证审批统计表

序号	项目名称	建筑面积（平方米）	审批情况	
			日期	许可证号
1	陶然庭苑	27405.77	2009年7月7日	2009河东住证0005
		24689.60	2009年7月7日	2009河东住证0006
		28560.63	2009年9月14日	2009河东住证0010
		1516	2009年9月24日	2009河东建证0017
2	林枫馨苑	31773.15	2009年11月16日	2009河东住证0013
3	尚东雅园（A区）	（万达广场基础部位）	2009年12月07日	2009河东建部申字0013
4	尚东馨园（B区）		2009年12月07日	2009河东建部申字0014
5	恋日风尚商业及办公项目	（帝旺凯悦大酒店基础部位）	2009年04月07日	2009河东建部申字0001
6	创智大厦2号楼	基础部位	2009年07月10日	2009河东建部申字0004
7	御峰广场	基础部位	2009年07月23日	2009河东建部申字0005

（徐金胜　杨学彬）

天津市规划局南开区规划分局

【概况】 天津市规划局南开区规划分局系天津市规划局派出机构，接受天津市规划局和南开区委区政府的双重领导，负责组织本行政区域内的实施性规划编制、实施和监督检查，承办市规划局下达的各项规划管理工作。下设6个职能科室。2009年分局深入贯彻市委和局工作会议精神，紧紧围绕职能要求，以加强队伍建设、业务管理为重点，牢牢把握规划管理工作的特点，积极探索街域规划研究机制工作，坚持勇于创新突破，使命感和责任感不断增强，有力地推动了区域城市规划管理工作全面、健康、协调的发展。2009年南开区委刘长顺书记先后带领区四大班子及相关部门三十余次到南开分局，专题研究规划工作，更加突出了规划在区域经济发展中的主导作用。全年，南开区规划分局领导带领业务技术骨干100人次深入有关职能部门、大型企业和开发建设单位，进行走访和现场服务。随区政府和有关职能部门外地招商10人次，协助政府招商引资人民币45亿元。规划分局先后获得市级卫生达标单位、天津市精神文明建设文明单位称号。

【机构人员】

局长、党组书记	陈继顺
副局长	王德义
科室负责人	
办公室主任	吴增志
综合业务科副科长（主持工作）	殷　翔
规划管理科副科长（主持工作）	张美茹
建设用地科科长	张树昆
建设管理科科长	田秀荣
执法监察科科长	张树昆（兼）

分局公务员编制30名，工勤3名。截止2009年12月31日，分局在职人员24名，公务员22名，（其中处级干部2名，科级干部17名，科员3名）工勤人员2名。

【规划设计编制审批】 修改完善了南开区整体和天拖地区等两项目城市设计，完成《水上周边地区城市设计》，《南开区教育资源规划布局》，《南开区西南角地区规划编制》。建立了南开区街域规划研究机制，南开区委区、政府党政主要领导及四大机关负责人相继在分局召开十五次专题规划研究会。完成对南开区现状和已批不符合现行管理要求的建筑进行普查、补查；违规调整、变更容积率的普查；完成历史街区范围内建筑审批情况汇总及相关资料收集；完成南开区雕塑普查工作；完成历史街区违章建筑摸底调查；完成历史风貌保护区内文物建筑情况调查摸底工作；结合城市设计完成南开区道路网规划的优化调整及控制性详细规划路网调整；进行控制性详细规划修编（市政）；中心城区轨道交通规划调整的审查；答复“关于打通长江道及拓宽水上西路建议“的人大提案两件完成编制市政工程规划业务培训手册；完成地铁2、3、5、6号线出入口方案审查；完成处理比邻道周边居民信访事件一件；完成民心工程之一的10吨以下锅炉并网工程的审批。

【规划管理】

依法行政、管理工作 强化业务学习和培训注重业务素质的提高。参加建设部组织学习7人次，市局业务学习20余人次，并在经费有限的情况下，组织全体人员分批赴重庆、广州、深圳、大连、青岛、成都进行了三次考察学习交流活动。坚持每周二的业务学习制度，每月组织相关法律、法规、条例的学习和交流。

严格贯彻行政许可法认真履行各项职责。坚持统进统出、逐件登记、数据备份、封闭运转的原则，严格按照业务案件的审查程序、要求、时限及审查要素，落实一次性告知制度，认真执行市局提出的六个100%，做到窗口接待无“漏、错、误、压、拖”的现象，杜绝出现“红灯件”。

强化服务意识不断提升规划管理新形象。针对2009年的经济发展形势和市、区两级政府提出的“保、渡、上”的要求，分局确定了南开区2009年“保、促、策”一大批项目，汇总成册。区政府制定了分局的“十三条”服务保增措施。通过规划审批大提速，确保了兴业里、中粮集团等项目的顺利实施。先后多次牵头组织消防、人防、建委等部门召开重点项目建设协调会推动项目的审批。为建设项目开发提供了强有力的规划保证。将综合接待、地名管理、建设管理、市政工程的办件人员统一设置在一楼接待大厅全天对外接待。

核发“一书两证”工作 2009年办理《选址意见书》9件，《规划设计要求》20件，《规划条件》7件，《建设用地规划许可证》20件，《总平面方案审定》31件，《修建性详细规划》7件。《办理基础部位建设工程规划许可证》25件，核发《方案审定通知书》3件，《建筑设计方案》27件，《建设工程规划许可证》63件（含变更）。《市政工程规划设计要求》18件，《市政工程规划设计方案（建设）》15件，《市政工程规划设计方案（规划）》12件，《市政建设工程规划许可证》54件，《市政工程规划验线》25件。

分局立足南开区功能定位的特点，在金轩商业中心、水上公园等重大项目上坚持重点服务，全力推动“六区三带”建设，为区域经济发展提供优质的空间载体。在积极推动经济发展的同时，始终坚持发展与稳定并行，对矛盾突出的项目，如欣居园等，做到多方协调，实现了经济、稳定的双丰收。结合新的发展形势，根据市、区两级政府的要求，大力推动民生民计工程建设，让人民享受到更好更多的发展成果。

【监督检查】

证后管理工作 2009年办理《建设工程规划验线》27件，建筑面积约68万平方米。办理《建设工程规划验收》29件，建筑面积约91万平方米。接待群众来访17批87人次，其中，集体访4批74人次，个访13批13人次，信访书面答复5件。行政诉讼3起均已结案。

违法建设查处 2009年共查处违法建设3起，处理3起，结案3起。对于不在职责范围内的向综合执法单位移交10起。

日常巡查工作 分局制定了定人、定时反复巡查的工作方案，巡查结果在每周的局长会上进行书面汇报，重大违法建设及时向分局和市局汇报。全年巡查198人次。

【档案管理】 2009年共整理业务案件216卷、文书档案10卷。库存总数6794卷。

重要项目建设工程规划许可证审批统计表

序号	项目名称	建筑面积（平方米）	审批情况	
			日期	许可证号
1	金轩商业中心	117455	2009-9-18	2009南开建证0001
2	临渭佳园	55339.37	2009-1-23	2009南开住证0001
3	天津市养老院护理楼	11500	2009-3-2	2009南开建证0004
4	卫津南路西侧地块项目二期高层	79697	2009-2-26	2009南开住证0002
5	奥城29、30#楼、B19人防车库	25863.87	2009-4-17	2009南开住证0005
6	水畔花园二期公建	320476	2009-10-27	2009南开建证0005
7	体育馆	1131.3	2009-4-21	2009南开建证0006
8	天津城建集团办公楼外檐装修	5929.57	2009-4-30	2009南开建证0007
9	水上公园项目	18121.22	2009-5-26	2009南开建证0009
10	高科技楼	31482	2006-1-5	2009南开建证0012
11	凯盛家园	53520	2009-1-12	2009南开住证0006
12	南开法院综合审判楼	10753	2009-6-24	2009南开建证0014
13	永濠科技厂房建	36669.2	2009-7-30	2009南开建证0018
14	天津市商业设备生产、科研楼	6725.48	2009-8-14	2009南开建证0020
15	天津仪表公司厂房外檐装修	11433.98	2009-8-21	2009南开建证0022
16	阳光100西园16-23号楼	11339.4	2009-9-24	2009南开住证0007
17	阳光晶典苑	152940	2009-12-8	2009南开建证0026
18	兴业家园	66733.29	2009-12-25	2009南开住证0008
19	老城厢14号地块地下车库（三、四）	119269.97	2009-3-20	2009南开住证0004
20	西广开1、2号地住宅小区（格调春天）	250000	2009-3-10	2009南开住证0003

（王学军）

天津市规划局河北区规划分局

【概况】 河北区规划分局是市规划局的派出机构，主要职责是贯彻执行国家城乡规划、地名、城建档案、法律、法规、规章、方针、政策，负责在河北区行政辖区内组织编制城市规划、规划管理、规划监察、地名管理等工作；内设办公室、综合业务科（地名管理科）、规划管理科、建设用地科、建设管理科（市政工程科）、执法监察科（信访办公室）等6个职能科室。分局认真按照市局"一二三四五"的奋斗目标和工作思路，围绕河北区经济社会发展的主要目标，坚持"高起点规划、高水平建设、高效能管理"的要求，为完成"保增长、渡难关、上水平"的目标任务，提供了强有力的规划服务保障。2009年中，在高水平、高质量的完成了河北区总体城市设计和中山路、八马路、金钟河大街等重点地区城市设计工作的基础上，组织深化天泰路和北宁公园等重点地区城市设计。在建设项目规划管理工作中，严格按照"一个平台、一套标准、二级监督、三级会审"的业务管理模式，认真做好网上统一办件、统一业务流程，统一标准的业务案件办理；优化业务流程、简化审批程序，打破串联管理的限制，建立完善内部并联审批机制，实行内部并联审批；全年共办理各类业务件数量是去年的4倍，增加了300%；在审批提速规定时限的基础上，每个业务件的办件时间平均提前2个工作日，审批速度提高了38%，保证了建设项目的顺利开工建设；在2009年6月24日市局李春梅常务副局长带队到分局进行业务管理情况检查中获得优秀等次，在年底局系统区县规划局（分局）城乡规划业务管理考核中获得第二名优秀等次。

【机构人员】

局长、党组书记　单国雁

副局长　王传明

　　赵　明

科室负责人

办公室主任　刘玉安

综合业务科（地名管理科）副科长（主持工作）　罗明连

规划管理科负责人（主持工作）　陆　明

建设用地科科长　何力军

建设管理科（市政工程科）科长　张克衡

执法监察科（信访办公室）科长　田　军

截至2009年12月31日，分局机关共计人数26名，其中公务员编制24名（处级干部4名，科级干部18名，科员2名），工勤人员2名。

【规划设计编制审批】 在完成2008年重点城市设计任务的基础上，按照市指挥部和我区分指挥部领导的要求，发扬"五加二、白加黑"的拼搏精神，高水平、高质量完成了河北区重点规划编制任务，将《河北区城市总体城市设计》和《八马路地区城市设计》的成果上报市局审批。按照市局控规修编工作要求，完成了控规修编成果和重点城市设计成果的衔接工作，基本完成了河北区控制性详细规划的修编深化工作，在河北区22个控规单元中，19个单元的控规方案已通过市局审查，另外三个单元的控规方案正在加紧深化完善。结合河北区天泰路和北宁公园等重点地区的开发建设，高标准组织深化完善《天泰路地区城市设计》、《北宁公园及周边地区城市设计》等重点地区城市设计，年内阶段性成果已经编制完成，多次向上级领导汇报。协助市局完成《小锅炉并网改造规划》、《关于北站历史建筑保护问题的意见》、《大运河保护规划》、《天津市历史文化街区边界调整》、《天津市商贸旅游发展规划》涉及河北区的现状调查和规划组织工作。完成《关于河北区菜市场规划情况的报告》、《关于河北区道路系统情况的报告》等一并向上级领导进行了汇报。完成市规划展览馆河北区展区的验收工作，并做好了春节期间在市规划展览馆的值班接待工作。完成的其他工作还包括：河北区电网规划、河北区环卫局溶盐池和垃圾转运站选址工作、河北区中小学校舍抗震普查工作、河北区高强度开发地块调查工作、河北区雕塑普查和高层建筑普查工作等。

【规划管理】 2009年，分局加强制度建设，先后制定和完善了《河北区规划分局局长业务会审会制度》、《河北区规划分局信息公开暂行规定》等制度规定，形成了按制度管理事权的科学决策氛围；修订和完善了《规范化服务达标标准》、《职工仪表规范》、《文明用语规范》、《服务程序规范》等服务措施，变被动接待为主动服务，变案件审批为规划服务，坚持深入企业、建设单位和区各委办局现场服务，服务质量和效率大大提高。为保证市、区重点建设项目顺利建设，分局在认真落实市局制定的十六条服务措施的基础上，结合河北区特点，研究制定了十条具体保障措施和三项引导现代服务业发展建设措施，组成服务小组，采取以局长服务日，现场办公，开辟绿色通道，召开重点建设项目推动会和企业服务座谈会等形式，加大对重点项目的服务力度，确保建设项目促开工、早竣工。根据河北区的功能定位和布局结构，结合区内经济社会发展的实际，对全区的重点建设项目和储备地块进行认真的梳理，把 GIS 成果和工作进度表放在分局局域网公用硬盘上，随着工作进度进行动态更新，为河北区重点项目的建设和招商引资提供高质量的规划保障；在对区重点建设项目进行梳理分类研究的基础上，确定了 69 个重点建设项目，编制完成《河北区重点建设项目》手册，对河北区的项目建设起到了指导作用。开展了对河北区在建和已建高层项目建筑外檐重新审查调查工作，对河北区 221 栋已建成高层多层项目进行了普查，并对其进行了拍照、信息录入、登记造册，对 28 个已批在建项目进行了梳理，对 12 个需整改的项目下发了整改通知，目前已有 8 个项目建筑外檐进行了整改，其余项目正在整改。协助供热部门进行小锅炉并网改造和燃气旧管网改造工作，目前我区小锅炉并网改造工作已基本完成。作好重点规划编制成果转化工作，对中山路、八马路、金钟河大街、天泰路和北宁公园等编制了城市设计的重点地区积极进行规划策划，使规划成果尽快落地实施；在中山路地区的日纬路东地块、制线厂地块和三德元地块已经挂牌出让的基础上，提前介入了中山路地区土地平衡试点项目铁一小地块和十月影院地块的前期策划工作；在将金钟河大街地区城市成果纳入土地细分导则的基础上，组织金钟河大街前期规划策划工作，及时核发了金钟河大街 1、3、5 号地块的规划条件，为土地出让工作创造了条件；结合八马路地区重点规划编制，做好八马路地区律纬路两侧地块、聚胺脂厂地块、新开河工业区地块建设项目的前期策划工作，使八马路地区开发建设早日启动。及时为天津市保障住房建设投资有限公司核发天泰路地区堤头及新大路、国印新村片储备用地的《选址意见书》和《建设用地规划许可证》，保证了拆迁工作的顺利进行。为保证河北区铁东路地块能够在年内完成出让，在土地整理部门进件的当天，就办复了《规划条件》，为土地尽快挂牌出让创造了条件。主动协调市规划院、铁三院、地铁总公司等单位、落实了北站北货场铁路职工住宅建设项目的规划道路定线和地铁线位站点调整等问题，为建设单位核发了《选址意见书》，保证建设项目顺利进行。为河北区政府列入 2009 年改善人民生活十项工作之一建昌道街和月牙河街社区卫生服务中心扩建项目及时办复规划行政审批手续，保证扩建项目顺利开工建设。对河北区的定向还迁房建设大力支持，及时为汽车配件七厂、南口路盛家园二期、市三日化地块、幸福道南等定向安置用房建设项目办理了规划行政审批手续，保证全区定向还迁房建设顺利进行。真心实意的为企事业办实事、解难题，做好规划服务，截止年底，分局先后组织 87 次、深入 30 家企业进行服务，服务达 280 多人次，为企业解决了竣工验收、设计方案审定、用地许可、放线验线、市政专项规划、地名证明等问题 50 余个；确保了远洋二期、希尔顿酒店、二五四医院住院楼三个重点项目开工建设所需规划手续，对君临大厦、新文化中心、远筑大厦、泽园大厦、星源大厦、仁恒滨河水岸、天津市电力局供电设备修试基地等重点项目提供了及时规划服务保障；针对各个项目的不同特点，进行了专门服务，对希尔顿酒店项目采用了五步式审批程序，仁恒滨河水岸项目在总平面图已审定的情况下，提前核发基础部位《建设工程规划许可证》，确保了该项目提前开工；在天津市电力局供电设备修试基地修详规审批期间，多次协调有关部门，组织专家评审会，进行现场服务，确保项目顺利开工。对 19 项促开工建设项目，多次组织召开推动会，积极了解各项目存在的问题和进展情况，如嘉海二期、津源里、金钟河大街公建项目等；针对嘉海二期项目，两次上报市局召开专题讨论会，协调处理方案中涉及的有关问题；对金钟河大街公建项目，涉及用地范围调整的问题，多次与市规划院、建设单位一起上报市局专题研究；2009 年这些成果有的已取得土地手续（或有明确投资意向），有的正在进行规划方案深化，有望开工建设。

分局严格按照业务案件三级会审制度，高质量完成了建设项目规划审批工作。截止 2009 年底，共召开分局长业务会审会42次，办理各类业务案件299件。其中，全年共核定建设用地31件；核发《选址意见书》12件，《规划条件通知书》10件，《规划设计要求通知书》3件；核发《建设用地规划许可证》20件，总用地面积102.16公顷，可用地面积69.75公顷。核发《建设工程规划许可证》42件，总建筑面积28.84万平方米；核发《建设工程规划许可证（部位）》22件；核发《建设工程规划许可证（市政）》31件，长度17.51公里；《审定规划设计方案》2件，《审定规划总平面》17件，《审定建筑设计方案》26件；核发《市政工程规划设计要求（规划项目）》2件，审定《市政工程规划设计方案（规划项目）》12件；核发《市政工程规划设计要求（建设项目）》10件，审定《市政工程规划设计方案（建设项目）》10件。

【监督检查】 在证后管理工作中，完成《建设工程规划验线》20件，其中《市政工程规划验线》18件，建筑面积共47.97万平方米。《建设工程规划验收》30件，建筑面积76.43万平方米。违法建设查处。查处违法建设29处，责令停止违法建设行为10件。罚款25.56万元。日常巡查。2009年先后组织240人次，进行130次巡查，坚持每周巡查2次。信访工作：全年接待来信4件、来访24次，100人、来电37次。

【地名管理】 按照市局地名职权调整的通知精神和要求，于2009年2月1日按时完成了与区建委原地名办移交工作。依据《行政许可法》和《天津市地名管理条例》等法律法规的要求，分局开始履行地名管理职权，全年审批标准地名证书8件，收取地名标志费近29万余元，办理门牌通知书12件，为群众开据地名证明信300多份。年内深入河北区十个街办事处，对全区155小区门牌标志进行了调查摸底，对调查情况及时进行了登记造册，对无门牌标志小区进行了门牌标志的制作悬挂。

【档案管理】 至2009年底分局档案室共归档文书档案427卷，城建业务档案2502卷。其中2009年内归档文书档案6卷，城建业务档案155卷。年内完成地名档案的移交、接收工作，接收河北区建设委员会移交地名档案2815卷，地名档案案卷目录46本。2009年提供利用档案600多人次、820卷。在市勘察院进行地铁5号线定线勘测中，在分局档案室提取档案80卷，为地铁5号线顺利定线提供了基础依据。

规划设计报批统计表

序号	规划名称	上报		审批		
		单位	日期	单位	日期	文号
1	河北区总体城市设计	河北区政府	3月19日	市规划局		
2	八马路地区城市设计	河北区政府	3月22日	市规划局		
3	天泰路地区城市设计					
4	北宁公园及周边地区城市设计					

重要项目建设工程规划许可证审批统计表

序号	项目名称	建筑面积（平方米）	审批	
			日期	《建设工程规划许可证》证号
1	天津市津房置业发展有限责任公司福桥里（6-12号楼）	24400	2009-6-15	2009河北住证0001 120105200900047
2	天津市春江房地产开发有限公司 靖江鑫园	45085.4	2009-6-30	2009河北住证0002 120105200900049
3	天津市河北区环金安居建设有限公司 汇恒园	40898.59	2009-9-23	2009河北住证0003 120105200900072
4	天津市金阁置业有限公司 河北区正莹里小区	21600	2009-11-9	2008河北住证0004 120105200800011
5	天津市河北区天兴建设开发公司 敬贤里经济适用房	33748.5	2009-11-26	2008河北住证0005 120105200800017
6	天津泰达建设集团格调置业有限公司 格调艺术花园	5500	2009-1-13	2009河北建证0001 120105200900001

续表

序号	项目名称	建筑面积（平方米）	审批	
			日期	《建设工程规划许可证》证号
7	天津市第一轻工业学校 实习实训车间	305.51	2009-3-10	2009 河北建证 0002 120105200900004
8	天津市政公路资产管理中心 市政综合管理用房	5162	2009-3-26	2009 河北建证 0003 120105200900006
9	天津市海河建设发展投资有限公司 博爱道综合整治工程——胜利路 399 号等 4 栋建筑	3818.27	2009-5-21	2009 河北建证 0004 120105200900007
10	天津市海河建设发展投资有限公司 博爱道地区综合整治工程——胜利路 413-419 号等 3 栋建筑	5220.32	2009-3-31	2009 河北建证 0005 120105200900008
11	天津市海河建设发展投资有限公司 博爱道地区综合整治工程——胜利路 405-411 号	8417.15	2009-3-31	2009 河北建证 0006 120105200900009
12	天津市海河建设发展投资有限公司 博爱道地区综合整治工程	593.4	2009-4-29	2009 河北建证 0007 120105200900028
13	天津市海河建设发展投资有限公司 博爱道地区综合整治工程——自由道 24 号	2063.8	2009-4-30	2009 河北建证 0008 120105200900011
14	天津市海河建设发展投资有限公司 博爱道 22-24 号	748.2	2009-4-1	2009 河北建证 0009 120105200900012
15	天津市海河建设发展投资有限公司 博爱道地区综合整治工程——民族路 32-34 号	1117.43	2009-4-29	2009 河北建证 0010 120105200900013
16	天津市海河建设发展投资有限公司 进步道 37-39	1203.61	2009-4-1	2009 河北建证 0011 120105201000003
17	天津市海河建设发展投资有限公司 民族路 10 号	458.15	2009-5-21	2009 河北建证 0012 120105200900037
18	天津市海河建设发展投资有限公司 博爱道地区综合整治工程——自由道 17-19 等两栋建筑	1457.89	2009-4-29	2009 河北建证 0013 120105200900018
19	天津市自来水集团有限公司 自来水集团有限公司水质化验中心工程	6869.61	2009-4-3	2009 河北建证 0014 120105200900020
20	天津市海河建设发展投资有限公司 博爱道综合整治工程——进步道 31、35 号	8063	2009-5-11	2009 河北建证 0015 120105200900032
21	天津铁道职业技术学院学生公寓	4607.72	2009-5-14	2009 河北建证 0016 120105200900033
22	天津市电力公司修试中心 供电设备工厂化修试基地	32400	2009-6-1	2009 河北建证 0017 120105200900040
23	天津市军供站 天津市军供站凯旋大厦工程	12360	2009-6-10	2009 河北建证 0018 120105200900046
24	天津市海河建设发展投资有限公司 博爱道地区综合整治工程——民族路 18-22 号	441.81	2009-6-30	2009 河北建证 0019 120105200900051
25	天津市公安局河北分局 公安河北分局新开河派出所	2600	2009-7-7	2009 河北建证 0020 120105200900056
26	天津市河北区卫生局 月牙河街社区卫生服务中心扩建	500	2009-9-7	2009 河北建证 0021 120105200900058
27	天津市河北区环金安居建设有限公司 盛泰家园	249	2009-8-13	2009 河北建证 0022 120105200900062
28	天津广厦融胜置业发展有限公司 奥式商务公园二期	48700	2009-9-18	2009 河北建证 0024 120105200900069
29	天津瀚华置业发展有限公司 瑞海名苑	12.1	2009-9-23	2009 河北建证 0025 120105200900071
30	天津泰达建设集团格调置业有限公司 格调艺术花园大门、围墙	0	2009-10-13	2009 河北建证 0026 120105200900076
31	天津市第一轻工业学校 学生宿舍楼工程	6204.66	2009-10-27	2009 河北建证 0027 120105200900078
32	天津市河北区环金安居建设有限公司 泰来家园	0	2009-11-3	2009 河北建证 0028 120105200900081
33	天津市海河建设发展投资有限公司 博爱道地区综合整治工程——民族路 24 号	415.95	2009-11-10	2009 河北建证 0029 120105200900082
34	天津市海河管理处 新开河耳闸管理用房及景区规划	2489.8	2009-12-30	2009 河北建证 0030 120105200900093

注：表中所注建筑面积为发证面积，即地上建筑面积。

《选址意见书》审批项目统计表

序号	项目总编号	申请编号	申报单位	项目名称	项目地址	许可证号	总用地面积（平方米）	界内用地面积（平方米）	建筑规模（平方米）	用地性质
1	2009河北0001	2009河北地条申字0001	天津市河北城市建设投资有限公司	中山路十月影院土地整理储备项目	中山路十月影院原址	2009河北选证0001	56795.4	39393.7	0	储备用地
2	2008海河0086	2009河北地条申字0002	天津市海河建设发展投资有限公司	公园管理用房（铭恩堂）	耳闸	2009河北选证0002	260	260	290	公共绿地
3	2009河北0019	2009河北地条申字0005	天津市保障住房建设投资有限公司	河北区新大路地块土地整理储备项目	河北区新大路东侧	2009河北选证0004	153400	113760.7	0	储备用地
4	2009河北0016	2009河北地条申字0003	天津市保障住房建设投资有限公司	小王庄土地整理储备项目	小王庄	2009河北选证0003	289000	160841.3	0	储备用地
5	2009河北0020	2009河北地条申字0006	天津市保障住房建设投资有限公司	河北区国印新村地块土地整理储备项目	金钟河大街北侧	2009河北选证0005	167800	133517.5	0	储备用地
6	2009河北0017	2009河北地条申字0008	天津市地下铁道集团有限公司	天津市地下铁道二期工程3号线铁东路站	铁东路	2009河北选证0007	1182.8	1182	559	市政公用基础设施用地
7	2008市0615	2009河北地条申字0007	天津市河北区环金安居建设有限公司	河北区南口路盛和家园二期	白庙变电站东侧	2009河北选证0006	20800	19800	容积率2.5	居住用地
8	2009河北0027	2009河北地条申字0009	天津市地下铁道集团有限公司	地铁2号线建国道站	建国道	2009河北选证0008	1262	1262	541	市政公用基础设施用地
9	2008市0615	2009河北地条申字0007变更	天津市河北区环金安居建设有限公司	河北区南口路盛和家园二期	白庙变电站东侧	2009河北选证0006	20800	19800	容积率3.0	居住用地
10	2009河北0042	2009河北地条申字0011	天津京铁房地产开发公司	北站北货场铁路职工住宅	北站北货场	2009河北选证0010	81260	70260	171510	居住用地
11	2009河北0039	2009河北地条申字0010	铁道第三勘察设计院集团有限公司	铁三院办公楼及单身宿舍	万柳村大街6号	2009河北选证0009	12740	4290	6466.85	教育科研设计用地
12	2009河北0044	2009河北地条申字0012	天津市河北区环金安居建设有限公司	东方化工厂二期定向经济适用房	铜陵路	2009河北选证0011	13500	10500	容积率3.0	居住用地
13	2009河北0045	2009河北地条申字0013	天津城投建设有限公司	天津站交通枢纽管理控制中心工程	建国道与五经路交口	2009河北选证0012	27768.2	12633.6	26500	非市属办公用地

《规划条件》审批项目统计表

序号	项目总编号	申请编号	申报单位	项目名称	项目地址	总用地面积（平方米）	界内用地面积（平方米）	建筑规模（平方米）	用地性质
1	2009河北0029	2009河北规条申字0001	天津市地下铁道集团有限公司	中山路地块	中山路与昆纬路交口	32450	19305.5	98000	居住型公寓，商业用地
2	2009河北0033	2009河北规条申字0004	天津市建设投资有限公司	河北区金钟河大街五号地	金钟河大街北侧	168039.8	66351	212600	居住用地、公共设施用地
3	2009河北0032	2009河北规条申字0003	天津市建设投资有限公司	河北区金钟河大街三号地	金钟河大街北侧	134931.6	60277.4	236000	居住用地、公共设施用地
4	2009河北0031	2009河北规条申字0002	天津市建设投资有限公司	河北区金钟河大街一号地	金钟河大街北侧	236653.2	150026	360000	居住用地、公共设施用地
5	2009河北0036	2009河北规条申字0005	天津市结构调整土地收购中心	纺织机针厂土地整理	增产道8号	22563.8	12137.8	容积率2.4	公共设施用地
6	2009河北0043	2009河北规条申字0006	天津市地下铁道集团有限公司	河北区铁东路地块	铁东路东侧	260794.3	153952.1		居住用地、公共设施用地
7	2009河北0029	2009河北规条申字0001变更	天津市地下铁道集团有限公司	中山路地块	中山路与昆纬路交口	32450	19305.5	98000	居住型公寓，商业用地
8	2009河北0036	2009河北规条申字0005变更	天津市结构调整土地收购中心	纺织机针厂土地整理	增产道8号	22563.8	12137.8	容积率2.4	公共设施用地
9	2009河北0043	2009河北规条申字0006变更	天津市地下铁道集团有限公司	河北区铁东路地块	铁东路东侧	260794.3	153952.1		居住用地、公共设施用地

《规划设计要求》审批项目统计表

序号	项目总编号	申请编号	申报单位	项目名称	项目地址	建筑规模	用地性质
1	2009河北0003	2009河北规设申字0001	天津市河北区卫生局	月牙河街社区卫生服务中心扩建	雅砻江道2号	500	医疗卫生用地
2	2009河北0004	2009河北规设申字0003	天津市河北区卫生局	建昌道街社区卫生服务中心扩建	泗阳路4号	972	医疗卫生用地
3	2009河北0012	2009河北规设申字0006	天津天物汽车发展有限公司	一汽夏利汽车专卖店扩建工程	真理道54号	1400	商业用地

《建设用地规划许可证》审批项目统计表

序号	项目总编号	申请编号	申报单位	项目名称	项目地址	总用地面积（平方米）	界内用地面积（平方米）	建筑规模（平方米）	用地性质
1	2008市0203	天津市河北区环金安居建设有限公司	市三日化地块安置房项目	金钟河后街3号	2009河北地证0016	15069.6	12783	38349	居住用地
2	2007市0333	天津市河北区环金安居建设有限公司	幸福道南定向安置经济适用房项目（二期）	幸福道与金钟河东街交口	2009河北地证0018	30266.6	16374.7	57250	居住用地
3	2007市0333	天津市河北区环金安居建设有限公司	幸福道南定向安置经济适用房项目（一期）	幸福道与金钟河东街交口	2009河北地证0017	28984.3	18625.3	47750	居住用地
4	2008市0592	天津市海河管理处	新开河耳闸管理用房及景区规划(天津市新开河耳闸除险加固工程附属设施)	堤头大街115号	2009河北地证0003	5545.7	5545.7	2489.8	非市属办公用地
5	2009河北0001	天津市河北城市建设投资有限公司	中山路十月影院土地整理储备项目	中山路东侧	2009河北地证0002	56795.4	39393.7	0	储备用地
6	2003市0993	河北区教育局	十四中学改扩建示范校	水产前街	2009河北地证0019	87998.2	62268.1	48000	居住用地
7	2008海河0086	天津市海河建设发展投资有限公司	公园管理用房(铭恩堂)	耳闸	2009河北地证0012	449	449	449	公共绿地
8	2009河北0027	天津市地下铁道集团有限公司	地铁2号线建国道站	建国道	2009河北地证0013	1228	1228	541	市政公用设施用地
9	2009河北0017	天津市地下铁道集团有限公司	天津市地下铁道二期工程3号线铁东路站	铁东路	2009河北地证0010	1172	1172	559	市政公用设施用地
10	2007市0391	天津市河北区环金安居建设有限公司	汽车配件七厂定向安置用房	曙光路与圣贤道交口	2009河北地证0006	18751	11415.7	39000	居住用地
11	2008河北0007	天津市河北区环金安居建设有限公司	天津市机床锻件厂定向安置经济适用房	喜峰道	2009河北地证0001	19988.3	10952.1	37237	居住用地
12	2009河北0040	天津市大久房地产建设开发公司	祥和家园二期	金钟河大街	2009河北地证0014	15231.6	7182	20330	公共设施用地
13	2008河北0005	天津市森鸿房地产开发有限公司	河北分局原址地块	中山路与日纬路交口	2009河北地证0015	12501.6	8285.4	36100	公共设施用地
14	2009河北0028	天津泰达建设集团有限公司	嘉海一期	河北区海河东路东侧	2009河北地证0009	78455.2	62033.4	236622	公共设施用地
15	2009河北0020	天津市保障住房建设投资有限公司	河北区国印新村地块土地整理储备项目	金钟河大街北侧	2009河北地证0008	173713.9	133517.5	0	储备用地
16	2009河北0019	天津市保障住房建设投资有限公司	河北区新大路地块土地整理储备项目	新大路东侧	2009河北地证0007	153907.9	113760.7	0	储备用地
17	2009河北0016	天津市保障住房建设投资有限公司	小王庄土地整理储备项目	小王庄	2009河北地证0005	285062.7	160841.3	0	储备用地
18	2008海河0061	天津润源房地产开发有限公司	解放桥变电站综合楼	自由道与五经路交口	2009河北地证0011	4496.2	2522.8	11985	商业金融业用地
19	2006海河0131	天津市海河建设发展投资有限公司	慈海桥配套公建项目	慈海桥	2009河北地证0004	18450	18450	27300	商业金融业用地
20	2008市0166	天津城市道路管网配套建设投资有限公司	喜峰道（南口路~韶关路）道路及配套工程	南口路~韶关路	2009河北地证0001	13525.6	10665	0	道路广场用地

（何力军）

天津市规划局红桥区规划分局

【概况】 2009年红桥分局荣获“第四届全国精神文明建设工作先进单位”。

2009年是城乡规划管理体制改革后正式运行的开局年，也是落实重点规划编制成果的实施年，大建设、快发展已成为当前的新形势、新要求。年初为贯彻落实市委市政府提出的“保增长、渡难关、上水平”的总目标和要求，即对小伙巷陆家嘴金融广场、和苑居住起步区、人民医院二期等10项条件成熟的项目，加快规划审批，确保年内开工；对南运河商贸旅游区、帕玛拉特地块、天骄大厦等15个项目，积极创造条件，促进项目能早开工。在关于红桥清真大寺建设的土地产权问题上，分局多次出面协调民委、陆家嘴集团和市有关部门，最后达到多方都很满意的结果，打破小伙巷地区建设的僵局。在区政府与中冶集团合作建设和苑居住起步区定向安置房中，分局积极配合，全程参与，随时提供规划有关信息和要求，为项目顺利签约发挥应有的作用。在红桥广场等5个地块出让中，多次与市有关部门主动协调沟通，依法合理地核提规划设计条件，为地块的成功出让提供规划保障，进一步激活了红桥区土地市场。

【机构人员】

局长　贺高潮
副局长　曹文亮
　王　勇
　沈英华
副调研员　魏祥文
科室负责人
办公室主任　张忠诚
综合业务科（地名管理科）科长　骆庆华
建设管理科（市政工程科）科长　丁　强
规划用地科副科长（主持工作）　赵楷卿
执法监察科（信访办公室）科长　赵　娟

截至2009年12月31日，分局公务员编制35名，分局在岗人数25名，其中处级干部5名（1名局长、3名副局长、1名副处调研员），科级干部15名（4名科长、3名副科长、7名主任科员、1名副主任科员），科员2名，工勤3名。

【规划设计编制审批】

完成子牙河堤岸地区城市设计 根据年初确定规划编制任务和编制单位，开展编制设计的初步工作。在市局和区政府的领导下，在相关设计单位的紧密配合、支持下，分局多次召开子牙河滨水堤岸设计方案研究评审会，广泛征求设计单位、区各相关部门和市水务部门的指导意见，对子牙河堤岸滨水设计方案进行了调整和优化，基本同意调整后的方案，现正在审批过程中。

组织大胡同地区改造规划和估衣街历史文化街区保护规划 在区政府的直接领导下，分局主持召开大胡同地区改造规划历史文化街区和历史文化街区保护专题论证会，组织有关规划设计院深化调整现有方案。

规划设计报批统计表

序号	规划名称	上报	
		单位	日期
1	子牙河堤岸城市设计	红桥区重点规划编制分指挥部	审查中

【规划管理】

依法行政、管理工作 狠抓规划公示。进一步完善规划和项目方案批前公示、批后公布、公开查阅等操作程序，健全报刊公示、工程现场公示等操作举措，建立了《政务信息公开管理规定》、《“政民零距离”专栏工作实施方案》等制度，切实增强了规划的透明度。健全社会监督。主动接受人大、政协监督，切实履行规划实施情况报告制度。主动接受公众监督，广泛征询和听取社会各界的意见和建议，及时反馈，确保规划科学、合理、民主。严格规划审批程序，实行业务会审制度。按照市局的统一要求，每个案件经过分局业务会审，审批工作由集体决策；加强项目批后管理。实行项目管理责任制度，严格把好放线关、验线关、竣工验收关，严格建设工程全程跟踪管理，确保规划意图正确实施。

2009年初，落实市委市政府提出的“保增长、渡难关、上水平”的总目标和要求，从规划的角度，确定了一批“保、促、策”项目，为拉动经济增长和红桥区城市建设起到引领作用。同时对南运河商贸旅游区、红桥广场、天骄大厦等15个项目，积极创造条件，促进土地成功出让和项目开工。对小伙巷陆家嘴金融广场、和苑居住起步区、人民医院二期等10项条件成熟的项目，加快规划审批，确保年初开工；加强规划可实施性研究，策划2-4年100个项目，为红桥区的经济持续发展做好规划支撑。

加快规划招商力度，积极推进土地挂牌出让。在规划的原则指导下，多次组织成熟地块的规划条件研究和论证，合理确定5个地块规划条件，当年成功出让，特别是红桥广场地块，从组织规划论证，公示到挂牌出让，仅用4个月时间，区财政收入增加近亿元，为推动红桥区房地产市场和区域经济发展做出重要贡献。

针对西站地区交通枢纽包括复兴路高架桥、南运河北路、子牙河南路及西青道下沉等工程，共核发《选址意见书》9件，《线性选址》6件，《建设用地规划许可证》3件，《线性用地许可证》6件，《规划设计方案》1件，《市政工程设计方案(规划项目)》6件，《市政工程设计方案（建设项目)》4件，使西站城市副中心改造工程顺利实施。为解决小伙巷地块中陆津集团与清真大寺（含伊斯兰协会)、民族文化宫历史遗留的土地问题，多次召开项目现场协调会，积极与区民宗办、陆津房地产进行沟通联系，经市规划局与市国土资源和房屋管理局联席会同意决定在陆津公司原出让合同总用地面积、总建筑规模、用地性质不改变的基础上，对其出让合同地界进行调整，并对陆津公司、清真大寺、民族文化宫用地重新核定之后，分别办理了相关手续，加快推动了小伙巷地块的建设。

为人民医院进行现场服务，主动与相关部门协调联系，解决垃圾站拆迁的问题，与规划院研究确定垃圾站方案，配合协调解决消防审批问题，为人民医院二期工程尽快开工建设提供规划保障。

加快市政基础设施建设 对天津市计划生育生殖健康服务中心、丁字沽供热站扩建工程、益春里、和苑居住区起步区c地块、西于庄农工商地块及丁字沽联合办公大楼进行市政详规审查。积极建设单位和电力部门沟通协调，加快审批速度，使定向还迁经济适用房项目河怡花园、河通花园及畅景家园电力配套工程、勤水线西营门35kv架空线改入地工程尽早完工；多次与市局对丁字沽供热站改扩建工程进行碰件，为红桥区供热小锅炉并网工程积极服务。

核发“一书两证”工作 一年来，分局积极贯彻落实《城乡规划法》，调动干部职工的积极性和主动性，端正工作态度，努力实现由职能型向服务型的转变，达到市局“承办一路绿灯、衔接一线贯通、审批一个会议、结果一次告知”的服务目标要求，分局为加快服务水平，提高审批质量，在确保不违反原则的情况，对建设单位实行敞开门服务，明确时间节点，加快项目尽早落地、开工、建设。严格落实市局十六项服务措施，提出了一切围绕项目服务，做到进件不隔天，会议及时开，真正做到了随报随批。继续开展“局长服务日”活动，对重点项目，分局主要领导带队，经常深入到建设单位现场，帮助企业排忧解难。建立目标责任制，分局对所管项目进行分工负责，并确定联络员，定期召开项目进度分析会，倒排工期，逐步推进，收到良好的效果。

分局2009年度核发《选址意见书》30件，建筑面积135.6万平方米，《建设用地规划许可证》27件，建筑面积128.43万平方米，《建设工程规划许可证》25件，建筑面积83.9万平方米，《市政建设工程规划许可证》20件，长度12245米。

【监督检查】

证后管理 2009年度《建设工程规划》验线22件，面积86.55万平方米，《市政工程规划》验线3件，长度3870米；《建设工程规划》验收13件，面积77.95万平方米。

日常巡查 制定每月巡查计划及夜间市政巡查计划，坚持对辖区内一级线路一周巡查1次，对二级线路半月巡查1次，对其他线路每月全覆盖巡查1次，全年共巡查50余次。

【档案管理】 2009年共整理业务档案120卷。

重要项目建设工程规划许可证审批统计表

序号	项目名称	建筑面积（平方米）	审批	
			日期	许可证号
1	雅和园单体建筑	93085.61	2009.9.25	2009红桥住证0004
2	尚和园单体建筑	67668.18	2009.9.25	2009红桥住证0005
3	尊和园单体建筑	93926.16	2009.9.25	2009红桥住证0006
4	河通花园经济适用房住宅小区单体建筑	60781	2009.4.21	2009红桥住证0002
5	泉富家园经济适用房住宅小区单体建筑	50087.45	2009.4.28	2009红桥住证0003
6	西河名邸	65100	2009.12.18	2009红桥建证0009
7	虹溪公寓	14672	2009.10.29	2009红桥建证0013

（张　菡）

天津市规划局东丽区规划分局

【概况】 2009年天津市规划局东丽区规划分局（以下简称东丽区规划分局）是天津市规划局派出机构，接受天津市规划局和区政府的双重领导。

东丽区规划分局按照市规划局和东丽区委、区政府的部署，立足“保增长、渡难关、上水平”，高起点编制规划，加强规划建设管理，采取切实措施，落实重点工作任务，推动重点项目建设。

【机构人员】

局长、党组书记　李维秋
副局长（正处级）　李咸群
副局长　刘广文
副调研员　张万明
科室负责人
办公室主任　张万明（兼）
综合业务科（地名管理科）科长　王冬夏
规划管理科（测绘管理科）科长　郝志强
建设用地科科长　刘洪媛
建设管理科（市政工程科）科长　郝志强（兼）
执法监察科副科长　韩玉海

截止2009年12月31日，局机关公务员编制26名。在岗人员25名，其中处级干部4名，科级干部9名，科员10名，工勤2名。

【规划设计编制审批】 完成了东丽区总体规划的编制，按市领导的要求进行了深化提升工作。特别是按照市委书记张高丽到东丽区调研时提出的要求，对东丽区总体发展战略进行了深入研究和全面提升。进一步深化和明确了东丽区经济社会发展的总体要求、发展战略目标、城市功能定位，形成了东丽区《空间发展战略研究》方案。坚持高起点、高水平，加快各类规划和城市设计的编制工作。先后完成了东丽湖地区控制性详细规划、外环线以内中心城区控制性详细规划、华明示范产业园区和航空示范产业园区控制性详细规划、军粮城中心镇控制性详细规划、金钟街小城镇建设挂钩试点等一批规划和城市设计方案的编制工作。同步开展了环外地区控制性详细规划、滨海新区涉及东丽区辖区范围控制性详细规划方案的编制工作。完成了丰年村危陋平房改造地区的修建性详细规划、民和巷危陋平房改造地区的修建性详细规划的编制。完成了东丽区规划展览馆全部建设工程及内部布展工作，展览馆总占地面积2400平方米，建筑面积9400平方米，分二层布展，利用声、光、电等现代科技手段，通过文字、图片、视频等形式，充分反映了区规划建设成果和规划发展远景。

【规划管理】 适应规划体制机制改革的新形势和规划建设管理工作的新任务，精心组织、完善管理机制，进一步充实了派驻行政许可中心人员，落实了首席代表，建立健全了周业务案件会审会制度，实现了网上进、出件审批，做到了公开、公正、透明，加快了办件进度，大大提高了审批效率，实现了行政许可审批的大提速。组织召开业务案件会审会26次，会审案件64件。通过“一网通”平台累计办件571件。核发以行政划拨方式供地的建设项目《选址意见书》27件，道路选址25件，以出让方式供地的建设项目《规划条件》50件，其他建设项目建设工程《规划设计要求》29件，《建设用地规划许可证》40件。审定《规划总平面（含修建性详细规划）》63件；《建筑设计方案》21件。核发《建设工程规划许可证》101件；《建设工程规划许可证（部位证）》18件；乡村《建设规划许可证》1件；审定《市政工程规划设计要求》和《规划设计方案》42件；核发《市政建设工程规划许可证》34件。此外认真开展了高层建筑外檐核查工作。对区内24个项目的建筑外檐进行了核查，核查情况已报市规划局。

【监督检查】 证后管理。2009年核发《建设工程规划验线通知书》43件，验线面积92.8万平方米；《市政工程规划验线通知书》11件，验线面积1.7万平方米；核发《建设工程规划验收合格证》54件，验收面积102.39平方米。坚持领导信访接待日制度，认真受理信访案件，结案率100%，无一引发越级访、进京访及群体性事件。没有行政诉讼和行政复议的情况发生。

【城建档案管理】 2009年进馆文件737件，其中永久454件，长期44件，短期239件。

规划设计报批统计表

序号	规划名称	上报		审批		
		单位	日期	单位	日期	文号
1	东丽金钟街第三批挂钩试点还迁区修建性详细规划	东丽区规划分局	2009.6.10	东丽区政府	2009.6.12	东丽政复【2009】59号
2	军粮城示范镇一期安置区修建性详细规划	东丽区规划分局	2009.5.6	东丽区政府	2009.5.8	东丽政复【2009】46号
3	华明示范产业园总体规划	东丽区政府	2009.10.12	市政府	2009.10.26	津政函【2009】148号
4	航空产业区总体规划	东丽区政府	2009.10.22	市政府	2009.10.26	津政函【2009】148号
5	东丽湖地区控制性详细规划（共7个单元）	东丽区规划分局	2009.3.9	东丽区政府	2009.3.10	东丽政复【2009】21号
6	金钟街总体规划（2009年–2020年）	东丽区规划分局	2009.3.4	东丽区政府	2009.3.6	东丽政复【2009】19号
7	军粮城示范小城镇控制性详细规划	东丽区规划分局	2009.3.4	东丽区政府	2009.3.6	东丽政复【2009】18号
8	金钟街控制性详细规划（共5个单元）	东丽区规划分局	2009.3.11	东丽区政府	2009.3.23	东丽政复【2009】23号
9	环内地区总体城市设计	东丽区规划分局	2008.12.1	市规划局	2009.10.10	规景字2009【743】号

重要项目建设工程规划许可证审批统计表

序号	项目名称	建筑面积（平方米）	审批	
			日期	许可证号
1	矽谷港湾（二期）	104674.91	2009.3.2	2009东丽建证0012
2	小王庄还迁项目	122157.01	2009.6.22	2009东丽建证0048
3	李明庄还迁住宅项目	167468.93	2009.7.24	2009东丽建证0065号
4	空客还迁住宅项目	445529.94	2009.7.24	2009东丽建证0064号
5	张贵庄南居住区三期A地块	26326.16	2009.3.12	2009东丽建证0018号
6	天津市水产品冷藏加工物流基地	104624	2009.2.6	2009东丽建证0008号
7	中国一重滨海制造基地	1548.6	2009.3.24	2009东丽建证0022号
8	舒畅园	87728.53	2009.5.7	2009东丽住证0001号
9	天房昆俞A限价房	181402.83	2009.6.5	2009东丽住证0002号
10	张贵庄还迁住宅	125640.16	2009.7.1	2009东丽住证0006号
11	华明新家园10号地	337893.73	2009.11.16	2009东丽住证0014

（张长健）

天津市规划局西青区规划分局

【概况】 2009年西青区规划分局按照市委九届六次全会和区委九届五次全会的部署，坚持以“保增长、渡难关、上水平”为着力点，认真学习实践科学发展观，以完善全区规划体系为主体，以加强管理为主线，紧紧围绕市局年初制定的总体工作部署，不断强化服务职能，提高行政效率，增强执法监察力度，圆满完成了各项工作，为全区经济社会发展提供了有力的规划支撑。分局在规划编制上追求高水平，在管理工作中追求高标准，充分发挥了城乡规划在社会经济发展中的先导和统筹调控作用。全年各项工作得到了区委、区政府的肯定，被区委、区政府评为服务经济发展优秀单位。年底，西青规划分局办公室被市局评为“优秀青年服务岗”；综合业务科被评为“西青区2009年度政风行风建设先进基层单位”；王鹏同志被市局评为“人事人才优秀工作者”，陈文成同志被评为“青年服务标兵”。

【机构人员】

局长、党组书记	于振祥
副局长	赵建新
科室负责人	
办公室负责人	王　鹏
规划管理科负责人	陈文成
建设管理科负责人	郝俊双
执法监察科科长	陆景阳
建设用地科科长	房东祥
综合业务科副科长	顾　罡

截至2009年12月31日，局机关行政编制21人，在岗人数15人，其中处级干部2人，科级干部5人，科员8人。

【规划设计编制审批】 2009年区、镇两级编制规划20项，投入2800万元。其中，完成规划成果的8项，完成阶段性规划成果的1项，完成规划方案的11项。编制完成了西青区总体规划和西青新城总体规划，这是西青区第一部城市总体规划；开展了西青行政辖区的控制性详细规划编制工作，其中环内地区控规的修编工作已完成，环外地区控规的片区层面规划成果也已上报市局，明年达到控规全覆盖；编制了示范工业园规划，完成了总规划面积46.2平方公里的西青汽车工业区、西青高端金属制品工业区和西青学府工业区三个市级示范工业园园区总规、起步区控规和城市设计方案的编制和完善提升工作；完成了杨柳青历史文化名镇保护规划的编制；完成了地铁2号线西延线规划方案，将地铁2号线从曹庄子经南运河商贸区引至杨柳青；完成了赛达大道规划定线和组织协调工作；完成了杨柳青四条道路城市设计、津静及津涞公路两侧城市设计、南运河两侧城市设计。

【规划管理】

改革创新，高效服务，健全机制　规划设计国际招标机制不断健全。组织进行了杨柳青镇北综合公园、西青规划展览馆及年画馆和杨柳青中心商务商业区3个项目的国际招标。规划论证决策机制不断完善。健全了专家、规划部门组成的评审机制，全年组织专家评审7次，对每项规划方案都进行了公示，广泛征求市民意见。规划公示力度不断加大。进一步完善了规划和项目方案公开公示程序，一年内组织详规、建设项目等公示20余次，健全了网站公示、报刊公示、现场公示等举措，西青规划网站已试运行，为公众关注规划、参与规划提供了网络平台。

健全服务重大项目的保障机制　制定落实了《为重点规划建设项目服务五项机制》，即重点保障机制、协调服务机制、同步审批机制、当日办结机制和跟踪督办机制。保障全区到2020年规划建设用地实际达到273平方公里；运用规划手段保障各街镇在今后2–3年内有500–1000亩工业发展用地；在全市率先启动规划路网调整工作，使电子产业园区、大寺国际物流区、捷普诺基亚等一批重点项目真正落地；借用津晋高速北侧绿化带铺设赛达大道，节约建设用地1200亩、征地费2亿元；将津港快速路道路控制红线100米调整为控制红线70米，节约建设用地300亩，并为天祥数码园等40多个建设项目调整建设用地4平方公里。在西青开发区设立了“一网通”节点，将开发区服务窗口并入分局网上经办系统，实现了开发区直接办件、出件。协调市勘察院在分局建立办件窗口，方便企业办理核定用地、验线验收等相关手续。最大限度压缩审批时限，将6个法定环节压缩为4个主要环节，重点项目服务指南中将办件时限的68个工作日压缩为14个工作日；与区土地局、消防、配套等部门形成联席会制度，将串联审批改为并联审批机制。2009年，办理各类规划审批事项1052件，1–2天办结的有668件，占63%，其中93项当日办结，基本实现重点建设项目和联合审批项目的当日办结。

健全规划审批管理手段 在建设用地管理上，严格“六线”管理；业务案件受理后，做到与总规、城市设计等相结合，在用地规划动态管理系统上进行核定用地，符合规划的进行现场踏勘，作为提出规划条件的依据；对市管项目，定期参加市局建设项目处组织的会审会，与市局共同研究。在建设工程管理上，坚持重大项目必须进行国际招标；对杨柳青镇区范围内的建设项目，用杨柳青数字城市系统进行多方案比选；其他街、镇的项目结合正在编制的环外地区城市设计和前期方案策划进行建筑方案审查；重视日照分析，科学确定居住小区的楼间距，将绿地率由40%调整到45%，维护居民利益；编制了《西青区建设项目规划设计导引》和《西青区居住区规划设计导引》，为设计单位提供参考；加强了建筑外檐管理，在对环内、环外地区高层建筑外檐清查过程中清理出16项需整改的建设项目。在地名管理上，完成了地名命更名审批权的授权，地名审批由区政府授权西青分局局长审批，授权后缩短了审批时间；2009年地名命名审批居民区8条，道路8条，审核编排门牌33条。

【监督检查】 主动接受人大监督，切实履行规划实施情况报告制度，受区政府委托就全区规划工作向区人大、政协进行了汇报和通报。主动接受公众监督，广泛征询和听取社会各界的意见和建议，及时反馈，确保规划科学、合理。全年接待信访案件6起，接待信访14人次，接待信访来电2人次，答复率100%；信息公开查询9起，接待查询24人次，答复率100%。在执法监察上，按照市局制定的“两个体系，三个层面，二级督查”的工作框架开展巡察，全年累计巡查900余人次，发现违法建设行为52起，其中，移送综合执法局45起，通知土地分局属违法占地的项目7起。同时认真贯彻落实市局关于《天津市城乡规划违法行为查处规定》的要求，严格两级会审制，在分局业务会上集体研究对重大违法建设案件的处罚方案。2009年共查处违法案件15起，累计罚款4472.768万元，结案率100%。

【城建档案管理】 严格按照档案管理制度进行管理，做到档案完整、不丢失。保证档案安全，地名档案管理继续保持市一级档案管理的荣誉。

规划设计报批统计表

序号	规划名称	编制情况
1	西青区总体规划和西青新城总体规划	已完成，待上报市政府审批
2	西青区环外地区控规整合	已完成片区层面成果，并报市局备案
3	辛口、中北、大寺、杨柳青、精武、王稳庄、张家窝控规	正在完善单元及地块层面成果
4	杨柳青四条道路城市设计	方案已完成，正在编制成果
5	西青区环内城市设计	已完成，已审批
6	杨柳青城市设计	已完成导则并上报市局
7	天津汽车工业区总体规划	已审批
8	天津学府工业区总体规划	已审批
9	天津高端金属制品工业区总体规划	已审批
10	津静、津涞城市设计	已完成
11	杨柳青历史文化名镇保护规划	已完成

重要项目建设工程规划许可证审批统计表

序号	项目名称	申报单位	审批规模（平方米）	核发日期	许可证号
1	保健品车间、运动营养品车间、办公楼、研发楼	天津市天恩实业有限公司	17474.04	2009-1-15	2009 西青建证 0002
2	中国大冢制药有限公司二期工程	中国大冢制药有限公司	24856.7	2009-2-10	2009 西青建证 0003
3	张家窝镇居住区董庄子商业街、幼儿园、董庄子换热站与社区中心	天津市天屋房地产有限公司	23283.92	2009-2-12	2009 西青建证 0004
4	捷太格特汽车部件（天津）有限公司-接建仓库工程	捷太格特汽车部件（天津）有限公司	2000	2009-2-12	2009 西青建证 0006
5	新大洲本田摩托有限公司天津分公司联合厂房扩建工程	新大洲本田摩托有限公司	12501.9	2009-3-5	2009 西青建证 0016
6	厂房、宿舍及餐厅、变电室、门卫室	天津凡振电子有限公司	11170	2009-3-11	2009 西青建证 0024
7	华利工厂扩建焊装车间	天津一汽夏利汽车股份有限公司	18916	2009-3-13	2009 西青建证 0026
8	办公楼、灭活菌车间、实验动物房、质检室、动物房、门卫室等	天津市牧瑞生物技术有限公司	7723.13	2009-6-9	2009 西青建证 0029
9	天津同仁堂集团股份有限公司二期工程	天津同仁堂集团股份有限公司	14045	2009-4-23	2009 西青建证 0048
10	车间、厂房	天津市天下数码视频有限公司	11238.55	2009-4-27	2009 西青建证 0049
11	天津三一机械有限公司新建厂房、研发楼及附属用房	天津三一机械有限公司	12796.61	2009-4-30	2009 西青建证 0051
12	新建厂房及办公楼、门卫	天津爱帝力亚汽车部件有限公司	10366.36	2009-4-30	2009 西青建证 0052
13	咸阳路污水处理厂改造工程	天津创业环保集团股份有限公司	2165.48	2009-5-11	2009 西青建证 0055
14	大成万达（天津）有限公司仓库工程	大成万达（天津）有限公司	4156.76	2009-5-13	2009 西青建证 0058
15	优爱特（天津）电子有限公司二期工程	优爱特（天津）电子有限公司	2606.8	2009-6-16	2009 西青建证 0075
16	天津华能杨柳青热电有限责任公司四期工程	天津华能杨柳青热电有限责任公司	10457.4	2009-6-24	2009 西青建证 0078
17	风力发电机、电机定转子铁心制造项目	天津滨海通达动力科技有限公司	15887.86	2009-7-7	2009 西青建证 0081
18	灭活疫苗车间	天津瑞普高科生物药业有限公司	3522.77	2009-7-9	2009 西青建证 0083
19	天津电影艺术（教育）中心一期	天津电影制片厂	13111.5	2009-7-14	2009 西青建证 0084
20	天津一汽夏利汽车股份有限公司华利工厂 15 万辆改（扩）建项目	天津一汽夏利汽车股份有限公司	57925	2009-7-31	2009 西青建证 0094
21	粪便无害化处理	天津市生活垃圾处理中心	1669	2009-7-31	2009 西青建证 0095
22	沸腾制粒、灭菌及快速混浆包衣等系列技术新产品产业化基地建设项目	天津宏仁堂药业有限公司	16005	2009-8-4	2009 西青建证 0096
23	新能源汽车关键零部件-锂离子动力电池	天津市捷威动力工业有限公司	18653	2009-8-20	2009 西青建证 0106
24	天津一汽夏利汽车股份有限公司华利工厂 15 万辆改（扩）建项目	天津一汽夏利汽车股份有限公司	2180	2009-9-16	2009 西青建证 0120
25	天津一汽夏利汽车股份有限公司华利工厂 15 万辆改（扩）建项目	天津一汽夏利汽车股份有限公司	38479	2009-9-29	2009 西青建证 0125
26	天津华宁电子有限公司新建厂房、研发楼及配套设施项目	天津华宁电子有限公司	18430.5	2009-10-13	2009 西青建证 0127
27	厂房、办公楼及配套设施	天津市祥亨工贸有限公司	9489	2009-10-13	2009 西青建证 0128
28	汽车电子产业基地	天津市柳晨设施管理开发有限公司	24561.89	2009-11-3	2009 西青建证 0134

序号	项目名称	申报单位	审批规模（平方米）	核发日期	许可证号
29	天津一汽夏利汽车股份有限公司华利工厂15万辆改（扩）建项目	天津一汽夏利汽车股份有限公司	1902	2009-11-17	2009西青建证0141
30	天津一汽夏利汽车股份有限公司华利工厂15万辆改（扩）建项目	天津一汽夏利汽车股份有限公司	3396	2009-11-17	2009西青建证0142
31	镀铝锌硅生产车间	天津市凤鸣冷板有限公司	10226.32	2009-11-18	2009西青建证0143
32	西青开发区B3-1-1-2地块工业项目	天津市百利溢通电泵有限公司	17729.84	2009-11-18	2009西青建证0144
33	厂房及配套用房项目	天津市兴梁工贸投资发展有限公司	19213.53	2009-11-27	2009西青建证0151
34	联强国际（天津）计算机软硬件生产研发及配套服务中心建设项目	联强国际（天津）科技有限公司	9754	2009-11-27	2009西青建证0152
35	天津昭和漆包线有限公司迁建项目	天津昭和漆包线有限公司	14022.83	2009-11-30	2009西青建证0153
36	新能源新材料产业基地	天津市圣君科技发展有限公司	4620.28	2009-12-16	2009西青建证0159
37	汽车产业孵化基地	天津市贝特维奥科技发展有限公司	17645	2009-12-16	2009西青建证0160
38	汽车产业孵化基地	天津市贝特维奥科技发展有限公司	19383.87	2009-12-16	2009西青建证0161
39	富士能新建仓库	富士能（天津）光学有限公司	1658.25	2009-12-25	2009西青建证0163
40	新建厂区项目	天津立达食品有限公司	14296.6	2009-12-25	2009西青建证0164
41	彩板车间	天津市大正恒业钢结构有限公司	3942.12	2009-12-25	2009西青建证0165

（吴　扬）

天津市规划局津南区规划分局

【概况】 津南区位于天津市东南部，海河中下游南岸，是四个环城区之一。全区总面积387.84平方公里，辖8个镇和一个办事处，总人口50万。津南区西连中心城区，东接滨海新区，地处天津经济社会发展的主轴线上，是承接中心城区城市功能和滨海新区产业功能的重要区域。

根据国务院批复的《天津市城市总体规划》和《滨海新区总体规划》，在津南区九次党代会上提出了“东进西连南生态北提升”的发展战略和“9341”四大奋斗目标。

津南区是天津市中心城市的重要组成部分，是中心城区和滨海新区的重要扩展区，规划建设以信息产业为主导、现代冶金和精密制造为辅的新型产业聚集区，以生态、文化、旅游为底蕴、充满活力和魅力的海河南岸生态宜居城区。

【机构人员】

局长　赵怡本
党组书记　刘建国
副局长　孙晓光
副总会计师　刘延英
科室负责人
办公室主任　李庆文
综合业务科科长　王海春
建设用地科副科长　张国云
建设管理科科长　崔锦江
规划管理科科长　邢维霞
执法监察科科长　张宪生
局属单位负责人
规划设计所所长　孙晓光（兼）
规划设计所副所长　刘　锐
李大悦
赵立明

截至2009年12月31日，局机关在岗人数19名，公务员编制17名，其中处级干部3名（孙晓光副局长调任公务员手续正在办理之中，编制已批），科级干部9名（正科：7名，副科：2名），科员 2 名，试用期人员 3 名，工勤 2 名。事业编人员 11 名，其中科级干部 4 名，科员 7 名。

【规划设计编制审批】 深化完善《津南区总体规划》，并向市各委办局广泛征求意见。根据市规划局统一部署，完成《津南区总体规划》再提升工作；完成《津南区北闸口镇总体规划》审批工作。完成津南区中心城区控制性详细规划和外环线以内地区城市设计编制工作，将环内地区城市设计的理念融入控规中，使规划更具科学性和前瞻性。组织开展津南区环外地区控制性详细规划编制工作，并形成片区层面汇总成果。完成天津市第三批示范小城镇咸水沽、北闸口、辛庄、双桥河镇的控制性详细规划编制和审批工作。完成八里台镇二期二批试点镇出让区控制性详细规划和天嘉湖三期控制性详细规划审批工作。完成葛沽镇一期建设项目区控制性详细规划审批工作，完成葛沽历史名镇城市设计导则编制工作，开展葛沽历史文化名镇保护规划编制工作。积极配合天津市重点——海河中游地区、柳林地区城市设计编制工作。开展津南区总体城市设计编制工作，完成天嘉湖地区和津南产业区城市设计编制工作，深化完善津南新城城市设计；进一步深化完善北石林旅游度假区总体概念规划，开展滨海城商贸区和咸水沽新商圈规划编制工作；完善津南区综合交通体系规划，开展地铁 M6 线东延线选线规划；配合完成《北洋园总体规划》审批工作，完成《北洋园一期项目区控制性详细规划》和《天津海河教育园区（北洋园）一期建设项目区控制性详细规划（调整）》审批工作。完成天津市双港、海河、八里台、小站工业区总体规划审批工作，并组织完成了四个工业区起步区控制性详细规划和城市设计编制工作。

【规划管理】

建设项目 核发选址类业务案件 227 件、43778164.73 平方米，其中《选址意见书》100 件、《规划条件》121 件、《建设工程规划设计要求》6 件）。《建设用地规划许可证》152 件，21965947.77 平方米。审定《规划设计总平面》141 件、2918846.76 平方米；审定《修建性详细规划》34 件，9224914 平方米；核发《建设工程规划许可证》203 件，3485847.14 平方米；（部位）证 64 件。《建设工程规划设计方案》181 件。

市政项目 《市政工程规划设计要求》9 件；《市政工程规划设计方案》27 件；《市政工程规划许可证》17 件。

【监督检查】 在证后管理工作中，规划竣工 78 件，面积 71 万平方米。深入施工现场进行验线 156 件次。查处违法建设 8 件，罚款 11.9 万元，配合综合执法分局对违法建设项目进行确认 312 件次。坚持日常巡查，每周 2 次。

（李庆文）

天津市规划局北辰区规划分局

【概况】 2009 年，北辰区规划分局以“高起点规划、高效能管理、高标准要求，高水平服务”为工作目标，依法深入开展规划编制、审批、管理、监督等各项工作。

【机构人员】

局长、党组书记 张宝祥
副局长 陈铁铎
王 瑛
科室负责人
办公室主任 刘洪美
规划管理科副科长 宋 杨
建设用地科副科长 夏 玲
建设管理科科长 殷学强
执法监察科科长 杨俊杰
综合业务科（地名管理科）负责人 张建云
局属单位负责人
规划执法监察大队负责人 杨俊杰（兼）

截至 2009 年 12 月 31 日，局机关工作人员共计 21 名，公务员编制 19 名（其中处级干部 3 名，科级干部 9 名，科员 7 名），工勤编制 2 人。下属事业单位编制 17 名 (其中科级干部 8 名，科员 9 名）。

【规划设计编制审批】

编制北辰区总体规划 2008 年 10 月，《天津市北辰区城市总体规划》经北辰区人大常委会审议通过。2009年3月，《北辰区总体规划环境评价报告》通过由天津市环保局组织的专家审查会；2009年5月，北辰区规划分局多次组织总规方案优化提升专题研究会，对总体规划确定的用地布局、功能定位进行了进一步论证，并对道路布局规划及市政基础设施规划作了进一步核查；2009年修订的《天津市北辰区城市总体规划》，确定“北辰区是科技创新基地、商贸流通基地、生态宜居城区”的总体功能定位及“一轴两带一廊六区”的空间结构布局，规划形成七大居住区、六大工业区和三大物流集聚区的用地布局。

编制控制性详细规划 3月初，北辰区规划分局对环外地区14个规划片区，38个控规单元的划分界线进行核准。4月中旬，北辰区规划分局展开环外现状调查。5月初，北辰区规划分局与天津市规划设计研究院完成现状调查汇总。7月初，开始单元层面控规编制工作。2009年底，北辰区环外地区片区层面规划方案通过天津市规划局审查。同时，北辰区规划分局以“承接上位规划，指导建设实施”为目标，修编完善中心城区控制性详细规划。

编制大张庄示范小城镇规划 2008年12月，大张庄示范小城镇建设规划方案通过天津市重点规划编制指挥部审查。2009年2月，大张庄示范小城镇建设规划方案通过天津市国土房管局组织的专家审查会，于3月底通过天津市六部门联审及市长常务会。2009年3月，《天津市北辰区大张庄镇总体规划（2009-2020）》、《天津市北辰区大张庄镇镇区控制性详细规划》通过北辰区政府审批。

编制示范工业区规划 2009年6月，北辰区编制出医药医疗器械工业园、风电产业园、陆路港物流装备工业园三大示范工业园区总体规划。2009年10月，天津市人民政府批准实施。

编制北运河综合整治规划 7月底，北辰区规划分局与天津市城市规划设计研究院对北运河地区进行实地踏勘，收集北运河、京杭大运河材料。8月底，北辰区规划分局对北运河综合改造提升方案进行审查。10月，制作出北运河综合整治规划汇报视频。2009年底，北运河综合整治规划方案基本形成。

编制北辰区环内地区控制性详细规划 2009年初，启动修编北辰区环内地区控制性详细规划工作，共完成15个单元，规划控制范围总用地面积64.4平方公里，最终编制成《北辰区土地细分导则》。2009年7月30日，《北辰区土地细分导则》（规详字〔2009〕589号）被天津市规划局审批通过，成为北辰区环内地区规划项目审批依据。

编制天津市风电产业园规划（2009-2020年） 2009年6月，北辰区政府委托天津市城市规划设计研究院编制出《天津市风电产业园总体规划（2009-2020年）》。2009年10月23日，天津市人民政府审批通过《天津市风电产业园总体规划（2009-2020年）》。天津风电产业园位于天津市北辰区东北部，规划范围东至大张庄中心镇区，西至京津塘高速公路，南至规划张辛路，北至国道112高速公路，用地面积15.44平方公里（北辰区界内14.1平方公里）。天津风电产业园发展定位为“新能源装备制造、研发基地”。天津风电产业园规划结构可概括为：“一轴、两心、一廊、四片区。”天津风电产业园按功能划分为风电产业区、研发产业区和公共服务区三大类。风电产业区占地约400公顷；研发产业区占地100公顷；公共服务区占地约40公顷。风电产业园中部安排远景以工业生产和企业研发为主导的发展备用地约370公顷。起步区选址位于区内东、西两部分地区，规模约7.1平方公里。

编制天津陆路港物流装备产业园总体规划（2009-2020年） 2009年6月，北辰区政府委托天津市建筑设计院编制《天津陆路港物流装备产业园总体规划（2009-2020年）》。2009年10月23日，天津市人民政府审批通过《天津陆路港物流装备产业园总体规划（2009-2020年）》。天津陆路港物流装备产业园位于天津市北辰区东部，规划控制范围总用地面积9.85平方公里，规划范围总用地面积4.19平方公里。天津陆路港物流装备产业园的发展定位为物流装备研发制造基地。天津陆路港物流装备产业园的规划结构概括为：一心一轴四片区。“一心”为位于规划7纬路和规划2经路交口以西的服务中心，设置服务全区的公共服务设施。“一轴”为沿规划2经路的综合发展轴。“四片区”分别为工业区、商贸服务区、科研办公区和铁路站场区。天津陆路港物流装备产业园主要分为5个功能片区，分别为铁路站场片区、科研办公区、商贸服务区、工业区和蓝领公寓。近期建设规划用地规模333.8公顷，一期建设用地为209.1公顷，二期建设用地为124.7公顷。

编制天津医药医疗器械工业园总体规划（2009-2020年） 2009年6月，北辰区政府委托天津市建筑设计院编制出《天津医药医疗器械工业园总体规划（2009-2020年）》。2009年10月23日经天津市人民政府审批通过。天津医药医疗器械工业园位于天津市北辰区西部，规划控制范围总用地为8.74平方公里，规划范围总用地面积为3.68平方公里。天津医药医疗器械工业园的定位为：天津市医药制药生产基地、医疗器械生产基地。天津医药医疗器械工业园的规划结构概括为：一心一轴两片区。一心为位于规划4纬路与原京福路交口的服务中心，设置服务全区的公共服务设施。一轴为沿津保快速路的综合发展轴。两片区为由津保快速路分割的南区和北区。功能分区是以津保快速路为界，分为南、北两大片区。北区安排医药生产设备生产区、医疗器械生产区、物流区。南区安排科研中试成果转化基地、科研办公、医药医疗器械展示展贸、医药制药生产、医药制药生产配套和物流区。蓝领公寓设置在双口-青光中心镇的镇区。

编制天津市北辰区大张庄镇总体规划（2009-2020） 2009年3月16日，北辰区人民政府发文（北辰政批〔2009〕39号）批准实施《天津市北辰区大张庄镇总体规划（2009-2020）》。规划范围为大张庄行政管辖范围，面积9815.5公顷；镇区范围：北起机场排污河，东至津围公路，南至九园公路，西至规划十一号路，总用地面积约958.15公顷，其中建设用地面积约683.31公顷。大张庄镇定位为北辰区六大发展区之一，逐步建设成为以高效农业为基础、原创产业发展为主导的宜居型功能区。大张庄镇镇村体系结构为:“一镇、一区”的规划结构。“一镇”是镇区：将现状31个村庄全部合并至镇区，形成规模适度、配套齐全、环境优美、适宜居住的新镇区，其建设用地333.21公顷；“一区”是指产业发展区，其建设用地350.10公顷。规划空间管制分区中，将镇域规划区范围内所有用地划分为禁止建设区、控制建设区、适宜建设区、协调建设区四类空间管制分区。

【规划管理】 2009年度，北辰区规划分局完成规划行政许可、行政审批等各类业务成果778件。2009年度在“一书两证”管理工作中，办理《选址意见书》54件（线性选址5件），总计用地面积545.85万平方米；确立《规划条件》49件，总计用地面积298.64万平方米；提出《建设工程规划设计要求》47件，总计用地面积89.81万平方米；核发《建设用地规划许可证》63件，审批用地面积338.78万平方米。审核《修建性详细规划方案》3件，审批居住用地建设面积合计66万平方米；审核《规划总平面设计方案》109件，审批建设面积合计434.21万平方米；审核《建设工程设计方案》73件，审批建设面积合计139.67万平方米；核发《建设工程规划许可证（部位证）》13件，审批建筑面积合计66.04万平方米；核发《建设工程规划许可证》90件，审批建筑面积合计135.03万平方米；审核《市政工程规划设计要求（规划项目）》1件，审批长度合计6137米；审核《市政工程规划设计要求（建设项目）》4件，审批长度合计5270米；审核《市政工程规划设计方案》8件，审批长度合计6130米；审核《市政工程建设工程规划设计方案》5件，审批长度合计8938米；核发《建设工程规划许可证（市政工程）》17件，审批长度合计9535米。

【监督检查】 2009年度在执法监察工作中，北辰区规划分局建立以项目和区域为对象的巡查体系，制定巡查工作管理规定，建立用地、建管、监察多部门联合巡查机制，全程跟踪建设项目实施情况。

在证后管理工作中，完成对37个项目的规划验线，建设规模52万平方米；完成对78个项目规划验收，建设规模122.30万平方米及地下部分2.10万平方米；立案查处违法建设22件，查处违法建设的建筑面积6.62万平方米，罚款116万余元。

在规划信访工作中，北辰区规划分局健全信访跟踪服务制度，定期联系信访人，随时掌握信访动态，多方协调解决，以维护社会稳定。接待并处理事关城乡规划问题的群众来访、来电、来信37件，其中来访15件（集体访2件，个人访13件），来电20件，信访查询2件。截至12月底，仍在处理的上访事件2件，处理完结的上访事件35件，信访结案率达95%。

【城建档案管理】 在2009年度城建档案管理工作中，修订档案管理制度13项，新订《北辰规划分局档案管理实施办法》、《北辰规划分局档案工作岗位责任制和奖惩办法暂行规定》及《建设项目规划管理文件档案整理规范》，以完善档案管理制度；成立北辰规划分局档案领导小组及档案收集整理领导小组，以建立档案管理组织架构；各部门安装档案计算机管理系统——今易二版软件，以提升档案管理信息化水平。2009年度，归档文书档案352件，专门档案393卷，照片340张，实物6件；档案归档率99%，完整率99%，准确率100%；统计年度档案利用350人次。

规划设计报批统计表

序号	规划名称	上报		审批		
		单位	日期	单位	日期	文号
1	天津风电产业园	北辰区人民政府	2009年6月	天津市人民政府	2009年10月23日	津政函【2009】148号
2	天津陆路港物流装备产业园	北辰区人民政府	2009年6月	天津市人民政府	2009年10月23日	津政函【2009】148号
3	天津医药医疗器械工业园	北辰区人民政府	2009年6月	天津市人民政府	2009年10月23日	津政函【2009】148号
4	天津市北辰区大张庄镇总体规划（2009-2020）	北辰区大张庄镇人民政府	2009年3月	北辰区人民政府	2009年3月16日	北辰政批【2009】39号
5	天津市北辰区大张庄镇镇区控制性详细规划	北辰区规划分局	2009年3月	北辰区人民政府	2009年3月24日	北辰政批【2009】43号
6	天津市北辰区青光镇李家房子还迁房工程修建性详细规划方案	北辰区规划分局	2009年11月	北辰区人民政府	2009年11月3日	北辰政批【2009】124号
7	天津市北辰区大张庄镇还迁区修建性详细规划	北辰区规划分局	2009年11月	北辰区人民政府	2009年11月21日	北辰政批【2009】137号
8	北辰科技园区生活配套项目修建性详细规划	北辰区规划分局	2009年12月	北辰区人民政府	2009年12月23日	北辰政批【2009】149号

重要项目建设工程规划许可证审批统计表

序号	项目名称	建筑面积（平方米）	审批情况	
			日期	许可证号
1	天津九州通达医药有限公司分拣中心、综合楼等	25736	2009-3-4	2009北辰建证0012
2	天津长荣印刷设备股份有限公司主装配车间及主关件加工车间	34448	2009-3-12	2009北辰建证0013
3	汉森风电动力设备（中国）有限公司一期联合厂房、传达室、35KV变电站等	264183.7	2009-3-23	2009北辰建证0017
4	凯莱建筑材料（天津）有限公司加气生产车间、废料车间等	15423.2	2009-3-25	2009北辰建证0019
5	天津水泥工业设计研究院有限公司3号车间、供气站	19657.5	2009-3-31	2009北辰建证0020
6	中天仕名科技集团有限公司节能减排型水泥成套装备技术创新及产业化项目（1-2号车间、食堂浴室、变电站）	28380.5	2009-5-5	2009北辰建证0029
7	天津雷沃动力股份有限公司发动机联合厂房和食堂	34278.8	2009-5-13	2009北辰建证0030
8	天津汇辰房地产开发有限公司南地块1-17号楼、配套公建34#、动力中心37#等	100730.01	2009-5-25	2009北辰建证0034
9	天津汇辰房地产开发有限公司北地块1-16号楼、配套公建、动力中心	73435.38	2009-5-25	2009北辰建证0035
10	天津雷沃动力股份有限公司联合厂房、供油站、油化库、污水处理站	2656.9	2009-7-15	2009北辰建证0044
11	西门子机械传动（天津）有限公司硬齿机加工车间、热处理车间等	4812.85	2009-7-30	2009北辰建证0048
12	天津市伟星新型建材有限公司生产厂房、泵房、门卫、配电室、锅炉房	20463.84	2009-8-25	2009北辰建证0056
13	天津市天重江天重工有限公司铸钢车间、2号宿舍楼	38702.79	2009-8-26	2009北辰建证0058
14	天津市生活垃圾处理中心卫生间、膜处理车间设备工房、化验室、办公楼	407	2009-11-3	2009北辰建证0071
15	天津雷沃动力股份有限公司发动机产品技术升级项目——理化计量楼	1030.8	2009-11-20	2009北辰建证0072
16	汉森风电动力设备（中国）有限公司二期联合厂房	20773.22	2009-12-2	2009北辰建证0076

（柴朝文）

天津市塘沽区规划局

【概况】 天津市塘沽区规划局内设七个职能科室，所管辖事业单位有：天津市渤海城市规划设计研究院（正处级甲级规划资质）、天津市塘沽区城建档案馆（加挂天津市塘沽区城建档案管理办公室）、天津市塘沽区规划地理信息中心。2009年是塘沽区规划局成立的第二年，也是滨海新区体制调整的启动年。全局在体制改革中坚持做到思想不乱、人心不散、坚持岗位、尽职尽责。按照市委2009年提出的“站在高起点、抢占制高点、达到高水平”的总要求，本着解放思想、干事创业、科学发展的精神，依照区委、区政府、市规划局2009年工作部署，围绕区局确定的“强化规划的龙头带动超前引导的作用，在科学发展观指导下，结合滨海新区体制调整的新形势，继续深化规划编制、规划管理、审批机制、批后管理四个创新，推出国际一流的规划建筑作品，达到一流的规划管理水平，建设一流的干部队伍，规划监管覆盖塘沽区每一寸土地”的目的，全局上下一条心，勤政务实，圆满完成了各项规划管理目标任务。

规划设计取得新突破，完成控规、详规、设计、研究等63项之多。规划服务管理上新水平，坚持了局领导分别兼任各重点功能区建设指挥部成员，坚持重点工程专职专人联系制度，促进建设速度的提升。规划监督检查与塘沽区监察局联合成立了塘沽区规划效能监察领导小组，集中开展了效能监察工作，落实了建设部、监察部《关于开展城乡效能监察的通知》。

2009年在区局党组的领导下，秉承规划管理人员的崇高责任和使命，认真落实市区委、市区政府、市规划局对规划编制、管理、服务工作的新要求，紧紧围绕局党组提出的工作思路，统一思想，提高认识，在滨海新区体制改革的新形势下，全力以赴，真抓实干，取得了规划管理各项工作的新成绩。

【机构人员】

局长、党组书记	彭　博
副局长	冯志庚
	李　云
局长助理（挂职锻炼）	李　健
科室负责人	
办公室副主任（主持工作）	郭志伟
综合业务科科长	鞠玉娟
规划编制科科长	孙　岩
用地规划管理科科长	季宝国
建设管理科科长	薛宝忠
证后管理科科长	项邦杰
法规监察科负责人	祁业兵
事业单位负责人	
天津市渤海规划设计研究院院长	张　嵩
天津市塘沽区城建档案馆馆长	蔡　明
天津市塘沽区规划地理信息中心主任	蔡　明（兼）

截止2009年12月31日，全局共有公务员编制30名，实有20人，其中处级干部3人、科级干部（含正、副主任科员）13人、科员4人。

【规划设计编制审批】 以《天津市城市总体规划（2005年–2020年）》为依据，参照《天津战略》和《天津滨海新区城市空间发展战略研究》，在相关单位的支持下，历经三年完成了《塘沽区分区规划（2008年–2020年）》。该规划是《天津市城市总体规划和天津市滨海新区总体规划（2008–2020年）》的下位规划，已经区人大2009年4月15日审议通过。规划共分十八章，分别阐述了发展目标和实施策略。对城市发展目标与战略分别以总体、经济发展、社会发展、文化发展、生态环境保护、资源利用与保护目标及总体发展、产业可持续性发展、城市文化发展、生态环境可持续发展战略进行了叙述。规划范围为塘沽区行政辖区，面积687.69平方公里。规划年限为2008–2020年，近期为2008–2012年，远期为2013–2020年，远景为2020年以后。

《塘沽区胡家园中小企业园概念规划》按要求完成并已上报；完成胡家园农村城市化起步区控规及城市设计、新塘组团控规、西部新城控规全覆盖、黄港生态湿地公园概念规划等控制性详细规划；完成南窑半岛概念方案、于家堡金融区高铁站地区、塘沽建材市场、世界运通家园等四个修建性详细规划；按照区政府要求，完成了塘沽区色彩规划、海河两岸规划综合汇总、天津碱厂现状调查及工业遗产保护和再利用、塘沽区海河两岸城市设计及景观规划等四个专项规划；按照区政府要求，完成了塘沽区道路交通规划系统更新服务等15项交通规划，5项市政工程规划，选址及塘沽雕塑调研等其它规划11项，完成天碱地区土壤修复、“于家堡—天碱—解放路—外滩”区域商业发展战略规划、天碱地区地下空间设计等项目策划6项，为塘沽区城市建设和经济发展提供依据和保障。

【规划管理】

依法行政、管理工作 严格按照市局规定的业务审查程序和审查要点办件，审查意见按规定时效一次性告知。为切实提高办件效率，坚持做到首问责任制，承办人负责全程办件流转时限，有效杜绝“红灯”件。同时，继续深化了规划编制机制创新、规划审批机制创新、证后管理机制创新，在办件机制上，实施了业务科室内部重新组合，强化了由原先办件的“串联式”转为“并联式”，极大地提高了工作效率。对重点工程及各功能区确定了对口联系人，突出了规划管理的服务功能，定期登门服务、现场办公，对建设单位、重点工程、各功能区提出的要求和遇到的问题，积极做好与上级部门及相关部门竖向、横向的沟通、协调，提高工作效率。

核发“一书两证”工作 2009年核发《选址意见书》77件、《建设用地规划许可证》147件、《建设工程规划许可证》166件，（部位）10件、（管线）63件，核发《市政工程规划许可证》27件、《建设工程设计方案》73件、《规划方案》147件、《市政工程设计方案》72件、《建设工程规划设计要求》35件、《建设工程规划验线》40件，核发《建设工程规划验收合格证》52件、《规划条件》176件。

【监督检查】 2009年对辖区范围内86个建设项目实施了许可证后的监管。核发《建筑工程规划验线合格通知书》41件次，验线建设规模地上92701.47平方米、地下309004.06平方米，核发《建设工程竣工规划验收合格证》45件次，竣工建筑规模地上1817229.35平方米、地下158752.02平方米。按责任分工积极履行违法建设查处职责，全年累计巡查辖区内132个区域，巡查建设项目66个，出动巡查200余人次。立案处理违法案件3个，已结案3个，行政处罚金额177478.9元。2009年规划巡查发现违法建设行为17起，按责任分工，均移交区执法局处理。2009年行政诉讼1起经区法院裁定，已驳回原告起诉。建立了完善的巡查机制，辖区内划分为四个区域，制定有巡查项目库、巡查路线、巡查区域，坚持每周2次日常巡查制度。

【城建档案管理】 2009年塘沽区城建档案馆坚持“服务第一、质量第一、效率第一”的工作理念，全年共接收、整理业务档案1334卷，整理录入历史业务档案2069卷，接待规划局各科室查阅349卷、规划院查阅345卷、国土资源分局查阅1728卷，完成建筑工程档案验收项目53个，完成11万余卷塘沽区个人土地使用证档案编目上架工作，整理、编目、组卷历史声像档案资料6600张，组卷155册。开展了电子、声像档案的验收工作，严格按照《天津市塘沽区电子、声像档案管理实施细则》接收电子、声像档案。努力收集各类城建相关声像档案，对响螺湾商务区、于家堡金融区、西部新城、临港工业区、北塘、中新生态城等重点区域、重点工程的建设发展情况进行跟踪、拍摄、记录，全年累计下现场35次，录像时间270分钟，拍摄照片1000余张。对管线工程档案的管理，坚持跟踪服务制度，下现场100余次，完成竣工测量26个项目。定期更新1:500和1:2000地形图，保证基础地形图数据的现势性。

【规划地理信息管理】 2009年塘沽区规划地理信息中心坚持严谨规范、勇于创新，发挥信息技术服务的主力和新技术研发的先锋作用，努力为塘沽区规划建设做好服务。全年日常维护设备（计算机、办公设备）460台，维护专业软件系统15个，完成了塘沽区规划局电子报批系统项目、电子报批方案核算项目、虚拟塘沽数字城市项目、完成了塘沽区中心城区25万平方公里和开发区3平方公里的数字城市建模工作、与北京大学合作塘沽区地下空间与航飞科技项目、区规划局系统核心机房硬件升级项目、区规划局OA系统升级项目、渤海规划设计研究院信息管理系统项目、塘沽区公安局地图数据加工、塘沽区地理信息市场专项治理等项目。在软件研发上，为区规划局OA系统新增两个功能区，上业务会和自动分件，并开发一网通模块，实现了区局 OA 系统与市规划局一网通系统的衔接与整合及配套系统的并行运作。研发了区规划局基础地理信息系统，该系统能同时浏览各种地理数据、控规数据和基础地形数据，有效地帮助规划人员进行规划编制管理工作。研发了客户关系管理系统、考勤管理系统等多个软件。

规划设计报批统计表

序号	项目	单位	批复日期	文号
1	天津滨海新区于家堡金融区控制性详细规划	塘沽区人民政府	2009 年 1 月 3 日	塘沽政函〔2009〕2 号
2	关于新塘组团一期示范区控制性详细规划	塘沽区人民政府	2009 年 2 月 11 日	塘沽政〔2009〕16 号
3	关于对天津滨海新区于家堡金融区控制性详细规划审查意见的函	天津市规划局	2009 年 3 月 2 日	规滨字〔2009〕142 号
4	新塘组团起步区修建性详细规划	塘沽区人民政府	2009 年 3 月 12 日	塘沽政〔2009〕38 号

重要项目建设工程规划许可证审批统计表

序号	项目名称	审批规模（平方米）	审批日期	许可证编号
1	天津碱厂搬迁改造工程	139955	2009.1.19	2009 塘建证 0004 号
2	天津第五中心医院改扩建一期工程	73412	2009.2.10	2009 塘建证 0007 号
3	瑞湾国际商务中心二期工程	72955.04	2009.3.3	2009 塘建证 0013 号
4	海洋科技商务园	47966.24	2009.3.20	2009 塘建证 0018 号
5	天津临港工业区水处理项目	17149.72	2009.3.31	2009 塘建证 0020 号
6	塘沽区教育局九年制学校工程	23762.45	2009.5.11	2009 塘建证 0027 号
7	远洋城 C 地块（滨悦花园）地下车库	21755.53	2009-10-27	2009 塘沽建证 0112
8	天津波音复合材料二期项目现有厂房改造	24584.75	2009-11-13	2009 塘沽建证 0080
9	管桩厂一、二期	26452	2009-6-17	2009 塘沽建证 0033
10	伴山人家 17#、19# 项目	30472.88	2009-6-19	2009 塘沽住证 0001
11	天津大沽化工临港乙烯储罐	30973	2009-7-31	2009 塘沽建证 0074
12	远洋城 C 地块（滨悦花园）	31698.74	2009-12-4	2009 塘沽住证 0019
13	伴山人家项目 10#、11#、12# 楼	33331.8	2009-11-5	2009 塘沽住证 0016
14	贻港城二期	33403.95	2009-10-29	2008 塘沽建证 0054
15	伴山人家项目 1#、4#、7#、9# 楼	43756.79	2009-11-4	2009 塘沽住证 0014
16	伴山人家项目	43926.33	2009-11-30	2009 塘沽住证 0017
17	远洋城 C 地块（滨悦花园）	45582.3	2009-9-24	2009 塘沽住证 0009
18	馨宇家园二期住宅项目	58122.97	2009-6-4	2009 塘沽建证 0020
19	尚北园	66766.93	2009-11-9	2009 塘沽建证 0045
20	恒富大厦	74986.3	2009-12-16	2009 塘沽建证 0129
21	中船重工大厦	76645	2009-6-26	2009 塘沽建证 0051
22	中华文化会馆（A 座）	78788	2009-6-3	2009 塘沽建证 0019
23	京达明居住宅小区——南地块工程	79011	2009-12-4	2009 塘沽住证 0018
24	瑞湾国际商务中心二期工程	79654.22	2009-8-11	2009 塘沽建证 0083
25	远洋城 C 地块（滨悦花园）	80108.6	2009-8-17	2009 塘沽住证 0004
26	贻港城二期	81908.13	2009-10-30	2008 塘沽建证 0020

续表

序号	项目名称	审批规模（平方米）	审批日期	许可证编号
27	中国五矿商务大厦	88685	2009-7-24	2009 塘沽建证 0069
28	滨海国贸中心	91497	2009-6-25	2009 塘沽建证 0048
29	裕川家园	94689.52	2009-6-11	2009 塘沽建证 0026
30	云滨大厦	96966	2009-7-20	2009 塘沽建证 0066
31	中华文化会馆（B 座）	111310	2009-6-3	2009 塘沽建证 0018
32	文明里改造项目一期（城市名居）	124807.07	2009-6-22	2009 塘沽建证 0042
33	新塘组团（一期）还迁住宅 A 区工程	137162.98	2009-10-20	2009 塘沽住证 0012
34	新塘组团（一期）还迁住宅 B 区工程项目	140726.18	2009-10-20	2009 塘沽住证 0013
35	碧海长住	144976.58	2009-9-3	2009 塘沽住证 0007
36	中国五矿商务大厦	181157	2009-9-28	2009 塘沽建证 0102
37	滨海新区中心商务商业区西沽还迁商品房二期	435734	2009-8-13	2009 塘沽住证 0002

重要项目建设用地规划许可证审批统计表

序号	项目名称	审批规模（平方米）	审批日期	许可证编号
1	天钢东移配套工程	691723.6	2009.2.10	2009 塘沽地证 0001 号
2	滨海国际森林庄园	3410369.3	2009.2.27	2009 塘沽地证 00016 号
3	天津临港包装容器有限公司	50171.1	2009.3.2	2009 塘沽地证 00017 号
4	天津大沽化股份有限公司工业建设	75919.9	2009.4.9	2009 塘沽地证 00022 号
5	中国建筑第八工程局天津分公司	22260.5	2009.4.14	2009 塘沽地证 00024 号
6	天津临港工千红石化仓储有限公司	35236.5	2009.4.29	2009 塘沽地证 00025 号
7	天津通堰仓储有限公司仓库	61278.3	2009.5.18	2009 塘沽地证 00028 号
8	永定新河治理一期工程	3772.91	2009-10-28	2009 塘沽地证 0059
9	塘沽区击剑、排球馆	13113	2009-10-23	2009 塘沽地证 0056
10	三槐路街社区卫生服务中心	3876.01	2009-10-30	2009 塘沽地证 0063
11	永久里	81626	2009-10-28	2006 塘沽地证 0033
12	塘沽区民兵装备库	3262	2009-11-30	2009 塘沽地证 0072
13	天津市塘沽区人民法院审判综合楼工程	26786.04	2009-11-10	2008 塘沽地证 0027
14	厂房、办公楼	1819.86	2009-12-29	2009 塘沽地证 0095

重要项目市政建设工程规划许可证审批统计表

序号	项目名称	审批规模（米）	审批日期	许可证编号
1	塘沽区煤气公司东江路至泰山道	4000	2009.2.4	2009 塘沽线证 0003
2	塘沽新北路贻成尚北中水管道工程	1486	2009.2.23	2009 塘沽线证 0005
3	塘沽火车站 10KV 电源线工程	1300	2009.3.5	2009 塘沽线证 0008
4	塘沽大沽炮台南侧供水	790	2009.3.9	2009 塘沽线证 0009
5	塘沽区永丰房地产新北路 10KV 电缆	541	2009.4.30	2009 塘沽线证 0015

续表

序号	项目名称	审批规模（米）	审批日期	许可证编号
6	新村变电站电源线切改	1070	2009-10-20	2009 塘沽线证 0036
7	泰和新都 10KV 电力线路规划	1200	2009-6-23	2009 塘沽线证 0011
8	于家堡还迁房中水管道	1357	2009-10-22	2009 塘沽线证 0037
9	馨宇家园 10kv 双电源线路	1500	2009-9-3	2009 塘沽线证 0022
10	北塘地区北塘大街道路	1723.48	2009-9-21	2009 塘沽线证 0027
11	北塘地区黄海路道路工程	2032	2009-9-21	2009 塘沽线证 0025
12	中央大道海河隧道工程（永太路至南大街段）	2100	2009-8-24	2009 塘沽线证 0021
13	北塘地区洞庭路道路	2154	2009-11-9	2009 塘沽线证 0044
14	北塘地区支路九道路	2397.85	2009-9-21	2009 塘沽线证 0026
15	于家堡还迁房电力	3000	2009-11-16	2009 塘沽线证 0045
16	渤海石油通讯有限责任公司通讯	3200	2009-6-8	2009 塘沽线证 0008
17	天津临港工业区市政及公用工程珠江道（海滨大道——渤海十二南路）道路工程、排水工程	4355	2009-10-30	2009 塘沽线证 0040
18	天津临港工业区市政及公用工程渤海十路（长江道——珠江道）道路工程、排水工程	5545	2009-10-30	2009 塘沽线证 0042
19	天津临港工业区市政及公用工程渤海十二南路（长江道——珠江道）道路工程、排水工程	5885.35	2009-10-30	2009 塘沽线证 0041
20	疏港联络线	8164	2009 7 14	2009 塘沽线证 0015
21	临港工业区市政及公用工程黄河道（渤海十六路——渤海三十路）道路及排水工程	9516	2009-11-3	2009 塘沽线证 0043
22	新北路拓宽改造工程	11700（平方米）	2009-7-8	2009 塘沽线证 0014
23	天津泰达自来水公司供水	14000	2009-6-3	2009 塘沽线证 0004

2009 年规划设计获奖统计表

序号	名称	奖项	评选部门	授予机关	文号
1	天津滨海新区于家堡金融区控制性详细规划	一等奖	2009 年度天津市优秀城市规划设计（村镇规划设计）评选	天津市规划局	规秘字〔2010〕4 号
2	天津远洋城修建性详细规划	三等奖	2009 年度天津市优秀城市规划设计（村镇规划设计）评选	天津市规划局	规秘字〔2010〕4 号
3	塘沽新塘组团一期示范区控制性详细规划	三等奖	2009 年度天津市优秀城市规划设计（村镇规划设计）评选	天津市规划局	规秘字〔2010〕4 号
4	塘沽区老城区改造住宅拆建经济损益研究	表扬奖	2009 年度天津市优秀城市规划设计（村镇规划设计）评选	天津市规划局	规秘字〔2010〕4 号
5	天津滨海新区中心商务区功能定位建筑规模及发展模式研究	表扬奖	2009 年度天津市优秀城市规划设计（村镇规划设计）评选	天津市规划局	规秘字〔2010〕4 号

2009 年论文获奖统计表

序号	作品	奖项	论文收录	期刊级别
1	《城市 CBD 控制性详细规划控制指标新探析》	天津市规划协会规划行业有奖征文　一等奖	《2009 年全国规划年会论文集》	国家级期刊
2	《于家堡城际车站交通枢纽规划组织研究》	天津市规划协会规划行业有奖征文　二等奖	《2009 年全国规划年会论文集》	国家级期刊
3	《老城区改造中住宅拆建经济损益研究—以滨海新区核心区塘沽区为例》	天津市规划协会规划行业有奖征文　三等奖	《2009 年全国规划年会论文集》	国家级期刊
4	《天津滨海新区发展中教育设施布局的研究—以塘沽为例》	天津市规划协会规划行业有奖征文　三等奖	《2009 年全国规划年会论文集》	国家级期刊
5	《人性化理念在城市道路断面规划中的实践初探—以天津市塘沽区海德路为例》		《中国城市交通规划 2009 年年会暨第 23 次学术研讨会论文集》	国家级期刊
6	《基于 GIS 和 WwterCAD 的给水管网规划》		《2009 年全国规划年会论文集》	国家级期刊

（王志忠）

天津市汉沽区规划局

【概况】 天津市汉沽区规划局成立于2007年8月9日，内设5个科室，有汉沽区勘察设计所、汉沽区规划展览馆2个下属单位。2009年，围绕滨海新区开发开放项目建设，按照中央和市委、市政府对滨海新区发展规划总体要求，解放思想，更新观念，以科学发展观统领规划设计编制与审批。完成了汉沽河西老城区、河东老城区及汉沽新城东扩区控制性详细规划的编制；完成了天津茶淀工业区、天津滨海物流加工区总体规划的编制及报批；完成了天津中心渔港5000吨级码头工程项目规划许可审批；完成了中新生态城建设项目规划许可审批。建成汉沽区规划展览馆，占地面积4.94公顷，总建筑面积2.4万平方米。加强规划编制管理、建设用地规划管理、建设工程规划管理、综合业务管理，严格依法依规审批规划许可，强化对规划落实情况进行监督和执法监察，注重在执法中服务，为滨海新区开发开放、汉沽新城建设做出贡献。

【机构人员】

党组书记	杨恩明
局长（兼汉沽区国土资源分局局长）	刘长湖
副局长（汉沽区规划局调研员）	张连荣
副局长	裴子刚
	李　勇
科室负责人	
办公室主任	梁廷海
规划管理科科长	张润生
行政审批科（加挂建设管理科、村镇建设办牌子）科长	姚玉华
用地管理科科长	付少芳
执法监察科科长	刘丽山
局属单位负责人	
汉沽区勘察设计所书记	李金柱
汉沽区勘察设计所所长	张连阔
汉沽区规划展览馆馆长	许春梅

截止2009年12月31日，局机关公务员编制14名，在岗人数16名，其中处级干部3名，科级10名，科员3名。

【规划设计编制审批】 依据汉沽区城市定位，完成了汉沽河西老城区、河东老城区及汉沽新城东扩区控制性详细规划的编制；完成了茶淀工业区、滨海物流加工区、IT信息产业区、大田示范镇域、杨家泊镇、茶淀示范镇域、桥沽中心村、营城工业区、循环经济示范区控制性详细规划的编制；按照滨海新区规划分局的要求，完成了汉沽区全区域控制性详细规划全覆盖的汇总工作；完成了IT信息产业园区总体规划的编制；完成了天津茶淀工业区、天津滨海物流加工区二个市级示范区总体规划的编制，已报经天津市人民政府批复；完成了文化产业园区概念性规划设计；完成了蓟运河两岸景观设计概念规划及蓟运河西岸景观详细规划的设计；根据《汉沽城市总体规划》及建设重点，完成了汉沽区近期建设规划方案的编制；完成了汉沽区文、教、卫、体等公共服务设施规划方案的编制。根据高新技术产业园区要求，集中办理了园区市政泵站、道路和规划地块等43个项目的选址。完成了汉沽区开发建设重大项目选址115项。完成汉友、双桥35KV、茶西、营城110KV电力线路工程及大神堂风力发电并网线路工程规划设计方案的审定。与供电部门共同完成茶淀示范镇还迁区电力配套和天房海滨泰安里、雅安里电力配套的规划选线工作。完成建设路供热管网、北疆电厂淡化海水送出工程泵站选址及管网路由选线工作。完成宝德数码广场、第四方物流、蓝孚电子加速器、爱米特生物医药引进及妈祖文化贸易园、垃圾焚烧发电厂等项目的前期调研、选址及规划审批工作。完成茶淀示范镇、高新技术产业园区、东扩门区、中新生态城、津汉路公路改线、太平街沿线、河西经济适用房建设区、宝德IT数码广场及崔庄住宅储备用地等重大项目的土地整理和地块拆迁工作。共整理土地118.20万平方米，拆除各类建筑4.73万平方米。完成非住宅拆迁69家，拆除各类建筑物10.68万平方米，投入拆迁资金3.53亿元。

【规划管理】 2009年度，在依法行政和管理工作中，共接待群众来访8批40人次，接区政府转办件4件，全部给予答复。

在核发“一书两证”工作中，2009年依法审批建设工程规划许可项目82件。办理《建设工程规划许可证》270件，《建设用地规划许可证》47件，核发土地面积1123.70万平方米。核发《建设项目选址意见书》44件。

【监督检查】 2009年证后管理共办理《建设工程规划验收合格证》41件，建筑面积36.63万平方米。查处违法建设5件，建筑面积1544平方米，均已依法拆除。

【城建档案管理】 汉沽区规划局设档案室，有档案和专职档案管理人员，建立7项管理制度。2009年共完成档案归档1089件，其中用地95件，道路3件，管线1件，建筑89件，规划方案56件，规划验收45件，文档800件。

规划设计报批统计表

序号	规划名称	上报		审批		
		单位	日期	单位	日期	文号
1	天津茶淀工业区总体规划	汉沽区人民政府	2009.10.9	天津市人民政府	2009.10.26	津政函（2009）148号
2	天津滨海物流加工区总体规划	汉沽区人民政府	2009.10.9	天津市人民政府	2009.10.26	津政函（2009）148号

重要项目建设工程规划许可证审批统计表

序号	项目名称	建筑面积（平方米）	审批情况	
			日期	许可证号
1	天津联智投资发展有限公司项目单体建筑	41177	2009.1.8	2009汉沽建证0002
2	天津交通投资有限公司项目单体建筑	20262.70	2009.1.19	2009汉沽建证0005
3	天津中心渔港开发有限公司项目单体建筑	8414米	2009.2.20	2009汉沽建证（道路及排水）0001
4	天津金厦环海置业有限公司项目单体建筑	90500	2009.3.24	2009汉沽建证0013
5	天津滨海汉源开发建设有限公司项目单体建筑	31183	2009.3.25	2009汉沽建证0014
6	天津天房津滨新城投资有限公司项目单体建筑	5049	2009.3.26	2009汉沽建证0016
7	天津润贝士科技发展有限公司项目单体建筑	2141.90	2009.3.27	2009汉沽建证0017
8	天津滨海鸿达置业有限公司项目单体建筑	70735	2009.5.4	2009汉沽建证0020
9	天津滨海鸿达置业有限公司项目单体建筑	71286	2009.5.4	2009汉沽建证0021
10	天津滨海环保产业发展有限公司项目单体建筑	39557.90	2009.5.15	2009汉沽建证0023
11	天津海龙管业有限责任公司项目单体建筑	2316.84	2009.5.19	2009汉沽建证0025
12	天津市南开房地产开发公司项目单体建筑	76481.64	2009.6.17	2009汉沽建证0030
13	天津市汉沽区集中供热管理处项目单体建筑	6286.69	2009.6.25	2009汉沽建证0036
14	天津功达房地产开发有限公司项目单体建筑	39185.65	2009.7.9	2009汉沽建证0018
15	天津振汉机械装备有限公司项目单体建筑	19271.89	2009.7.19	2009汉沽建证0039
16	天津中心渔港开发有限公司项目单体建筑	52449.69	2009.7.23	2009汉沽建证0042
17	天津市安顺达房地产开发有限公司项目单体建筑	274300	2009.7.29	2009汉沽建证0043
18	天津天泽房地产开发有限公司项目单体建筑	159349.6	2009.8.25	2009汉沽建证0050
19	天津迈思矿产有限公司项目单体建筑	9999.56	2009.9.17	2009汉沽建证0056
20	天津市勃旺森置业投资发展有限公司项目单体建筑	28012.68	2009.10.27	2009汉沽建证0060
21	天津井田置业有限公司项目单体建筑	24105.91	2009.11.4	2009汉沽建证0064
22	天津金厦环海置业有限公司项目单体建筑	112357	2009.11.11	2009汉沽建证0066
23	中冶天工（天津）装备制造有限公司项目单体建筑	67352	2009.11.16	2009汉沽建证0067
24	天津市信高设备制造实业有限公司项目单体建筑	6179.49	2009.11.16	2009汉沽建证0068

（张志邦）

天津市大港区规划局

【概况】 大港区规划局成立于2007年9月，负责大港区辖区内城乡规划、测绘、城乡建设档案和执法监察工作。局内共设5个职能科室。2009年按照区委确定的“加快有为跨越进程，建设生态经济强区”的目标，紧紧围绕区委、区政府中心工作，积极投身服务城乡建设的大局，先后高标准编制了中华民营经济园的总体规划和控制规划，官港游乐园旅游专项规划，协助南港工业区指挥部编制综合南港工业区总体规划，规划工作不断取得新成效。随着滨海新区开发开放的进一步深入，大港区规划局全力支持重点项目建设，积极为重点工程服务，多次组织人员深入现场为南港工业区，大乙烯等项目服务，同时，精心谋划科学发展的新载体，高标准完成总体规划纲要编制和区域控规全覆盖工作。为实现全区经济又快又好发展做出贡献。

【机构人员】

局长　郭富良
副局长　赵德龙
　梁　冰
科室负责人
办公室主任　郭东明
规划管理科科长　董连礼（兼）
建设管理科科长　董连礼
执法监察科科长　阚万春
村镇规划科科长　李金良

截止2009年12月31日，公务员编制14名，在岗人数12名，其中处级干部4名（含处级调研员1名），科级干部4名，主任科员2名，科员1名，机关工勤1名。

【规划设计编制审批】 紧紧围绕区委、区政府中心中作，充分发挥工作职能，高标准，高质量完成各项规划编制任务。

按照滨海委统一要求，大港区完成了“控规全覆盖”的工作。

深化官港盐生植物园的规划。委托北京易道公司进行盐生植物园的总体规划设计，经过向区政府和市农林局的多次汇报，方案已确定。完成了生产温室施工图设计、观光温室方案评审和路网设计。

《天津雁鸣湖健康产业园总体规划》获批复。该规划由天津市城市规划设计研究院编制完成。2009年6月18日，大港区规划局组织召开专家评审会，来自南开大学、环科院、理工大学等单位5位专家参加了规划审查。市规划局、国土房管局、发改委、经信委、农委等有关部门对规划同全市31个示范产业园一并进行了审查，审查会给予了肯定，同时，根据滨海分局《关于天津雁鸣湖健康产业园总体规划的意见》（滨规字〔2009〕86号）作了进一步的修改。已得到区政府批复。

完成太平镇示范镇城市设计，通过市政府审批。完成太平镇还迁区修详规，通过区政府审批。

审核报批了特色旅游村的规划。完成港西街沙井子三村、太平镇崔庄子、古林街马棚口二村、小王庄镇南抛村等四个特色旅游村的规划，并报送区政府审批。目前，沙井子三村、崔庄子村旅游特色村的建设正在进行中。

完成太平镇窦庄子工业园控规（占地0.77平方公里）的审核报批。窦庄子村人口8000多，为大港区第一大村。大港区规划局为发展经济，支持项目完成多次深入现场查勘，并配合大港设计院编制窦庄子工业园的控规，区政府批准。

为加快农村楼房化和城乡一体化建设的速度，大港区规划局组织编制和完善了各镇街农村中心居住区规划。包括中塘镇区组团还迁工程、栖凤里、仁和里；港西街的鑫泰小区、双合小区、联盟小区；小王庄镇的欣园里、向阳里、田苑里、春光里、荣盛里；古林街的工农村还迁小区和建园村还迁小区。

【规划管理】 在核发“一书两证”工作中，2009年核发《选址意见书》47件，《规划条件》66件，核发《建设用地规划许可证》38件，审定《建设工程规划设计要求》9件，《建筑设计方案》95件，核发《建设工程规划许可证》131件，《部位工程规划许可证》16件，总建筑面积：135.39万平方米。提供《市政工程选线方案》30件，提供（高程）16件，核发《市政工程建设规划许可证》14件，办理村镇建设《规划条件》16件。

按照市规划局部署于9月开通了一网通业务，

实现了100%网上进件，网上办理，网上办结的方便、快捷的办件流程。

【监督检查】 在证后管理工作中，规划验线25件，核发《建设工程规划验收合格证》66件，开工项目过程查验278次，努力服务好建设单位的验线、验收工作和开工项目的过程查验工作，确保项目顺利的按照审批要求完工。

加大巡查力度，杜绝违法建设。按照市规划局的要求定期做好巡查工作，发现的违法建筑及时移送有关部门，对临时建筑及时清理。2009年查处违法建设12件。

加强对进驻行政许可中心窗口工作人员的业务指导，以良好的工作作风和热情的工作态度，认真接待申报人和咨询人员。主动对有困难的建设单位上门服务，对建设单位提出的各种问题及时快速地给予解决。加强行政许可服务中心与局内审批工作的衔接，加强与其他窗口和部门的沟通联系，加快项目联合审批进度，审批效率显著提高。

【城建档案管理】 建立健全档案管理制度。根据国家《档案法》和市规划局档案管理的要求，结合大港区规划局实际情况先后制定了《局档案工作管理办法》、《查阅档案规定》、《文件立卷归档制度》、《档案鉴定、销毁制度》以及档案管理的各项规章制度。积极组织档案人员参加档案法规及业务知识的学习培训。

核发《建设工程档案验收认可证》制度。依据《天津市城市规划条例》、《天津市城市建设档案管理规定》建设工程实行档案预登记制度、签订建设工程档案报送责任书，建设工程档案预验收证明制度。2009年核发《建设工程档案验收认可证》43件。

规划设计报批统计表

<table>
<tr><th rowspan="2">序号</th><th rowspan="2">规划名称</th><th colspan="2">上报</th><th colspan="3">审批</th></tr>
<tr><th>单位</th><th>日期</th><th>单位</th><th>日期</th><th>文号</th></tr>
<tr><td>1</td><td>官港控规</td><td rowspan="5">大港区规划局</td><td>2008.12</td><td>市规划局、滨海委</td><td>2009.1</td><td>津滨管批［2009］11号</td></tr>
<tr><td>2</td><td>太平试点镇</td><td>2008.8</td><td>市政府</td><td>2009.7</td><td>津政函［2009］50号</td></tr>
<tr><td>3</td><td>工业布局规划</td><td>2008.12.22</td><td>区政府</td><td></td><td>已批准</td></tr>
<tr><td>4</td><td>绿化专项规划</td><td>2008.12.22</td><td>区政府</td><td></td><td>已批准</td></tr>
<tr><td>5</td><td>总体城市设计</td><td>2009.4</td><td>市政府</td><td></td><td>待审批</td></tr>
<tr><td>6</td><td>城乡总体规划</td><td rowspan="9">大港区规划局</td><td>2009.4</td><td rowspan="9">滨海新区管委会</td><td colspan="2" rowspan="9">待审批</td></tr>
<tr><td>7</td><td>服务业规划</td><td>2009.4</td></tr>
<tr><td>8</td><td>港东新城扩区</td><td>2009.4</td></tr>
<tr><td>9</td><td>李港铁路控规</td><td>2009.4</td></tr>
<tr><td>10</td><td>城区控规</td><td>2009.4</td></tr>
<tr><td>11</td><td>港东新城控规</td><td>2009.4</td></tr>
<tr><td>12</td><td>大学城区域</td><td>2009.4</td></tr>
<tr><td>13</td><td>三角地区域</td><td>2009.4</td></tr>
<tr><td>14</td><td>中塘镇控规</td><td>2009.4</td></tr>
</table>

重要项目建设工程规划审批统计表

序号	项目名称	建筑面积（平方米）	审批情况	
			日期	许可证号
1	天津均利石材有限公司项目综合楼、厂房	21428.91	2009.1.7	大港建证 0001
2	港翔房地产开发荣华里经济适用房项目	36619.92	2.13	大港建证 0009
3	太平镇郭庄子村丰润里小区住宅	19540.00	4.9	大港建证（部）0006
4	天津滨海远景玻璃制品有限公司厂房	12480.10	4.23	大港建证 0004
5	天津冶金轧一钢铁集团有限公司主厂房项目	23778.00	6.8	大港建证（部）0009
6	天津三和铁制品有限公司厂房项目	14815.61	6.12	大港建证 0035
7	大港欣通塑料制品厂厂房项目	12504.38	7.27	大港建证 0018
8	港东新城福源花园小区住宅楼项目	21071.50	8.17	大港建证 0057
9	港东新城汇德园小区住宅楼项目	12567.90	9.8	大港建证 0064
10	港东新城福锦园小区住宅楼项目	118039.56	10.23	大港建证 0079
11	天津滨海新太投资公司太平示范镇住宅	63189.54	11.11	大港建证 0088
12	天津光华包装有限公司车间、实验楼、办公楼	12126.00	12.15	大港建证（补）0022

（田玉明）

天津市武清区规划局

【概况】 天津市武清区规划局2008年2月18日成立（前身为武清区规划和国土资源局），内设7个职能科室。长期以来以发展武清、服务人民为理念，2009年进一步完善规划局职能，完善后的职能包括：

贯彻执行国家和市出台的有关方针、政策和法律、法规、规章，组织推进依法行政工作；开展城市规划研究，参与有关政策、办法、技术、规范的制定；依法对全区城市规划、测绘、地名、城建档案工作实施统一管理。

负责区内规划设计招标和方案征集；组织编制区内城市总体规划、建制镇总体规划、近期建设规划、需要保护和控制地区的规划、新城和建制镇的控制性详细规划；指导乡镇人民政府组织编制村庄建设规划；参与编制专项规划；依法审查、审批城市各类规划。

负责区内建设用地、各类建设工程、城市地下空间、地下管线规划管理。

负责全区城市规划电子政务、地理信息系统的建设和管理以及城市规划统计工作。

负责规划管理队伍培训、相关专业技术人员的资格审核和执业资格注册管理。

负责全区城市规划信访工作和区人大、政协涉及规划的提议案和建议的办复工作。

承办区委、区政府及市城市规划行政主管部门交办的其他事项。

在完善职能的基础上，认真开展规划研究工作，成功编制了包括武清区新城控规、翠亨路生态绿廊规划、文化公园修建性详细规划、四园总规及控规等一系列重点、亮点规划。

武清区规划局以服务别人就是发展自己为理念，一年来牢固强化服务意识，完善服务功能，提高服务质量，积极推进服务型政府建设，在完全服务的基础上推出合作型服务理念，主动转变自身姿态，急他人所急，想他人所想，成功完成由领导本位向合作者角色的转变。

【机构人员】

（2009年9月20日前）

局长　　钟学军

副局长 魏艳红
王德山
张洪印

科室负责人

综合办公室主任 刘继群

总体规划科科长 张印松

详细规划和市政工程科科长 周德芹

建设项目科科长 沙恩花

执法监察科科长 刑树娟

督查科科长 王春华

局属单位负责人

规划建设设计所所长 肖淑艳

（2009年9月20日后）

局长 钟学军

副局长 田宝辉
魏艳红
张洪印

科室负责人

综合办公室副主任 张 娜
王福顺

总体规划科科长 张印松

详细规划科科长 周德琴

市政工程科科长 邢淑娟

建设项目科和地名办科长 沙恩花

执法监察科副科长 张芙蓉

财务科科长 杨洪伟

督查科科长 王春华

局属单位负责人

规划建设设计所所长 肖淑艳

截至到2009年12月31日，局机关在岗人数35名。其中19名公务员（处级干部5名，科级干部4名，科员7名，行政工勤3名），事业编制16名（科级干部2名，科员14名）。

【规划设计编制审批】 根据年初重点规划工作目标和任务要求，武清区规划局认真部署“横向到边，纵向到底，覆盖城乡”的规划体系建设工作，按照总体规划、专项规划、控制性详细规划及重点地区城市设计、乡镇规划的层次，制定了2009年度22项重点规划编制工作计划，在规划编制过程中注重“勤、细、精”，做到实际勤、细节细、思想精，以增强规划指导性、操作性为目的，把握规划编制的每个细节，认真做好每项规划。

以武清城乡总体规划及总体城市设计的重要内容为依据，编制了新城控制性详细规划，实现了城区86平方公里控规覆盖率达到100%的目标。确定了规划区范围内土地使用性质和使用强度、道路和工程管线控制位置以及空间环境控制等规划指标，为武清城区发展、建设和管理提供了基本依据。

根据2009年重点项目工作安排，2009年8月完成城际站周边商业商务中心区规划项目委托和合同签订，委托北京新都市规划设计研究院进行方案设计，通过多轮修改，方案已在10月15日相关会议审议通过，正进行控规的编制工作。

在2008年规划编制的基础上，2009年邀请了天津大学黄河勘测规划设计公司联合研究院进行翠亨路滨水生态绿廊开发规划编制工作，规划方案经相关会议审议已基本确定。

为了全面打造规划宣传平台，以拓宽公众参与渠道，武清区规划展馆的布展工作成为总规科2009年全年工作的重点之一，3月完成了武清展馆布展设计方案招标工作，根据相关领导意见进行设计方案深化和施工图设计；6月完成了武清展馆布展施工招标工作；2009年11月底展馆布展工作基本完成。期间多次拜访武清文化名人杜宝江、前文化馆馆长王毅等老同志进行展馆历史展区资料收集，协助和配合建院设计人员进行展图、宣传片等其他展品制作。

编制完成文化公园修建性详细规划。年初通过媒体、网络及模型公开展示的方式向社会公开公示，广泛征求公众意见。协助召开了文化公园调整方案的常委扩大会，移交并帮助建委完成修建性详细规划的调整和施工图设计工作，已进场施工。武清区规划局组织完成文化公园内文化中心、影剧院两个单体建筑的设计委托和审定工作。编写完成文化公园建筑单体设计任务书，召开指挥部专题会，邀请国内著名设计大师对文化公园单体建筑设计进行研究。完成单体建筑设计委托和设计合同签订工作，设计单位已完成建筑方案设计，并根据区级领导提出的意见做进一步完善。

结合城市化建设布局规划，协调各专业部门完成了全域物流业布局、全域工业布局、现代服务业布局及城区户外广告、夜景灯光等规划初稿编制工作，完成了全域电力、绿化及新城绿化等专项规划成果。

为实现全区各乡镇总规和乡镇政府所在地控规覆盖率达到100%的目标，年初制定了乡镇总体规划、控制性详细规划编制计划，王庆坨、河西务、崔黄口、梅厂、汉沽港、泗村店等六个重点乡镇已完成总体规划编制工作，泗村店镇控规编制工作已完成。

根据市委、市政府启动高水平特色示范工业园区规划工作的指示精神，从2009年5月开始，区规划局认真组织开展了武清区示范工业园区规划编制工作。目前四个示范工业园区已全部完成总体规划及起步区控制性详细规划和城市设计的审批工作，正积极推进成果报备工作的开展。

向区政府提出天津环渤海绿色农产品交易物流中心的规划条件、关于委托编制地铁四号线北延论证专题方案、电力机关西侧地块拟建项目设计要点、电力局办公楼地块方案、水电基础局有限公司对北院进行提升改造的规划意见等一系列报告。

完成区老干部活动中心、新一中、卫校、河西法庭、司法广场、南楼派出所、优联小学、大黄堡乡污水处理厂、种子公司仓库和办公用房、天津环渤海绿色农产品交易物流中心、天津市武清区公路管理所新建办公楼、旧货市场、传染病医院、垃圾处理厂（辖区）、翠亨路派出所和特警大队、前进道南侧派出所和特警大队等建设项目选址工作。其中老干部活动中心、新一中、卫校、河西法庭、南楼派出所、天津环渤海绿色农产品交易物流中心、天津市武清区公路管理所新建办公楼等已经有关会议审议通过，正在实施建设中；垃圾处理厂选址已提供市有关部门。园林绿化所、工经委和农业局、天津银行、农业推广中心、信义玻璃、游乐场等建设项目的选址工作正在进行中。

2009年共组织召开12次规委会，根据规委会议事项规则，切实做到承办会务、会议议程、会议纪要和文件起草工作，及时发放会议资料，落实会议精神，督办项目进度，调整阶段性目标。全年共审议项目37项，通过19项。

【规划管理】

建设项目 2009年共完成《规划设计条件》190件，用地面积约959万平方米；审定《建设项目规划设计方案》71件，建筑面积约550万平方米；核发《选址意见书》82件，用地面积约390万平方米；核发《建设用地规划许可证件》170件，用地面积约856万平方米；核发《建设工程规划许可证》134件，建筑面积约172万平方米。

市政项目 武清区规划局对全区的市政工程实行统一的规划管理，严格贯彻、认真落实市局“一网通”的有关要求，市政基础设施的许可事项统一在“一网通”平台上办理，并能实时登载，按要求进行电子制作。结合武清区工作实际，市政工程设施的规划管理正在逐步规范，在市政基础设施业务办理流程中，在办理线性工程发证阶段要求建设单位提供竣工跟测合同，确保准确掌握管线的敷设情况。关于市政基础设施的施工图涉及保密信息，经征求天津市规划局区县处意见，未实现网上录图。一年来组织召开包括“大三角地块”供热问题协调会、武清奥特来斯项目、北河滩还迁地块及城区供水主管道迁改、翠亨路百川燃气路由、自行车王国供水管线路由、上下园片区现状地下管线情况确认等协调会若干次，共核发《选址意见书》45件，《规划设计要求》2件，《建设用地规划许可证》9件，《规划方案审定》36件，《工程证》20件，《验收合格证》2件。

【地名管理】 2009年武清区规划局有序推进了地名管理的规范化。进一步完善地名工作体制、机制的基础上重视地名工作体制、机制创新，成立了武清区地名委员会，明确了局内地名办公室管理职能；日常命名规范有序，做好规范地名的命名工作。全年共发放《标准地名证书》43件，发放《门号启用通知书》153件。着手编制了地名规划，初稿已完成，现正进行修改完善工作。

【测绘管理】 加强对《中华人民共和国测绘法》、《基础测绘条例》、《中华人民共和国测绘成果管理条例》和《天津市测绘管理条例》等测绘管理规定的学习，加强对测绘工作统一监督管理的能力和水平，做好规范测绘市场行为，维护测绘市场秩序，健全测绘成果评价和产品质量监督体系工作，加强测绘法制法规的宣传，严格依法查处违法违规行为，以保证武清区的测绘工作合理有序的开展。

【城建档案管理】 武清区规划局档案室成立以来，一直以强化档案管理为目标，加大力度推进档案管理工作，在大批重点工程建设项目、规划建设协调、用地审批和土地权属登记管理工作中，及时研究解决机关档案建设工作中的问题。保证档案管理人员力量，档案设施设备不断完善。

（李　丹）

天津市宝坻区规划局

【概况】 宝坻区规划局成立于2007年12月，负责本行政区域内城乡规划编制、实施和管理、地名管理、规划设计等工作。内设综合办公室、规划管理科、建设管理科、地名管理科、执法监察科五个职能科室和天津市广园城镇规划建筑设计所一个下属事业单位。

2009年，宝坻区规划局全年编制完成18项总体规划、4项专项规划、6项控制性详细规划、2项近期建设规划以及14个乡镇、53个村庄规划，核发“一书两证”339件，地名更名16件，设计成果及各类图纸120套6000余张，为“打造经济强区，构建和谐宝坻”提供了强有力的规划服务和保障。

【机构人员】

局长、党委副书记　张仕儒

副局长　王　学

王志军（8月~）

副调研员　王贺栋

李宝祥

科室负责人

综合办公室主任　董洪彬

规划管理科副科长　芮淑彬

建设管理科科长　白冬梅

执法监察科科长　于子松

地名管理科副科长　梁连妹

局属单位负责人

规划建筑设计所所长　王志标

截止2009年12月31日，局机关在岗人数49名，公务员编制12名（其中处级干部5名，科级干部4名，科员1名，工勤2人），事业单位编制37名（其中科级干部7名，科员30名）。

【规划设计编制审批】 编制完成了天津宝坻节能环保工业区、天津宝坻低碳工业区、天津宝坻塑料制品工业区、天津宝坻马家店工业区4个示范工业园区的总体规划，2009年10月23日获天津市人民政府批准。编制完成了潮白湖总体规划。编制完成了新开口、郝各庄、史各庄、大钟、方家庄、霍各庄、王卜庄、八门城、新安镇、牛道口、口东等11个一般镇的总体规划以及高家庄、郝各庄、大口屯等14个乡镇共53个村的村庄规划。编制完成了宝坻、京津2个新城的控制性详细规划和天津宝坻节能环保工业区、天津宝坻低碳工业区、天津宝坻塑料制品工业区、天津宝坻马家店工业区4个示范工业园区的起步区控制性详细规划及城市设计。组织协调区相关部门，编制完成了宝坻新城供热系统规划、宝坻新城供水系统规划、宝坻区燃气系统规划等多个专项规划以及宝坻区蓄滞洪区安全建设规划、宝坻区2009-2013年电网滚动规划2个近期建设规划。启动宝坻区城乡规划展览馆规划编制工作，完成了展馆选址、前期策划、初步设计、建筑设计、布展方案策划及招标等项工作。

【规划管理】 在核发“一书两证”工作中，核发《选址意见书》55份，选址建设用地276.07万平方米；《建设用地规划许可证》81份，审批建设用地302.13万平方米；《规划设计条件》125份，面积744.10万平方米；《建设工程规划设计要求》29份，面积3.18万平方米；核发《建设工程规划许可证》203件，总建筑面积192.4万平方米（其中包括建筑工程183件、市政工程20件）；《建设工程规划许可证》（部位证）10件；审核审批《规划、建设工程设计方案》100件（其中：建设工程93件、市政工程7件）；为全区23个乡镇街的村庄核发《选址意见书》162件，核发《乡村规划许可证》83件。办结率100%，准确率100%。

【监督检查】 采取主动巡查、及时下访、定期调处、“三级终访”等综合有效措施，把群众信访案件控制在最低线，2009年共接收信访件9件，其中区级批转件7件、自收2件，都得到及时有效地解决。完善规划巡查机制，划定了一、二、三级巡查区域、巡查路线，加强建设工程规划监管，突出动态巡查，对规划放线、中途查验、竣工验收各个环节加大执行力度，办理规划验线项目34件，（其中包括仓储项目1件、工业项目15件、公共设施4件、居住13件、市政基础设施项目1件）总建设规模 86.97 万平方米；核发《建设工程验收合格证》165 件，（其中包括仓储项目 1 件、工业项目 91 件、公共设施项目 35 件、居住项目 34 件、市政基础设施项目 3 件、养殖项目 1 件）总建设规模 126.35 万平方米。

重要项目建设工程规划设计许可证审批统计表

序号	项目名称	建筑面积（平方米）	审批情况	
			日期	许可证号
1	天津市贯通管井水泥制品有限公司		2009.6.19	2009-009 部
2	天津音飞自动化仓储设备有限公司	18279.06	2008.8.18	建证 089
3	天津维亚电梯配件有限公司	20233.4	2007.6.12	建证 127
4	天津津阳金属制品有限公司	8383.5	2007.8.27	建证 191
5	天津华银机械有限公司	2077.6	2007.6.12	建证 121
6	宝坻区市场建设服务中心	86867.09	2009.4–9 月	建证 027、050、053、054、056、059、082、085、115

（尹玉波）

天津市宁河县规划局

【概况】 天津市宁河县规划局内设 6 个职能科室，即综合办公室（城建档案管理科）、规划管理科（村镇规划管理科）、建设管理科（市政基础设施管理科）、建设用地科（测绘管理科）、执法监察科（政策法规科、信访办公室）、地名管理科（宁河县地名管理委员会办公室）；有两个下属单位，即金利工程服务中心、规划设计所。宁河县局共有干部职工 48 人（局机关 16 人，金利工程公司 21 人，城乡规划设计研究所 11 人），其中，研究生 1 人，本科 27 人，专科 16 人，中专 3 人，中专以下 1 人。

【机构人员】

局长、党组副书记　王秋岩
党组书记　李桂福
副局长　宋冬青
科室负责人
办公室主任　张志远
规划科科长　靳怀东
建管科副科长（主持工作）　张国英
用地科副科长（主持工作）　刘粤滨
监察科副科长（主持工作）　胡玉刚
地名科副科长（主持工作）　李宪合
局属单位负责人
规划设计所所长　刘树新
金利工程服务中心副经理（主持工作）　崔军泊

截至 2009 年 12 月 31 日，局机关在岗人数 15 名，公务员编制 11 名，（其中处级干部 3 名，科级干部 6 名，科员 2 名）；工勤编制 4 名。事业单位编制 33 名，（其中科级干部 8 名，科员 25 名）。

【规划设计编制审批】 高标准完成了一批规划的组织编制，主要包括：13 个乡镇的工业园区规划、《宁河现代产业区市政基础设施规划》、《中国（京津）水城概念规划方案》等，以及用于申报市级示范工业园区的《宁河现代产业区规划》和《潘庄工业区规划》等。同时，一批重点规划及专项规划编制工作取得明显进展。宁河经济开发区拓展区规划，规划面积 8.5 平方公里，规划方案已经完成。宁河新城控制性详细规划已完成中期汇报方案，分别得到县政府和市规划局领导的认可。中国（京津）水城规划初步方案已经形成，正处在深化提升阶段。此外，其他多项重点规划正在组织编制中，包括“一河两岸”滨水景观带规划、大坨 4800 亩七里海湿地生态园规划、华翠公园和方舟公园改造规划、芦台镇老城区市政专项和管线综合规划等。

规划设计报批统计表

序号	规划名称	上报		审批		
		单位	日期	单位	日期	文号
1	北淮淀工业园区控制性详细规划	北淮淀乡人民政府	2009.8	宁河县人民政府	2009.9.4	宁河政函 [2009] 140 号
2	潘庄工业区总体规划	宁河县人民政府	2009.8	天津市人民政府	2009.10.23	津政函 [2009] 148 号
3	宁河现代产业区总体规划		2009.8	天津市人民政府	2009.10.23	津政函 [2009] 148 号

重要项目建设工程规划许可证审批统计表

序号	项目名称	发证（地上建筑）面积（平方米）	审批情况	
			日期	许可证号
1	朝阳花园还迁区	83092.21	2009.5.26	2009 宁河建证 0011 号
2	交通局交通征管中心大楼	10701	2009.5.5	2009 宁河建证 0006 号
3	赵家园还迁房	118514.16	2009.8.27	2009 宁河建证 0015 号
4	赵家园一期商品房	91138.63	2009.12.4	2009 宁河住证 0003 号

【规划管理】

依法行政、管理工作 围绕重点建设项目创新审批管理，实施高效服务，涉及：天津市建设投资集团有限公司建设项目、天津市宁河县土地整理收购储备项目、雨润集团食品加工建设项目、南小区平房改造项目、赵家园城中村改造项目、桥北污水处理及再生回用一期工程建设项目、天津茂川房地产开发有限公司茂川大厦建设项目等。10 月份，为了支持宁河兴宁城投集团增资，县局积极做好相关配合，在市局的帮助下，将原来审批所用的 42 项要件减少为 6 项，保证了相关手续的顺利落实。扎实开展了县城道路综合整治。自年初开始，按照县委、县政府的指示精神，开始进行芦汉路、光明路、商业道（含金翠路）、新华道、津榆支路段（芦台大桥至运河家园）五条道路整治改造的总体策划，历时两个月完成规划编制工作，为五条道路综合整治工作提供了规划依据，与此同时，采取深入沿街店铺住户宣传，每天晚上召开例会，按照日程落实进度严格标准，保证质量等措施，经过一百多天的艰苦努力，圆满完成光明路整治的实施任务。在推进小城镇建设方面，七里海镇齐家埠村被市农委确定为宁河县镇村结合型文明生态村，完成了 8 个乡镇文化站的现场踏勘工作及潘庄镇城市花园小区规划范围的界定工作，为东棘坨镇大顷甸村 19 户村民宅基地和胡晋村 70 户村民宅基地办结乡村规划许可证。此外，按市规划局的要求完成了宁河县城区雕塑普查工作。

核发“一书两证”工作 2009 年共核发《选址意见书》50 件，《建设用地规划许可证》40 件，《规划总平面》46 件，《建筑设计方案》37 件，《建设工程规划许可证》52 件，总建筑面积 100 万平方米，核发《建设工程规划许可证》（部位）12 件。

【监督检查】

证后管理 全过程、全方位、全区域做好建设项目的证后跟踪管理和规划监察，为 8 处建设项目完成放验线工作，11 个企业完成竣工验收

日常巡查 严格日常巡查制度的落实，做到每周至少有两天时间对全县区域进行巡查，明确分工，责任到人，并有针对性地对县所属企业进行抽查。

信访案件 2009 年宁河县境内未发现违法或行政复议、行政诉讼的案件，经常组织执法人员把法律知识宣传落实到每个村庄、街道、工厂，帮助群众了解相应的法律知识，做到人人懂法，全民守法。2009 年无一例信访案件的发生，群众满意率达百分之百。

【城建档案管理】 聘请县档案局工作人员具体指导，整理城建档案 98 卷。

（杨树泽）

天津市静海县规划局

【概况】 天津市静海县规划局2009年在静海县委、县政府和市规划局的领导下，紧紧围绕“苦战三年，打造崭新静海”的战略目标，规划编制追求精、新、特，成果展示高品味，规划审批实行“一网通”办件，体现规范化，证后管理严格依法行政，体现制度化，各项服务坚持以人为本，体现人性化。2009年共核发“两证一书”277件，其他业务278件，审批规划用地532公顷，总建设规模152万平方米。被县委、县政府评为“支教工作先进单位”“提案议案办理工作先进单位”，受到社会各界广泛赞誉。

【机构人员】

局长	古建华
副局长	张荣海
	刘孝凯
	涂　强
工会主席	郝润峰
副局级干部	朱秀夫
科室负责人	
办公室主任	杨贵明
规划科管理科长	高静春
建设管理科科长	李祖升
执法监察科科长	王洪运
审批科（地名科）科长	朱秀夫

截止2009年12月31日，局机关在岗人数32名。公务员编制19名，（处级干部6名，科级干部6名，科员7名）；事业单位编制13名。

【规划设计编制审批】 2009年展开三个层面31项规划编制工作，包括总体规划、详细规划和专项规划。

总体规划编制 结合静海和全市的发展实际，适时地调整、丰富、提升、深化了静海县城乡总体规划，天津市政府于2009年9月30日以《关于天津市静海县城乡总体规划（2008-2020年）的批复》（津政函〔2009〕134号）予以批准实施。这一规划成果覆盖了县域1414.9平方公里的区域面积，确定了“一轴一带两城三区三园”的县域空间构架；确定了国家级循环经济示范基地，区域性物流中心，天津市体育基地和生态宜居城市的性质定位。在静海县城乡总体规划的指导下开展了“两城三区六园”和十一个一般镇共计22项总体规划的编制工作。“两城三区六园”规划覆盖面达到725平方公里，占县域面积的50.7%。截至2009年底，经批准的规划共计16项，分别是“两城”总体规划，即静海新城总体规划、团泊新城总体规划；“三区”总体规划，即天津子牙循环经济产业区总体规划、天津林海循环经济区总体规划和静海开发区总体发展规划；“六园”总体规划，即大邱庄工业园总体规划、静海北环工业园总体规划、唐官屯物流加工园总体规划、中旺铸造园总体规划、蔡公庄乐器园总体规划、双塘工业园总体规划；以及7个一般镇的总体规划，西翟庄、蔡公庄、双塘、沿庄、陈官屯、台头、良王庄。

控制性详细规划编制 在总体规划的指导下，适时地组织编制了两个新城、子牙循环经济产业区、三个中心镇、三个县级工业园起步区共计9项控制性详细规划的编制。分别是：《静海新城控制性详细规划》《团泊新城控制性详细规划》《子牙循环经济产业区控制性详细规划》《王口镇控制性详细规划》《独流镇控制性详细规划》《唐官屯镇控制性详细规划》《大邱庄工业园起步区控制性详细规划》《静海北环工业园起步区控制性详细规划》《唐官屯物流加工园起步区控制性详细规划》。重要功能区控制性详细规划覆盖率达100%。

专项规划编制 编制完成两个新城和子牙循环经济产业区道路交通、电力、燃气、通讯、给水排水、供热等专项规划。编制完成静海新城、团泊新城、唐官屯镇、独流镇、王口镇、子牙循环经济产业区地名规划初步方案。

【规划管理】 2009年办理《选址意见书》33件，占地面积972公顷；编制核提各类《规划设计条件》146件；办理《建设用地规划许可证》81件，用地面积532公顷；办理《建设工程规划许可证》129件，建筑面积149万平方米；办理《乡村建设规划许可证》28件，建筑面积3.24万平方米；建设工程竣工验收合格证117件，建筑面积101万平方米。完成各类地名审批21件，发放《地名标准证书》16份；制作安装标志牌137块。

【监督监察】 核发《建设工程规划验收合格证》76件，验收建设规模约78万平方米。在坚持开工前放线、复线和项目施工过程中“五次验线”制度的基础上，坚持对所有已批项目的跟踪、巡查制度，每周巡查一遍重点建设项目，每两周巡查一遍一般建设项目，做到及时发现问题，及时解决。查处违法建设9宗，涉及违法建筑面积16.5万平方米。接待和处理群众上访信访20宗，其中，上访案件3宗，信访案件4宗，电话咨询和反映有关问题13宗，接待上访群众30余人。

【城建档案管理】 在办公用房极为紧张的情况下，建立了档案室，面积70平方米；安装半自动档案密集架30组。2009年新建各类档案2859件，库藏总量达8652件。

（刘孝凯）

天津市蓟县规划局

【概况】 蓟县规划局是县政府城乡规划行政主管部门，2007年11月27日成立，内设10个职能科室。主要职责是贯彻落实国家、市、县政府规划、测绘、地名、城乡建设档案的法律、法规、规章、规定、规范、方针、政策；负责组织编制城乡规划，对规划的实施进行管理和监督检查；负责辖区地名管理、测绘管理、城乡建设档案管理、城乡规划地理信息建设管理及地下空间规划信息管理；承办市局和县委、县政府交办的其它事项。

2009年，按照市局下达的规划编制任务，落实县政府大干120天完成重点规划编制、大干40天完成大盘山基础设施规划的部署，局党组明确了工作目标，聘请国内外高水平的规划设计团队，进行了新城控制性详细规划、于桥水库周边保护与发展规划、翠屏湖新城发展规划、2个园区规划、2个村庄保护规划、4个休闲区规划、4个镇区控制性详规、12个一般镇区总体规划等28项规划编制，完成了5项。核发《规划选址意见书》、《审定通知书》等98件、《建设用地规划许可证》40件、《建设工程规划许可证》131件、《乡村建设规划许可证》33件、《市政工程规划许可证》20件，查处违法案件12件。

【机构人员】

局长、党组书记　吴军江
副局长　于向东
　蔡国宏
机关党支部书记　赵春国
科室负责人
办公室主任　张玉国（~11月）
办公室副主任（主持工作）　肖振宏（12月~）
规划科和用地管理科科长　齐宏伟（~9月）
建设项目管理科科长　赵永成
市政工程管理科科长　田红霞
执法监察科科长　李永强
地名管理科科长　李学刚
财务科科长　杨　永（2月~）
审批科科长　张玉国（12月~）
档案馆馆长　蔡国宏（兼）（5月~）
档案馆副馆长（主持工作）　谢　青（5月~）
局属单位负责人
天津市蓟州建筑设计所所长　刘卫东（~10月）
　齐宏伟（9月~）
天津市建筑设计院蓟州分院院长
　刘卫东（10月~）

截至2009年12月31日，机关公务员编制14名，工勤编制3名。局机关实有人员49名（其中处级干部5名，科级干部16名，科员22名，工勤6名）。事业单位编制15名，实有人员15名（科级干部4名，科员11名）。离退休人员11名。

【规划设计编制审批】 2009年，按照市局和县政府总体部署要求，对总体规划、专项规划、控制性详细规划及城市设计等四个层面，28个重点规划项目有序地推进。

【总体规划】 包括：蓟县长城文化休闲功能区总体规划、盘山休闲功能区总体规划、翠屏湖水休闲功能区总体规划、九龙山林休闲功能区总体规划、九龙山国家森林公园总体规划。

翠屏湖功能区总体规划已纳入于桥水库周边保护与发展规划，2009年9月，县政府委托江苏省城市发展研究院、天津市城市规划设计研究院，对蓟县于桥水库周边地区376平方公里的保护与利用进行空间发展战略研究；编制了《于桥水库周边保护与发展总体规划》及控制性详细规划，已向市规划局、市水务局、蓟县人民政府进行方案汇报。

盘山功能区总体规划和官庄镇总体规划纳入天津市滨海市政建设发展有限公司，编制的《中国盘山风景区概念性总体规划》，已形成概念框架。

长城文化休闲功能区概念性总体规划，已向县政府进行了方案汇报；九龙山林休闲功能区总体规划、九龙山国家公园总体规划，向县政府进行初步方案汇报。

【控制性详细规划及城市设计】 蓟县新城控制性详规及城市设计提升共6项：包括新城控详规、上仓、邦均、马伸桥、下营4个中心镇5项控制性详细规划，新城城市设计提升1项。

新城控详规、上仓镇控详规正在编制中；邦均镇控详规及总规调整，委托天津市城市规划设计研究院负责总体规划修编；下营镇区控详规纳入下营示范镇规划，向市规划局进行两次方案汇报；马伸桥镇区控详规因涉及于桥水库保护区范围问题，暂未编制。

蓟县新城总体城市设计提升向县政府进行初步方案汇报。

【示范产业园区规划】 完成了上仓酒业及绿色食品加工区、天津专用汽车产业园两个区总体规划的编制，2009年10月23日经市政府批复（津政函〔2009〕148号）。控规、修详规已形成终期成果，待完善后上报市政府审批。

【历史文化名村保护规划】 西井峪村、果香峪村《历史文化名村保护规划》，已编制完成。待市局上报建设部批复。

【一般镇规划（别山镇、淑溜镇等12个乡镇的总体规划）】 淑溜镇总体规划、许家台乡总体规划，已通过县政府审批；别山镇总体规划（包括镇区控规和部分城市设计）委托天津大学规划设计研究院编制，已通过专家评审；下仓、尤古庄、侯家营、孙各庄四个乡镇的总体规划已形成中期规划成果；下窝头镇总体规划已通过初步方案汇报；五百户、西龙虎峪、出头岭3个镇的总体规划涉及于桥水库保护区范围问题，现已完成基础资料收集工作。

【天津专用汽车产业园区规划】 2009年5月在市规划局指导下，县政府委托中国城市建设研究院天津分院，编制《天津专用汽车产业园区规划》，方案编制后争求有关部门意见。6月18日，召开专家评审会，对规划方案进行评审。是年10月23日，市政府印发《关于同意天津华明工业区等三十一个区县示范工业园区总体规划的批复》（津政函〔2009〕148号），同意汽车产业区规划。批复明确了具体要求。

规划范围：东起徐各庄村西侧，西至津围公路，南接前澈水头村南侧，北邻京秦铁路。园区规划用地10.7平方公里。

规划期限：2009-2020年

近期目标：完成起步区3平方公里的基础设施建设，达到“七通一平”，投资达到6.18亿元。引进项目20个，企业总投资达到50亿元。2010年实现销售收入23亿元、税收1.3亿元。2011年实现销售收入39亿元，同比增长70%，税收2.3亿元，同比增长75%。吸纳就业0.4万人。

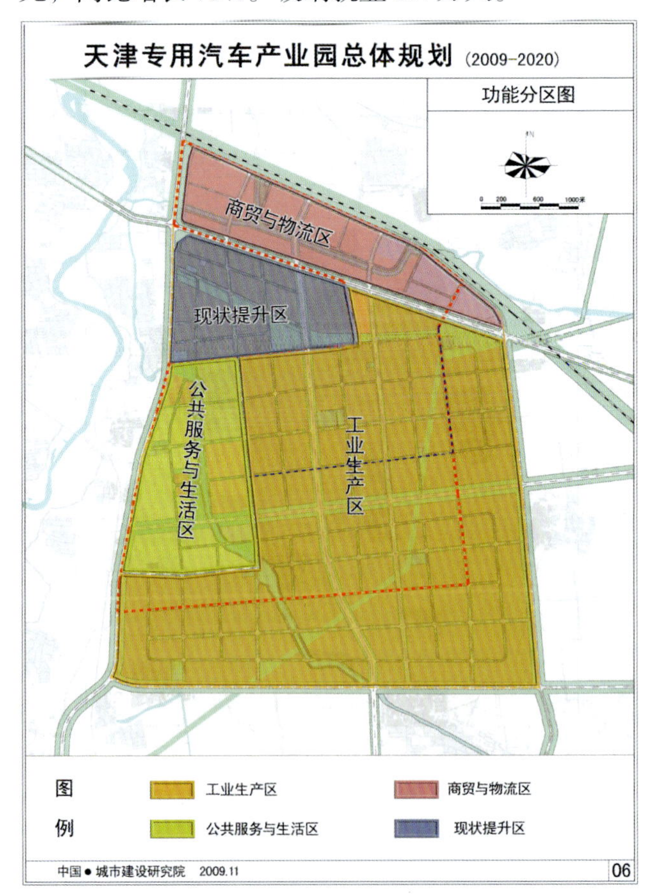

中期目标：产业园将完成全部10平方公里的开发，基础设施累计投资达到23亿元，企业总投资累计达到100亿元。2013年销售收入达到100亿元，平均增速60%，实现税收6亿元，平均增速60%。吸纳就业0.9万人。

远期目标：产业园将完成全部的开发建设工作，企业总投资累计达到250亿元。2018年销售收入达到500亿元，平均增速38%，实现税收30亿元，平均增速38%。吸纳就业3万人。

主导产业：确定专用/改装汽车制造、零部件制造与专业市场、汽车配套服务工程三项主导产业。

【规划管理】

依法行政、管理工作 县规划局针对规划管理的各项业务，制定了《行政许可事项公示制度》、《行政许可法实施细则》、《蓟县城乡规划管理业务流程》，建立规划业务审批联席会议制度，派员进驻县政府行政许可服务大厅，进行初始登记，录入规划系统业务平台——“一网通”，实行全程监督、指导，保证所有审批环节正常运转，并在规定时限内办结；制作公开展示牌，在局门口、施工现场、售楼处、市局网等四处悬挂公开，方便了群众,提高了效率；对重点项目和重大产业项目实施主动服务、现场办公、专人负责、限期解决；对审批报件不全的项目，协助企业咨询相关部门，保证相关数据准确，报件齐全。项目审批阶段，将总平面和建设工程设计方案，实行同步受理、同步审核、同步审批、同步发证，实现了优化审批流程，简化了审批环节。在窗口服务上做到了“外树形象，内强素质”，开展了“争做规划人，我为规划做贡献”的活动，受到了市、县领导和社会的赞誉。完成了123项建筑工程外檐调查，进行分类，制定实施方案。积极协调各乡镇，推进社会主义新农村建设。先后完成了马伸桥、下营两个中心镇和溵溜镇、许家台乡总体规划的编制审批。进行了官庄镇玉石庄、许家台乡田家峪、穿芳峪乡毛家峪，以“宅基地换房”的试点建设，总投资14450万元，建筑面积10万平方米。

核发“一书两证”工作 2009年度共收各类申请报件364件，其中不符合行政许可审批条件的62件，予以退回。核发《建设项目选址意见书》24件、《规划设计条件》34件、《规划设计要求》40件，总用地面积885.76万平方米；核发《建设用地规划许可证》40件，总用地面积433.87万平方米；核发《建设工程规划许可证》131件，总建筑面积112.84万平方米；核发《乡村建设规划许可证》33件，总建筑面积3.28万平方米。核发《市政工程规划方案审定通知书》、《建设工程规划设计要求审定通知书》等33件，审核批复《市政工程规划许可证》20件，管线总长度306.06千米。

【综合业务管理】 “一网通”建设管理。2009年加强对“一网通”系统的建设管理，设立了项目审批科，做到所有业务，窗口进件，网上办理；实施“一证一验”联席会审，政务公开，制作规划业务公开展示牌，协调网通公司、市局信息中心和县政府信息中心，铺设2000米专用光纤，解决了县政府行政审批大厅与“一网通”的连通，实现了联网办公，提高了办事效率。2009年共办理各项业务件496件。

【监督检查】

证后管理工作 对辖区范围内的32个建设项目，实施了许可证的监管，对墨线、零米、标准层、主体外檐等工程进度情况进行查验。.核发《建筑工程规划验线合格通知书》11件，验线建设规模97658.26平方米；核发《建设工程竣工规划验收合格证》21件，竣工建筑面积306525.78平方米。

违法案件查处工作 实施了对违法建设行为动态监管，积极按责任分工履行违法建设查处职责，2009年对12个建设项目进行了立案查处，其中4件罚款补办手续，2件吊销《建设工程规划许可证》，结案率100%，行政处罚金额38621元。

日常巡查工作 制定巡查计划，确定巡查区域，明确巡查职责，划定巡查路线，固定时间，固定人员，加大执法监察力度，做到一级巡查区每周一次，二级巡查区15天一次，三级巡查区每月一次；制定了《蓟县城乡规划巡查工作考核表》、《巡查目标计划表》、《巡查发现建设行为情况登记表》，对每周巡查情况，做到发现问题及时解决，在职责范围内的及时处理，不属于职责内的及时通报相关部门。2009年通报违法建设1处。

信访工作 自2009年3月，实行各业务科室轮流接访，每周一到县信访办公室集中接待群众来访，全年共接待来访50人次，来电80人次，来信12件，查处25件，信访解决率100%。

【城建档案管理】 2009年5月7日，经规划局党组研究决定，成立县城市建设档案馆，蔡国宏兼任蓟县城市建设档案馆馆长，谢青（女）任蓟县城市建设档案馆副馆长，现有2人，建立了《蓟县城建档案馆职责》和《蓟县城建档案馆管理人员职责》。归档总数38093件，设14个门类。2009年归档331卷，整理文本380件，查阅4506卷，服务5403人（次）。

规划设计审批统计表

序号	规划名称	上报		审批		
		单位	日期	单位	日期	文号
1	天津上仓酒业及绿色食品加工区规划	县政府	2009.10.10	市政府	2009.10.23	津政函[2009] 148号
2	天津专用汽车产业园区规划	县政府	2009.10.11	市政府	2009.10.24	津政函[2009] 149号
3	西井峪村保护规划	县政府	通过专家评审2009.10.15完成申报工作	市政府	尚未审批	
4	果香峪村保护规划	县政府	通过专家评审2009.10.16完成申报工作	市政府		
5	新城控制性详细规划	具政府	尚未编制完成	县政府		
6	蓟县新城总体城市设计提升	县政府		县政府		
7	下营示范镇规划	县政府		市政府		
8	中国?盘山风景区概念性总体规划	县政府		市政府		
9	于桥水库保护与发展规划	县政府	已完成空间发展战略研究方案汇报	市政府		
10	九龙山林休闲功能区概念性总体规划	县政府	尚未编制完成	市政府	尚未审批	
11	九龙山国家森林公园概念性总体规划	县政府		市政府		
12	泗溜镇总体规划	泗溜镇政府	2009.5.4	具政府	2009.5.14	蓟政函[2009] 28号
13	许家台乡总体规划	许家台乡政府	2009.5.5	县政府	2009.5.14	蓟政函[2009] 27号
14	马伸桥镇总体规划	马伸桥镇政府	2009.5.5	县政府	2009.5.14	蓟政函[2009] 26号
15	别山镇总体规划	别山镇政府	已通过专家评审	县政府	尚未审批	
16	下仓镇总体规划	下仓镇政府	尚未编制完成	县政府		
17	尤古庄镇总体规划	尤古庄镇政府		县政府		
18	侯家营镇总体规划	侯家营镇政府		县政府		
19	孙各庄镇总体规划	孙各庄镇政府		县政府		
20	下窝头镇总体规划	下窝头镇政府		县政府		
21	上仓镇控制性详细规划	上仓镇政府		县政府		
22	邦均镇控制性详细规划	邦均镇政府		县政府		
23	马伸桥镇控制性详细规划	马伸桥镇政府		县政府		
24	五百户镇总体规划	五百户镇		县政府		
25	西龙虎峪镇总体规划	西龙虎峪镇政府		县政府		
26	出头岭镇总体规划	出头岭镇政府		县政府		
27	长城文化休闲功能区概念性总体规划	县政府	已向县政府汇报	市政府		
28	下营镇控制性详细规划	下营镇政府	尚未编制完成	县政府		

重点项目建设工程规划许可证审批统计表

序号	照号	单位名称	工程项目	工程地点	建筑面积（平方米）	发照日期
1	2009蓟县建证0001	天津康得石油机械制造有限公司	办公楼、车间、泵房	蓟县官庄镇北小屯村南	2649.53	09.01.16
2	2009蓟县住证0005	天津市华利得房地产有限公司	蓟县乐园公寓二期28–31#楼	蓟县乐园公寓南侧、光明路东侧	17745.28	09.02.26
3	2009蓟县建证0003	天津人寿保险股份有限公司天津市蓟县支公司	办公楼	蓟县渔阳镇迎宾路83号曾1号	3023	09.03.11
4	2009蓟县住证0007	天津万事兴房地产开发集团有限公司	七星花园	蓟县迎宾路北侧、光明路西侧	65781.8 地下2882.35	09.03.02
5	2009蓟县住证0008	天津市蓟县城关房地产开发公司	倚林山庄	蓟县山倾城北侧	17130	09.03.04
6	2009蓟县建证0005	天津市蓟县城关房地产开发公司	佳城公寓商贸楼	蓟县光明南路西侧	7271.18	09.05.05
7	2009蓟县住证0028	天津市蓟县城关房地产开发公司	佳城公寓住宅楼及商务用房	蓟县光明南路西侧	22008.18	09.05.22
8	2009蓟县住证0029	天津佳伦宏业房地产有限公司	五子家园	蓟县人民西大街南侧	77881.57 地下7775.94	09.05.26
9	2009蓟县住证0030	大津市杰豪置业发展有限公司	时代花园住宅小区四期	蓟县燕山路东南侧、宝塔路西侧	18637	09.05.26
10	2009蓟县住证0031	天津市杰豪置业发展有限公司	时代花园住宅小区四期	蓟县燕山路东南侧、宝塔路西侧	20694	09.05.26
11	2009蓟县建证0023	澳宏（天津）化学品有限公司	环保型氟代烃仓储项目一期工程	蓟县经济开发区蓟运河大街18号	5094.16	09.06.09
12	2009蓟县住证0036	天津市蓟县城关房地产开发公司	佳城公寓	蓟县光明南路西侧	14737	09.06.19
13	2009蓟县建证0024	天津市蓟县城关房地产开发公司	佳城公寓	蓟县光明南路西侧	7271.18	09.06.19
14	2009蓟县住证0038	天津凯罗房地产开发有限公司	凯罗嘉园住宅公寓	蓟县迎宾路南侧	33783.74 地下2681.67	09.06.25
15	2009蓟县建证0027	天津蓟县供电局	金碧110KV输变电工程	蓟县官庄镇石佛村	2365.81 地下1158.70	09.07.02
16	2009蓟县建证0028	天津市天挂车辆有限公司	改扩建项目	蓟县京哈公路北侧、邦均镇	29188.78	09.07.10
17	2009蓟县建证0029	中国盘山北少林寺恢复重建筹备委员会	盘山北少林寺重建工程	蓟县官庄镇砖瓦窑村	10807.9 地下1252.70	09.07.16

续表

序号	照号	单位名称	工程项目	工程地点	建筑面积（平方米）	发照日期
18	2009蓟县住证0044	天津市蓟县城关房地产开发公司	鸿福家园	蓟县人民东大街北侧	4870.87	09.08.12
19	2009蓟县住证0045	天津市蓟县城关房地产开发公司	鸿福家园	蓟县人民东大街北侧	9875.91	09.08.12
20	2009蓟县建证0033	蓟县人民法院	邦均人民法庭	蓟县邦均镇京哈公路北侧	1566.69	09.08.20
21	2009蓟县建证0035	天津斯巴鲁新材料科技有限公司	新型电池原材料制造	蓟县下营镇石炮沟村北	2068	09.09.04
22	2009蓟县建证0038	天津浩峰汽车商贸有限公司	厂区扩建	蓟县经济开发区府君路2号	3906.5	09.09.04
23	2009蓟县建证0039	天津市金稳通车轮有限公司	汽车钢圈生产	蓟县经济开发区	4350	09.09.21
24	2009蓟县建证0041	天津市蓟县城乡建设投资中心	蓟州体育馆	蓟县师范南侧	11348 地下1679	09.09.24
25	2009蓟县建证0042	天津宏泰化工有限公司	综合服务楼	罗庄子镇洪水庄村北	1852 地下924	09.09.30
26	2009蓟县住证0051	天津蓟州家和投资有限公司	安裕新村 62、63、64#楼工程	蓟县四正街东侧、安裕新村供热站原址	9362.18	09.10.18
27	2009蓟县住证0053	天津锦绣盘山建设投资有限公司	盘山庄园	蓟县官庄镇盘山滑雪场北侧	43331.28 地下4176.67	09.10.20
28	2009蓟县住证0054	恒大地产集团天津蓟县有限公司	逸墅苑	官庄镇西翼路北侧、恒大金碧天下庄园南侧	24414.36	09.10.21
29	2008蓟县住证0021	天津市智川房地产开发有限公司	御乾庄园	官庄镇蓟官公路北侧、塔院村村北	34529	09.10.20
30	2009蓟县住证0022	天津盘龙谷文化发展有限公司	盘龙谷文化城一期 B8、B9、B10区	蓟县许家台乡	41256 地下15223	09.04.22
31	2009蓟县建证0030	天津盘龙谷文化发展有限公司	盘龙谷艺术馆	蓟县许家台乡	3470 地下722	09.07.23
32	2009蓟县住证0042	天津盘龙谷文化发展有限公司	盘古卫城 （中区18–32号楼）	蓟县许家台乡	27159.88 地下1717.95	09.07.29
33	2009蓟县住证0046	天津盘龙谷文化发展有限公司	盘古卫城 （中区01–17号楼）	蓟县许家台乡	31718.84 地下2747.55	09.08.27
34	2009蓟县建证0043	天津盘龙谷文化发展有限公司	盘古卫城 （商业区1–6#）	蓟县许家台乡	13076	09.10.20
35	2009蓟县住证0050	天津鼎泰恒瑞置业投资集团有限公司	怡君园	兴华大街新立街1号	33053.21 地下2174.34	09.09.14

（段德永　李学刚）

天津经济技术开发区建设发展局

【概况】 天津经济技术开发区建设发展局（简称开发区建发局），为管委会所属正处级行政部门，加挂开发区规划建设管理局、土地管理局和房地产管理局。

【机构人员】

局长	马　玫
副局长	刘建奎
	韩邦山
	翟国强
科室负责人	
综合科科长	周智波
总工室主任	沙骏刚
规划科科长	史中华
房地产科科长	唐海军
建管科负责人	陆　畅

截至2009年12月31日，局机关共计29人，公务员编制29人，其中处级干部9人，科级干部15人，科员5人。另设由建发局统一管理的建设管理中心（正处级事业单位），建发局下属的事业单位土地整理中心（拆迁办）、房地产交易所，建发局下属企业测量队，总计员工30名。

【规划设计编制审批】 编制完成了《泰达汉沽现代产业区控制性详细规划》。综合考虑海滨休闲旅游区总体规划、汉沽新城总体规划、中新生态城总体规划以及开发区东区、西区等周边区域的产业发展、定位、协调及配合等多方面的因素，对泰达汉沽现代产业区的现状、发展条件、发展定位、规模、空间布局、各工程专项等方面进行了深入研究，确保《泰达汉沽现代产业区控制性详细规划》编制成果对下一步用地开发、产业发展、项目落地的指导具有可实施性。2009年，已配合市规划局滨海分局完成资料整理、控规报批稿核对等工作。

按照滨海新区政府工作部署，加快“十大战役”之西部片区的建设，积极开展西区原西部绿带开发利用的前期研究，编制完成《天津经济技术开发区西区生活配套区控制性详细规划》。2009年10月28日，天津市滨海新区管理委员会与天津市规划局联合下发了《关于对滨海新区西片区、北塘分区等区域控制性详细规划的批复》（以下简称《控规批复》），原则同意了西区（含调整后的西区生活配套区）控规方案，以及控规确定的用地范围、功能定位和用地布局。西区控规的批复，将有利于西区和西区生活配套区的进一步开发建设。

为适应开发区东区人口及居住结构的变化趋势，提升服务水平优化城市环境，编制完成《天津经济技术开发区生活区公共服务设施配置标准》，为实现各类公共配套设施的合理建设提供了重要依据。同时，结合开发区西区项目建设进度和驻区企业的客观需求，编制完成《天津经济技术开发区西区公共配套服务设施规划》，内容涉及公寓、商业、公交、加油加气站、消防、派出所等子项，做到提前预留，合理配置，重点保障。

编制完成《天津经济技术开发区综合交通规划》，成果经专家评审后，获得管委会专题会原则通过。

编制完成《天津经济技术开发区重点地块停车系统调查研究》，针对东区财富星座、乐购及友谊商厦以及翠亨村及鸿泰商业广场三个地块的停车现状问题进行分析，结合需求分别提出近期及远期增加泊位、解决停车问题的措施。

启动开发区起步生活区部分地块改造重建行动规划，改善起步生活区作为开发区门户的城市形象，以顺应开发区和滨海新区的快速发展对城市功能与形象不断提高的趋势。

完成南港工业区入区标志及投资服务中心建筑群体方案国际征集与方案评审工作，参加国际竞标的单位包括日本RIA、美国NBBJ和德国GMP三家知名设计公司。经过专家评审委员会与业主评审委员会的严格评定，最终确定美国NBBJ设计公司关于南港入区标志和投资服务中心建筑群体的方案为中标方案。

推动西区生物医药园规划调整，委托美国x-nth设计公司针对原方案中的不足，就产业性质、用地布局、交通规划、企业用能以及环境保护等方向展开研究，有针对性地做好进一步深化完善调整。

推动了开发区高尚生活组团城市规划研究工作，深入研究高尚生活组团内涵、定义，针对组团内各地块提出规划引导控制导则，以实现与MSD

的功能互补、相互融合。

为有效引导项目的合理开发和运营，编制完成《MSD 地下交通、能源及管网规划》，保证 MSD 区域建设；结合交通规划及相关部门提出的具体需求，落实了西区公交站、重点地块停车场、地铁 B1 线选线等项目选址；编制完善了《大火箭及新兴铸管铁路专用线规划》、《西区电力走廊迁移方案》等一系列专项规划，有力推动了重点项目建设发展，提升了规划管理水平。

【规划管理】 规划管理日常业务主要涉及新建、扩建、改建工程和市政管线、市政厂站的规划管理工作，依法办理《建设工程选址意见书》、《建设工程用地规划许可证》、《建设工程规划许可证》，审查建设工程规划方案、初步设计、施工图设计等工作。2009 年，共计完成各类审批业务件 2100 余件。

（王　辉）

天津港保税区、空港物流加工区规划建设管理局

【概况】 天津保税区是滨海新区重要经济功能区之一，包括天津港保税区、空港国际物流区、空港物流加工区三个区域，并设有保税物流园区和综合保税区两个国家级的特殊经济区域。

保税区规划建设管理局、空港物流加工区规划建设管理局为一个机构两块牌子，负责三个区域的管理工作。主要工作职能包括：负责区域的规划编制、实施和管理；建筑工程招标管理、施工管理、质量管理和建筑市场管理；土地管理、测绘和地名管理；房地产市场管理，促进房地产业发展，指导物业管理；开展能源配套服务工作；土地、规划、建设行政执法检查；完成管委会领导交办的其他工作。

规划建设局内设 3 个科室，即规划管理科、土地房管科、建设管理科。规划建设局下设三个事业单位，即工程招标监督管理站、建设工程质量（安全）监督站和房地产交易所。

【机构人员】

局长　杨爱华
总工　张有满
副局长　曹金烜
助理调研员　庞鸣凯
科室负责人
规划管理科科长　刘建峰
土地房管科科长　陈广利
建设管理科科长　张敏求
建设工程质量（安全）监督管理站站长　庞鸣凯
工程招标监督管理站站长　李天成
房地产交易所所长　杨　楠

截止 2009 年 12 月 31 日，局机关共计 31 人，行政编制 19 人（其中处级干部 4 人，科级干部 13 人，科员 2 人），事业单位编制 11 人，合同制工人 1 人。

【规划设计编制审批】

2009 年 10 月 28 日，滨海新区管委会和天津市规划局批复了《滨海新区西部片区控制性详细规划》，规划范围包括临空产业区 102 平方公里区域。

完成《空港物流加工区空间结构与行动规划》，提出“航空主导、多元发展，建设综合经济区”的发展定位，明确“三区九组团”的空间布局，确定打造“六大亮点”的行动规划。

完成公共配套设施调整规划的编制工作。

完成飞机制造利用机场跑道规划的编制工作。

以扩展区域、扩展空间为基点，积极推进“8+9”区域的规划工作。

为进一步促进公建项目的利用编制天津空港物流加工区商务办公楼宇招商手册。

在城市景观总体规划、环境和平面设计等总体规划的基础上，重点做好“一线、两点”的景观提升工作，完成迎宾线及西湖沿岸和 C 地块两个重点项目的景观建设和提升，完成中心大道、西九道、中环西路绿化景观提升方案设计。

落实滨海新区“十大战役”西片区的部署，开展天保国际商务园 A、B 地块的功能策划、方案征集工作。积极策划中心商务区 D 地块、湖滨广场、天保商业广场、标准厂房等一批项目的实施。

完成加工区生活区规划设计方案国际征集工作，30 万平方米限价房建设项目如期启动建设。

【规划管理】

在核发“一书两证”工作中，2009年共完成建设项目各种许可事项共483件：其中《规划设计条件核提》170件，《规划设计方案批复》94件，《建设项目选址意见书》18件，《建设用地规划许可证》57件，《建设工程规划许可证》80件，《规划竣工验收合格证》64件。完成市政项目各种许可事项共190件：其中《规划设计条件核提》37件，《规划设计方案批复》37件，《能源接引方案核发》44件，《选址意见书》32件，《建设用地规划许可证》21件，《建设工程规划许可证》15件，《规划竣工验收合格证》4件。

【监督检查】 完成房地产开发项目违规变更规划、调整容积率问题检查和地理信息市场两项专项整治工作。经过对空港物流加工区及保税区所有房地产开发项目进行专项检查，涉及房地产开发项目70个，检查项目全部符合相关法规政策，无任何违规违纪现象。自2009年5月份，在保税区内围绕地理信息获取、提供、使用、生产、出版和传输六个环节进行全面清理，9月份完成清理工作并形成工作报告上报市局。

【城建档案管理】 不断完善规划档案整理工作，建立健全档案管理机制，建立电子档案，整理完善各类规划档案200余卷。

规划设计审批统计表

序号	规划名称	上报		审批		
		单位	日期	单位	日期	文号
1	滨海新区西部片区控制性详细规划	空港物流加工区规划建设局	2009年10月	滨海新区管委会、天津市规划局	2009年10月28日	津滨管批[2009]115号
2	空港物流加工区重点地区城市设计	空港物流加工区规划建设局	2009年2月	天津港保税区管理委	2009年3月5日	津保管批[2009]18号

重要项目建设工程规划许可证审批统计表

序号	项目名称	建筑面积（平方米）	审批情况	
			日期	许可证号
1	万顺滨海房地产开发有限公司商务办公	263989.24（地上169415.24，地下94574）	2009-4-9	120402200900014
2	万顺滨海房地产开发有限公司五星级酒店	69711（地上44345，地下25366）	2009-4-9	120402200900015
3	软通旭天一期	59048（地上47703，地下11345）	2009-8-5	120402200900055
4	中国移动天津运营中心	78081.2（地上67542.3，地下10538.9）	2009-1-5	120402200900001
5	天保房产青年公寓G1,G2,G4	40187	2009-5-18	120402200900028
6	创建实业西七道空港商务办公楼	50306.77	2009-10-29	120402200900099
7	新里程家园一期工程	103845.49（地上94592.45，地下9253.04）	2009-11-19	120402200900102
8	海鸥工业园	216067	2009-5-27	120402200900034
9	天津天管元通管材制品有限公司出口加工基地管加工工程	113624	2009-12-10	120402200900111
10	太钢天管不锈钢不锈钢冷轧薄板	80354.47	2009-9-27	120402200900080
11	天保控股中心大道标准厂房	48815	2009-10-15	120402200900088
12	恒银科技一期	47247	2009-7-2	120402200900046
13	百利天星减速机战略东移	45164.7	2009-9-11	120402200900064

续表

序号	项目名称	建筑面积（平方米）	审批情况	
			日期	许可证号
14	航空产业园发展公司航空产业园一号厂房	40193.7（地上 37225，地下 2968.7）	2009-4-29	120402200900021
15	柳工新建厂区一期	38308.88	2009-4-15	120402200900018
16	天铁冷板二期净加工项目	34014	2009-9-18	120402200900074
17	圣凯陶瓷新建厂区	31913.04	2009-8-14	120402200900056
18	紫光测控新建厂区	28821.09	2009-5-26	120402200900033
19	阿尔斯通水电设备一期工程	19890.59	2009-3-13	120402200900012
20	捷尔杰一期工程	18536.44	2009-6-17	120402200900043

（刘建峰　张　焯）

天津东疆保税港区管理委员会建设发展局

【概况】 天津东疆保税港区管理委员会建设发展局（简称东疆建发局），为东疆保税港区管委会所属正处级行政部门，2008年1月成立，主要负责组织编制和实施区域规划，履行政府土地管理职能，负责辖区房地产权审查、登记和房地产市场监管；负责辖区建设项目的审批、质量监督以及建筑市场的管理；负责辖区环保审批和环境监测工作；负责辖区绿化、人防、水利、海洋等管理工作；组织推动区内各项公用基础设施的建设及市容管理；进行招、投标管理。

【机构人员】

局　长　　赵洪亮

副局长　　陈进红

截止2009年12月31日，局机关在岗人员7名，公务员编制4名，副处级干部2名，科员1名。

【规划设计编制审批】 《东疆保税港区总体规划（2006-2020）》已于2007年编制完成并获得天津市人民政府的批复。《东疆保税港区控制性详细规划》和《东疆保税港区综合配套服务区城市设计导则》正在编制当中，由天津港集团负责。

【规划管理】 在核发“一书两证”工作中，自2008年6月承接东疆保税港区规划管理综合业务以来，建发局严格遵循“三级审核”制度，按照工作规划和审查要点开展案件办理工作。2009年，办理业务51件，核发《建设用地规划许可证》10件，《建设工程规划许可证》32件（其中建筑项目15件，建筑面积47.5万平方米，市政工程17件），《选址意见书》9件。此外还办理《规划条件》16件。

【监督检查】 在证后管理工作中，2009年共发放《建设工程规划验收合格证》2件，建筑面积18843平方米。坚持一月全面巡查两次，重点区域每周巡查。

重要项目建设工程规划许可证审批统计表

序号	建设单位	项目名称	建筑面积	审批情况	
				日期	许可证号
1	天津港（集团）有限公司	天津港国际邮轮母港码头工程（客运大厦）	55751.1 平方米	09.2.10	2009 东疆建证 0001
2	天津港海丰保税物流有限公司	天津东疆保税港区物流加工区一期（A 段）Ⅰ-A 工程	46449 平方米	09.3.17	2009 东疆建证 0002
3	天津港海丰保税物流有限公司	天津东疆保税港区物流加工区一期（A 段）Ⅲ-A 工程	144250 平方米	09.3.17	2009 东疆建证 0003
4	天津港（集团）有限公司	天津港北港池杂货码头工程（陆域工程）	50581 平方米	09.9.29	2009 东疆建证 0007
5	天津德海石油制品销售有限责任公司	天津德海石油制品销售有限责任公司东疆港区 3 号加油站	587 平方米	09.10.14	2009 东疆建证 0008
6	普罗旺斯食品（天津）有限公司	普罗旺斯食品（天津）有限公司新建工程	28405.1 平方米	09.11.11	2009 东疆建证 0009

（陆慧冰）

中新天津生态城管委会建设局

【概况】 中新天津生态城是中国和新加坡两国政府应对全球气候变化、节约资源能源、加强环境保护、建设和谐社会的重大合作项目，要实现“人与人和谐共存、人与经济活动和谐共存、人与环境和谐共存”，建设方式要“能实行、能推广、能复制”，是世界上第一个国家间合作开发的生态城市。生态城选址位于滨海新区，东临中央大道，西至蓟运河，南接彩虹大桥，北至津汉快速路，规划面积 30 平方公里。生态城的建设是中国适应城市化、工业化进程不断加快的新形势，以加强节能减排和建设生态城市为主题，积极探索可持续发展道路的最新尝试。

中新天津生态城管委会建设局成立于 2008 年 1 月，是生态城城市建设综合行政管理部门。2009 年 7 月加挂中新天津生态城国土资源局的牌子。主要负责组织编制城市规划、土地利用规划和经济社会发展规划，市政管线、厂站、工程的规划管理；《建设工程用地规划许可证》、《建设工程规划许可证》、《建设工程规划验收合格证》的管理；建设工程方案设计审查；同时负责生态城的土地管理、建设管理、房屋管理，生态城城市开发建设的组织推动，城市基础设施维护的监管以及公用事业运营的监管等工作。

截至 2009 年底，生态城建设局有干部 19 人，平均年龄 31 岁，都具有大学本科学历，其中 3 名双学位，7 名硕士研究生。秉承生态城管委会“创新、水平、速度、细节、拼搏”的工作要求，在成立短短两年时间里，先后编制完成了《中新天津生态城总体规划（2008-2020 年）》、审查完成了中新天津生态城基础设施专项规划、综合交通规划、绿化专项规划、高压供电专项规划、夜景照明专项规划等 13 余项专项规划的编制工作；组织编制了《中新天津生态城起步区城市设计导则》，并在此基础上编制了起步区城市设计方案，用于指导起步区产业公建、住宅、景观等项目的规划设计。

生态城建设局先后 3 次获得市、新区等级先进集体荣誉称号，11 人次获各类先进个人称号。

【机构人员】

局长、支部书记　李　东
副局长　戴　雷
　王　萌
　叶　炜
局长助理　王　喆
　黄永浩
科室负责人
综合科科长　王　喆（兼）
规划科科长　刘文闯
建设科科长　黄永浩（兼）
土地科科长　邵　亮

住房科科长　　胡宇丹

截至2009年12月31日，全局共有处级干部4人，科级干部6人。

【规划设计编制审批】

形成较完善的规划体系　2008年生态城建设局组织中国规划设计研究院、天津规划院和新加坡市区重建局（URA）共同编制了《中新天津生态城总体规划（2008-2020年）》，并于同年9月由天津市人民政府批准实施。

生态城建设局自2009年2月起，用时3个月，组织邀请多家国际知名设计单位，参与中新天津生态城城市设计国际咨询活动，取得满意的设计成果。

生态城建设局先后组织专业设计院完成了《综合交通专项规划》、《雨水专项规划》、《污水专项规划》、《再生水专项规划》、《绿地系统专项规划》、《给水专项规划》、《燃气专项规划》、《热力专项规划》、《竖向规划》、《水系统规划》、《环卫专项规划》（含气力垃圾收集专项）、《通信专项规划》、《灯光照明专项规划》、《地名规划》以及《中新天津生态城可再生能源专项规划》和《起步区可再生能源实施方案》。其中给排水专项规划、综合交通专项规划、绿地系统专项规划、再生水专项规划、竖向规划、环卫专项规划、灯光照明、地名规划、可再生能源专项规划已经由生态城管委会批复，其他专项规划正在修改完善或报批过程中。组织完成了起步区公共空间景观方案竞赛，开展了生态谷起步区段景观设计；并编制完成了《生态城高压供电规划方案》。

积极探索规划设计创新　生态城建设局组织开展了《生态城绿色建筑设计导则》的研究和编制工作。

编制并颁布了《中新天津生态城起步区住宅设计导则》，用于指导起步区生态住宅的规划设计。编制完成了《修建性详细规划报建要求》，并颁布了修建性详细规划指标表及填表说明，规范了修建性详细规划的制图标准，并与规划管理网上审批程序进行结合。建立了修建性详细规划联合审查制度，从而进一步完善了生态城规划管理制度。

认真做好城市规划公示工作　将《中新天津生态城总体规划（2008-2020年）》通过新闻媒体、规划展览馆展示等方式公开向全市人民征求意见，共形成有效意见253条。按照《城乡规划法》和天津市有关要求，在生态城官方网站上将建设项目的修建性详细规划和建筑设计方案进行公示、公告和公布，广泛吸收公众意见，实现生态城规划设计公众参与。

按照建设部、天津市政府、滨海新区政府和生态城管委会的要求，按时、保质完成了中华人民共和国建国六十周年成就展的城市模型制作工作，作为中华人民共和国建国六十周年成就展上唯一以城市规划为主题的参展模型，接受了党和国家领导人以及全国人民的检阅。

【项目设计及方案审批】

公建项目　组织编制及审查了商业街、综合市场、派出所、幼儿园等项目方案设计，总建筑面积7.9万平方米。

住宅项目　审查通过了公屋、滨海家园、吉宝、嘉铭、万通、天房、芦花庄园三期、合资公司12a地块等项目的修建性详细规划和方案设计，总建筑面积117.51万平方米。

产业项目　审查通过了动漫产业园控制性详细规划、修建性详细规划和方案；审查通过了南部科技园修建性详细规划和北部产业园的城市设计，总建筑面积317.78万平方米。

短时间高水平组织完成动漫产业园各项规划的编制工作。为尽快推动动漫产业园的开工建设，管委会成立动漫产业园规划设计指挥部，经过不到1个月的工作，自7月24日滨海委审查并原则通过规划设计方案至9月24日，先后共组织完成了修建性详细规划、设计导则和主楼、研发孵化区、智能衍生品区共计24.5万平方米办公楼的方案设计和施工图设计，从概念规划到项目开工，用时不到两个月。

基础设施项目　完成了起步区一、二、三期道路、动漫园、产业园、永定洲组团的雨水、污水、中水和给水、电力、燃气、供热、通讯、市政道路及管线的管网综合设计和方案设计审查工作，其中起步区一、二期已经竣工；审查了中生大道跨蓟运河故道桥梁和中天大道跨慧风溪桥梁的规划设计，已开工建设；审查完成了起步区三个雨、污水泵站和南部片区给水加压泵站的设计方案，并已开工。

景观绿化项目　审查通过了蓟运河故道示范段和慧风溪生态廊道的方案设计并开工建设；审查通

过了生态环保公园和生态文化公园方案设计；审查通过了起步区道路绿化设计方案并已开工；审查通过了蓟运河起步区段水系及岸线治理方案并已开工。

【规划管理】 创新规划管理体系，形成以控制性详细规划为核心的“一个规划，三个导则”的规划管理体系（土地细分导则、城市设计导则和生态技术导则），实现生态城特色化、精细化的规划管理。

在核发“一书两证”工作中，2009年，建设局共受理建设项目139项，发放《规划条件》40件，《选址意见书》24件，《规划设计要求》45件，《建设用地规划许可证》45件，《修建性详细规划审定通知书》11件，《建设工程设计方案审定通知书（建筑工程）》11件，《建设工程设计方案审定通知书（市政工程）》32件，《建设工程规划许可证（建筑工程）》24件，《建设工程规划许可证（市政工程）》41件。

在项目规划设计阶段，为达到“高起点规划，高水平设计”的要求，共召开规划设计审查会300余次。

建立与合资公司的规划例会制度，例会每星期召开一次，使项目招商与规划编制紧密衔接，促进项目尽早落地。

【监督检查】 2009年对辖区范围内52个建设项目实施许可证后的监管，对墨线、零米、标准层、主体、外檐等工程进度情况进行查验，共查验35个项目的验线报告，其中核查建筑工程规划验线报告13份，核查市政工程规划验线报告22份。按照责任分工，积极履行违法建设查处职责，全年共下达整改、停工通知书56个。对日常巡查工作制定了巡查路线，固定时间、固定人员，加大执法监察力度，2009年累计巡查1万公里，巡查开工总面积达70多万平方米，坚持每天至少1次道路巡查，做到发现问题及时解决，属于职责范围内的进行及时处理，不属于职责内的及时通报相关部门。

（沈佩佩）

长虹公园

局属单位工作

天津市城市规划设计研究院

【概况】 天津市城市规划设计研究院（以下简称天津规划院）隶属天津市规划局，是技术力量雄厚、专业水准领先的综合性咨询研究机构。目前拥有城市规划、土地规划、建筑设计、工程咨询、规划环评5个甲级资质，以及市政公用工程、旅游规划、园林景观3个乙级资质。主要业务范围包括城市规划、土地利用规划、建筑设计、规划环境影响评价、道路交通设计、市政工程设计等多个专业，和规划技术咨询、工程技术开发等多项业务。2000年通过ISO9000质量认证。

建院20多年来，编制了天津市城市总体规划、国土规划、土地利用总体规划等一系列重点项目，研究制定了天津市区域发展、空间发展等多项宏观战略规划和综合交通、市政工程、住房建设、生态绿化等专项规划；并伴随滨海新区的起步与腾飞，编制了滨海新区不同时期和各个层次的发展规划与实施战略，为各级政府实施科学管理提供了重要依据。曾荣获国家级银质奖、建设部优秀规划设计奖和詹天佑规划设计大奖等重要奖项达40多项。拥有寿民、张菲菲、邹哲等一批卓有建树的城市规划设计专家。

天津规划院热心社会公益事业，长期为西部贫困地区、革命老区、受灾地区提供规划援助，多次获得天津市“五一劳动奖”和“八五”、“九五”、“十五”立功先进单位称号，多次被评为全国建设系统“城市规划先进单位”、“企业文化建设先进单位”、全国文明单位等称号。

2009年，在市规划局的直接领导下，天津规划院继续强化自身建设，围绕市委市政府工作重点，发挥城市规划的龙头、先导和调控作用，服务全市工作大局，推进全市“保增长、渡难关、上水平”中心任务的落实；支持滨海新区开发开放和城乡一体化发展战略的实施。在院内工作重心上，加大研究力度，强化城市规划的前瞻性、战略性和全局性，当好各级政府的技术参谋与助手，促进全市各项工作再上新水平。

【机构人员】

党委书记	艾伯亭
院长	师武军
副书记	魏　悌（~7月）
	刘　建（7月~）
纪委书记	韦京兵（7月~）
副院长	邹积新
	肖连望
	黄晶涛
	田　野
	李　彤
总经济师	李金铎
总工程师	邹　哲
总规划师	郑向阳（7月~）
	周长林（7月~）
	石文华（7月~）

2009年全院在岗人员469名；其中，博士5名、硕士97名。在300多名专业技术人员中，具有高级技术职称的140名；享受国务院特殊津贴的专家6名，天津市政府授衔专家3名。

院内设9个生产单位、3个分院、3个研究中心、8个职能管理部门和环评中心、招投标服务中心和技术服务中心。

【重点规划编制与研究】 配合天津市政府确定的

天津市“双城双港、相向拓展、一轴两带、南北生态”的城市总体发展战略，研究制定了天津发展的空间布局和指标，编制了天津市空间发展战略规划、滨海新区总体规划、临港产业区总体规划、滨海新区基础设施与环境三年建设规划、控制性详细规划、十大战役策划规划、中心城区特色地区提升规划、海河教育园区策划规划、市文化中心规划设计、泰安道地区改造规划、31个示范工业园区规划、滨江道整治规划、村镇县总体规划等重点项目。

在城市规划研究方面，发挥局编研中心职能，开展了城乡总体规划与土地利用规划、国民经济社会发展规划衔接方法及技术研究、京滨产业带布局及区域影响力研究、高速铁路对城市空间结构影响对策研究、城镇避难场所规划关键技术研究、滨海新区绿地系统布局及实施策略研究、大城市边缘区城乡统筹规划研究、新形势下示范小城镇建设模式研究、天津港对外集疏运发展对策研究、天津市能源利用研究等。

2009年，累计完成指令性任务及其它重点规划编制110项，收尾完善上年度编制的重点规划119项。配合市局完成“保、促、推”各项工作，完成多项规范标准、工作计划的编研以及基础数据和信息资料的整理，为市、局实施科学管理提供了有效保障。

在确保市重点规划和指令性任务高水平完成的同时，院所两级机构积极开拓市场，拓宽业务渠道，增强服务意识，提高服务水平，2009年承揽市场委托性项目434项，产值比去年增长26.2%，做到了项目数量和产值同步增长。

【援疆与援陕】 为支援西部大开发和震后重建，根据市、局统一部署，天津规划院先后派高级规划师王强赴新疆喀什泽善县建设局工作，援助当地的城乡规划建设；派沈锐、张宗潮赴陕西汉中担当震后重建工作联络员。发挥专业优势，依托天津规划院的技术实力，组织骨干力量承担援疆、援陕的多项规划设计的编制。在做好陕西宁强震后重建工作的同时，对规划设计项目后期的施工建设提供了周密的技术指导和服务。目前宁强县“天津中学”等一批项目顺利竣工，援建工作得到当地政府和百姓的高度赞扬。

【科研与获奖】 2009年围绕规划研究能力和编制水平的提高,市规划院加大科研工作力度，设立专项科研基金，精选专业骨干，2009年开展课题研究40余项，课题全部选择规划建设中的难点、热点问题。承担科研项目的骨干也是生产一线的主力。其中部委级立项的14项，院级33项。至2009年底大部分课题完成了初步成果。其中撰写论文100余篇，多在核心期刊发表或入选2009年规划年会论文集。新技术应用于规划编制中，如交通模型框架基本建立，车流仿真与人流仿真技术应用到规划设计中。此外，积极参加各类优秀设计评选和公开招投标，共参与投标38项，中标16项。全年共获得詹天佑优秀住宅小区金奖一项；部级一、二等奖各1项；三等奖3项；表扬奖1项。市优秀规划设计、优秀勘察设计、优秀工程咨询成果一等奖9项；二等奖10项；三等奖8项。

【管理和信息化建设】 继续完善制度管理，管理依据更加明确。结合多年实践，针对职工普遍关注的突出问题，在调研基础上对原有的规章制度进行整合、修改、完善，形成了新的规章制度体系，进一步理清了各项管理制度之间关系，实现了对各个管理环节的有效控制和有机衔接；使生产经营和技术管理流程更加科学清晰，责任更加明确。根据年终各部门对规章制度实施情况的评估结果，证明了规章制度有效地规范了管理行为、提高了管理效率，并为完成各项工作提供了坚实的保障。

贯标工作呈现新局面。通过贯标培训、监督检查、通报表扬或批评等多种方式，全院贯标意识得到加强，不按贯标程序报审的项目严禁出院。通过全体职工的共同努力，成功通过了长城认证公司外审验收，顺利完成了ISO9001国际标准由2000版转为2008版的贯标转版及其认证工作。

信息化建设迈上新台阶。组织力量对“规划汇总信息查询系统”、“项目管理系统”、“办公自动化系统”进行全面评估和优化升级，并与各项管理制度及管理流程有效衔接，增加消息提示、超时警告等功能，实现生产经营管理、技术审查、规划编制、贯标等各项工作网上一体化管理和全过程监控。基础数据及规划GIS数据库的建设取得新进展，初步建成近20个专题数据库，122.5万个数据信息库，为资源共享和有效利用打下良好的基础。

为适应事业单位岗位管理改革，接轨现代企业制度，借鉴其他单位经验，结合天津规划院实际，开展绩效考核体系研究和制订，已形成初步方案，结合 2009 年年终考核进行试运行。

【人才队伍建设】 落实局人才工作会议精神，对人才队伍结构现状评价分析，深化完善了《规划院专家人才队伍建设方案》，根据各类专家选拔条件，对培养对象从项目、课题、著作、论文等方面进一步明确了工作重点。

完善《规划院人才队伍建设中长期规划》，落实人才队伍建设的整体目标和任务，建立了全员培养档案，培养措施更趋细化和具体。

完成了局级授衔专家推荐，8 名同志获得局级授衔专家称号；继续加大职工技术培训力度，全年举办各类讲座和培训 23 次、参加人员 1100 多人次，包括两期 50 余人参加的境外（香港、新加坡）专题培训，进一步激发了广大职工的学习兴趣和工作热情，职工技术素养全面提高；引进新鲜血液，储备后备人才，经过严格考核，择优录取了 15 名名牌大学应届毕业生和研究生。

【思想和干部队伍建设】 院党委围绕践行科学发展观和党风廉政建设专题教育等多种方式和途径，扎实推进基层党的先进性建设和基层党组织建设；组织政工研究，扩大论文研究的人员范围，研究成果的数量和质量有了新突破。以获得“全国文明单位”、“天津市文明单位标兵”等光荣称号为契机，深化企业文化建设，加强规划师职业道德建设，陶冶了职工的思想道德情操。2009 年累计获得 2 次全国、3 次市级先进集体称号，有 4 个集体获得“工人先锋队”、“青年突击队”和“新长征突击队”的称号；有 15 个集体、32 名同志被评为工委、局级先进集体和先进个人，5 人获得市级劳动模范、新长征突击手等先进荣誉称号。2009 年累计 70 余条消息被中央电视台、《人民日报》及天津多家媒体采访报道。

结合重点工作考察提拔了一批年轻干部，对部分干部按照有关规定进行岗位交流，使干部队伍的年龄结构、知识结构、整体素质进一步提升，更加适应全院持续快速发展的需要。学习贯彻《干部任用工作条例》、应检考核及试用期满考核工作，新提拔的干部全部合格，绝大多数达到优秀标准。

【大型活动组织】 完成了 2009 年全国规划年会和京津地区规划系统文艺汇演的协办工作。获得 2009 年中国城市规划年会优秀组织奖。圆满完成建院 20 周年院庆系列活动。邀请两院周干峙院士、工程院邹德慈院士和齐康院士举办学术讲座；成功举办了首届环渤海地区规划院院长论坛；开展了一系列学术培训活动。全院营造出浓厚的学术研究氛围，形成院内人人钻技术，个个比水平的良好局面，为职工的全面发展和规划院的进步搭建了广阔平台。成功举办和协办多项重大活动，展现出天津规划院的组织协调能力和良好的精神风貌。

天津市规划院 2009 年度国家建设部优秀规划设计评选获奖项目

获奖等级	项目名称	编制单位
金　奖	华明示范小城镇建设项目	天津市城市规划设计研究院
一等奖	天津市城市总体规划（2005-2020）	天津市城市规划设计研究院与中国城市规划设计院合作
二等奖	天津临空产业区（航空城）总体规划	天津市城市规划设计研究院
三等奖	新疆喀什地区旅游发展规划	天津市城市规划设计研究院
三等奖	大同市城市总体规划（2006-2020）	天津市城市规划设计研究院
三等奖	济宁市河湖水系综合整治规划	天津市城市规划设计研究院
表扬奖	天津市电力空间布局规划	天津市城市规划设计研究院

天津市规划院2009年度市级优秀项目和局级科研课题评选获奖统计表

获奖等级	项目名称	编制单位
一等奖（9项）	天津市滨海新区空间发展战略研究	天津市城市规划设计研究院
	解放北路历史街区整修规划	天津市城市规划设计研究院
	子牙循环经济区总体规划	天津市城市规划设计研究院
	天津站交通枢纽改造规划	天津市城市规划设计研究院
	天津师范大学、理工大学新校区修建性详细规划	天津市城市规划设计研究院
	“五大道”地区城市设计	天津市城市规划设计研究院
	天钢柳林副中心城市设计	天津市城市规划设计研究院
	天津市茶淀镇总体规划	天津市城市规划设计研究院
	天津市津南区小站镇总体规划	天津市城市规划设计研究院
二等奖（10项）	天津市工业布局规划（2008-2020年）环境影响报告	天津市城市规划设计研究院
	天津市蓟县城乡总体规划	天津市城市规划设计研究院
	天津东丽湖地区城市设计	天津市城市规划设计研究院
	滨海新区空间发展战略规划	天津市城市规划设计研究院
	柬埔寨国公省基里沙果县海滨旅游度假区总体规划	天津市城市规划设计研究院
	天津市自来水供水系统规划的优化研究	天津市城市规划设计研究院
	广西钦州保税港区规划	天津市城市规划设计研究院
	天津市武清区城乡总体规划	天津市城市规划设计研究院
	大港区小王庄镇总体规划	天津市城市规划设计研究院
	津南区八里台示范小城镇建设规划	天津市城市规划设计研究院
三等奖（8项）	天津市轨道交通系统规划	天津市城市规划设计研究院
	广西白石湖公园概念规划	天津市城市规划设计研究院
	北辰区北运河城市设计	天津市城市规划设计研究院
	滨海新区新农村布局规划	天津市城市规划设计研究院
	静海县蔡公庄镇总体规划	天津市城市规划设计研究院
	西青区辛口镇总体规划	天津市城市规划设计研究院
	东丽区城中村改造规划研究	天津市城市规划设计研究院
	天津市妇幼儿童保健中心规划	天津市城市规划设计研究院

天津市规划院2009年度组织机构图

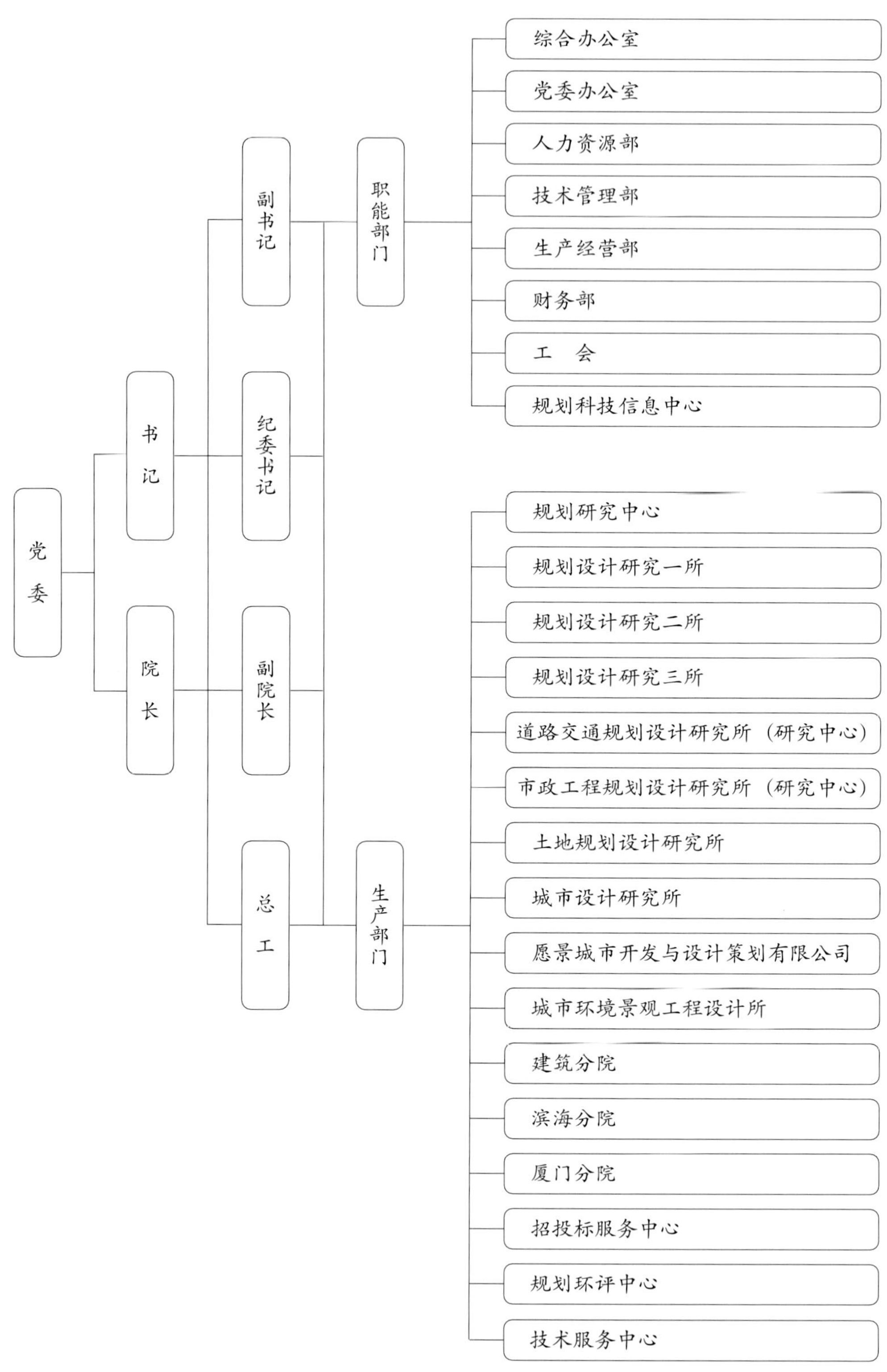

（王丽颖）

天津市建筑设计院

【概况】天津市建筑设计院（简称建院），隶属天津市规划局，创立于1952年，具有半个多世纪辉煌历程，现已发展成为技术实力雄厚、人才济济的国内最大的综合性甲级建筑设计单位之一；具有国家建设部颁发的甲级工程设计、城市规划等七个专项设计资质；具有国家商务部批准、在世界各地的对外经营权。是国际建筑工程师咨询协会（菲迪克FIDIC）会员单位、中国勘察设计综合实力百强企业、亚洲BCIA中国十大建筑设计公司。获得“全国CAD应用工程示范企业”、全国和天津市“守合同、重信用”单位、“天津市质量效益型先进企业”、“高新技术企业证书”、“天津市开展质量管理小组活动先进企业”、“天津市用户满意企业”、“天津市突出贡献设计院”、“天津市‘五一’劳动奖章先进单位”、“中国建筑规划设计百强单位”。2009年天津市建筑设计院以学习实践科学发展观为契机，以“好字优先，好中求快，又好又快发展”的工作思路为指南，牢牢把握天津快速发展的历史时机，瞄准“创建国内一流强院”目标，实施“经营拓展、人才强院、科技兴院、文化建院”的发展战略，推进体制机制创新。面对激烈竞争的设计市场，建院拼搏实干，2009年总产值再创历史最高水平，实现营业总收入5.9亿元，全院共完成设计项目215项，子项798项，建筑面积达1066万平米，与去年同比提高了24.47%。其中，设计产值收入3.2亿元，与去年同比提高了36.17%。设计一线人均产值达到44.8万元，与去年同比提升了13.42%。多种经营创收达2.7亿元。同时，全院职工工资总额达1.33多亿元，与2008年同比增长40.02%；全年为职工支付“五险一金”达2300多万元；职工就餐补贴近150多万元；职工体检及药费补贴等福利性支出达330多万元，实现了职工收入和福利待遇的同步增长。

【机构人员】

党委书记	刘勇胜
院长	刘　军
名誉院长	刘景樑
常务副院长	张鸿瑞
副院长	刘祖玲
	张晓宇
	王绍妍
	佟　武
纪委书记、党委副书记	梁　卉
工会主席	郑向群

天津市建筑设计院下设10个土建设计所、5个机电所（中心）、7个专项所、35个多种经营公司和分院及联合设计团队、7个职能管理部门、1个行政中心

【建筑设计】建院是集体育、教育、医疗、商业和住宅建筑为品牌优势的综合技术实力百强设计院。2009年建院强化企业核心竞争力，科技创新能力和设计水平新突破。以专业技术、学术期刊《建筑论坛》为载体，组织开展各专业方案评审会、知名学者专题报告会、优秀建筑设计交流会，营造了浓厚的学术氛围，培养造就出一支高水平的技术专家团队。建院有员工逾千人，其中全国工程设计大师3人，国务院批准享受政府特殊津贴专家14人，国家人事部批准有突出贡献的中青年专家2人。天津市中青年授衔专家4人，正高级和高级建筑（工程）师380人，并有国家一级、二级注册建筑师、结构工程师179人，国家级注册监理工程师25人，造价工程师13人，注册城市规划师11人，注册岩土工程师3人，注册咨询（投资）工程师18人。其中，朱铁麟总建筑师荣获“全球华人青年建筑师奖”；卓强副总建筑师荣获第七届中国建筑学会授予的“青年建筑师奖”；拥有国家设计大师刘景樑；全国建筑设计协会医疗建筑设计分会理事、中国卫生建设专家咨询委员会委员孙鸿新；天津市授衔结构工程设计专家陈敖宜；中国建筑学会暖通空调分会委员、天津市制冷学会副理事长伍小亭等一批技术专家。9名专业技术带头人荣获规划局系统授衔专家称号，成为天津市建筑设计行业中的领军人物。目前建院设有建筑、规划、结构、给排水、绿色研发、暖通空调、电气照明、自动控制、广播通讯、经济技术分析、岩土工程、城镇规划及居住区、景观与环境

设计和室内装修设计等专业。承接国内外各类工程的咨询、设计和监理等业务。已相继在海南、上海、广州、厦门、重庆等地设立分院。构筑起“主业延伸，多业并举”的产业化发展格局，以其全新的设计理念和现代化高新技术，展示着雄厚的技术实力和创新创优水平。2009 年建院落实高起点规划、高水平设计的要求，成立了绿色建筑机电技术研发中心，并相继成立了 7 家联合设计公司，是建院整合社会资源、提升原创设计水平、打造设计航母的一大举措。先后完成了天宾商务中心、万丽天津宾馆、津湾广场、梅江会展中心、文化中心、滨江道改造、海河两岸设计、和平路改造、于家堡总体区域供暖、供冷专项规划和多项方案制定及重点地区规划、重点区域天际线设计等一批市重点建设项目以及援建陕西灾区工程。建院绿色机电科研楼设计的实施，赢得了各级领导和全市人民的交口称赞，为天津、为规划系统争得了荣誉。2009 年建院获部级优秀勘察设计奖 11 项；获全国优秀规划设计奖 1 项；获建筑学会颁发的“新中国成立 60 周年建筑创作大奖”6 项；获中国勘察设计协会颁发的“新中国成立 60 周年建筑设计大奖”1 项；获全国人居经典建筑规划设计方案竞赛奖 3 项；获天津市“海河杯”优秀工程设计奖 19 项；3 项规划设计成果获得天津市城市优秀规划设计一等奖。特别是建院设计完成的天津对口援建陕西工程，得到了胡锦涛总书记的高度评价，称赞：“天津援建陕西灾区工作作得富有成效，尤其是学校、医院建设是一流的。”建院赢得了各级领导和社会各界广泛赞誉。

【科技进步】 开拓市场，经济效益取得新突破。2009 年建院实施生产经营战略：加强联合经营、立体经营，开拓高端设计市场，大胆采用“外联内合”全方位立体化经营方式，主攻高、精、尖重点大型项目，进一步打破所与所之间的壁垒，构建起内部合作经营平台，形成优势互补、上下联动经营的新局面。在保障陕西援建工程优质服务的同时，积极与国际高水平设计公司合作，在梅江会展中心、津湾广场、市委、市政府办公楼、万丽天津酒店、于家堡、子牙循环经济产业园起步区、北洋园等一批重点工程和重点规划任务中，多个生产部门强强联合，优势互补，提升了设计水平和生产效率。先后在 30 万平米的沈阳嘉里项目竞标、80 多万平米的空港物流总部研发基地工程设计、渤海银行工程等设计任务中，建院集中骨干力量形成合力一举中标。各联合设计团队相继参与设计了滨江道和平路综合整治工程、海河后五公里城市设计、西青区 CBD 规划等 46 个项目，赢得了高端市场竞争，展示出建院的综合技术实力。2009 年建院注重拓展经营与技术创新的协调发展，力争在低碳、绿色建筑、生态建筑、超高层钢结构等专项领域中做出特色，创出品牌，如：建院自己设计建造的绿色机电科研楼工程建筑面积 4585m²，建筑节能率为 63.51%，可再生能源利用率为 100%的生活热水量地源热泵，非传统水源利用率达 63.45%，可再循环建筑材料用量比为 11.37%。经中国城市科学研究会绿色建筑评审专家委员会第三次全体委员会对 2009 年全国申报的 17 个项目绿色建筑标识评审，建院绿色机电科研楼工程其各项指标均达到了国家《绿色建筑评价标准》GB/T50378-2006 二星级水平，得到了国家绿色建筑设计标识认证，成为天津市第一座国家绿色建筑。同时，着力提升工程咨询业和多经产业优势，实施对多种经营公司的改造重组、优化结构和监督管理，推进主业延伸发展，成为新的经济增长点，投资回报率达到 16.4%。2009 年建院总收入 5.9 亿元，设计产值收入 3.2 亿元，人均产值 80 万元，多种经营创收达 2.7 亿元，有效实施了优势互补的联合经营和多专业立体化经营方略。

【质量管理】 强化质量管理，提升设计质量水平。进一步完善建院的内部管理机制，完成了 ISO9001-2008 版本转换。重点加强了质量监督，组织了院内 25 个贯标单位进行 2009 年度质量管理体系内部审核，审核大、中型工程 38 项，检查并整改问题 23 项；开展了两次施工图设计质量抽查，涉及 30 项工程项目；完成 76 项工程的施工图外审和外部审查意见的汇总分析、质量发布；审查院初步设计工程 19 项；分别组织 54 项工程参加了建设部“节能减排”专项检查，83 项工程参加了建设部抗震安全质量检查；对 31 项工程开展了现场回访。同时，对重点岗位人员进行职责培训和考核。编制了建筑节能、无障碍设计专篇，以及工业建筑自审程序和中新生态城生态建筑设计方案申报模板、施工图设计示范文本。组织开展了各专业优秀施工图评选，有力促进了建院施工图质量不断提高。并依据国家政策凭借技术综合实力储备，由院战略发展研究中心牵头，各职能部门和各设计所共同配合，积极推进落实申报国家高新技术企业的各项工作，并于2009年底成功取得国家高新技术企业资格证书。同年设立900万元科研基金，制定出台了《科研项目管理办法》等9项措施和制度，2009年科研立项达42项，设立了院设计方案库，收集录入建院近5年完成的737项工程的825个设计方案。在技术数据库中还搭建了特色专集库和参考资料集库，收录特色专集76套，照片集17套。填补了院方案数据库的空白，实现了全院设计方案资源共享。建院2009年在国家重点刊物上发表专业论文成果共18篇，创出我院历史最好水平，提升了建院在业界的学术影响力和学术地位。2009年组织协办完成了中国建筑学会十一届三次理事会和天津市工程咨询协会2009年度常务理事单位年会，提升了建院在业内的知名度和影响力。

【人才建设】 健全完善人才培养机制，全面启动“152”人才建设工程。建立了建华工程咨询公司、建源设计咨询公司和机电研发中心三个人才培训基地。拓展了人才培养的三个渠道，制定了建院《关于设计所人力资源配置的指导意见》，为各设计所规模建设、梯次建设以及专业合理配置、技术层级合理配置提供了科学参考依据。围绕实现“152”人才工程建设目标，以《院所级技术职务岗位职责》为标准，对“152”人才库的三个层次人才定期进行跟踪考核和能力评估，制定了《关于设计所人力资源配置的指导意见》，指导各设计所推进团队建设，拓宽青年人的培养渠道，针对各层次人才的发展定位，举办了24期各专业、专项技术1149人次参加的培训班，同时组织结构专业骨干人员圆满完成了赴德国的专业培训任务，提高了技术骨干人员的设计水平。建立了在职职工效能考评体系，逐步完善了优胜劣汰的用人机制。探索薪酬制度改革，打破了设计一线“工程线计奖”的传统分配方式，尝试“预发岗位奖金”的薪酬分配模式，职工积极性得到有效发挥。

【内部管理】 加强制度建设，提升管理效能。2009年，建院深入分析查找制约建院更好更快发展因素，以制度建设为重点，各职能管理部门自觉查找管理漏洞和工作差距，制定出台涉及到经营生产、技术创新、设计创优、质量管理、技术服务、人力资源管理、多种经营管理、资本运作和财务管理等方面的72项管理规定。确立：在市场经营中，实施“内合外联”的经营模式，构建多专业、立体化的全过程技术经营格局；在技术开发中，加强对科技创新、设计创优的管理，落实院设计方案资料库的建设，促进建院综合技术实力的提升；在质量管理中，强化质量管理职能，健全施工图质量审查、服务质量监督机制和各专业技术岗位职责标准，建立起科学规范的质量管理体系；在人才建设管理中，实施“152”人才建设工程，建立以岗位职责为依据，能力水平为标准的人才考评体系，为建院人才建设上水平创造条件；在财务管理中，争取相关政策解决了分包设计差额纳税问题，为设计生产部门提供纳税筹划服务，推进实施职能部门预算管理，成功取得“3A企业信用等级”证书；在投资经营管理中，规范多种经营公司管理和机制，提升经济运行质量和发展潜力，确保了建院多经公司投资回报率的提高，实现了国有资产的保值增值。

【政治保障】 2009年院党委以学习实践科学发展观为契机，明确了“好字优先，好中求快，又好又快发展”的工作思路，紧紧围绕实现“创建国内一流强院”的发展目标，以“争创四佳党支部，增强五个意识，争当五个模范”企业文化建设等活动为载体，充分发挥政治优势和党委的政治核心作用、党支部的战斗堡垒作用和共产党员的先锋模范作用，有力地促进了建院生产经营和机制体制改革，推进了企业文化建设和民主建设，围绕庆祝建党88周年和建国60周年，总结表彰了一批先进党支部、优秀共产党员的先进经验和典型事迹，有效地发挥了典型引路的榜样作用。开展了建国60周年建党88周年院歌大奖赛、群众性歌唱祖国歌咏活动、华北地区规划系统文艺汇演和全院干部职工企业文化宣讲考试等一系列活动，成功举办了第二届职工运动会，振奋职工精神，增强了建院凝聚力。

天津市建筑设计院2009年度组织机构图

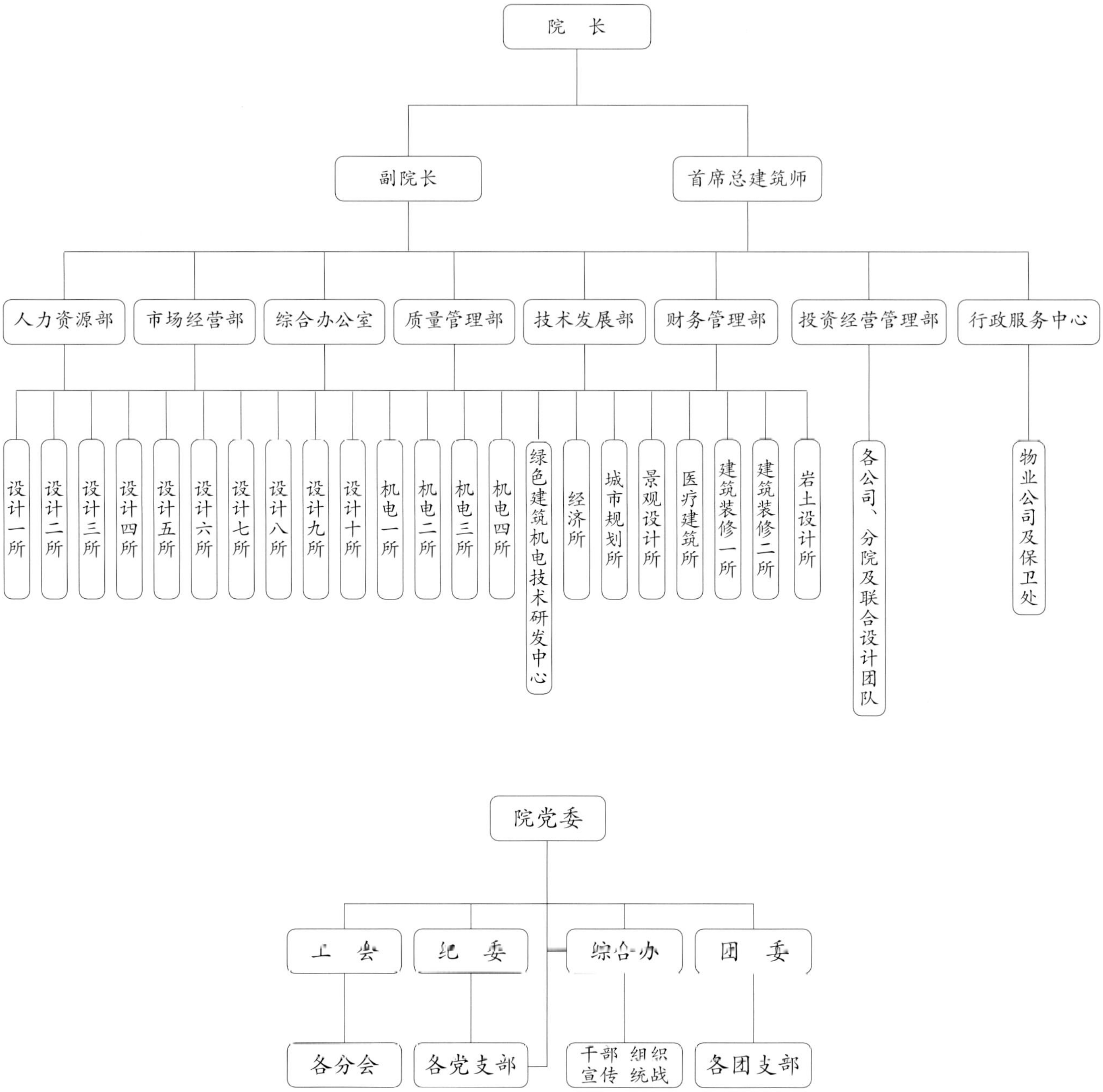

院 长
副院长
首席总建筑师
人力资源部
市场经营部
综合办公室
质量管理部
技术发展部
财务管理部
投资经营管理部
行政服务中心
设计一所
设计二所
设计三所
设计四所
设计五所
设计六所
设计七所
设计八所
设计九所
设计十所
机电一所
机电二所
机电三所
机电四所
绿色建筑机电技术研发中心
经济所
城市规划所
景观设计所
医疗建筑所
建筑装修一所
建筑装修二所
岩土设计所
各公司、分院及联合设计团队
物业公司及保卫处
院党委
工 会
纪 委
综合办
团 委
各分会
各党支部
干部 组织
宣传 统战
各团支部

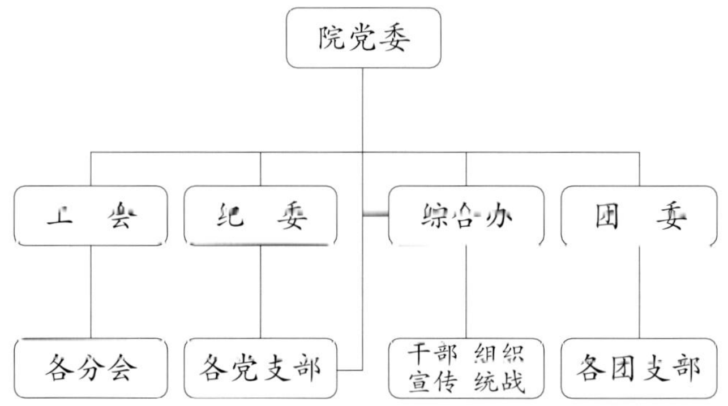

天津市建筑设计院荣获2009年度国家级优秀工程奖项

序号	题名	年度	颁奖单位	备注
1	天津东丽湖温泉会议中心荣获2009年全国人居经典建筑规划设计方案竞赛　综合大奖	2009	中国城市规划学会 中国风景园林学会 中国建筑学会	
2	天津市津南区双港镇河畔星城安置住宅区规划荣获2009年全国人居经典建筑规划设计方案竞赛　规划金奖	2009	中国城市规划学会 中国风景园林学会 中国建筑学会	
3	天津真理道甲1号经济适用房荣获2009年全国人居经典建筑规划设计方案竞赛　建筑金奖	2009	中国城市规划学会 中国风景园林学会 中国建筑学会	
4	天津体育馆荣获全国建筑设计行业国庆60周年“建筑设计”大奖	2009	中国勘察设计协会	
5	平津战役纪念馆荣获中国建筑学会新中国成立60周年建筑创作大奖	2009	中国建筑学会	
6	天津体育馆荣获中国建筑学会新中国成立60周年建筑创作大奖	2009	中国建筑学会	
7	天津第二南开中学荣获中国建筑学会新中国成立60周年建筑创作大奖	2009	中国建筑学会	
8	周恩来、邓颖超纪念馆荣获中国建筑学会新中国成立60周年建筑创作大奖	2009	中国建筑学会	
9	天津奥林匹克中心体育场荣获中国建筑学会新中国成立60周年建筑创作大奖	2009	中国建筑学会	
10	天津站荣获中国建筑学会新中国成立60周年建筑创作大奖	2009	中国建筑学会	
11	天津市建筑设计院科技档案楼荣获二星级绿色建筑设计标识证书	2009	中国城市科学研究会	
12	中新天津生态城服务中心荣获第六届（2009年度）精瑞科学技术奖、绿色生态建筑公共建筑奖优秀奖	2009	中华人民共和国 科学技术部	
13	天津意式风貌保护区的保护和整修规划荣获2007年度全国优秀城乡规划设计二等奖	2009	中国规划设计协会	
14	天津市人民医院荣获2008年度全国医院建筑优秀设计一等奖	2009	中国医院协会 和中国勘察设计协会	

东丽湖温泉会议中心

天津市建筑设计院荣获2009年度市级优秀工程奖项

序号	题名	年度	颁奖单位	备注
1	天津市东丽区华明示范小城镇住宅及公建荣获2009年度天津市“海河杯”优秀勘察设计住宅与住宅小区设计　特等奖	2009	天津市勘察设计协会	
2	中新天津生态城服务中心荣获2009年度天津市“海河杯”优秀勘察设计建筑工程　一等奖	2009	天津市勘察设计协会	
3	天津奥林匹克中心体育场荣获2009年度天津市“海河杯”优秀勘察设计建筑工程　一等奖	2009	天津市勘察设计协会	
4	天津站交通枢纽前广场景观工程荣获2009年度天津市“海河杯”优秀勘察设计市政公用工程　一等奖	2009	天津市勘察设计协会	
5	居住（公共）建筑节能设计施工图编制深度图样（DBJT29-178-2007）荣获2009年度天津市“海河杯”优秀勘察设计建筑工程标准设计　一等奖	2009	天津市勘察设计协会	
6	海河两岸城市规划设计荣获2009年度市优秀城乡规划设计　一等奖	2009	天津规划设计协会	
7	天津金融城津湾广场荣获2009年度市优秀城乡规划设计　一等奖	2009	天津规划设计协会	
8	天钢柳林地区城市副中心城市设计荣获2009年度市优秀城乡规划设计　一等奖	2009	天津规划设计协会	
9	天士力集团中药交流展示中心荣获2009年度天津市“海河杯”优秀勘察设计建筑工程　二等奖	2009	天津市勘察设计协会	
10	天津大悲院商业街荣获2009年度天津市“海河杯”优秀勘察设计建筑工程　二等奖	2009	天津市勘察设计协会	
11	泰达时尚广场荣获2009年度天津市“海河杯”优秀勘察设计建筑设备专业　二等奖	2009	天津市勘察设计协会	
12	政协俱乐部扩建工程荣获2009年度天津市“海河杯”优秀勘察设计建筑工程　二等奖	2009	天津市勘察设计协会	
13	天津地铁大厦暨地铁海光寺站荣获2009年度天津市“海河杯”优秀勘察设计建筑工程　二等奖	2009	天津市勘察设计协会	
14	天津站交通枢纽工程前广场给排水设计荣获2009年度天津市“海河杯”优秀勘察设计建筑设备专业　二等奖	2009	天津市勘察设计协会	
15	天津市建设路达文里配套公寓项目机电系统咨询报告荣获2009年度优秀工程咨询成果　二等奖	2009	天津市工程咨询协会	
16	沈阳海关海关大厦荣获2009年度天津市“海河杯”优秀勘察设计　建筑工程　三等奖	2009	天津市勘察设计协会	
17	泰达时尚广场荣获2009年度天津市“海河杯”优秀勘察设计　建筑智能化专业　三等奖	2009	天津市勘察设计协会	
18	天津市东丽区示范中学荣获2009年度天津市“海河杯”优秀勘察设计建筑工程　三等奖	2009	天津市勘察设计协会	
19	天津城市建设学院新校区荣获2009年度天津市“海河杯”优秀勘察设计　建筑工程　三等奖	2009	天津市勘察设计协会	
20	天津湾E地块景观设计荣获2009年度天津市“海河杯”优秀勘察设计市政公用工程　三等奖	2009	天津市勘察设计协会	
21	西安道停车场基坑支护设计荣获2009年度天津市“海河杯”优秀勘察设计　岩土专业　三等奖	2009	天津市勘察设计协会	
22	商贸会展中心（天津市规划展览馆）荣获2009年度天津市“海河杯”优秀勘察设计　建筑工程　三等奖	2009	天津市勘察设计协会	
23	天津站交通枢纽工程夜景照明及控制工程荣获2009年度天津市“海河杯”优秀勘察设计　建筑设备专业　三等奖	2009	天津市勘察设计协会	
24	天津市中心城区建筑风格规划控制导则荣获2009年度优秀工程咨询成果　三等奖	2009	天津市工程咨询协会	
25	天津东疆保税港区一期物流加工区（二批）工程荣获2009“五比一创”优秀设计奖	2009	天津东疆保税区管委会	

（翟　盈）

天津市测绘院

【概况】 天津市测绘院隶属于天津市规划局，是专业从事基础测绘、工程测绘和地理信息服务的事业单位，持国家甲级测绘资质，并取得了质量体系ISO9001:2000国际标准认证。自建院以来，圆满完成了国家、天津市政府和市规划局下达的各项城乡规划和国土管理的基础测绘和工程测绘项目，其中包括数百个重点项目。“引滦入津工程测量”、“天津市地铁一号线工程”、“新农村建设基础测绘”、“天津市地面沉降动态监测”、“土地调查省级汇总成果”、“GPS卫星综合服务系统研究”等61项成果获省部级以上优秀奖。

天津市测绘院按照“以人为本、科技兴院”的发展理念，坚持建好一个中心，带动两个市场，达到三个创新，力争四个实现的发展思路，以市场为导向，以改革和科技进步为动力，坚持“科学管理、精心测绘、技术创新、满意服务”的质量方针，为政府部门和广大用户提供了高质量、高水平的测绘成果。先后荣获天津市“九五”、“十五”立功先进单位、测绘教育培训先进单位、天津市科技兴城建突出贡献奖、天津市科技进步奖、国家基础测绘设施项目建设通报嘉奖单位等荣誉称号。

近年来，天津市测绘院已从传统的测绘工艺发展到数字化测图。院拥有全国先进的测绘仪器和计算机等设备近千台，全院固定资产达到5371万元。以测绘院为主与天津市气象局、水利局等单位共同组建的GPS连续运行参考站，为天津市经济建设和城市建设发挥了巨大的作用，取得了良好的经济效益和社会效益。

天津市测绘院在2009年工作中，认真贯彻落实市委市政府提出的“保增长、渡难关、上水平”要求，按照市规划局2009年工作要点，积极应对金融危机带来的挑战，进一步解放思想，开拓创新，继续发扬快速高效、务实创新、艰苦奋斗、勇攀高峰的工作精神和优良作风，以高品质的测绘成果和高质量的测绘服务，为天津社会发展和城市建设提供测绘服务保障。

【机构人员】

党委书记	王以宏
院长	马华山
常务副院长	刘俊卫
副书记	王高运
副院长	韩振镖
	曹振明
	刘凤杰
总工程师	胡　珂
工会主席	孙忠祥

天津市测绘院下设11个职能处室、9个测绘作业院和2个中心（天津市基础地理信息中心、天津市测绘院服务中心）。现有正式职工462人，其中,正高级工程师13人，高级工程师79人，工程师118人，中级及以上职称人员占全院职工总数的45.5%。

职能处室：负责全院的日常事务工作

测绘作业院：负责全市域基础测绘、地形测绘、大地测量、工程测量、地籍测量、地下管线测量以及地图的编制和印刷等工作。

天津市基础地理信息中心：负责天津市各种比例尺地形图及测绘成果的对外提供；基础地理信息数据的更新维护和编辑制作；基础地理信息数据的应用开发与技术研究等。

天津市遥感工程院（遥感中心）：从事摄影测量、遥感、数字化测绘及三维建模等方面的工作。

【基础测绘】 2009年完成了中心城区、环外环地区和滨海新区1:2000地形图约6330幅；更新1:10000地形图553幅；完成全市域1:2000地形图测绘，实现天津市市域1:2000地形图全覆盖；完成Ⅰ、Ⅱ等水准复测约2200公里，维护了测量标志管理系统。2009年，天津市基础测绘成果资料的完备性、现势性及科技水平均处于全国同行业领先水平。各种基础测绘成果已广泛应用于城市规划、设计、建设和管理等工作中，特别是为天津市市委、市政府、市规划局、发改委、滨海委、国房局等政府职能部门提供各种比例尺地形图数据共10万3千余幅次，为政府部门的管理和决策提供优质测绘保障服务；为天津市“119重点工程”、各区县及滨海新区规划分局的规划编制项目供图，为政府决策提供了重要的科学依据，为管理信息化、社会信息化奠定了坚实的基础，为天津经济和社会发展提供了及时的测绘保障。

【测绘服务】 做好测绘保障服务是测绘院的一项重点工作。积极为市重点工程服务。承揽并完成了中心城区“快速路系统工程”竣工测量；“天津地铁4号线”的测绘；金融城、海河后五公里、北洋园、子牙生态园、京沪高铁及津秦客运专线等多项工程测量项目。积极承揽并完成了天津市市容委委托的城市部件调查工作，目前已完成中心城区任务，得到领导好评，取得了良好的经济效益和社会效益。

积极开展为滨海新区的测绘服务。积极参与了滨海新区9大功能区地形、地籍等基础测绘工作；积极承担滨海新区大火箭等一大批重大项目的测绘任务；完成滨海新区及核心区公开版地图及锻质地图的制作，积极为滨海委及滨海各相关部门提供测绘服务保障。

积极开展土地测绘服务。完成了第二次土地调查集体土地权属界限调查收尾工作；完成了5个区县（蓟县、武清、宁河、静海和宝坻）约7300平方公里的第二次土地调查土地利用现状调查工作；完成了5个地区（静海、津南、西青、塘沽、大港、开发区和保税区）的地籍调查工作底图数据制作；基本完成了市内六区地籍变更调查的地籍测量工作；完成了全年的土地季度遥感监测外业调查及违法用地核查测绘。

狠抓地理信息服务领域，充分挖掘地理信息资源，为社会提供全方位服务。2009年完成了“天津市基础地理信息公共服务平台网站”的第一版开发工作，并已通过互联网对社会发布；先后开发了“天津市大港油田、天津港地籍管理系统”、“生态城定位系统”、“天津市电子地图”；丰富完善了原有的“档案管理系统”及“市政局道桥处网格化二级平台”等项目，为天津经济发展及城市建设提供了便捷的GIS管理服务。

丰富专题地图和公开版地图市场。2009年上半年更新各类公开版地图10余种，其中《天津市旅游图》实现了“一季度一更新”的目标；加大对政府部门的地图服务力度，为规划展览馆制作挂图，为天津市控制性详细规划提供样图，还特别为市委理论学习中心组提供专项用图以及为天津市市政府总值班室提供的全国地图、全市地图和市区地图，以其美观、实用的特点得到了市政府各级领导的高度赞扬，产生了良好的社会效益。

【内部管理】 2009年先后建立和完善了各种规章制度9项、进行干部考核体系改革、质量管理体系建设等管理措施，推动了全院管理水平的进一步提高，初步实现了科学化、制度化管理，2009年12月1日正式发布实施E版质量管理体系文件。为提高测绘院的经营管理水平，建立健全招投标支持系统，出台了招标统一模版，实现了招投标标准化、规范化的统一体系，对外协单位也同样实行了规范化的统一管理。

【科技进步】 在“科技兴院”的方针指导下，加大了科技攻关和数字化建设的投入力度，培养和引进了一批高科技测绘人才和高精尖设备，2009年有多项测绘工程获省部级奖项，其中《滨海新区1:2000地形图测绘》项目获得2009年度天津市“海河杯”优秀勘察设计工程勘察一等奖（部级奖项）。积极响应国家加快地理信息产业发展，初步完成“天津市基础地理信息综合服务平台”的建立，用户可以进行浏览查询并建立个人的GIS网页，集成统一的数据库。实现基础测绘工作、服务平台和专业用户的实时联动；达到“订单式”服务水平，实现一张图管理的模式，为各专业部门统一管理奠定了基础。

拥有完全自主知识产权“信息化测绘数据采集系统软件”开发的工作进展顺利；与武汉大学共同开发并拥有自主知识产权的三维管理系统“三维VRGIS系统”，已完成单机版开发工作，并应用于“滨海高新区三维GIS系统”和“三维黄骅港部件管理系统”开发建设中。

【人才队伍建设】 测绘院十分重视人才的教育和培养，已基本形成科学合理的人才队伍结构。全院职工硕士学历63人，博士学历1人，正高级职称13人，副高级职称79人，中级职称118人，为天津市测绘院的发展奠定了人才基础，结合生产实际，积极选派优秀的管理、技术人员进行国内外培训、考察，先后组织技术岗位和管理岗位培训35期，参加人员630人次，提高了广大职工的工作能力；先后荣获国家测绘局青年学术技术带头人、技术能手、青年科技奖等称号和奖项。

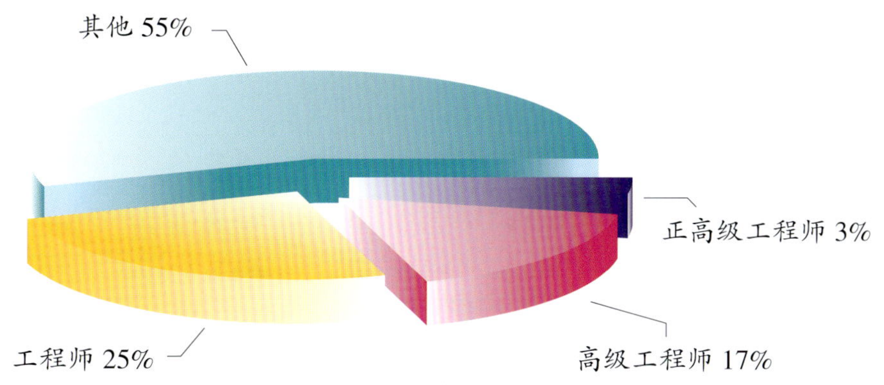

人员职称比例示意图

【政治保障】 院党委在不断加强班子建设和党风廉政建设的基础上，狠抓党员和干部队伍建设。认真学习，深入实践，查找工作的不足，开拓思路，提高班子成员和党员干部的能力和水平，促进科学健康发展。组织干部参加统战干部培训、支部书记培训、学习贯彻十七大精神培训。顺利开展学习实践科学发展观活动，提高干部的管理能力、文化品位、综合素质，建立一支过硬的干部队伍。

加强廉政建设，认真开展“作风建设年”活动。在全体党员干部中集中开展“讲党性、重修养、强作风、做贡献”的主题教育活动，制定完善党风廉政建设的相关制度，努力建设反腐倡廉长效机制，为测绘院的发展保驾护航。

【天测文化】 在测绘文化建设活动中，编制完成《发展中的天津市测绘院》宣传片，制作了宣传光盘，并进行了首发仪式。同时还制作了天津市测绘院院服和徽章，提升职工形象。完善相关制度，初步形成了符合测绘院发展的核心价值观体系。加强《天测人报》、《天测文苑》等媒体的管理，增强院内沟通交流和院外宣传力度，提高了知名度。

开展多种形式的活动，丰富职工生活。院工会积极配合规划局的工作，组建各种体育运动团队，积极参加局保龄球、羽毛球以及游泳比赛等活动，提高了职工综合素质；举办了第 27 届“职工文化艺术展”，共有 323 张摄影作品和 11 件工艺品参展，是参展作品数量最多，人数最多的一次；院工会积极支持分院建立图书室，开展读书活动，培养职工爱读书、爱学习的良好氛围。

【荣誉与奖励】

“天津市地铁一号线工程”获国家银奖；“新农村建设基础测绘”获中国城市优秀勘测工程二等奖；“滨海新区 1:2000 地形图测绘”项目获天津市“海河杯”优秀勘察设计工程勘察一等奖；“天津市地理空间信息基准框架体系的建立”获天津市科学技术进步二等奖；“天津市区及滨海新区 DOM 数字影像图制作”获 2008 年度天津市“海河杯”优秀勘察设计（勘察、岩土类）一等奖；2009 年度交通安全防范责任制先进单位；2009 年度“功臣企业称号”。

附： 优秀人才

胡　珂　国务院政府特贴专家、天津市中青年授衔专家

黄　勇　国家测绘局青年学术技术带头人

贾有良　国家测绘局青年学术技术带头人

寇付友　天津市“五一”劳动奖章获得者

韩振镖　天津市第十二届政协常委

天津市测绘院2009年度组织结构图

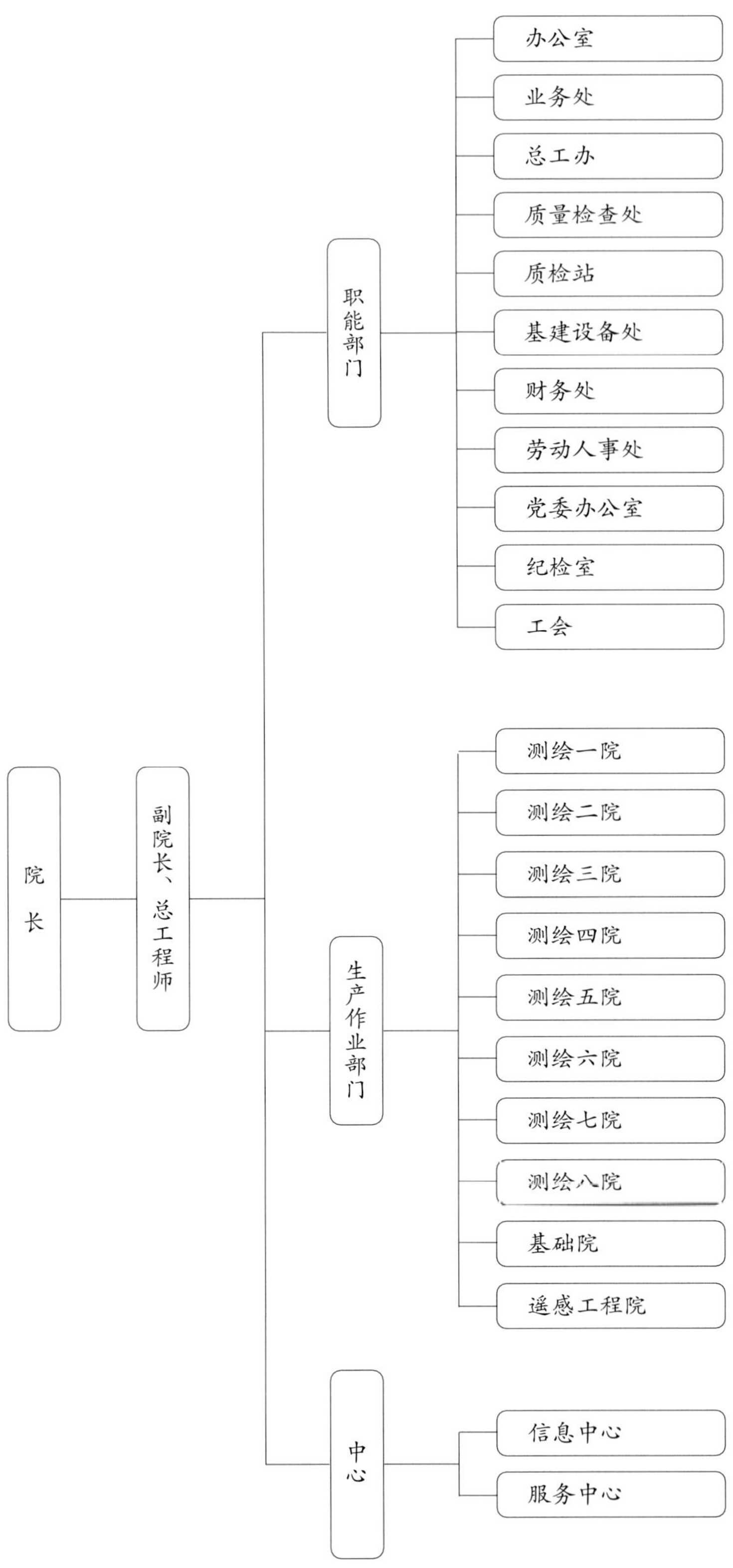

（方　芳）

天津市勘察院

【概况】 天津市勘察院创立于1979年，隶属天津市规划局，拥有6个专业，12个生产公司，是以岩土工程勘察、工程测量、建筑与岩土工程设计和桩基施工、工程测试为主的专业化综合性生产科研单位，是全国大型综合勘察单位之一，被评为全国勘察设计综合实力百强单位。2009年，产值创历史新高，达到5亿元，人均贡献水平进入全国行业前列。

拥有工程勘察国家级综合甲级资质、岩土工程国家一级承包资质、桩基测试国家甲级资质、工程测量国家甲级资质、建筑设计国家甲级资质、工程监理国家乙级资质和深基坑支护设计专项资质。拥有国内一流的专业仪器施工设备400余台（套），拥有现代化的办公网络系统、工程勘察信息自动化处理系统、KTG土工试验系统等应用软件系统，引进了机载雷达和亚洲第一台车载雷达等先进技术装备。2009年顺利通过质量、环境和职业健康安全管理三体系认证。

天津市勘察院2009年有职工771人，专业技术人员占76.8%。其中，国家勘察大师1人，国务院特贴专家3人，高级工程师以上98人。拥有各类注册资质83人。近年来，天津市勘察院参与多项国家、天津地区规范的编写，承担了《城市规划道路拨地管理信息系统》、《天津市工程地质图系编制研究》、《天津滨海新区软土工程综合技术研究及工程示范》等多项部、市级重点课题，先后荣获国家级科技进步奖1项、部级科技进步奖5项、市级科技进步奖18项。先后荣获国家级优秀工程奖14项、部和市级优秀工程奖68项。先后荣获了“全国工程勘察先进单位”、“全国城市勘测先进单位”、建设系统“综合实力百强”单位、“全国勘察设计行业诚信单位”、“全国建设系统企业文化建设先进单位”、“全国建设系统思想政治工作先进单位”等国家级荣誉称号；天津市“重合同，守信誉”单位、天津市“八五”、“九五”、“十五”立功先进单位、“天津市五一劳动奖状”先进单位等市级荣誉称号。

2009年，荣获了全国工程勘察与岩土行业“十佳岩土工程企业”、“十佳企业文化建设”先进单位荣誉称号，院承接的《天铁冷轧薄板工程主厂房岩土工程勘察》项目荣获工程勘察设计国家级银质奖。《天津市建设用地规划动态管理系统》荣获天津市工程咨询成果一等奖，《天津市区标准土层的建立及特性研究》、《天津市饱和粉（砂）土液化地质灾害调查报告》荣获天津市工程咨询成果三等奖。

天津市勘察院在行业管理中担任：中国勘察设计协会理事单位、中国勘察设计协会工程勘察与岩土分会理事单位及市场部委员单位、中国测绘学会常务理事单位、中国建筑学分会勘察分会理事单位、天津市勘察设计协会理事长单位、天津市灾害防御协会常务理事单位、天津勘察设计协会勘察工作委员会主任单位等。

【机构人员】

院长、党委副书记	李文春
党委书记、副院长	田景堂
党委副书记	刘　福
副院长	郑胜昔
	卢　奕
	窦华成
总工程师	吴永红
见习副院长	刘　堃
	黄厚平

职能科室：综合办公室，党群（人事）工作部，生产经营管理部，技术质量管理部，财务管理部，结算管理部，设备物资管理部，档案信息管理部。

生产单位：勘察咨询公司，钻探公司，土工试验中心，工程测量公司，管线测量公司，工程测试公司，博川岩土公司，天勘设计院，勘岩监理公司，滨海公司，岩土咨询公司

辅助部门：物业公司

【勘察专业】 2009年共完成岩土工程勘察项目662项（滨海140项），其中包括：运载火箭基地、大神堂风电厂、南港工业园、子牙工业园等国家级重点工程；天津宾馆，天津碱厂搬迁改造，文化中心，天津地铁5号、6号线，北洋园，富力滨海，生态城，滨海行政中心规划勘察，陆家嘴广

场南港工业区规划勘察及吹填土，西站主站房及前广场，中心渔港，开发区新世界，于家堡，津湾广场二期，国家动漫产业综合示范园项目等市级重点工程。

天铁冷轧薄板工程主厂房岩土工程详细勘察项目获国家银质奖,该项目是天津天铁冶金集团钢板有限公司在空港物流加工区兴建的工程主厂房，为天津市重点工程。拟建物结构复杂、荷重大、工艺要求严、设备基础多、地面堆载大、基坑深度大，场地地形、地貌条件较复杂，场地又处于软土地区且地层变化大，工程技术问题极其复杂。需要的试验指标较多，且对各种参数的准确度要求严格，涉及的岩土工程评价项目较多，具备大型工业项目高、深、重、难的特点，其主要技术经济指标达到国际先进水平。

【测量专业】 2009 年共完成各类工程测量项目 2175 项，其中包括津秦铁路客运专线、城际铁路延长线等多项国家重点工程；北洋园高教区、津滨高速拓宽工程、港塘公路等多项市重点工程的核定用地和勘测定界工作。

全年共完成管线工程项目 150 项，完成了武清城区管网普查一期物探工作，完成了地铁 5 号线前期全线管线探测、全线高压线缆塔基定位及调查、前期沿线建构筑物基础调查、四座车站的拆迁测量工作，并提交正式成果；完成了全线首级 GPS 网选点、造标、观测，全线首级二等水准网的选点、造标、观测，地铁文化广场的拆迁测量、园林测量、施工控制点测量。

【测试专业】 2009 年共完成各类工程项目 114 项，其中包括新一代运载火箭产业化基地、天津恒隆发展项目、希尔顿酒店试桩工程、钢贸大厦试桩工程、天津高新区软件和服务外包基地综合配套区-马球运动公园项目一期主建筑试桩、中新天津生态城 05-06-01-02 地块住宅试桩工程、铭朗国际广场地下车库 A 区、西青宏达阳光试桩项目、天辰大厦试桩项目、远洋大厦二期试桩、泰达现代服务产业区 F 地块。

天津高银 METROPOLITAN-中央商务区一期工程位于天津市西青区天津高新区，总商业地块面积约 120700 平方米，总住宅地块面积约 177855 平方米，总占地面积约 298555 平方米。基桩检测范围为 117 塔楼、靠山楼及裙房，其中 117 塔楼基桩采用后压浆钻孔灌注桩，规格约为 Φ1.00×95.00m，单桩竖向抗压极限承载力为 25000kN；靠山楼基桩采用钻孔灌注桩，规格约为 Φ0.80×48.00m，单桩竖向抗压承载力设计值为 4700kN；裙房基桩采用钻孔灌注桩，规格约为 Φ0.60×26.00m，单桩竖向抗压承载力设计值为 1800kN，单桩竖向抗拔承载力设计值为 1400kN；117 工程 D 区单桩竖向抗压静载荷试验采用锚桩法，最大加压至 42000kN，并同步进行了应力应变监测。

【岩土设计】 2009 年共完成岩土设计项目 76 项，其中包括，阳光经典苑基坑，香港高银地产的住宅 08R、09R 住宅的基坑支护及堆山工程，和平区应急（人防）指挥中心工程，泰达广场 Gh 区位基坑设计等多项重点工程和典型工程。

和平区应急（人防）指挥中心工程，位于天津市和平区营口道和大沽北路交口处。地下室外墙东侧距中国银行 2 层楼约 2.0m，南侧距外贸食品公司 6 层办公楼约 1.0m，西侧距大沽北路约 3.0m，北侧距营口道约 2.0m。地下为三层，坑深 15.0m~16.5m。采用地连墙+内支撑支护方式。基坑之深，周边条件极为苛刻。

【岩土施工】 2009 年共完成各类岩土施工项目 70 项，其中包括北洋园市级教育基地、东站交通枢纽指挥中心工程等多项市级重点工程，以及开发区科技开发中心、开发区西区大运载公寓、国家一级粮库（静海县）、国家级软件园等典型工程。

东站交通枢纽工程是我市重点工程之一，采用一米径的旋挖工艺施工，应用了桩底、桩侧注浆工艺。基坑送桩深度为 17 米，钻进深度达 80 余米，浇注钢筋混凝 11000 余立方米。因工期需要，工程中采用与地连墙、拔桩等工艺交叉连续施工方式，并首次使用试桩荷载箱等新的工艺。

【工程监理】 2009 年共完成 8 项（期）工程监理项目，顺利通过乙级资质核定。津南区双桥河镇示范小城镇项目为新农村建设项目，建筑总规模 628528 平方米，中标规模 47516.52 平方米。

【信息化建设】 以航空测量、遥感技术为依托，以三维数字城市建设为重点领域，建立基于激光雷达技术的空间数据获取、加工和数据建库、地理信息软件开发。2009 年继续完成天津市三维数字城市规划管理系统、建设用地动态管理系统的更新与维护，进行了激光雷达测量技术的研发及应用。

天津市中心城区三维数字城市规划管理系统 已经完成了三维基础平台与天津市建设用地规划动态管理系统集成工作，建立了天津市三维数字城市规划管理系统，开发出功能点 180 余项，基本上满足规划管理和审批工作需求。一期建设已完成中心城区重点区域大约 90 平方公里范围建筑物及景观三维模型制作，包括水上公园、长虹公园、东站、红旗路、南京路、友谊南路、大沽南路、解放路、银河广场、银河乐园等区域，并于 2009 年 7 月向天津市规划局进行了汇报演示。二期共计完成 80 平方公里精细模型制作，包括和平区、河西区、京津路、北宁公园、新开路、金钟河大街、卫国道、津滨大道等区域。

天津市建设用地动态管理系统 2009 年在西青区规划分局、南开区规划分局、河西区规划分局部署了系统应用，已在用地管理工作发挥重要作用。武清规划分局的系统已经建设完毕。系统全年完成的数据更新包括：天津中心城区 334 平方公里范围内房屋、道路、水系、绿地更新；天津中心城区 334 平方公里范围内核定用地更新；天津中心城区 334 平方公里范围内规划实施现状更新；天津中心城区 334 平方公里范围内红线、绿线更新。

激光雷达测量技术的研发及应用 引进了机载雷达和亚洲第一台车载雷达等先进技术装备，完成了天津市中心城区和武清区次干道机载 LIDAR 航测项目及以上道路的车载 LYNX 激光扫描测量和内业地物特征提取工作，很好的解决了三维数字城市建设的数据源瓶颈问题。

【技术成果】 天津地区超长钻孔灌注桩基础沉降计算方法研究收集了一定数量的超长钻孔桩基础沉降观测资料，并从这些资料中选取有代表性的 13 项工程项目作为本课题的基础资料。通过分析、论证采用对数曲线法（三点法）和双曲线法推算建筑物最终沉降量，并与院常用的四种沉降计算方法——《建筑地基基础设计规范》分层总和法、Geddes 有限单元法、《岩土工程技术规范》简化估算法及《桩基技术规范》等效作用分层总和法计算沉降结果进行对比分析，总结出适宜的沉降计算经验系数，使院勘察报告成果中超长钻孔桩基础沉降计算值更加准确、合理。该成果结论已在勘察院工程勘察成果报告中应用，并取得良好的经济效益和社会效益。

建筑基坑工程技术规程 是 2007 年天津市建交委下达的天津市工程建设标准编制项目，于 2009 年 9 月通过评审鉴定。该规程是在总结天津市大量工程实际经验的基础上，纳入了近年来天津市最新科研成果，结合天津地区地质条件特点，内容详尽、编写严谨、依据可靠。对基坑工程勘察、设计、施工与监测等提出的具体措施和指标，技术上可靠先进；在稳定性问题采用安全系数方式，结构问题采用分项系数方式，实现了与国标地基规范、结构规范接轨。该规程是天津市第一本基坑方面的地方工程建设标准，填补了天津市的空白。对市今后建筑基坑工程的勘察、设计、施工、监测与检测等各阶段工作具有重要的规范和指导作用；对保证建设工程质量、降低工程安全风险，做到技术先进、经济合理、安全适用、保护环境等目的，具有重要的指导意义和实用价值，该规程成果达到国内领先水平。

天津市地基土层序划分技术规程 是 2008 年天津市建交委下达的地方工程建设标准编制项目。该规程基于总结天津市大量工程地质勘察资料和科研成果，规定了天津市区地基土沉积年代、地质成因、标准地层划分的基本原则和技术方法。首次建立了土层深度达到了 155m 的地基土层标准层序和编码体系，纳入了各标准地层的物理力学指标统计成果，可供工程勘察、岩土工程设计在实际工作中参考使用。编制了工程地质图系，反映了具有重要工程意义的地层分布范围、埋深厚度等内容，提供了地震液化土层分布、浅层地基土承载力等专业图件。信息丰富、数据可靠、实用性强。为天津市勘察、设计、施工等技术人员熟悉掌握具有重要工程意义的标准地层的工程性质，具有重要的指导意义。该规程对工程勘察中地基土层的准确划分、保证地质资料的真实可靠和避免人为因素影响将会起到重要作用。可达到各勘察单位在地基土层划分上标准化、规范化，对保证和提高勘察质量、对建立天津市工程地质信息数据库，实现工程地质资料的数字化和再利用将会起到推动作用。该项成果达到了国内领先水平，是国内第一本关于地基土层条件的规程，已于 2009 年 7 月 1 日发布实施，标准编号为 DB/T29-191-2009。

网络 RTK 点校正在管线竣工测量中的应用研究 该课题旨在计算 VRS 点校正测量形式采集的数据的平面精度和高程精度研究并和管线竣工测量精度要求进行对比，分析 VRS 点校正测量形式其影响测量数据精度的因素，再通过采取有效措施多种手段提高其测量数据的平面精度和高程精度，最终确定其是否能够满足管线竣工测量的精度要求。通过试验研究，VRS 点校正测量形式在采取提高其测量数据精度的控制措施后，其测量数据精度可以满足管线竣工测量的精度要求。通过相关工程项目验证，节省了三分之一以上的人力、物力和时间，并且测量精度达到了管线竣工测量的精度要求。运用 VRS 点校正测量形式进行管线竣工测量，一方面节省了大量的人力，另一方面也大大提高了作业效率，并可以全天候的开展测量工作，基本满足了规划局提出的 24 小时跟踪管线竣工测量的服务要求。

2009 年度天津市勘察院获奖项目一览表

序号	获奖项目名称	获奖类别和等级	主要设计人
1	天铁冷轧薄板工程主厂房岩土工程详细勘察报告	全国优秀工程勘察设计银质奖	王永建、董士伟、周玉明、吴永红任大龙、王华、路清、卢奕、马建国、付晓斌、张玉涛、黄厚平、李文春
2	天津市建设用地规划动态管理系统	中国测绘科技进步三等奖	窦华成、邓世军、王力、李津威、朱大勇、黄恩兴、高健
3	陈塘庄热电厂三期扩建岩土工程详细勘察报告	天津市海河杯优秀工程勘察设计一等奖	任大龙、宋士杰、周玉明、吴永红、路清、王华、穆磊
4	天津中新生态城总体规划勘察	天津市海河杯优秀工程勘察设计二等奖	符亚兵、曹会、崔孝礼、王萌、陈波、刘堃、孙铁、吴永红、胡钦军、邢贵发、焦志亮、刘月辉、王琥、戚倩影
5	天津联丰置业发展有限公司晶采世纪广场基坑支护设计	天津市海河杯优秀工程勘察设计二等奖	郭永成、吴刚、刘秀风、吴永红、任彦华、伊宾、何树斌
6	天津石化 100 万吨/年乙烯及配套项目建筑方格网测量	天津市海河杯优秀工程勘察设计二等奖	王珍、黄恩兴、何云鹅、田春来、张世康、任伯勋、马喜庆、王海明
7	天津滨海国际机场扩建工程新航站楼、高架桥岩土工程详细勘察报告	天津市海河杯优秀工程勘察设计二等奖	吴怀波、董士伟、宋士杰、路清、王华、吴永红、李文春、司敬成
8	天津市建设用地规划动态管理系统	天津市海河杯优秀工程勘察设计三等奖	郭凤平、窦华成、邓世军、王力、朱大勇、李津威、高健、高杰
9	天津世茂置业发展有限公司天津世茂花园岩土工程详细勘察报告	天津市海河杯优秀工程勘察设计三等奖	陈晖、秦迎宾、宋士杰、周玉明、吴永红、穆磊、聂细江、王华
10	天津市建设用地规划动态管理系统	天津市工程咨询成果一等奖	窦华成、邓世军、王力、朱大勇、高健、高杰、黄恩兴、张志刚
11	天津市饱和粉（砂）土液化地质灾害调查报告	天津市工程咨询成果三等奖	邢贵发、苏玉国、周玉明、吴永红、郑奕
12	天津市区标准土层的建立及特性研究	天津市工程咨询成果三等奖	周玉明、赵志峰、王东、吴永红

天津市勘察院2009年度组织机构图

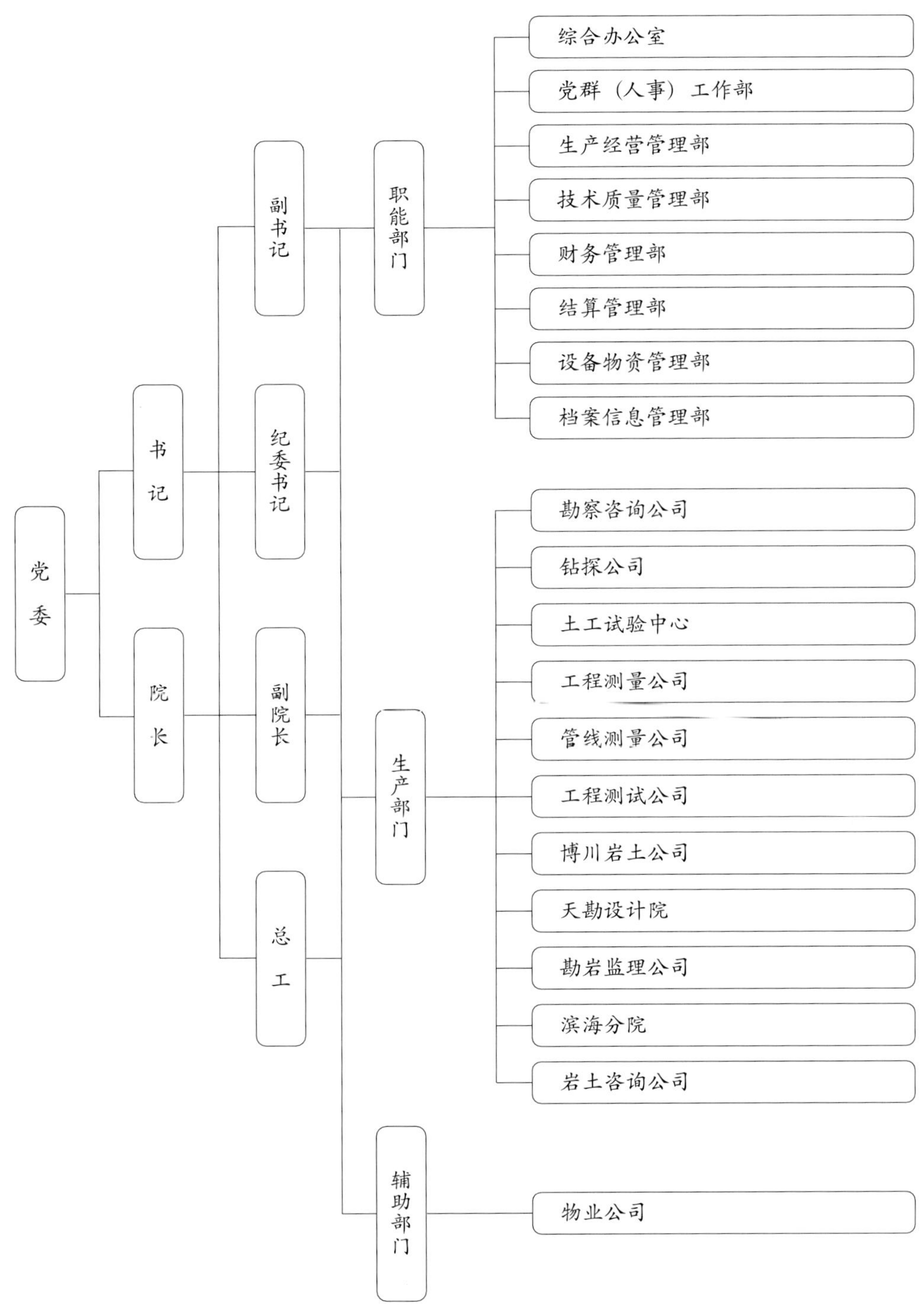

（韩冬雪）

天津市城市建设档案馆

【概况】 2009年，天津市城市建设档案馆（以下简称市城建档案馆）以邓小平理论和“三个代表”重要思想为指导，深入贯彻落实科学发展观，紧密围绕市委“保增长、渡难关、上水平”的工作大局和局工作重点，推进依法治档、提升服务意识、深化基础工作、强化保障功能，推动城建档案工作科学发展、全面发展、率先发展。

2009年，市城建档案馆注重找准工作切入点，围绕重点和难点发挥城建档案工作的优势搞好服务。围绕规划体制改革加强调研；围绕落实科学发展观整改方案，加强人才引进和培训等工作；压缩工程档案预验收时间，促工程项目早投产；围绕局重点工作，加强对局档案室及局规划志（鉴）修编、规划年会等工作的服务，体现出了档案馆工作的价值。

随着科技的不断进步，城建档案工作与时俱进、开拓创新，以适应社会的发展变化。市城建档案馆努力探索档案信息化建设，档案已从传统的纸质档案发展到如今的纸质、声像、电子等多种载体的新型档案，档案管理也从纸质档案的管理发展到对档案信息的管理，并以信息化管理为龙头，带动了各项基础工作扎实开展，取得了城建档案工作的新突破。

【机构人员】

党支部书记	宋天祥
馆长	刘福利
副馆长	赵圣才（~1月）
见习副馆长	秦屹梅（2月~）
	李　茜（2月~）

市城建档案馆下设7个部门：综合办公室、行政保卫室、城建档案管理科、信息声像室、档案保管室、工程服务室、工会。在岗职工44人。

【依法治档】 认真落实市委8号文件，修改完善城建档案相关法规及规范性文件，使城建档案工作有法可依，有章可循。2009年，进一步修改了《天津市城市建设档案利用办法》、《天津市城市建设档案移交管理办法》，制定了工程档案管理程序、建设工程档案管理流程、《建设工程档案验收认可证》申办流程。编写制作了《工程档案培训手册》和服务指南，参加建设部办公厅《城建档案业务管理规范》和《城市轨道交通工程归档整理规范》两个国家级业务规范的起草工作，不断完善城建档案法规体系，指导与规范日常工作。

全面加强城建档案的协调服务。以保障规划行政审批效率为重点，压缩档案预验收时间，简化程序，提高效率。针对环城四区工程多，数量大的情况，制定了《环城四区工程档案验收暂行规定》，对重点工程项目实行急事急办，特事特办，为环城四区规划验收行政审批缩短了时间，保证了工程项目早投产。调整馆内新建工程档案业务工作流程，强化依法管理、程序化管理和质量管理，严格新建工程档案的质量把关，对报验的工程档案严格审查，对符合标准的报验档案开据档案预验收证明424个工程。

【档案管理】 进一步理顺了接收渠道，档案接收工作稳步开展。2009年共接收各类竣工档案352个工程13202卷，接收规划展览馆资料58卷，到2009年底，馆藏档案达到334068卷，大型规划彩图391幅，底图4万余张。

做好电子档案的制作和验收。完成工程电子档案、管线电子档案制作275个工程16115卷；电子文件制作导入信息管理系统13个工程20918卷，馆藏档案著录43个工程8419卷。

开拓工程声像档案工作新渠道。2009年，完成了工程声像档案归档范围与相关技术标准的制定，在做好工程声像档案接收范围和标准调研修改的基础上，积极与建设单位联系，尝试新的服务方式，接受陆津公司的委托，对陆家嘴花苑工程、惠灵顿国际学校等三个工程进行了声像档案的跟踪服务，实现了工程声像档案服务的新突破。

加紧城市新旧貌的拍摄。拍摄津门津塔施工现场、小白楼地区风貌、五大道、海河沿岸等反映城市道路修整、规划改造等新旧貌照片150张，录像带400分钟。接收京津高速公路天津段及滨海机场扩建等工程照片档案30卷、光盘26张。到2009年底，馆藏照片13558张，录像资料1854个工程751个小时。

【档案利用与服务】 深入各规划分局及建设单位主动搞好建档指导服务。2009年，完成了十个分局以工程登记、验收等为主要内容的业务培训，并组织相关人员到十个分局进行调研，加强了对城建档案管理工作的具体指导。同时，主动深入到天津站、京津城际、天津机场等重点工程现场，为其工程建档、报验提供指导服务。全年完成现场服务260个单位340次，馆内接待1029个单位2340次，委托收集资料项目147个，完成建筑、市政、管线工程档案业务咨询服务187个工程、建档指导服务235个合同工程，完成代理服务16个工程，保证了工程档案的内在质量。

实现档案利用价值最大化，为社会各界提供信息服务。2009年，市城建档案馆继续加强窗口服务建设，共接待687个单位1484人次，提供文件及大图复印18073张。提供规划资料23册，光盘9张，档案14卷。为勘察院提供地籍档案44宗地45卷次，提供复印件105页。为地铁工程计算机检索630个项目，复印图纸84页。为规划志修编提供规划资料26册、光盘9张、档案14卷。为地下空间规划提供总平面图图像196份。为局机关提供档案41人次68卷，文件复印428页，图纸75页，提供声像资料14次，照片1422张，光盘6盘350分钟。

为局机关重点工作提供优质服务。2009年，市城建档案馆相继开展了规范局业务档案整理和数字化工作，制定了局业务档案整理工作流程以及局业务档案数字化标准，整理完成局业务档案7000余卷，完成局业务档案数字化400卷；为把局机关档案服务提高到一个新水平，市城建档案馆派档案管理科整建制进驻开展工作，起草完成《局机关业务档案分类方案》，组织修改了《局机关业务档案分类方案》等，组织完成局机关2007、2008年文书档案审验400余卷，制作2005、2006、2007年工程许可证索引1376卷，为局业务档案工作的正常开展提供保障；完成馆承担的《规划志》《规划年鉴》编写任务，并对1994年版《规划志》中190余幅图纸、照片进行扫描、修复，修改完毕上报编委会。派专员为《规划志》编辑部整编志书资料，整理规划志修编资料图书类100余册，形成文件资料30余盒，提供声像照片30张；为市、局有关城市建设的各类会议提供声像服务43次，拍摄照片2400张，录像带6204分钟；为2009中国城市规划年会的顺利召开提供服务保障，收集了文案组例会产生的相关资料，在整个会议期间共收集了24场次，48个录音文件。同时完成了规划年会、亚洲国际交流会25个会场录像和照相保障工作；派员赴重点规划指挥部，负责编制规划中各类档案资料的收集，保证规划资料的齐全和完整。

【科技进步】 完成《城建档案泛媒体信息系统》的研发并通过专家鉴定。该课题历时两年全面完成研发工作，第一次在城建档案领域引入泛媒体管理理念，实现了对图、文、视音频等多种载体、多种类型信息的综合管理，满足了档案收集、管理、利用等方面的技术和管理需求，是我国城建档案管理领域的首次尝试,研究成果达到国内领先水平，为抢救保护馆藏各个历史时期的珍贵声像资料，满足社会各界对城建档案的利用需求提供了技术支持。

【政治保障】 强化领导班子建设。2009年，馆内2名后备干部走上馆领导岗位，优化了班子知识结构和年龄结构。拟定了馆《创建四型领导班子的意见》，组织班子进行《干部任免条例》的学习，贯彻民主集中制，做到科学决策、民主决策。

深化党风廉政建设，落实党风廉政建设责任制，制定了《城建档案馆落实三重一大制度暂行规定》。全馆职工参观了中国第一反腐败大案展览，班子成员进行党风党纪教育培训，提高领导干部警钟长鸣意识。

推动党员队伍建设，开展“弘扬先进性，追求高水平，为保增长、渡难关、上水平做贡献”党性实践活动，组织全体党员对照“五模范”的标准进行自查，评选出局、馆两级优秀党员和领导干部。组织建党88周年系列活动，开展了迎国庆60周年系列活动。

加强对工会和团支部的领导。年内工会组织职工开展了春季运动会、摄影比赛、歌咏比赛等丰富多彩的活动，活跃了职工的文体生活。团支部组织了青年思想问卷调查，开展“五四”主题团日活动，完成了团支部的换届改选，为下一步团支部工作的深入开展打下基础。

【人才队伍建设】 2009年，市城建档案馆引进5名财会、档案、道桥、建筑、中文专业的应届毕业生，充实人才力量，使馆人员的年龄结构有所下降。注重抓好在职人员的继续教育与岗位培训，特别是新员工的岗前培训，提高馆人才队伍的整体素质。

【综合治理】 2009年，全员签订综合治理责任书、保密责任书，开展安全知识讲座、保密知识讲座。拟定了《突发事件和稳定工作安全预案》《值班安全制度》，做好库房空调检修、变电站检测、强化馆安全生产、安全保卫工作。做好馆区绿化、馆区环境清整、食堂管理等，为全馆职工创造了良好的工作环境。

城建档案馆馆藏统计表

档案分类		项目数	卷数
纸质档案	A.综合类		
	B.城市勘察类	6513	7137
	C.城市规划类	901	1484
	D.城市建设管理类	115472	214920
	E.市政公用设施工程类	405	21886
	F.城市管线工程类	3890	4372
	G.交通运输工程类	132	29168
	H.工业建筑工程类	351	7600
	I.民用建筑类	2161	44297
	J.名胜古迹园林绿化类	12	397
	K.水利防灾工程类	30	1762
	L.人防军事工程类	1	9
	M.工程设计类	2	1033
	N.城市建设科学研究类	1	1
	O.环境保护类	1	2
	总计：	129872个	334068卷
图纸	规划彩图		391卷
	底图		48000张
声像档案	照片档案	1216个	13558张
	录像档案	1854个	751小时

（谢静蓉）

天津市规划展览馆

【概况】 2009年1月15日，天津市机构编制委员会下发《关于成立天津市规划展览馆的批复》（津编事字〔2009〕10号），批准撤销天津城市规划展览馆筹建处，成立天津市规划展览馆（以下简称规划馆），为全额拨款事业单位，等级规格为处级。核定事业编制20名，其中，馆长1名，副馆长2名。规划馆主要职责是：宣传城乡规划法律、法规及城市的发展变化，陈列城市总体规划、专项规划、城市设计、控制性详细规划及各类重点工程的详细规划，进行规划公示，举办与规划建设相关的临时展览，提供规划学术报告、规划咨询的场所和服务。

规划馆2009年1月8日试运行，2009年1月23日正式对外开放。开馆一年来，规划馆在市规划局党组、局领导的正确领导下，按照市委书记张高丽“务必搞出最好水平”的批示精神，紧紧围绕创全国一流和市一流展览馆的工作目标，圆满完成了各项工作任务。截至2009年12月31日，累计接待参观群众912，017余人次，讲解8937场次，其中接待中央领导人和有关部委337场次、6308人次，市领导和有关单位588场次、12726人次，本地团体39064场次、323499人次。

【机构人员】

党支部书记、馆长	葛　龙（~7月）
	诸　铭（7月~）
副馆长	吴　高
	胡俊朝
	张祖荣
见习副馆长	赵利华
综合部部长	许　红
导览部部长	刘春雁
综合部副部长	王永刚

规划展览馆下设3个部门：综合部、导览部、设备部。

【展区布局】 规划馆共分4层，16个展区：一层设历史、总体规划、交通规划、中心城区规划模型和规划公示区；二层设滨海新区、海河规划、名城保护规划、旅游规划及海河之旅影厅；三层设区县、住房公共设施、生态规划、城市映像影厅、环境整治、重点地区规划、公众互动参与区；四层设办公区、学术报告厅。

【展览接待服务】 自开馆以来，规划馆以真实丰富的展览内容，精湛独特的表现手法，先进的设施和周到的服务，吸引了天津市民以及国内外来津者前往参观，赢得国内外参观者的赞扬。原国家主席江泽民、国务院总理温家宝、国家副主席习近平、原国家政协主席李瑞环和原国家副主席曾庆红等先后参观规划展览馆，同时接待了德国前总理施罗德、蒙古国总理、法国国会议长、老挝国家主席、韩国国会议长、日本札幌市市长等外国政要以及美国前国防部长威廉科恩、世界经济论坛主席施瓦布等国外知名人士、企业巨头等。斯里兰卡自由党总书记、政府农业发展与耕地服务部部长迈特里帕拉·西里塞纳为团长的斯里兰卡自由党代表团在参观后留言："通过参观天津市规划展览馆，看到了天津的过去、现在和未来，发现天津是一个现代化的国际大都市，未来发展前景无限!"，世界经济论坛主席施瓦布在留言中写到："这是一个伟大的、创新的、环境友好的城市。祝贺!"。广大市民在参观规划馆后用得最多的词语是"震撼、自豪、鼓舞、振奋"，一位75岁的老人在留言中写道"作为天津人，看到家乡的宏伟蓝图，尽管自己年已古稀，仍感到非常骄傲和振奋，一定要多活几年!"

为了充分发挥规划馆规划成果资源丰富、集中的优势，规划馆结合实际，积极为在校学生提供学习规划知识、积累社会实践经验的平台。截止2009年底，规划馆已接待学生团体1000余个约6万人次。为了促进科技事业的全面进步,按照市科技活动周组委会办公室的统一部署，经过认真筹备、周密组织，规划馆于2009年5月16日至22日成功举办了主题为"宣传规划知识，展示规划远景；彰显城市风采，共建美好津城"的2009年规划馆科技周活动，主要对青年学生进行规划知识的宣讲、规划远景的展示。为在校学生提供近距离接触社会的机会，规划馆分三次对外招募200多名青年志愿者开展社会实践活动，通过开展青年志愿者活动，不但满足了学生渴望获得社会实践经验的内在要求，同时也进一步充实了规划馆的服务队伍。2009年5月规划馆被市委、市政府命名为天津市爱国主义教育基地，同时规划馆正在积极创建科普教育基地和社会实践基地。

为了让市民更好地参与到天津的规划建设中，按照市委市政府总体部署，规划馆先后进行了两次规划设计方案向全市人民征求意见的活动，展出《天津市空间发展战略规划》、《天津市文化中心规划设计方案》（征求意见稿）、《天津市中心城区"一主两副"规划设计方案》、《天津市生态布局规划方案》等八个规划方案的详细内容，广泛征求社会公众的意见建议。上述公示活动在社会各界产生了积极热烈的反响，公示期间：累计接待参观人数7万余人次，收到信件和电子邮件5203封、电话5049个、现场留言3778条，集思广益、群策群力，为城市发展和建设提供了科学依据和有力保障。

【基础设施】 规划馆运用先进的声光电设备，全方位、多形式的现代高科技手段，烘托出鲜明的"城市规划"主题。规划馆共有各种投影仪54台、计算机78台、液晶电视、显示器94台、各种灯光设备195台。为进一步展示和宣传天津的城市形象，增进公众参与城市规划的积极性和主动性，对公众开放了城市映像影厅、海河之旅影厅，并设置了多台触摸桌和普及规划知识的公众互动参与区。

为提高接待服务水平，给参观者提供一个优美、舒适的参观环境，规划馆设立了失物招领处，配备了急救箱、轮椅，开通了广播发布定时讲解、找人、失物招领等信息服务业务；建立了警示标识系统，在容易出现安全问题的位置设置了提醒带等警示标识；确立了客服岗位，为参观群众提供引导、问询、安全提示等服务工作；设置了沙发、茶几等休闲设施，使参观群众能得到休息；摆放了多种绿色植物，美化了展区的环境，营造了良好的参观氛围。

【规章制度建设】 建立和健全层次分明、责任清晰的制度体系，加强和完善规范严谨、细致详实的管理机制，是推进整体工作进程，确保各项工作顺利开展的基础。为此，规划馆结合自身工作特点，在充分征求全体职工意见、建议的基础上，经馆支委扩大会和馆长办公会审议通过，制定并下发《天津市规划展览馆党支部工作制度》《天津市规划展览馆“三会一课”制度》《天津市规划展览馆领导班子民主生活会制度》《天津市规划展览馆党内民主生活会制度》等22项党务工作制度，和《天津市规划展览馆工作人员暂行守则》《天津市规划展览馆办公秩序管理暂行规定》《天津市规划展览馆职工考勤暂行规定》《天津市规划展览馆公文处理暂行规定》等17项行政办公制度，基本建立起了馆规章制度体系，同时还完成了27项岗位职责制定工作。

【内部管理】 提高接待服务质量。为最大限度方便社会公众参观，规划馆制定了免费参观、免费讲解，集中领票存包、随来随观、定时集中讲解、管理人员定点定位服务相结合的方法。要求讲解员统一服装、熟记讲解词；提前安排讲解任务，确保接待工作；做到定点广播及时提示，每天半点、整点进行讲解，同一时间多场讲解，保证讲解场次；精心设计多条参观流线，对不同参观人群，科学组织，条块结合，以参观者为本，主要包括:专业流线、普通流线、精品流线、学生流线、招商流线，确保满足参观者的不同需求；实行中午不休息，灵活的开、闭馆和周一开馆（国际惯例闭馆日）机制，截止2009年12月31日规划馆总计早开馆63天、晚闭馆110天，周一开馆39天；建立了接待工作内部协调机制，明确了各部门的职责和在接待工作中的具体工作任务，真正做到上下联动、部门互动，有效避免不同参观团体之间的交叉干扰，保证参观效果。

确保各类展品的现势性。根据规划编制、审批工作的特点，结合工作实际，建立了以3个月为一个更新周期，市规划局相关处室和规划馆上下联动、互相衔接、良性互动的展品更新机制，确保展品更新工作及时、到位。为让社会各界迅速掌握规划发展动态，主要对涉及海滨旅游区、生态城规划、文化中心、临时会展中心、城市映像厅影片、空间发展战略等方面展品进行了及时更新，同时还协助各区县对各自展区的展品进行了更新；及时对现有展品进行深化完善，主要对海河上游规划模型中的海河御峰广场、新华世纪广场、天河城等9个项目的建筑模型进行细部处理，并完成海河上游后5公里规划模型制作、安装工作。

提高安全意识。建立各种软硬件设施维护的安全检查工作机制和每日巡查工作制度，做到发现问题及时上报、及时解决，加强设施设备维护工作；加紧落实安全责任制和责任追究制度，与市规划局签订了《安全生产工作目标责任书》和《社会治安综合治理目标责任书》，建立了层层负责制和一票否决制；成立警务室，由市公安局二处和光复道派出所派专人负责规划馆内的日常安全保卫工作；加强职工安全教育，组织全馆职工和融创物业员工进行消防紧急疏散演习，聘请河北消防支队领导进行消防知识培训讲座，进一步增强职工的消防安全意识和处理消防事件的能力。

加强与参观群众的交流沟通。建立网络留言、书面留言和面对面征求意见等多种形式与群众沟通交流的平台，将涉及规划馆的意见和建议及时进行反馈，制定具体解决方案和整改措施，从而提高接待水平。经专人统计，目前规划馆共收集到观众的意见和建议1500余条，其中1350余条（约占90%）对规划馆的各项工作给予充分肯定，150余条（约占10%）对天津市的规划工作和馆的接待、展品、设备等方面提出建设性的意见。

【人才建设】 规划馆注重引进优秀人才，重视人才教育和培养工作。规划馆现有职工35人，其中研究生学历3人，本科学历24人，大专学历8人。为了强化高素质的人员配置、储备人才力量、提升参观接待服务水平，规划馆做了如下工作：2009年公开招聘讲解员7名，皆为大学本科毕业生，双语2名，服装设计专业2名；聘请市规划院的专家进行规划专业知识讲座，不但充实了职工的专业知识水平、提高了职工的整体素质，使规划馆整体接待工作水平得到明显提高；聘请平津战役纪念馆、周邓纪念馆和东方航空公司的专家在仪容、仪表、口齿训练、手语学习等方面对讲解员进行培训，保证高质量的完成接待任务；推荐优秀讲解员参加“2009首届全国规划展示之星演讲比赛”活动，获得三等奖；开展青年服务标兵（能手）竞赛活动，评选出一名青年服务标兵、一名青年服务能手以及八名优秀青年；开展年度考核工作，评选出6名优秀员工与17名称职员工。

（许　红　李　妍）

天津市规划执法监察总队

【概况】 天津市规划执法监察总队为市规划局所属处级行政执法机构，主要负责有关法律、法规、规章规定的由市规划行政管理部门行使的监督检查和行政处罚职责。

【机构人员】

政委　张云凤

副总队长　王子升

彭哨农

2009 年天津市规划执法监察总队核定事业编制 43 名，在岗人员 29 名，内设一个指挥中心，一个督查组，二个执法监察大队。人员参照国家公务员制度进行管理，所需人员经费由市财政全额拔款。

【违法建设查处】 落实和规范巡查工作责任制，制定了“四定一包”责任，保证巡查工作落实到位。实行上下班路线巡查工作责任制度，按照全体人员各自上下班路线区分责任并签定责任书，利用上下班业余时间，有效地控制了中心城区内 7 个区域、19 条道路、230 余公里道路两侧的违法建设，确保违法建设能够及时发现、及时查处。落实日常巡查、集中巡查、节假日巡查和夜间巡查制度，2009 年，共出动巡查人员 1082 人（次）、行程 13000 余公里、巡查发现违法建设行为 67 起，其中违法测绘行为 5 起，均依法进行了相应的处理。

【服务保障】 定期深入各分局、区县局进行服务调研，组织项目抽查和服务活动，并对服务的项目建立信息库。积极做好市重点工程服务保障工作，深入中海地产、燃气大厦、天津湾、上通国际等 20 余个建设项目现场开展服务调研工作，并与相关负责人探讨建设项目规划验线、规划竣工验收事宜，为市重点工程顺利建设提供保障。

【证后管理】 完善证后管理法规和业务规范，协助法监处拟定了建设工程证后管理工作规程、规范、标准，统一了管理内容、办理程序、操作标准、工作表格，实现证后管理工作的规范化和科学化。突出了规划验线验收工作，对建设单位申报的工程项目，及时组织建设单位、测绘部门、地下空间管理中心对项目进行验线，确保项目能够按时开工建设，全年共完成市政工程规划验线 28 项、规划验槽 50 项、规划验收 4 项，建筑工程规划验收 2 项。强化了市政工程项目的监管和证后管理工作，对取得规划许可证的市政工程项目进行提前服务和催办，保证了取得许可的市政工程项目能及时进入证后管理环节。同时总队对已开工的市政工程项目及时组织现场查验和跟踪测绘，保证了市政管线工程严格按照规划实施，强化了市政工程项目的监管工作和证后管理工作，有效减少违法行为的发生。

【内部管理】 制定和完善了内部管理制度，修订完善值班规定、轮岗交流人员管理制度、用章管理规定、公文运转制度、档案管理制度等。加强日常管理，坚持队长办公会、案件会审会、政治学习和工作讲评等制度，有效地规范了案件查处、日常管理、值班和车辆管理等工作。加强保密工作，严格落实安全生产的措施和要求，确保安全稳定。坚持民主管理，建立和完善了民主决策制度、大事公议制度，充分赋予干部职工参与权。

【队伍建设】 健全学习、培训制度，坚持集中学习与自学相结合的方式，每周安排半天时间组织法律和规划业务等知识的学习，将学习内容列入每周工作计划，并付诸实施。定期请局机关相关处室、市法制办、法院等相关人员讲解规划法规和规划业务知识，提高规划业务水平。加强轮岗、在岗锻炼，组织人员在总队内部轮岗锻炼，发挥业务骨干表率作用，搞好传帮带，组织人员到局机关各处室进行轮岗锻炼，坚持在干中学，在学中干，在实际工作中提高素质。加强对各类案件的剖析研究，先后对天津市殡葬事业管理处违法建设案件、春海房地产公司利海家园违法建设案件等进行剖析研究，分析案件的形成原因，从中找出工作中存在的问题，不断提高办案能力。丰富干部职工文化生活，开展人生格言征集活动，并将格言整编成册，以人生格言作为每位同志行动的指引。充分利用各种节假日，开展篮球、乒乓球、羽毛球、足球、卡拉 OK 等健康向上的文体活动，丰富干部职工文化生活，在活动中充分展示队伍良好的精神面貌。加强学习型队伍建设，开展读书会活动，形成学习常态化，定期组织读书交流活动，做到在文化活动中凝聚执法监察队伍的坚毅品格、团队精神和学习型氛围，用文化建设的成果推动依法行政水平的提高。

（胡　鑫）

天津市规划信息中心

【概况】 2009年，信息中心按照市局统一部署，继续负责全市规划系统的信息化建设；管理全市规划系统数据信息；始终努力发挥信息保障、信息服务职能，按照市委、市政府的战略部署，围绕推进滨海新区开发开放、以信息化推进规划管理等重点任务，承担了局机关及各区县局的“一网通”工程、市重点规划编制指挥部等重点工作的信息服务及保障。

在“科技兴局”战略目标的指引下，科学规划全局信息建设体系，不断完善业务管理、政务办公系统，升级改造图形浏览、统计分析、电子归档等系统，研究建设了规划资质、规划编制、地名管理等系统，构建了集日常办公、信息发布、信息查询、信息公开于一体的政务内网和政府互联网站。进一步加强数据规范与数据更新，完善了数据标准，截止2009年12月，运行的数据量已累积120GB，历史数据1.6TB。

【机构人员】

主任	才　睿
副主任	高文君
数据部部长	俞　斌
系统部部长	姜　慧
管理部部长	徐津梅

2009年，中心有职工27人，其中在编和非在编同等待遇人员11人，正高级工程师2人，副高级工程师4人，工程师4人，助理工程师1人，合同制聘用人员16人。

【“一网通”工程】 全面推进“一网通”工程，努力实现三个全覆盖、三个推进和三个提升。

2009年，全市24个规划管理部门全面应用“一网通”平台开展联网审批，形成覆盖全市域、全系统、全过程的“一网通”构架，系统运行和应用效果良好，取得了显著的成效,实现了三个全覆盖，三个推进和三个提升。

三个全覆盖，即市域地形图全覆盖、市域遥感图全覆盖、市域各单位应用全覆盖。

三个推进，即推进规划管理审批大提速、推进规划业务审批与“一网通”应用的同步运行、推进市内六区地名联网审批。

三个提升，即提升规划审批效率、提升规划管理效能和提升运行环境。

为应对2009年全球性的金融危机，天津市提出精简业务流程，缩短审批时限，减少申报材料，加大服务力度，提高审批效率的规划管理审批大提速工程，缩减了全部25项业务管理流程，其中对市政设施等5项业务管理流程进行了深入调整，有力支持了市规划管理审批大提速工程。

实施了市内六区各个规划分局的地名业务联网审批工程，拓展了规划信息涵盖范围，延伸了规划信息服务面。

不断深化效能监察工作，提高城乡规划管理效能，实施全市“六证一书”核发实时查询，进一步规范了许可审批证书管理，为规划管理人员提供了实时、灵活、准确的业务督办信息。

开展电子申报系统改造升级工作，提升窗口申报工作和服务水平。

不断加强业务系统培训，全年进行各类培训60余次，其中滨海新区占20余次，为滨海地区规划审批做出新贡献。

开发全市联网的重点项目系统，市局和十个分局的联网应用，可以随时掌握各个重点项目的进度和办理情况，便于各级领导对重点项目的掌控和协调督办。

【规划空间信息体系】 加大城市规划空间信息整合、更新力度，健全规划空间信息体系。

加强数据标准建设，应用新技术，完善优化空间资源信息平台为保证数据整合有标准可依，实现数据整合、更新的高效性，在已有的数据标准体系上，增加了规划紫线成果（shp数据）电子数据标准和119项重点规划成果数据标准。

根据空间资源信息平台升级改造工作需要，完成了数据现状分析、新平台的搭建、应用测试工作，为平台的升级和改造奠定了基础。

对 Arcgisserver9.3 平台进行深入研究学习，初步完成了基于.net、flex 框架对地图服务的搭建、功能测试工作。

开展城市规划信息流管理研究，减少“信息孤岛”，提高信息的共享度和利用度。

采用理论研究与系统建立相结合的方式，理论研究建立指导体系，通过建立系统检验理论研究的正确性与可行性，在实际运作过程中配合相应的管理机制作为保障，逐个专题进行技术实现和实际运作。使天津市所有的规划审批部门和数据生产部门都建立了数据动态更新的概念，使每个部门都成为信息流链条中的一个环节，达到了共建共享、动态更新的目标，到 2009 年为止，实现了选址意见书审批绘图、核定用地图、规划定线、规划验收带图运转，规划总平面、市政管线等带图运转，并形成了有效的数据更新机制，真正做到了规划系统的信息全、信息准、信息新，在规划业务系统中，30 多个单位，700 多个用户，每天都在进行相应的业务办理和数据更新的工作，该项研究成为工作的平台，信息共享的载体。

适应城市规划管理的新需求，加大城市规划业务空间信息整合、更新力度。

进行全市域 1:2000 地形图、遥感影像、道路红线、建设用地现状等数据的上网更新，同时，进一步规范 119 项规划成果、推动成果联网共享进程。先后完成对中心城区 1:2000 地形图、滨海新区 1:2000 地形图、及外围地区 1:2000 的数据整合及更新，共新增、更新图幅 23000 余幅，实现 1:2000 地形图全市域覆盖。完成全市域范围 2008 年最新 0.2 米真彩色正射影像数据上网。新增中心城区及环城四区、滨海新区道路调整控制网，完成 150 余个道路定线任务的数据更新（累计长度 650 余公里），为规划审批提供及时准确的依据。完成中心城区土地细分导则数据的整合、上网并更新三次，控规单元数据更新 2 次，紫线数据上网，并更新三次，有效保障了规划管理的现势性，并配合业务工作将规划道路红线及地铁轻轨等公共设施规划数据更新扩展到天津中心城市地区。

【规划信息应用系统】 开发新的应用系统，进一步提升规划管理信息化水平。

建设规划编制管理信息系统，提供规划编制成果快速共享。

为进一步加强规划编制的计划、编制过程和编制成果的管理，规范规划编制数据整合、存储，加强规划编制数据更新，提高规划编制数据共享能力，推进 119 项规划编制成果的共享，建立了规划编制管理信息系统。配合管理机制形成动态更新能力，反映各地区、各层次、各专业的规划编制情况汇总资料，构建“纵向到底，横向到边，覆盖城乡”的天津市城乡规划编制体系信息管理系统，为市局加强全市规划编制管理、审批工作宏观管理提供载体平台。

建设规划资质管理系统，实现规划资质的动态管理。

开发了规划资质管理系统，并投入正式运行，实现了对全市规划设计行业单位、从事规划设计人员及具体规划业务活动的动态监管。

该系统涉及信息包括：规划设计单位设计资质、承担规划设计任务情况、规划方案报批情况、有无违反规划设计条件和规定情况、成果质量情况、资质核定情况及外省、市规划设计单位备案等，与城乡规划业务系统共享信息资源，实现了多种查询、综合统计和信息管理等功能，对规划资质单位进行全面掌控，并对外地规划资质单位进行备案注册管理，使天津市规划设计市场更加规范，提高了天津市的规划设计水平，加强了业务部门之间的横向信息交流，实现了提高工作效率和管理效率的工作目标。

跟踪最新技术，开展空间分析与辅助决策的建设。

空间分析与辅助决策系统对数据质量要求较高，通过对空间数据详细分析研究，提出了数据优化解决方案，利用数据挖掘等技术，结合规划管理的核心内容，深化规划管理空间分析与辅助决策，进行用地结构、规划实施、规划与社会经济、城市发展等空间分析，为规划决策与分析提供技术支撑。

通过各种渠道学习数据挖掘新技术，开展需求调研等工作，积极了解国内同行业对于空间分析与辅助决策系统建设动态，深入研究比较空间分析模型，制定系统开始与实施方案，为空间分析与辅助决策系统的建立提供了重要保障。目前，建立了辅助选址、拆迁分析等空间分析模块，为后期系统的建设积累了宝贵的经验。

【网络安全建设】 为了保证局“一网通”的顺利运行及系统和数据的安全，必须加强网络安全、网络备份容灾系统的建设，实现数据的备份及快速恢复、系统容灾、网络安全管理等工作。全年完成了网络改造和安全项目的招标，完成了局域网核心设备和接入设备的升级工作，整个网络的核心交换能力提高了十倍，桌面接入由百兆提升到千兆，网络的结构进行了进一步优化，对网络节点进行了VLAN划分，有效阻止了网络广播风暴的发生。网络改造的成功实施，进一步提升了“一网通”的网络负载和服务的能力，为将来个区县分局更复杂、负载更大的应用提供了坚实的基础。

【服务保障工作】 为加大政务公开的力度，根据全市对政府机关的政务网站的要求，对局外网的栏目和页面呈现进行了升级改造。通过努力，使市局网站访问量有了大幅度提升，在全市评比中取得了较好的成绩。

完成了规划年会网站开发和数据维护等工作，保质保量地完成了年会信息服务工作，为2009年的规划年会的成功召开提供了强有力的技术保障。

扩展并完善可视会商平台，提高城乡规划业务管理效率。根据全市城乡规划体制改革工作的总体要求，为进一步健全完善管理机制，充分发挥城乡规划管理系统平台的作用，开展局可视会商系统的扩展和改造工程。该系统已全面应用到局长业务办公会等各类规划工作会议中，成为市局与区分局联动办公，实现市局宏观管理，全面提高规划业务管理效率的重要平台。

按照统筹规划、急用先行、持续发展的工作原则，先后开展了以下六项工作：一是将可视会商系统扩展至环城四区规划分局。二是精心设计，充分利用有限的会议室空间，确保可视会商会议室布局、视角、声场、舒适度达到最佳。三是更新了局核心网络交换机，划分了会商系统专用VLAN，确保会商网络更加稳定。四是建立3屏100寸大屏幕背投影系统，提升了显示清晰度和色彩还原质量。五是建立了智能声控系统，实现了会场扩声的全覆盖。六是重新布置了会商控制网络，增加了多路计算机信息和视频信息的同传等多项功能，实现了信息快速切换。

提高服务意识与技能，为规划工作提供优质服务保障。随着市领导对规划工作的高度重视，规划任务的日益繁重，会议保障工作也越来越频繁，大屏会议室和可视会商会议室升级改造后，市领导经常来局听取汇报，对服务人员的技术和素质又提出了更高的要求，信息中心组织服务人员加强学习，熟练设备的使用与维护，提高服务意识和服务水平，保证了每次会议的顺利召开。除了局内会议服务外，还经常接到市政府、迎宾馆等局外会议服务的任务。

【内部建设】 加强队伍建设，完善管理体制机制，培训管理知识、业务知识、高新技术和法律法规，全面提高中心人员的综合素质与能力。始终坚持“知才善用，人尽其才，德才兼备，以德为先”的用人理念，针对项目实施中的问题，从严格、规范管理入手，加大督办力度，严肃按章办事，增强了科学管理的实效。结合局“安全月”、“保密月”活动自觉的开展安全保密和办公秩序检查评比，严格规划了工作秩序。

【文化建设】 不断提高信息中心员工的政治理论和业务技术素质，自觉用科学发展观统领规划信息化工作。积极参加局入党积极分子培训班，信息中心全年有4名积极分子在培训班中毕业。

全力打造社会主义核心价值体系，文化建设阶段成果基本完成。形成了“依托信息资源，创新管理模式，服务城乡规划”的奋斗目标和“忠诚、责任、敬业、奉献、高效”的价值理念，利用传阅的形式把信息中心奋斗目标、价值理念进行宣传贯彻，力求把价值理念转化为个体行为，促进信息中心形成共同目标、共同意识，承担共同责任的目标。

（张嘉瑞）

天津市地下空间规划管理信息中心

【概况】 天津市地下空间规划管理信息中心是天津市规划局下属对全市地下空间规划管理信息实施集中统一管理的事业单位，其主要职责是负责国家和本市有关地下空间规划管理和地下管线工程管理的法律、法规和方针、政策贯彻落实；负责组织制定地下空间信息技术标准、业务规范及作业规程，负责组织相关的技术培训；负责组织和协调全市地下空间管网普查工作，实现对全市地下空间信息资源集中统一管理；负责组织开发建立地下空间综合管理信息系统，实现全市地下空间信息资源共享；负责全市各类新建、改建、扩建地下空间信息数据的质量检查验收工作，动态管理和维护地下空间信息数据库；为城市基础设施规划建设和政府相关部门提供可靠、准确、高效的信息服务，为城市地下空间规划管理提供可靠的决策依据。

【机构人员】

中心主任、党支部书记　王　超

主任工程师　孙晓洪

中心下设综合业务部、系统开发部、技术保障部。综合业务部，主要负责对外利用、咨询和信息服务、行政后勤保障、安全保卫、人事劳资、党政工团、中心财务管理等工作；系统开发部，主要负责组织开发建设地下空间综合管理信息系统，对信息数据进行整合、入库、管理、维护，对外提供数据、出图、计费等工作；技术保障部，主要负责全市各类地下空间信息的现状资料、竣工资料检验，规划核对等工作。

【管线信息报验】 对地下管线工程信息报验工作，加大跟踪服务力度，建立项目跟踪表，随时掌握工程进展情况，做到心中有数。在局领导和局相关部门的大力支持下，经过不懈努力，使取得市政建设规划许可证的地下管线工程信息报验工作取得一定成效。经统计，共到中心登记备案管线工程 1010 个项目，接收综合现状图 899 个项目，接收竣工图 315 个项目；参加市局和各分局组织现场验线（槽）188 个项目；完成竣工图与规划审批复核 250 个项目。

【管线信息服务】 中心始终把服务城市规划、建设和管理作为工作宗旨，把为建设单位服务作为工作目标，在保证数据准确详实的前提下，采取了管线工程信息随时接收随时提供的快捷工作方法，想方设法缩短测绘周期，尽量避免重复测绘，实现了为地铁四五六号线等工程提供优质高效服务的工作目标。经统计，共为 820 个工程项目（含 117 个重点工程项目）提供信息查询利用服务，提供管线长度约 10955 公里。此外，还为地铁二三号线、海泰大道、外环辅路、育红里旧网改造、津南高压天然气工程、城厢东路电力工程、和平区政府项目、地铁五六号线设计及管网公司 103 个项目等实施了信息资料减免政策，得到了建设单位的广泛好评。

【动态管理机制】 在市局相关部门的大力支持下，进一步完善地下管线工程动态管理机制，使地下管线工程信息查询、检验、接收等工作纳入到规划、报建和证后管理工作中，使中心能够及时掌握新报建管线工程（办证）信息情况。建设单位到市局和各分局办理市政建设规划许可证 492 个项目，中心基本做到信息跟踪与办证验槽同步进行，确保了管线信息能够及时汇交。地下管线信息共享机制有了新突破。重点开展了对各专业管线单位的资料汇交工作，依靠市局加强了与各专业管线单位的横向联系与沟通，先后多次走访电力、自来水等专业管线单位，倾听他们的意见和建议，制订信息资料共享方案。先后与市电力公司、市自来水集团签订了《地下管网 GIS 信息系统资源共享框架协议》及《天津市地理空间信息基准框架工程资料成果保密协议书》，接收了电力公司 6900 余公里地下电缆数据资料（包括 220kv 电缆、110kv 电缆、35kv 电缆、10kv 电缆、预埋排管等资料），接收了自来水公司 4642 余公里地下管线数据资料。另外还从市地质资料馆查询了各类历史井类资料 555 项，接收了 293 项；接收了地下室 3951 项信息资料；地下停车场 177 项信息资料以及地铁 1 号线箱体及站台的部分设计资料，为全面实现地下空间信息管理积累数据资料。继续坚持重点工程服务机制。本着“重点工程重点抓”的原则，超前介入，建立跟踪服务表及每项工程每周不少于一次的跟踪服务制度，加大了对小锅炉并网、大胡同人防、西站改造、新文化广场、海河后五公里、天津宾馆等重点工程的服务力度，既为重点工程赢得了报建时间和建设时间，也保证了管线信息得到及时报验，取得双赢格局。共接收 111 个重点工程综合现状图（管线长度 3248 公里）的信息数据。

【信息系统建设】 在总结系统一期建设工作的同时，按照总体设计方案和工作目标积极着手开展系统二期的建设工作。经过反复讨论和多次到市局调研，制定了地下管线信息动态管理决策支持平台方案，并上报建设部和市局立项。年中召开了住房和城乡建设部《天津市地下管线信息动态管理决策支持平台》项目专家研讨会，研讨会对该项目给予了充分肯定，并提出了许多宝贵的建议，为项目的进一步研发指引了方向。此外，在数据整理方面完成1214个项目地下管线工程信息数据整理入库，燃气专业整理4800公里，电力整理成果6900公里，排水专业整理1995公里，地铁1号线整理25公里，并完成中心库存数据整理计划的制定工作。

【为局重点工作提供数据支持】 为市规划局重点区域规划工作超前组织地下管线现状测绘。为落实“保增长、渡难关、上水平”的总体要求，中心按照我局推出的重点规划建设项目16项服务措施的要求，以为重点区域规划做好地下管线信息服务、信息保障为目标，制定了超前提供管线信息、优先进入检验程序、部门联动、全天候服务的措施，组织测绘单位完成了12片重点规划区域和30项重点工程地下管线修补测和数据整合工作。经统计，数据整合及补修测绘道路长度450余公里，管线长度5000余公里。为市局地下空间总体规划编制工作提供数据保障。中心干部职工发扬“五加二”“白加黑”的奉献精神，高效地完成了1102项人防工程、4128项地下建筑信息资料（合计1011项地下建筑工程）以及46项意式风情街地下建筑物的整理和提供利用工作，为地下空间规划编制工作争取了时间，也为地下空间资源数据库建库打下了良好的基础。为市局规划管理工作提供全天候的查询服务保障。按照我局规划管理工作高标准的要求，中心加班加点进行管线信息资料查询与提供工作。中心有资料的做到及时提供，尚无资料的组织测绘单位进行修补测，并积极推动测绘单位工程测绘任务的进展，经统计，共完成市规划局指派的211个项目（管线长度8500余公里）的查询利用与测绘工作，确保在第一时间保障局规划管理用图。

【立法与调研工作】 以地下空间规划管理条例的出台为契机，在走访调研的基础上，制定了《天津市地下空间信息管理办法》征求意见稿，并完成与局22个相关处室、部门及局外相关单位协调沟通征求意见，力争明年初上报市政府相关部门。

【内部建设】 修订完善规章制度。制定《中心保密工作制度》、《中心会议制度》、《中心合同工管理制度》、《文书档案整理、借阅、归档管理规定》《中心安全管理规定》、《各部岗位工作标准》等，着手修订完善了《外业组绩效管理办法》等，此外为使工作顺利开展，进一步修订完善部门岗位职责，理顺了工作程序，提高了工作效率；在夯实内部基础工作的前提下，本着“客观、民主、公开、公正”的原则，着手开始研究《工作考核管理办法》的制订工作，以初步建立月考核与年终考核相结合的考核管理机制，不断提高职工落实力和执行能力；积极开展对全体职工的培训。采取集中培训的方式，组织完成规章制度、廉政教育、保密教育、安全生产教育、业务知识、建筑识图、党课等八次集中培训工作，力争达到“一人多能、一专多用”的要求，不断提高中心职工的综合素质和整体水平；加强合同工管理工作，制订完善合同工考核、奖惩办法，将合同工的管理纳入中心正常管理轨道。

（陈可轶）

天津市规划局教育培训中心

【概况】 天津市规划局教育培训中心为正处级全额拨款事业单位，前身为天津市规划学校。2006年8月经市编委批准正式更名为天津市规划局教育培训中心（天津市规划局干部学校）。目前，中心（学校）仍为一套机构、两块牌子。教育培训中心主要负责天津市规划系统和规划行业干部职工岗前培训、岗位培训和专业知识培训；规划系统和规划行业干部职工学历教育；全国注册城市规划师天津市考务服务、继续教育和证后管理；天津市建筑设计、城市规划、测绘勘察三个专业职称评审的基础性工作；（局系统）人事代理服务、劳资管理服务和档案管理服务。

2009年，天津市规划局教育培训中心坚持以科学发展观为指导，以建设“四个基地”为总目标，以实现“四个明显提高”为培训工作目标，坚持以人为本和改革创新为原则，以培训工作为中心，以学历教育和人才服务为重点，圆满完成了

2009年的各项工作任务。

【机构人员】

主任、党支部书记　张翰清
综合服务部部长　张翰清（兼）
教育培训部部长　张建平
执业职称部部长　崔立海
人才服务部部长　徐　斌

规划局教育培训中心（局干部学校）下设4个职能管理部门（教育培训部、执业职称部、人才服务部、综合服务部）。编制为26人，实有人员16人，在编人员10人，退休1人。

【教育培训】 紧紧围绕“人才强局”的战略目标开展工作，科学制定计划、主动协调推动、精心抓好落实。认真搞好调研，协助主管部门制定2009年教育培训计划。积极抓好指令性培训任务，组织完成城市规划管理技术规定培训、地下空间规划管理条例培训、测绘产品质检等12期培训班和6期讲座，共1400余人（次）参加，培训期间共发放有关书籍和证书近2000余本，达到预期效果。高标准完成临时性培训任务，精心组织完成两部房地产领域违规调整容积率专项治理工作会的会务保障工作，得到有关部领导的肯定。规划管理、业务流程、测绘计量鉴定、公文写作等培训都收到良好的效果，参训人员的业务能力和综合素质明显提高。

【执业职称】 为培养造就优秀的专业技术人才队伍，实现科学化、法制化、规范化的行业管理目标，中心主要开展了三项工作。精心做好执业管理工作，按程序及时办理了城市规划师初始、变更注册（登记）共27人。在做好日常管理工作的同时，根据国家建设部杭州会议精神，集中力量对天津市现有200余名注册城市规划师和50余家资质单位进行梳理和统计，对169名注册满五年的规划师进行了续期换证。组织完成了2009年度注册城市规划师天津考区考务工作，考试资格审查161人，共430人次参加了考前辅导班。认真完成了建筑设计、城市规划、勘察测绘三个专业职称评审的事务性工作。2009年接收、整理、初审、返还各类评审材料1514份。工作人员以优质高效为服务标准，获得参评人员的好评。

【学历教育】 继续加大与有关院校的合作力度，积极与办学协作院校联系沟通，解决学员反映的各种问题，抓好在职人员的学历教育。加强对在学的150余名研究生班（测绘班73人、师大班78人）学员的基础性、日常性管理，建立健全了在学人员资料信息库。全年接待武汉大学教师来津授课12次，完成教学计划280多个学时，指导测绘班59人完成网上统一报名、考试和复试工作，通过率达到76%；协助师大完成2007级45名学员的结业工作。千方百计为培养规划人才拓展学历教育工作渠道，与天津大学合办了第一期工程硕士班，组织指导63名考生完成了GCT联考和天大复试，通过率达到71%。为培养规划人才搭建了健康的平台，从而使局系统的人才队伍建设工作又迈出了新的一步。

【人才服务】 中心坚持三个服务的宗旨，克服了人员少、时间性强、工作量大等不利因素，不断改进服务流程，完善内部管理机制，细化了管理程序和内容，制定和规范了管理制度，服务水平得到进一步提高。全年共上门走访14家单位，并与6家单位新签、续签了协议。做好1501卷档案管理清整工作，其中人事档案1393卷；为40家单位、1416人做好社会保险代理服务；为12个单位、594人做好工资管理、发放工作；为13家单位、286人做好公积金代缴服务工作。

【内部建设】 中心以实现“四个基地”为目标，按照“四个整合”的工作思路抓好落实，内部建设更加健全正规。文化建设水平有了新提高，根据局党委做好文化建设的总体要求，中心坚持定期开展文化体育活动，既锻炼了大家的身体素质，又增进了内部的团结。同时积极参加机关组织的歌咏比赛、大合唱等各项文化活动，提高了干部职工的工作和生活品位。财务工作良性循环，特别是在中心的整体建设上，起到很好的保障和促进作用。严格制度建设，中心结合工作实际，修订出台了《培训中心内部管理工作补充规定》，为实施科学管理提供了依据。中心始终把安全稳定工作放在头等位置来抓，组织全体人员参加了安全防火知识讲座，进一步提高了干部职工的安全意识，保障了中心各项工作的顺利开展。同时，学术研究、工会、计划生育等各项工作也取得了明显的进步。

（马　强）

天津市规划局机关服务中心

【概况】 天津市规划局机关服务中心（以下简称服务中心）是正处级自收自支的事业单位，隶属于天津市规划局，承担天津市规划局机关的后勤保障工作。主要职责：局授权委托的管理职能、局计划生育管理工作、局住房制度改革管理工作、局机关公务员医疗保险管理工作、局机关固定资产管理工作；局机关物业管理和会议服务工作；局机关公务车辆管理工作；局机关食堂管理工作；局领导交办的临时任务和其他工作。

【机构人员】

主任	黄　牲
党支部副书记	刘鹏飞
副主任	徐淑娟

机关服务中心下设三个科级部门：办公室、综合服务部和物业管理部。共有在编职工20余人，非在编职工50余人。

【规划年会保障】 2009年9月11日至9月14日，在天津市滨海新区会展中心，召开《2009年全国规划工作年会》。国家建设部领导和全国各省市规划部门的各级领导及技术人员1500余人参加会议。会议的接站和送站及车辆保障工作，由机关服务中心负责。在局会议筹备组指导协调下，服务中心全体上阵积极工作。认真策划保障方案，先后制定出接站、送站方案、会议车辆保障方案及应急车辆保障方案；组织车辆，经过比选，确定天津市旅游汽车公司50余辆大轿车为会议用车，动员组织全局系统各单位20余辆小型车和局机关30余辆小型车为会议用车；认真进行现场踏勘，先后多次到天津机场、天津站、天津西站、天津天环客运站等接站和送站点勘察现场，确定接站位置、停车位置。还对入住酒店和会议地点进行了现场熟悉和明确；对接站人员、驾驶员认真进行培训，组织实施车辆保障方案。出色地完成会议车辆保障和接送站工作。

【计划生育管理】 这项工作是局委托服务中心对全局系统进行管理的一项工作。2009年度深化计划生育管理工作，会同局法研处制定下发《天津市规划局人口与计划生育工作规定》；与所属计划生育单位签定《天津市规划局二○○九年度人口与计划生育工作目标管理责任书》；编制人口与计划生育计算机操作管理程序；组织局系统计划生育干部培训，学习了《加强流动人员管理》和《天津市规划局人口与计划生育管理规定》，提高大家的业务知识水平。保证了计划生育管理工作任务的完成，没有出现一例违反计划生育政策的事件。

【医疗保健】 为了保障大家身体健康，方便就医，重点做了几项工作：配合市医改制度实行，为我局公务员303人次进行了医保登记，方便了大家就医。制定天津市规划局公务员医疗补助办法，并组织培训，使每个人都明确了解规定的内容。为市局368人进行了身体检查，同时对查体情况进行统计分析，提出保健注意事项。组织广大职工进行流感疫苗注射。组织女职工收看常见妇科病防治，丰富大家保健知识和疾病的防治知识，使每个人对自己的身体状况不但有所了解，同时还知道如何进行保健和疾病防治。

【物业管理】 确保水电气正常运行，做到出现电路和电器故障及时排除，上水滴漏及时维修；下水堵塞及时疏通。对天然气管理做到安全使用，不出现任何问题，确保温度舒适，冬季保证室内温度22℃；夏季保证室内温度26℃，每天根据天气变化调整空调主机的温度设定，确保环境洁净优雅，办公区域地面、墙面洁净无尘，绿植花木摆放适当，空气清新、环境优雅。确保各种大型设备安全使用。电梯、立体车库、空调主机定期安检和维护保养。物业管理工作坚持做到规定要细，管理要严，效果要好。

【安保工作】 强调技术防范与人员防范相结合。在技术防范上，利用高科技技术实施防控。完善了局监控系统；重点部位加装防盗报警，与公安部门联网联动。在人员防范上，调整了保安防控方案；实施了重点防控与一般防控相结合的方案；确定重点区域和点位；加强了人员进出的管理。明确在工作时间内允许进入局机关人员和不允许进入局机关的范围。在非工作时间内，实行问明情况进行登记的制度。防火方面：坚持预防为主的原则。经常检查防火设施。做到灭火器定期充压换液，消防栓设施完好，用具齐全；确定防火重点部位，重点进行防护；及时消除火险隐患，清理疏散通道；普及防火知识，制定防火预案；建立消防队伍，加强灭火能力。在2009年度确保了机关安全，没有出现大的安全事故。

【会议服务】 在提升会议服务水平上，2009年度加强会议服务员培训，强化了礼仪知识和行为规范及礼貌文明用语，并且讲明会议服务注意事项，强调局里的各项要求；加强会议室的保洁，坚持做到每天进行保洁，确保桌面、椅面、地面、墙面无尘，为各类会议提供洁净的空间；在提升会议服务水平方面，坚持做到会前通风换气，开启空调，保证会议室内有新鲜的空气、舒适的温度。会议中坚持做到按时进行上水服务。会议后及时清理会议室，以备下次会议使用。2009年接待各类会议2000余次，有力地保证了全局各项工作的进行，为天津市各项规划管理工作提供了有力的支持。特别是在多次接待市委书记张高丽、市长黄兴国等领导来局召开会议、调研和指导工作中，做到保障有力、服务出色，受到市领导的表扬。

【车辆管理】 车辆服务是服务中心的一项重要工作，做好车辆服务，重点突出热情和周到。既保证每位用车领导按时到达指定地点，又享受到温暖服务。要求每位驾驶员坚持做到，按照用车要求，提前备好车，既要保证车况良好，又要保证车内干净，温度适宜；坚持做到车辆运行平稳，按交通规则行车；坚持做到不论是工作时间，还是非工作时间，不论是工作日还是休息日，只要有用车任务，就做到准时安全出车。加强车辆管理是做好车辆服务的基础；坚持做到每月进行一次车辆检查，召开一次安全会，会上公开讲评车辆检查情况，同时还对驾驶员进行安全教育，介绍安全行车和节油经验，督促驾驶员进行车辆保养，提高驾驶员的安全意识和操作技能。同时建立了车辆维修档案，对每辆车的维修状况进行记录，掌握了每辆车的车况，有效地节约维修经费。由于全年的工作努力，实行全年行车无重大安全事故，为市局用车提供了良好的服务。

【食堂管理】 坚持绿色饮食，合理配餐，健康用膳。坚持绿色饮食，对购进蔬菜和粮食严格把关，杜绝农药残留超标蔬菜及各种添加剂超标粮食购入，同时建设蔬菜种植基地，自产各种蔬菜调剂饮食；坚持合理配餐，做到粗细搭配、荤素搭配，品种多样，满足众多口味需求；坚持健康用膳，注重食品的营养结构，大力开发食品的药用效果，采取低盐低油低糖的方法烹调制作，保证大家吃出健康。坚持饮食卫生标准，把住病从口入关。用食餐具每次用后要高温消毒，消灭各种病菌，食堂卫生每天做清除，而且不留任何死角，保持灶台、案板干净，餐厅桌面、地面清洁。按照要求，对食堂工作人员每年必须进行健康查体，保证饭菜在制作程序中不受各种病毒传染。经常开展灭蟑灭鼠工作，消灭蟑螂和老鼠，切断生物传播病菌的途径。每天为局300余名工作人员提供早餐、中餐和年节假日值班人员用餐，得到局领导和广大职工的欢迎，而且局食堂管理出色，在市级机关中享有很高的声誉。

【内部建设】 按照局党组要求，服务中心领导班子开展各项政治工作和党务工作。制定“三重一大”具体措施，加强了对重大决策、重要人员调动、重大项目安排，大额资金支出的监督，加强廉政建设；改革了人员聘用体制，对服务中心聘用人员，全部实行劳务派遣制，由天津市博才公司统一招聘派遣。重新明确了聘用人员的岗位职责、岗位要求、岗位待遇和各项管理规定。同时实行每月对聘用人员进行考核，有力地调动了大家的积极性，维护了大家的合法权益；对我局的一些后勤服务工作和事项实行了外包服务。保洁、保安工作、绿化租摆及电梯保养、空调主机保养、排水、垃圾清运等事项，全部进行外包服务，实行合同制委托管理，发挥社会化服务的优势，确保我局后勤服务工作的正常运行。

（刘鹏飞）

天津市规划局人才开发交流服务中心

【概况】 人才开发交流服务中心是2003年6月经

局党委研究、市编委批准成立的局系统内唯一提供人才交流服务的单位。主要负责为规划系统各单位提供人事代理、人才招聘、工资管理、社险代缴和档案管理等服务。

2009 年，人才开发交流服务中心坚持“三个服务”的理念，以局党委“管理规范、运转高效、保障到位、效益并举”的总体要求为依据，在人事处的具体指导下，一心一意做服务，千方百计谋发展，共为局系统 44 家单位、4100 人（次）提供各类代理服务，累计上门走访 20 余次，车辆保障 60 余次，并与 3 家新增代理单位签订了代理协议，与 21 家单位续签了代理协议。尽心竭力为规划系统各代理单位提供最优质的人才、劳务服务。

【机构人员】

中心主任　张翰清

主要责任人　徐　斌

局人才开发交流服务中心下设 4 个岗位（人事代理岗、社险管理岗、档案管理岗、综合管理岗），编制 6 人，实有人员 6 人。

【档案保管】 精心做好档案管理工作。严格按照市委组织部的要求管理档案，继续做好人事代理的 29 家单位、博才公司派遣 12 家单位、津宇公司派遣 13 家单位及个人共计 1517 卷各类档案，其中人事档案 1411 卷，技术档案 106 卷。其中，接收人事档案 348 卷；为 1 家代理单位续订人事档案 24 卷；新订人事档案 274 卷；续订人事档案 448 卷；转出人事档案 118 卷；接收档案零散材料 2517 份，并按单位个人归档；转出档案零散材料 350 份；完成代理各单位的档案索引目录的打印和装订及所有转入、转出档案及零散材料的登记造册工作。

【社险代理】 扎实做好社会保险代理服务。认真履行社险工作服务流程，为人事代理 28 家单位 548 人、博才公司 12 家单位 586 人、津宇公司 13 家单位 253 人（共计 1387 人）提供社会保险、劳务人才派遣及相关服务业务。办理了各单位人员新增、调入 384 人，调出 154 人，退休 7 人，工龄审定 4 人次，死亡 4 人；办理了合同登记及认证 337 人次，合同续聘 182 人次；办理了新参保和调入人员办理养老保险手册 211 个、医疗本 246 个、医保卡 38 个、就失业证 213 个；办理了医药费报销 52 人次。

【工资代理】 认真做好工资管理和发放工作。按照工资管理的制度和要求，为 15 家代理单位 302 人做好工资管理服务，全年共计代发工资 3550 人次。其中，完成机关 3 家单位 7 人次级别工资、41 人次考核晋档工资的调整工作；完成 12 家事业单位 202 人薪级工资的调整工作；完成 12 家单位 55 人工作津贴的调整工作；完成机关 3 家单位 42 人次津贴补贴的调整工作；完成 15 家单位共 133 人次工资核定工作；按市人事局的统一格式要求，为各代理单位 302 人编制、记载工资档案；完成了 8 家代理单位的工资年报工作。

【公积金代理】 大力做好公积金代缴和管理工作。继续为 13 家单位 285 人提供公积金代理服务。每月按时做好公积金汇缴工作，全年完成汇缴业务达 2737 人次；完成了各单位新增 100 人，其中新开户 83 人、转入 17 人汇缴业务，转出及减少封存 10 人，完成 61 人次的公积金补缴业务；完成了各单位 91 人龙卡信息收集打印、信息表发放核对、制卡取卡发卡业务。

【内部建设】 加强制度建设，修订出台《人才开发交流服务中心人事管理规定》，并以此为依据，坚持用制度管人，规范干部职工的言行举止。加强了队伍建设。定期对内部工作人员进行培训，学习掌握各项最新政策、法律法规和专业知识。提高服务水平，中心克服了人员少、时间性强、工作量大等不利因素，不断改进服务流程，完善内部管理机制，细化管理程序和内容，服务水平得到进一步提高。

为代理单位提供综合服务方面，2009 年对部分代理单位进行走访，重新起草编制了人事代理协议和人力资源派遣协议，与新增的 3 家代理单位签订了人事代理或派遣协议，还与原代理的 21 家单位续签了相关人事代理和派遣协议。

（马　强）

社团组织工作

天津市城市规划学会

【学会换届】 为了使学会更加适应当前天津市规划事业发展的需要，按照学会章程的有关要求，经各团体会员推荐，并经常务理事会同意，对学会理事会做出换届调整。新一届理事会由尹海林任理事长，黄立民、马玫、沈磊、运迎霞、姚胜利、黄晶涛、霍兵等7人副理事长，侯学钢等26人为常务理事，王学斌等76人为学会理事，姚胜利为秘书长。

【规划年会】 在市政府和有关方面的大力支持和通力配合下，协助市规划局成功举办了2009中国城市规划学会年会。该年会是我国城市规划行业规模最大、学术水平最高的学术盛会。2009年年会恰逢新中国成立60周年，也是中国城市规划学会理事会的换届年。因此，显得意义非凡。本届规划年会以“城市规划与科学发展”为主题，总结新中国城市规划事业开创以来所取得的辉煌成就，探讨新形势下的城市科学发展，交流展示国内外规划设计先进理念和优秀成果。与本次年会同期举办的还有主题为“城市规划与科学发展暨展示建国六十周年的规划成就”的规划展览。建设部领导和全国知名规划专家、学者、规划学会理事、全国各省市规划局（院）代表近2000人参加了本次会议。此次年会的成功举办，充分展示了天津市城市规划和建设辉煌成就、进一步提高了天津市在国内外的知名度，尤其是进一步加强了天津市规划业界与国内外同行的联系、增进了友谊。“第三届城市再开发专家亚洲国际交流会”也同时召开。中、日、韩及台湾地区代表近100人参加学术交流。

【规划服务】 竭诚为规划科技工作者服务，推动规划技术创新。利用《天津城市规划》、《城市规划信息》等刊物和自办网站，为会员单位和各级领导提供形式多样的信息服务；继续做好《城乡规划法》的宣传、培训工作，积极组织会员单位踊跃参加新规划法以及其配套法规的培训；协助市规划局组织有规划设计资质的会员单位积极参与市区县示范工业园的规划编制工作；围绕全市20项民心工程开展技术服务，利用研究成果积极为市委、市政府献计献策，协助有关责任部门落实规划方案，搞好服务。

【规划研究】 结合市城市规划管理中的热点、难点和重点问题，积极组织开展了多项重大科研课题研究，内容涉及城市规划学科的诸多方面，其中包括《《天津滨海新区城市总体规划深化与实施研究》《天津市空间管制区划研究》《天津城市色彩研究》等。发现新问题，提出政策指引建议。参与重大课题和规划方案的研究及评审工作，协同市规划院参与研究并编制《天津市中心城区城市道路环境设计导则》及《天津市特色地区规划提升研究》等工作，为促进城市规划规范化管理，并向公共政策转变作出了积极贡献。

【学术推动】 利用承办中国城市规划学会2009年年会的机会，联合市规划局，以“城市规划与科学发展”为主题，向全市城市规划工作者征集年会学术论文。共征集到论文168余篇，经专家评议，评选出一、二、三等奖45篇。其中有十余篇被选入年会宣讲或被编入年会论文集，在全国规划界产生了积极的影响，为推动全市规划设计创新和上水平做出了重要贡献，充分展示和介绍全市近几年城市规划研究和规划学科发展所取得的辉煌成果。

【举荐优秀】 按照中国城市规划学会的相关要求和通知精神，开展了举荐优秀规划科技工作者的工作。经报请市规划学会理事会同意，举荐了一批城市规划的老专家成为中国城市规划学会资深会员，其中包括寿民、李宝书、刘玉娟和陈丽笙等。充分肯定和赞扬了他们为全市城市规划事业所作的突出贡献。

（王学斌）

天津市城市规划协会

2009年天津市城市规划协会充分发挥行业组织优势，围绕规划编制和管理工作重点，结合行业特点，以“服务大局、辅助决策、抓好行业自律、规范行业行为”为主旨开展活动。

【行业管理】 结合贯彻实施《城乡规划法》，配合局有关部门积极组织全市规划设计单位开展依法依规编制城乡规划的宣传活动，组织部分规划设计单位进行规范行为，提高规划设计水平座谈交流活动、进一步增强了法律意识，提高了依法编制规划的自觉性，协助规划局在调研的基础上，对规划设计合同文本进行修改完善，于5月份召开了实施规划设计合同文本现场发布会，并于2009年6月1日正式实施。

由于工作出色，经过市有关部门考核评审，被市政府表彰为天津市先进社会组织。

【组织建设】 按照协会章程规定，年初召开了协会第三届会员代表大会暨换届大会，选举产生了新一届理事长、常务理事和理事。修改完善了章程和各项管理制度，充实调整了秘书处工作人员，确定了全年工作目标任务。全年两次召开理事长会议，进行了会员单位联络员的培训，规范了各项制度，加强了与会员单位的沟通和联系。

【期刊编辑】 及时将规划工作动态和经济热点信息提供给各级领导和协会会员，为领导决策及规划工作者拓宽视野提供多角度的参考资料。全年编辑印发《聚焦滨海新区》29期，《城市规划信息》10期，还创刊了《规划协会之窗》。

【重要活动和交流】 积极协助规划局承办中国城市规划学会2009年年会的各项工作，保障了会议圆满成功。

承办了中国城市规划协会三届二次常务理事会的会务工作。来自全国各地的各省市规划部门的领导同志于2009年11月26日在天津参加了三届二次常务理事会，研究讨论了中国城市规划协会09年工作总结和10年工作要点。

与西安市规划局共同筹办了中国城市规划协会规划管理委员会三届一次年会暨贯彻《城乡规划法》研讨交流会。天津市规划局长尹海林和12个省市规划部门负责同志在会上总结交流了经验。会上还完成了规划管理委员会的改选换届工作。尹海林担任规划管理委员会主任委员，王东海担任副主任委员兼秘书长。该委员会挂靠在天津市规划局。

【规划系统文艺汇演】 由中国城市规划协会主办、天津市规划局、天津市城市规划协会、天津市规划院协办的第二届京津地区城市规划系统文艺汇演于2009年11月26日在天津市中华剧院隆重举行。天津市规划局局长尹海林主持、中国城市规划协会会长赵宝江致辞，住房和城乡建设部副部长郭允冲、天津市政协副主席陈质枫以及住房和城乡建设部规划司、村镇建设司、人事教育司、机关党委的同志观看了演出。上海市规划和国土资源局、上海市规划协会、重庆市、广东省城市规划协会的代表以及参加中国城市规划协会三届二次常务理事会的代表们观摩了文艺汇演。

汇演以纪念新中国成立60周年为主线，重点展现改革开放30年来城市规划行业的发展历程和辉煌业绩，反映规划工作者的敬业精神和丰富多彩的生活。通过汇演，对促进行业和谐、推动行业发展、加强地区城市规划领域的联系，提高行业的凝聚力和战斗力将产生重大的意义。

天津市城市规划设计研究院、天津市建筑设计院、天津市勘察院、北京市规划委员会、北京市城市规划设计研究院、中国城市规划设计研究院、清华城市规划设计研究院等单位分别献上节目。展示了规划工作者的豪情励志和青春活力，激发了工作热情和爱国情怀。

（王东海）

天津市测绘学会

【学会建设】 学会召开理事会、常务理事会三次，发展团体会员1个，个人会员127名，全部是有学历的年轻技术人员。同时对连续2年不缴纳会费和不参加学会组织活动的14个单位经提示无效给予除名，至今学会现有个人会员1500名，团体会员42个。学会完成了2009年度审计和“天津测绘”年检工作。

【学会换届工作、学术年会】 根据五届十次理事会安排，天津市测绘学会第六届会员代表大会于2009年10月15日在天津市南开区红楼大酒店召开。出席本次大会的代表来自42个会员单位和有关部门，到会代表98名，天津市科协、天津市测绘管理处和天津市测绘领导应邀参加了大会并先后讲话致辞，还有学会名誉理事、学会退休老同志等118人参加了大会，学会秘书长主持了大会。中国测绘学会理事长向大会发来贺电。

理事长代表五届理事会对学会四年来的工作分六个部分进行了总结，对今后工作提出设想。常务理事做了关于修改章程说明，副理事长做了新一届理事会组成说明。大会一致通过了“五届理事会工作报告”，一致通过了“学会新章程”，大会以无记名投票选举了六届理事会理事42名。召开了六届一次理事会，选举了六届常务理事会（见附表）。大会圆满完成预定任务。

会议组织上海华测导航仪器公司和南方测绘分别作了测绘新仪器、新技术报告；总参一大队作了“航天发射中的测绘技术”学术报告。

【开展学术活动、出版“天津测绘”期刊】 学会8个专业委员会共开展学术活动18场次，参加人数1832人次。海洋测绘专业委员会举办了“第21届海洋测绘研讨会”，收到论文170篇，并评选出一等奖2名、二等奖5名、三等奖10名；制图专业委员组织“测绘制图研讨会”；大地专业委员会结合今年地震灾情，组织了3次研讨会，发布了2010年度地震趋势会商报告；教育、仪器专业委员会组织应届大学生参观“古旧测绘仪器展览”，为测绘行业检校全站仪2000多台。工程专业委员会积极开展技术培训活动，邀请知名专家来津讲课，培训人才200余人次；今年学会上报中国测绘学会/国家测绘局五项测绘工程项目其中四项分别获得优秀工程金银铜奖。

“天津测绘”是天津市新闻出版局注册、学会主办的市级期刊，全国测绘系统发行，今年完成出版2期，发表论文59篇，国内发行1100册。

天津市测绘学会第六届常务理事会

序号	姓名	性别	年龄	职务/职称	学历	单位名称	学会职务
1	韩振标	男	50	副院长	大本	天津市测绘院	理事长
2	胡珂	男	48	总工	大本	天津市测绘院	副理事长
3	孙树礼	男	48	院长	大学	铁道部第三勘测设计院	副理事长
4	刘广余	男	52	副主任	大本	中国地震局第一地形变监测中心	副理事长
5	刘满杰	男	46	院长	大本	天津水利水电勘测设计研究院	副理事长
6	熊春宝	男	45	教授	博士	天津大学	副理事长
7	严银江	男	43	大队长	大学	总参第一测绘大队	副理事长
8	翟国君	男	48	总工	博研	海军海洋测绘研究所	副理事长
9	韩范畴	男	51	总工	大本	解放军海军海图出版社	副理事长
10	苏文强	男	59	高工	大本	天津市测绘院	秘书长

序号	姓名	性别	年龄	职务/职称	学历	单位名称	学会职务
11	沈志明	男	45	处长	硕士	总参第一测绘大队	常务理事
12	王长进	男	45	总工	大本	铁道部第三勘测设计院	常务理事
13	孙洪志	男	57	大队长	大学	天津海事局海测大队	常务理事
14	王宝林	男	55	高工	大学	天津赛特测机有限公司	常务理事
15	皇浦海东	男	34	经理	大学	南方测绘天津分公司	常务理事
16	贾建军	男	48	处长	大本	海军出版社	常务理事
17	王宗伟	男	45	高工	大本	总参第一测绘大队	副秘书长

说明：1.胡珂为常务副理事长。

2.严银江、翟国君、韩范畴为特聘副理事长。

（苏文强）

天津市地名学研究会

【地名规划命名研究】 天津市地名学研究会2009年组织有关专家、学者对天津市地名命名规划工作进行了多次研究，研讨重点放在全市大片或重点规划开发片区规划命名工作上。全年开展了天钢柳林城市副中心地名研究；为“海河教育园区”及道路命名；召开高新区滨海科技园区规划道路名称研讨会；论证了地名商业冠名最低标准；推广蓟县地名规划试点经验，组织武清、宝坻、宁河、静海四区县编制区县地名规划等，为地名命名管理工作进一步实现科学化、标准化、序列化服务。

【地名刊物】 长期以来，努力做好《中国地名》杂志的发行工作。发送18个区县地名管理部门及开发区、保税区、高新技术产业园区；地名学会理事、顾问及会员。《中国地名》杂志的增订发行工作，2009年由每年50本增加到120本，有效的宣传了地名工作，开扩了地名管理视野，提高地名人员的业务水平和能力。

多年来地名学会利用凝聚起来的社会力量，解决了地名管理中出现的问题，推动地名工作的不断前进。

（杜伟明）

十一经路立交桥

国内外交流合作

国内交流合作

2009年10月至11月，局党组先后选派了6批21名局机关和规划分局处级领导干部赴北京、上海、广州、重庆、深圳、南京规划部门进行为期半个月的学习调研，这是市局首次大规模的集中赴外省市规划部门学习调研。学习组在调研期间，通过实地考察、现场观摩、座谈交流、案例分析等方式，认真学习当地规划部门的先进经验做法，结合天津市规划工作实际，归纳梳理了规划编制、规划审批、证后管理、法规建设等8个方面共90条意见和建议，这些意见和建议共分七个方面纳入了市规划局2010年局工作目标中，同时按照责任分工，分别由责任处室进行落实。

关于组织方面：研究制定处级领导干部定期交流、轮岗制度；强化学习交流和业务培训机制，处级领导干部定期举办到国内高等院校和境外培训活动。

在业务管理方面：探索全市建设工程规划建设高效能管理的新途径；研究吸取建设工程规划综合管理问题。

关于法研和景观方面：完善立法规划工作；开展城市雕塑规划编制和管理模式研究，加强历史文化名城保护与开发的研究与管理工作。

关于建设管理方面：地下空间条例建设管理部分细化，并纳入业务管理流程。与国土部门共同研究制定《天津市城市建设节约用地标准》。

关于详细规划方面：继续深化完善“一控规两导则”的规划实施管理机制。

关于总体规划方面：进一步研究完善本市城乡规划编制体系。加强规划成果审批管理，促进规划成果的深化、转化和实施。

关于市政工程管理方面：进一步研究加强本市河道规划管理和管线综合规划编制与审批办法。

通过相互交流，相互借鉴，开阔了干部视野，对进一步完善天津市的规划管理体制，提升规划理念，提高规划编制和规划管理水平起到积极的促进作用。

按照2009年局教育培训计划安排，2009年11月22日至28日由景观处和滨海分局领导带队、教育培训中心统一组织局机关有关处室及滨海新区11个试点单位的领导和骨干共20名同志赴香港和深圳等地就城市设计编制导则及管理等内容进行学习培训。这次外地学习培训，选择课题适用、组织工作严密、培训收获丰厚，达到了预期效果。

与西安市规划局共同筹办了中国城市规划协会规划管理委员会三届一次年会暨贯彻《城乡规划法》研讨交流会。市规划局局长尹海林和12个省市规划部门负责同志在会上总结交流了经验。会上还完成了规划管理委员会的改选换届工作。局长尹海林担任规划管理委员会主任委员，原市规划局局巡王东海担任副主任委员兼秘书长。该委员会挂靠天津市规划局。

2009年京津沪渝穗城乡规划工作交流会于11月6–8日在重庆市召开，重庆市政府凌月明副市长、住房建设部城乡规划司孙安军副司长出席会议，北京、天津、上海、重庆、广州和特邀城市成都、唐山市规划局（委）有关领导及处室负责人参加会议。天津市规划局由秦川总建筑师带队，法研处、景观处、法监处参加了会议。

会议主题是“多元诉求背景下的城市规划创新”。与会城市代表围绕会议主题就各自有关工作进行了交流，交对总体规划实施机制与评估、规划法制建设与执法监察、城市空间环境品质改善、服务发展与社会和谐规划机制、乡村规划管理等议题进行了分组讨论。秦川作了题为“努力探索创新，推进天津城乡规划工作再上新水平”的发言，介绍了天津市规划局在规划法规体系建设、空间发展战略等重大规划编制、控制性详细规划编制与创新、城市设计与精细化管理、重大规划公众参与方面的经验，受到与会兄弟城市的关注。

（汪　勇）

2009年中国城市规划年会

2009年9月12日至14日“2009中国城市规划年会”在天津召开。住房和城乡建设部部长姜伟新专门批示：“祝会议成功，为城市规划做出更大贡献。”住房和城乡建设部副部长仇保兴、两院院士周干峙、中国工程院院士邹德慈、国务院参事陈全生、上海世博园总规划师吴志强等作了主题报告。天津市副市长熊建平出席大会并致辞。中国城市规划学会副理事长、国务院参事王静霞主持开幕式。

本次年会由中国城市规划学会主办、天津市人民政府协办、天津市规划局承办。年会以“城市规划和科学发展”为主题，包含12场专题会议，5场自由论坛及2场特别论坛。全国知名规划专家、规划学会理事、各省市规划局（院）2100余人参加了会议。这次年会是国内城市规划行业学术交流规模最大、学术水平最高的学术盛会，也是最成功的一次年会。年会深入探索新形势下城市的科学发展、交流展示国内外规划设计先进理念和优秀成果。对提升城市规划理论水平，促进城市科学发展具有十分重要的意义，同时，也为天津学习借鉴国内外先进理念，加强城市规划建设提供了难得的机会。

会上来自全国的规划专家就当前业界关注的热点问题进行了深入探讨，总结了新中国成立60年以来城市规划事业的重要经验教训，反思城市规划的学科地位，分析当前面临的宏观形势，展现上海世博会的全新理念等。还分别就住房建设与社区规划、城市生态规划、区域研究与城市总体规划、法制建设与规划管理、历史文化保护与城市更新、小城镇与村庄规划、园林绿化与风景环境、城市土地与开发控制、工程规划与防灾减灾、详细规划与城市设计、产业发展与园区规划、城市交通规划等12个城市发展热点问题进行了专题研讨。5个自由论坛内容包括：什么是好的规划、城乡统筹怎么统、“低碳”对规划的冲击有多大、总体规划批什么、控制性详细规划应该控制什么等，两个特别论坛是：国际最新学术进展、城市密度与环境质量——香港经验。

年会期间还举办了主题为“城市规划和科学发展暨展示建国60周年的规划成就”的规划展览。来自北京、上海、厦门、西安、浙江、哈尔滨等省市规划部门和设计单位参加了展览，东道主天津对本市规划做集中展示。会议期间与会代表还参观考察了天津市规划展览馆、历史街区、五大道、古文化街以及滨海新区、东疆保税港区、天津中新生态城、于家堡金融区等。

“第三届城市再开发专家亚洲国际交流会”，也同时召开，来自中、日、韩及台湾地区代表近100人参加了学术交流。

（王学斌）

国际交流合作

根据《关于贯彻〈关于进一步加强因公出国（境）管理的若干规定〉的实施意见的通知》（津党办发［2008］18号）精神，修订了《天津市规划局因公出国（境）管理规定》，对因公出国（境）年度计划的制定和报备、经费预算和使用、审批和管理、纪律与监督等做出了相关规定。

年初对全年因公出国（境）工作进行统一部署和安排，制定了《天津市规划局2009年度因公出国（境）计划》，确定了学习考察的主题，责任部门和时间安排，全年计划安排26批次出国（境）学习考察任务。全年实际因公出国（境）学习考察共20批次，70人次，与往年相比，2009年因公出国（境）任务都是结合规划项目的实际进行安排，更有针对性。

2009年出访主要是结合天津市中心城区城市设计、天津市海河中游总体规划及城市设计咨询、天津市国际会展中心规划设计等一批重点规划方案和项目而进行的，通过与国外相关的单位学习和交流，学习国外先进的设计理念和经验，将先进理念与可实施可操作性融为一体，为进一步做好各项规划方案的深化、细化和优化工作，高标准的编制规划项目打下坚实的基础。

天津市规划院组团对伦敦、巴黎城市规划管理进行了考察，他们深刻体会到：伦敦最突出的特点是对城市天际线保存得相当完好。而且组成天际线的都是那些最能代表伦敦历史、建筑特色的象征，包括议会大厦、威斯敏斯特大教堂、白金汉宫、伦敦塔桥、大英博物馆、海德公园、格林尼治天文台原址等七大元素。这些建筑并不只是用来欣赏的，作为一种承载历史、记录现在的符号，它们已经渗透到伦敦人的生活之中。对于伦敦的这些镇市之宝，英国政府不惜一切代价将其完整地保存下来。此外，有着悠久历史的伦敦同样要面对现代化的挑战。但历史与现代、传统与创新并不矛盾，伦敦的基础设施很先进，但上了年头的旧设施能用的都在用。现代建筑和谐地坐落于古老建筑群中。这就是伦敦的城市面孔。

伦敦市政府重视城市街区规划的重要性，商用建筑远离民用住房，同时主要街道间距必须加宽。根据不同的社会功能将伦敦东部建成工业区，西部成为王室政要显贵的住宅区，南部和北部则成为多数平民的居住所在，而伦敦市区中心腹地则规划成为金融业中心。城市风格的改变不仅让伦敦从此成为国际大都市的建造设计楷模，更让欧洲邻国也清楚地认识到人性化构建一座大城市对于当地发展的重要。

城市规划依靠的是法治而非人治。一个城市要想规划好、建设好必须遵守规矩。伦敦关于城市规划、控制的法规非常严明。新建筑、新城区的建造，旧建筑的保护，老建筑多少范围内不得盖新建筑等，都要经过论证，经过议员投票来进行集体决策。伦敦的 7 个建筑元素就是受到法律保护的。

一个城市能否经营好，必须要在三个层面上努力——城市的战略、规划和管理。如果忽视一头一尾的工作，孤立地谈规划也是没有意义的。对于城市发展的眼光、对城市的决策能力，都是一个城市战略家所必备的要素。城市的管理问题也非常重要。如果在不让人行的地方还有行人通过，不让停车的地方有人停车，那么城市规划得再好，人们在心理上也不会认同。如果将一个城市的发展比作一个人的发展，“是一个连续的过程，每个成长阶段都应保持成长过程中的特色”。首先要尊重历史。历史不能中断，也不能复制，历史是区别城市与另一个城市的重要标志，只有抓住历史才能形成城市独特的面孔。

巴黎城市规划经验借鉴开敞丰富的城市轴线。巴黎主轴线是东西走向，平行于塞纳河。它的特点是：充分利用宽阔的水面和绿地，使城市空间开朗明快。除主轴线外，还有许多副轴线，这些副轴线通向市内许多广场和建筑群，形成了许多对景和借景。轴线上串连着很多名胜古迹、花园、广场、林荫道，它们各具特色，丰富多彩。

星罗棋布的城市绿地。巴黎旧城区除东西两端各有一个大面积的森林公园外，还有不少有名的公园和花园。在许多古建筑前、广场上又有不少绿地相陪衬。这些绿地面积不大，但却都经过精心布置。从一张巴黎绿化分布图上我们可以看到整个巴黎旧区绿地星罗棋布，不愧为著名的花都。

精心规划和建造的广场建筑群。巴黎旧城在几百年的建设过程中，留下了大量宫殿、府邸、寺庙、教堂和其它公共建筑，并由这些建筑形成了广场建筑群。这些公共建筑和古迹质量都很好，并且在城市设计中得到了很好的保护。巴黎规定市内新建楼房限高 37 米，历史性建筑附近的新建筑则限高 25 米。新的副中心如德方斯，远离旧区，但对高层建筑也加以限制，这在城市保护上是非常重要的。

通过实地考察和技术交流，无论是伦敦还是巴黎，在城市规划、老城改造与历史文化遗产保护、现代交通发展及服务设施配套、环境综合整治和城市规范管理等方面，都有一些科学的理念和成功的经验，这对天津提升规划水平具有借鉴意义：

1、要以科学发展观为指导，对城市建设和发展进行综合规划和设计。

2、要坚持基础设施先行，加强交通和城市功能配套建设。

3、要坚持生态理念，加强环境综合治理，打造“绿色天津”品牌。

4、坚持以法行政，创新机制，不断提高规划设计水平。

（汪　勇）

主流媒体关注天津规划

主流媒体关注天津规划

2009年6、7月份两次重大规划项目公示在全社会引起强烈反响，海内外媒体纷纷报道，德国《法兰克福日报》、法国《加莱大区报》、新加坡《联合早报》、日本《千叶日报》、荷兰《恩舍德每日电讯》、香港《大公报》《香港经济日报》、台湾《中时电子报》和中央电视台、新华、人民、新浪、网易、搜狐、中国、凤凰网等数十家国内外媒体，以及城市规划、景观、中国风景园林等规划行业网站，都从不同角度进行了报道，或发布了相关信息,共刊登、播发了新闻稿件2237篇（条），取得了空前的社会宣传效果。本市制定城市空间发展战略规划（公示）入选2009年天津市十大新闻。天津日报12月16日在头版头条刊发《都市风景线——本市提高城市规划建设管理水平增强城市吸引力竞争力》中，对两次公示进行了年终聚焦报道。

由天津市规划局承办的2009年中国城市规划年会。本市16家媒体记者到会采访报道，人民网天津视窗对大会进行了直播和全程报道，并制作了专题网页。

《天津日报》两次用整版篇幅刊登了《规划变迁——一部津城发展史书》、《新理念建设新家园》。

《规划变迁——一部天津城市发展史书》，通过新中国第一个天津市规划方案、在动荡中前行、改革开放后大踏步前进、新机遇谱写华彩乐章四个章节，记载了新中国成立六十周年以来，天津市城市规划工作伴随每一个阶段国家整体战略的变迁调整而发展的历程，形象展示了天津城市的发展。

《新理念建设新家园》则通过生态搞好家园家居、人文保护以人为本、合理调整促进发展等三个章节，诠释了新理念带给天津人民未来生活的新变化。

天津日报、今晚报、天津电视台新闻台“律动天津”，都市报道《改革大潮》栏目以及天津电台新闻、经济、滨海、交通台、快报、新报、早报等推出迎国庆专题报道，集中报道了天津城市规划成就、科学规划引领城市发展、滨海新区、城市交通等。

新华社、《人民日报》、《人民日报》海外版、经济日报、中央电视台、香港大公报等新闻媒体加大了对规划工作的重点报道。《人民日报》在8月27日头版头条位置刊发了长篇通讯《危中有机事在人为》，文中用较大篇幅介绍了天津两次规划方案的公示情况，称赞此举为“多年未有的创新之举”以及“集民智，聚民气”。9月4日《人民日报》海外版2版刊在“又好又快看天津”专栏进行报道的——《天津的未来》，文章从天津的昨天、今天和明天，天津的未来什么样以及未来规划如何实现等三个方面，重点介绍了天津市规划展览馆以及天津空间发展战略规划。经济日报11月26日在“科学发展看天津”系列报道中报道了本市生态宜居城市建设。香港大公报于7月22日头版头条刊登《天津绘就美好未来蓝图》介绍了天津编制空间发展战略规划以及规划公示情况。

（杨仲义）

附 录

基础测绘条例

（2009年5月12日国务院令第556号）

第一章 总 则

第一条 为了加强基础测绘管理，规范基础测绘活动，保障基础测绘事业为国家经济建设、国防建设和社会发展服务，根据《中华人民共和国测绘法》，制定本条例。

第二条 在中华人民共和国领域和中华人民共和国管辖的其他海域从事基础测绘活动，适用本条例。

本条例所称基础测绘，是指建立全国统一的测绘基准和测绘系统，进行基础航空摄影，获取基础地理信息的遥感资料，测制和更新国家基本比例尺地图、影像图和数字化产品，建立、更新基础地理信息系统。

在中华人民共和国领海、中华人民共和国领海基线向陆地一侧至海岸线的海域和中华人民共和国管辖的其他海域从事海洋基础测绘活动，按照国务院、中央军事委员会的有关规定执行。

第三条 基础测绘是公益性事业。

县级以上人民政府应当加强对基础测绘工作的领导，将基础测绘纳入本级国民经济和社会发展规划及年度计划，所需经费列入本级财政预算。

国家对边远地区和少数民族地区的基础测绘给予财政支持。具体办法由财政部门会同同级测绘行政主管部门制定。

第四条 基础测绘工作应当遵循统筹规划、分级管理、定期更新、保障安全的原则。

第五条 国务院测绘行政主管部门负责全国基础测绘工作的统一监督管理。

县级以上地方人民政府负责管理测绘工作的行政部门（以下简称测绘行政主管部门）负责本行政区域基础测绘工作的统一监督管理。

第六条 国家鼓励在基础测绘活动中采用先进科学技术和先进设备，加强基础研究和信息化测绘体系建设，建立统一的基础地理信息公共服务平台，实现基础地理信息资源共享，提高基础测绘保障服务能力。

第二章 基础测绘规划

第七条 国务院测绘行政主管部门会同国务院其他有关部门、军队测绘主管部门，组织编制全国基础测绘规划，报国务院批准后组织实施。

县级以上地方人民政府测绘行政主管部门会同本级人民政府其他有关部门，根据国家和上一级人民政府的基础测绘规划和本行政区域的实际情况，组织编制本行政区域的基础测绘规划，报本级人民政府批准，并报上一级测绘行政主管部门备案后组织实施。

第八条　基础测绘规划报送审批前，组织编制机关应当组织专家进行论证，并征求有关部门和单位的意见。其中，地方的基础测绘规划，涉及军事禁区、军事管理区或者作战工程的，还应当征求军事机关的意见。

基础测绘规划报送审批文件中应当附具意见采纳情况及理由。

第九条　组织编制机关应当依法公布经批准的基础测绘规划。

经批准的基础测绘规划是开展基础测绘工作的依据，未经法定程序不得修改；确需修改的，应当按照本条例规定的原审批程序报送审批。

第十条　国务院发展改革部门会同国务院测绘行政主管部门，编制全国基础测绘年度计划。

县级以上地方人民政府发展改革部门会同同级测绘行政主管部门，编制本行政区域的基础测绘年度计划，并分别报上一级主管部门备案。

第十一条　县级以上人民政府测绘行政主管部门应当根据应对自然灾害等突发事件的需要，制定相应的基础测绘应急保障预案。

基础测绘应急保障预案的内容应当包括：应急保障组织体系，应急装备和器材配备，应急响应，基础地理信息数据的应急测制和更新等应急保障措施。

第三章　基础测绘项目的组织实施

第十二条　下列基础测绘项目，由国务院测绘行政主管部门组织实施：

（一）建立全国统一的测绘基准和测绘系统；

（二）建立和更新国家基础地理信息系统；

（三）组织实施国家基础航空摄影；

（四）获取国家基础地理信息遥感资料；

（五）测制和更新全国 1:100 万至 1:2.5 万国家基本比例尺地图、影像图和数字化产品；

（六）国家急需的其他基础测绘项目。

第十三条　下列基础测绘项目，由省、自治区、直辖市人民政府测绘行政主管部门组织实施：

（一）建立本行政区域内与国家测绘系统相统一的大地控制网和高程控制网；

（二）建立和更新地方基础地理信息系统；

（三）组织实施地方基础航空摄影；

（四）获取地方基础地理信息遥感资料；

（五）测制和更新本行政区域 1:1 万至 1:5000 国家基本比例尺地图、影像图和数字化产品。

第十四条　设区的市、县级人民政府依法组织实施 1:2000 至 1:500 比例尺地图、影像图和数字化产品的测制和更新以及地方性法规、地方政府规章确定由其组织实施的基础测绘项目。

第十五条　组织实施基础测绘项目，应当依据基础测绘规划和基础测绘年度计划，依法确定基础测绘项目承担单位。

第十六条　基础测绘项目承担单位应当具有与所承担的基础测绘项目相应等级的测绘资质，并不得超越其资质等级许可的范围从事基础测绘活动。

基础测绘项目承担单位应当具备健全的保密制度和完善的保密设施，严格执行有关保守国家秘密法律、法规的规定。

第十七条 从事基础测绘活动，应当使用全国统一的大地基准、高程基准、深度基准、重力基准，以及全国统一的大地坐标系统、平面坐标系统、高程系统、地心坐标系统、重力测量系统，执行国家规定的测绘技术规范和标准。

因建设、城市规划和科学研究的需要，确需建立相对独立的平面坐标系统的，应当与国家坐标系统相联系。

第十八条 县级以上人民政府及其有关部门应当遵循科学规划、合理布局、有效利用、兼顾当前与长远需要的原则，加强基础测绘设施建设，避免重复投资。

国家安排基础测绘设施建设资金，应当优先考虑航空摄影测量、卫星遥感、数据传输以及基础测绘应急保障的需要。

第十九条 国家依法保护基础测绘设施。

任何单位和个人不得侵占、损毁、拆除或者擅自移动基础测绘设施。基础测绘设施遭受破坏的，县级以上地方人民政府测绘行政主管部门应当及时采取措施，组织力量修复，确保基础测绘活动正常进行。

第二十条 县级以上人民政府测绘行政主管部门应当加强基础航空摄影和用于测绘的高分辨率卫星影像获取与分发的统筹协调，做好基础测绘应急保障工作，配备相应的装备和器材，组织开展培训和演练，不断提高基础测绘应急保障服务能力。

自然灾害等突发事件发生后，县级以上人民政府测绘行政主管部门应当立即启动基础测绘应急保障预案，采取有效措施，开展基础地理信息数据的应急测制和更新工作。

第四章 基础测绘成果的更新与利用

第二十一条 国家实行基础测绘成果定期更新制度。

基础测绘成果更新周期应当根据不同地区国民经济和社会发展的需要、测绘科学技术水平和测绘生产能力、基础地理信息变化情况等因素确定。其中，1:100 万至 1:5000 国家基本比例尺地图、影像图和数字化产品至少 5 年更新一次；自然灾害多发地区以及国民经济、国防建设和社会发展急需的基础测绘成果应当及时更新。

基础测绘成果更新周期确定的具体办法，由国务院测绘行政主管部门会同军队测绘主管部门和国务院其他有关部门制定。

第二十二条 县级以上人民政府测绘行政主管部门应当及时收集有关行政区域界线、地名、水系、交通、居民点、植被等地理信息的变化情况，定期更新基础测绘成果。

县级以上人民政府其他有关部门和单位应当对测绘行政主管部门的信息收集工作予以支持和配合。

第二十三条 按照国家规定需要有关部门批准或者核准的测绘项目，有关部门在批准或者核准前应当书面征求同级测绘行政主管部门的意见，有适宜基础测绘成果的，应当充分利用已有的基础测绘成果，避免重复测绘。

第二十四条 县级以上人民政府测绘行政主管部门应当采取措施，加强对基础地理信息测制、加工、处理、提供的监督管理，确保基础测绘成果质量。

第二十五条 基础测绘项目承担单位应当建立健全基础测绘成果质量管理制度，严格执行国家规定的测绘技术规范和标准，对其完成的基础测绘成果质量负责。

第二十六条 基础测绘成果的利用，按照国务院有关规定执行。

第五章　法律责任

第二十七条　违反本条例规定，县级以上人民政府测绘行政主管部门和其他有关主管部门将基础测绘项目确定由不具有测绘资质或者不具有相应等级测绘资质的单位承担的，责令限期改正，对负有直接责任的主管人员和其他直接责任人员，依法给予处分。

第二十八条　违反本条例规定，县级以上人民政府测绘行政主管部门和其他有关主管部门的工作人员利用职务上的便利收受他人财物、其他好处，或者玩忽职守，不依法履行监督管理职责，或者发现违法行为不予查处，造成严重后果，构成犯罪的，依法追究刑事责任；尚不构成犯罪的，依法给予处分。

第二十九条　违反本条例规定，未取得测绘资质证书从事基础测绘活动的，责令停止违法行为，没收违法所得和测绘成果，并处测绘约定报酬1倍以上2倍以下的罚款。

第三十条　违反本条例规定，基础测绘项目承担单位超越资质等级许可的范围从事基础测绘活动的，责令停止违法行为，没收违法所得和测绘成果，处测绘约定报酬1倍以上2倍以下的罚款，并可以责令停业整顿或者降低资质等级；情节严重的，吊销测绘资质证书。

第三十一条　违反本条例规定，实施基础测绘项目，不使用全国统一的测绘基准和测绘系统或者不执行国家规定的测绘技术规范和标准的，责令限期改正，给予警告，可以并处10万元以下罚款；对负有直接责任的主管人员和其他直接责任人员，依法给予处分。

第三十二条　违反本条例规定，侵占、损毁、拆除或者擅自移动基础测绘设施的，责令限期改正，给予警告，可以并处5万元以下罚款；造成损失的，依法承担赔偿责任；构成犯罪的，依法追究刑事责任；尚不构成犯罪的，对负有直接责任的主管人员和其他直接责任人员，依法给予处分。

第三十三条　违反本条例规定，基础测绘成果质量不合格的，责令基础测绘项目承担单位补测或者重测；情节严重的，责令停业整顿，降低资质等级直至吊销测绘资质证书；给用户造成损失的，依法承担赔偿责任。

第三十四条　本条例规定的降低资质等级、吊销测绘资质证书的行政处罚，由颁发资质证书的部门决定；其他行政处罚由县级以上人民政府测绘行政主管部门决定。

第六章　附　则

第三十五条　本条例自2009年8月1日起施行。

规划环境影响评价条例

（2009 年 8 月 17 日国务院令第 559 号）

第一章　总　则

第一条　为了加强对规划的环境影响评价工作，提高规划的科学性，从源头预防环境污染和生态破坏，促进经济、社会和环境的全面协调可持续发展，根据《中华人民共和国环境影响评价法》，制定本条例。

第二条　国务院有关部门、设区的市级以上地方人民政府及其有关部门，对其组织编制的土地利用的有关规划和区域、流域、海域的建设、开发利用规划（以下称综合性规划），以及工业、农业、畜牧业、林业、能源、水利、交通、城市建设、旅游、自然资源开发的有关专项规划（以下称专项规划），应当进行环境影响评价。

依照本条第一款规定应当进行环境影响评价的规划的具体范围，由国务院环境保护主管部门会同国务院有关部门拟订，报国务院批准后执行。

第三条　对规划进行环境影响评价，应当遵循客观、公开、公正的原则。

第四条　国家建立规划环境影响评价信息共享制度。

县级以上人民政府及其有关部门应当对规划环境影响评价所需资料实行信息共享。

第五条　规划环境影响评价所需的费用应当按照预算管理的规定纳入财政预算，严格支出管理，接受审计监督。

第六条　任何单位和个人对违反本条例规定的行为或者对规划实施过程中产生的重大不良环境影响，有权向规划审批机关、规划编制机关或者环境保护主管部门举报。有关部门接到举报后，应当依法调查处理。

第二章　评　价

第七条　规划编制机关应当在规划编制过程中对规划组织进行环境影响评价。

第八条　对规划进行环境影响评价，应当分析、预测和评估以下内容：

（一）规划实施可能对相关区域、流域、海域生态系统产生的整体影响；

（二）规划实施可能对环境和人群健康产生的长远影响；

（三）规划实施的经济效益、社会效益与环境效益之间以及当前利益与长远利益之间的关系。

第九条　对规划进行环境影响评价，应当遵守有关环境保护标准以及环境影响评价技术导则和技术规范。

规划环境影响评价技术导则由国务院环境保护主管部门会同国务院有关部门制定；规划环境影响评价技术规范由国务院有关部门根据规划环境影响评价技术导则制定，并抄送国务院环境保护主管部门备案。

第十条　编制综合性规划，应当根据规划实施后可能对环境造成的影响，编写环境影响篇章或者说明。

编制专项规划，应当在规划草案报送审批前编制环境影响报告书。编制专项规划中的指导性规划，应当依照本条第一款规定编写环境影响篇章或者说明。

本条第二款所称指导性规划是指以发展战略为主要内容的专项规划。

第十一条　环境影响篇章或者说明应当包括下列内容：

（一）规划实施对环境可能造成影响的分析、预测和评估。主要包括资源环境承载能力分析、不良环境影响的分析和预测以及与相关规划的环境协调性分析。

（二）预防或者减轻不良环境影响的对策和措施。主要包括预防或者减轻不良环境影响的政策、管理或者技术等措施。

环境影响报告书除包括上述内容外，还应当包括环境影响评价结论。主要包括规划草案的环境合理性和可行性，预防或者减轻不良环境影响的对策和措施的合理性和有效性，以及规划草案的调整建议。

第十二条　环境影响篇章或者说明、环境影响报告书（以下称环境影响评价文件），由规划编制机关编制或者组织规划环境影响评价技术机构编制。规划编制机关应当对环境影响评价文件的质量负责。

第十三条　规划编制机关对可能造成不良环境影响并直接涉及公众环境权益的专项规划，应当在规划草案报送审批前，采取调查问卷、座谈会、论证会、听证会等形式，公开征求有关单位、专家和公众对环境影响报告书的意见。但是，依法需要保密的除外。

有关单位、专家和公众的意见与环境影响评价结论有重大分歧的，规划编制机关应当采取论证会、听证会等形式进一步论证。

规划编制机关应当在报送审查的环境影响报告书中附具对公众意见采纳与不采纳情况及其理由的说明。

第十四条　对已经批准的规划在实施范围、适用期限、规模、结构和布局等方面进行重大调整或者修订的，规划编制机关应当依照本条例的规定重新或者补充进行环境影响评价。

第三章　审　查

第十五条　规划编制机关在报送审批综合性规划草案和专项规划中的指导性规划草案时，应当将环境影响篇章或者说明作为规划草案的组成部分一并报送规划审批机关。未编写环境影响篇章或者说明的，规划审批机关应当要求其补充；未补充的，规划审批机关不予审批。

第十六条　规划编制机关在报送审批专项规划草案时，应当将环境影响报告书一并附送规划审批机关审查；未附送环境影响报告书的，规划审批机关应当要求其补充；未补充的，规划审批机关不予审批。

第十七条　设区的市级以上人民政府审批的专项规划，在审批前由其环境保护主管部门召集有关部门代表和专家组成审查小组，对环境影响报告书进行审查。审查小组应当提交书面审查意见。

省级以上人民政府有关部门审批的专项规划，其环境影响报告书的审查办法，由国务院环境保护主管部门会同国务院有关部门制定。

第十八条　审查小组的专家应当从依法设立的专家库内相关专业的专家名单中随机抽取。但是，参与环境影响报告书编制的专家，不得作为该环境影响报告书审查小组的成员。

审查小组中专家人数不得少于审查小组总人数的二分之一；少于二分之一的，审查小组的审查意见无效。

第十九条　审查小组的成员应当客观、公正、独立地对环境影响报告书提出书面审查意见，规划审批机关、规划编制机关、审查小组的召集部门不得干预。

审查意见应当包括下列内容：

（一）基础资料、数据的真实性；

（二）评价方法的适当性；

（三）环境影响分析、预测和评估的可靠性；

（四）预防或者减轻不良环境影响的对策和措施的合理性和有效性；

（五）公众意见采纳与不采纳情况及其理由的说明的合理性；

（六）环境影响评价结论的科学性。

审查意见应当经审查小组四分之三以上成员签字同意。审查小组成员有不同意见的，应当如实记录和反映。

第二十条 有下列情形之一的，审查小组应当提出对环境影响报告书进行修改并重新审查的意见：

（一）基础资料、数据失实的；

（二）评价方法选择不当的；

（三）对不良环境影响的分析、预测和评估不准确、不深入，需要进一步论证的；

（四）预防或者减轻不良环境影响的对策和措施存在严重缺陷的；

（五）环境影响评价结论不明确、不合理或者错误的；

（六）未附具对公众意见采纳与不采纳情况及其理由的说明，或者不采纳公众意见的理由明显不合理的；

（七）内容存在其他重大缺陷或者遗漏的。

第二十一条 有下列情形之一的，审查小组应当提出不予通过环境影响报告书的意见：

（一）依据现有知识水平和技术条件，对规划实施可能产生的不良环境影响的程度或者范围不能作出科学判断的；

（二）规划实施可能造成重大不良环境影响，并且无法提出切实可行的预防或者减轻对策和措施的。

第二十二条 规划审批机关在审批专项规划草案时，应当将环境影响报告书结论以及审查意见作为决策的重要依据。

规划审批机关对环境影响报告书结论以及审查意见不予采纳的，应当逐项就不予采纳的理由作出书面说明，并存档备查。有关单位、专家和公众可以申请查阅；但是，依法需要保密的除外。

第二十三条 已经进行环境影响评价的规划包含具体建设项目的，规划的环境影响评价结论应当作为建设项目环境影响评价的重要依据，建设项目环境影响评价的内容可以根据规划环境影响评价的分析论证情况予以简化。

第四章 跟踪评价

第二十四条 对环境有重大影响的规划实施后，规划编制机关应当及时组织规划环境影响的跟踪评价，将评价结果报告规划审批机关，并通报环境保护等有关部门。

第二十五条 规划环境影响的跟踪评价应当包括下列内容：

（一）规划实施后实际产生的环境影响与环境影响评价文件预测可能产生的环境影响之间的比较分析和评估；

（二）规划实施中所采取的预防或者减轻不良环境影响的对策和措施有效性的分析和评估；

（三）公众对规划实施所产生的环境影响的意见；

（四）跟踪评价的结论。

第二十六条 规划编制机关对规划环境影响进行跟踪评价，应当采取调查问卷、现场走访、座谈会等形式征求有关单位、专家和公众的意见。

第二十七条 规划实施过程中产生重大不良环境影响的，规划编制机关应当及时提出改进措施，向规划审批机关报告，并通报环境保护等有关部门。

第二十八条 环境保护主管部门发现规划实施过程中产生重大不良环境影响的，应当及时进行核查。

经核查属实的，向规划审批机关提出采取改进措施或者修订规划的建议。

第二十九条　规划审批机关在接到规划编制机关的报告或者环境保护主管部门的建议后，应当及时组织论证，并根据论证结果采取改进措施或者对规划进行修订。

第三十条　规划实施区域的重点污染物排放总量超过国家或者地方规定的总量控制指标的，应当暂停审批该规划实施区域内新增该重点污染物排放总量的建设项目的环境影响评价文件。

第五章　法律责任

第三十一条　规划编制机关在组织环境影响评价时弄虚作假或者有失职行为，造成环境影响评价严重失实的，对直接负责的主管人员和其他直接责任人员，依法给予处分。

第三十二条　规划审批机关有下列行为之一的，对直接负责的主管人员和其他直接责任人员，依法给予处分：

（一）对依法应当编写而未编写环境影响篇章或者说明的综合性规划草案和专项规划中的指导性规划草案，予以批准的；

（二）对依法应当附送而未附送环境影响报告书的专项规划草案，或者对环境影响报告书未经审查小组审查的专项规划草案，予以批准的。

第三十三条　审查小组的召集部门在组织环境影响报告书审查时弄虚作假或者滥用职权，造成环境影响评价严重失实的，对直接负责的主管人员和其他直接责任人员，依法给予处分。

审查小组的专家在环境影响报告书审查中弄虚作假或者有失职行为，造成环境影响评价严重失实的，由设立专家库的环境保护主管部门取消其入选专家库的资格并予以公告；审查小组的部门代表有上述行为的，依法给予处分。

第三十四条　规划环境影响评价技术机构弄虚作假或者有失职行为，造成环境影响评价文件严重失实的，由国务院环境保护主管部门予以通报，处所收费用 1 倍以上 3 倍以下的罚款；构成犯罪的，依法追究刑事责任。

第六章　附　则

第三十五条　省、自治区、直辖市人民政府可以根据本地的实际情况，要求本行政区域内的县级人民政府对其组织编制的规划进行环境影响评价。具体办法由省、自治区、直辖市参照《中华人民共和国环境影响评价法》和本条例的规定制定。

第三十六条　本条例自 2009 年 10 月 1 日起施行。

天津市城乡规划条例

（2009年11月19日天津市第十五届人大常委会第十三次会议通过）

第一章　总　则

第一条　为了加强城乡规划管理，协调城乡空间布局，改善人居环境，促进经济社会全面协调可持续发展，根据《中华人民共和国城乡规划法》等有关法律、法规，结合本市实际情况，制定本条例。

第二条　在本市制定和实施城乡规划，进行各类建设，必须遵守本条例。

本市全部行政区域是城市规划区范围。

本市地下空间的开发利用应当纳入城乡规划，实施规划管理。

第三条　本市坚持先规划后建设原则。城乡规划是进行规划管理和各类建设的依据。各类建设活动必须符合城乡规划，服从规划管理。

第四条　市人民政府统一负责本市城乡规划的制定和实施。

区、县人民政府依照本条例和本市城市总体规划，负责本行政区域城乡规划的制定和实施。

乡、镇人民政府依照本条例和本区县总体规划，负责乡、镇行政区域城乡规划的制定和实施。

市和区、县人民政府应当向同级人民代表大会常务委员会报告城乡规划的制定和实施情况，并接受监督。

第五条　市规划委员会依据其职能对重要的规划事项进行审议，为市人民政府提供规划决策依据。

第六条　本市城乡规划工作实行统一领导下的分级管理。

市城乡规划主管部门负责本市行政区域内的规划管理工作，并根据工作需要设立派出机构，负责指定区域的规划管理工作。

区、县城乡规划主管部门，在市城乡规划主管部门的领导下，负责本行政区域内的规划管理工作。

区、县城乡规划主管部门根据工作需要，在乡、镇设立派出机构，承办指定区域的规划管理工作。

乡、镇人民政府负责本行政区域内的规划管理工作。

规划管理权限的具体划分，由市人民政府规定。

第七条　制定和实施城乡规划，应当遵循下列原则：

（一）科学预测城乡发展未来，城乡统筹、合理布局，促进经济、社会和环境协调发展，改善人居环境，坚持经济效益、社会效益、环境效益相统一。

（二）符合国家和本市实际情况，统筹协调近期建设和长远发展、局部利益和整体利益、经济发展和生态环境的关系。

（三）保障社会公共利益，符合城市消防、抗震、防洪、防灾减灾、人民防空等要求，维护公共安全、公共医疗卫生，改善城市交通和市容景观。

（四）坚持建设资源节约型、环境友好型社会的方针，坚持科学、适用和经济的原则，合理用地、节约用地，保护耕地，统筹安排地下空间的开发利用。

（五）促进城乡协调发展，合理确定城乡空间布局和建设规模，引导工业、人口和土地利用适当集中。

（六）保护历史文化遗产，保护历史文化街区、名镇、名村、自然景观，保护具有重要历史意义、文化艺术和科学价值的文物古迹、建筑群、建筑物和古树名木。

（七）遵循公开、民主的原则，通过多种形式听取公众的意见和建议。

第八条　各级人民政府应当将城乡规划的编制和管理经费纳入本级财政预算，但建设单位编制的修建性详细规划除外。

市和区、县人民政府应当对编制镇规划、乡规划和村庄规划给予财政支持。

第九条　规划管理应当采用先进的科学技术手段，建立统一的电子网络系统，实现城乡规划信息资源共享，增强城乡规划的科学性，提高城乡规划实施及监督管理的效能。

本市建设项目的规划许可审批应当统一标准、统一规范。

第十条　任何单位和个人未经法定程序不得改变或者废止依法制定的城乡规划。

任何单位和个人都有遵守城乡规划的义务，并有权对违反城乡规划的行为进行检举和控告。

第二章　城乡规划的制定和修改

第十一条　本市编制城乡规划，应当编制城市规划、镇规划、乡规划和村庄规划。

编制城市规划和镇规划，分为总体规划和详细规划。详细规划分为控制性详细规划和修建性详细规划。

在总体规划的基础上，应当编制专业规划和近期建设规划；根据需要可以编制分区规划。

在总体规划或者分区规划的基础上，应当编制控制性详细规划。

第十二条　编制城乡规划应当以上一级城乡规划为依据，其内容应当符合法律、法规、规章和技术规定，体现城市设计的要求。

编制城乡规划，应当具备勘察、测绘、地震、水文、环境等基础资料。编制城乡规划前，对规划用地布局、建设项目可能造成影响的工程地质条件等情况，应当进行勘察。

编制城乡规划，应当使用统一的坐标系、高程系和现势地形图。

第十三条　编制城乡规划应当按照计划进行。城乡规划编制计划由市城乡规划主管部门组织编制，报市人民政府批准后实施。

第十四条　编制城乡规划应当按照有关规定和规范，结合本地区实际情况，统筹安排居住、公共设施、工业、仓储、道路交通、市政基础设施、绿化等各类建设用地。

在各类规划中，应当根据规划内容和深度要求，划定基础设施、轨道交通、道路、河道、绿化用地、历史文化街区以及历史建筑等规划控制线。

第十五条　城乡规划报送审批前，城乡规划组织编制机关应当依法将规划草案予以公告，并采取论证会、听证会或者其他方式征求有关部门、专家和公众的意见。总体规划的公告时间不得少于三十日。

公告期内，公众可以向城乡规划组织编制机关对规划方案提出书面意见和建议。城乡规划组织编制机关应当充分考虑有关意见和建议，并在报送审批的材料中附具意见采纳情况和理由。

城乡规划组织编制机关应当自批准之日起二十个工作日内向社会公布经依法批准的城乡规划。

第十六条　城乡规划组织编制机关应当委托具有相应资质等级的单位承担城乡规划的具体编制工作。外省市规划编制单位在本市从事规划编制的，应当向市城乡规划主管部门备案。

第十七条　经批准的城乡规划文件副本自批准之日起三个月内，由原报批单位按照国家和本市的有关规定，移交城市建设档案管理部门存档。

第十八条　本市城市总体规划，由市人民政府组织编制，经市人民代表大会常务委员会审议，报国务院审批。

区、县总体规划，由所在区、县人民政府组织编制，经区、县人民代表大会常务委员会审议，报市人民政府审批。

中心镇的总体规划，由所在区、县城乡规划主管部门组织编制，其他镇的总体规划由镇人民政府组织编制，经镇人民代表大会审议，报区、县人民政府审批，并报市人民政府审批。

历史文化名镇的总体规划，由所在区、县人民政府组织编制，报市人民政府审批。

国家批准的功能区总体规划，由功能区管理机构组织编制，并应当征求有关区、县人民政府和有关主管部门的意见，经市城乡规划主管部门综合平衡后，报市人民政府审批。

市人民政府批准的功能区总体规划，由所在区、县人民政府会同市城乡规划主管部门组织编制，报市人民政府审批。

第十九条 编制本市城市总体规划、区县总体规划，应当组织开展原总体规划实施评价和城市发展定位、人口规模及空间分布、各类建设用地需求、生态环境保护、城市特色等相关专题研究，作为编制总体规划的基础。

第二十条 市历史文化名城保护规划和历史文化街区保护规划，由市城乡规划主管部门组织编制，报市人民政府审批。

工业、商业服务设施、市政基础设施、公共医疗卫生设施、生态环境保护、防灾减灾等其他各项专业规划，由有关专业主管部门组织编制，经市城乡规划主管部门综合平衡，或者由市城乡规划主管部门会同有关专业主管部门组织编制，报市人民政府审批。

城市雕塑专业规划，由城乡规划主管部门按照市人民政府的规定组织编制，报同级人民政府审批。

第二十一条 市近期建设规划，由市城乡规划主管部门组织编制，报市人民政府审批后，报国务院备案。

区、县近期建设规划，由区、县城乡规划主管部门组织编制，报区、县人民政府审批后，报市人民政府备案。

镇的近期建设规划，由镇人民政府组织编制，报区、县人民政府审批后，报市人民政府备案。

国家批准的功能区近期建设规划，由功能区管理机构负责组织编制，经市城乡规划主管部门综合平衡，报市人民政府审批。

第二十二条 国家级风景名胜区的总体规划，由市城乡规划主管部门会同市建设主管部门组织编制，经市人民政府审查同意后，报国务院审批。

国家级风景名胜区的详细规划，由市建设主管部门组织编制，市城乡规划主管部门综合平衡，经市人民政府同意后，报国务院建设主管部门审批。

市级风景名胜区的总体规划，由风景名胜区所在地的区、县人民政府组织编制，经市城乡规划主管部门会同市建设主管部门审查同意后，报市人民政府审批。

市级风景名胜区的详细规划，由风景名胜区所在地的区、县人民政府组织编制，报市城乡规划主管部门审批。

第二十三条 市人民政府确定需要编制分区规划的，由市城乡规划主管部门会同有关区人民政府组织编制，报市人民政府审批。

第二十四条 中心城区的控制性详细规划，由市城乡规划主管部门组织编制，报市人民政府审批后，报国务院和市人民代表大会常务委员会备案。

中心城区、滨海新区范围以外环城四区的区域和城市总体规划确定的新城、中心镇以及历史文化名镇、市人民政府批准的功能区的控制性详细规划，由区、县城乡规划主管部门组织编制，经区、县人民政府批准后，报市人民政府和区、县人民代表大会常务委员会备案。

新城、中心镇、历史文化名镇以外的其他镇的控制性详细规划，由镇人民政府组织编制，报区、县人民政府审批后，报市人民政府和区、县人民代表大会常务委员会备案。

中心城区范围以外国家批准的功能区的控制性详细规划，由其管理机构或者其城乡规划主管部门组织编制，报市城乡规划主管部门审批。

编制控制性详细规划，可以连同地下空间控制性详细规划一并编制。

第二十五条　乡、镇人民政府组织编制乡规划、村庄规划，报区、县人民政府审批。村庄规划在报送审批前，应当经村民会议或者村民代表会议讨论同意。

第二十六条　中心城区、环城四区、滨海新区和新城规划范围内的镇、乡和村庄，不再单独编制镇规划、乡规划和村庄规划。

镇总体规划确定的镇规划范围内的村庄，不再单独编制村庄规划。

第二十七条　本市城市总体规划、区县总体规划、镇总体规划、国家批准的功能区总体规划的组织编制机关，应当组织有关部门和专家定期对规划实施情况进行评估，并采取论证会、听证会或者其他方式征求公众意见。组织编制机关应当向本级人民代表大会常务委员会、镇人民代表大会和原审批机关提出评估报告并附具征求意见的情况。

第二十八条　总体规划组织编制机关根据社会、经济、环境和城乡发展的需要，在符合有关法律、法规规定的条件下，可以申请对总体规划进行局部修改。

修改总体规划前，组织编制机关应当对原规划的实施情况进行总结，并向原审批机关报告；修改涉及总体规划强制性内容的，应当先向原审批机关提出专题报告，经同意后，方可编制修改方案。

修改后的总体规划应当依照法定的审批程序报批，并向社会公布。

第二十九条　修改近期建设规划的，组织编制机关应当对原规划的实施情况进行总结，对修改的必要性进行论证，并将修改后的近期建设规划按照原审批程序审批后，报总体规划审批机关备案。

第三十条　有下列情形之一的，组织编制机关可以按照规定的权限和程序对控制性详细规划进行修改：

（一）因总体规划发生变化；

（二）市政基础设施或者公共服务设施难以满足城镇发展需要，且不具备更新条件；

（三）因实施国家、本市重点建设项目需要修改；

（四）因经济社会发展和公共利益需要，组织编制机关认为确需修改。

第三十一条　修改控制性详细规划的，组织编制机关应当对修改的必要性进行论证，征求规划地段内利害关系人的意见，并向原审批机关提出专题报告，经原审批机关同意后，方可编制修改方案。

修改后的控制性详细规划，应当依照本条例规定的审批程序审批。

控制性详细规划修改涉及总体规划强制性内容修改的，应当先修改总体规划。

第三十二条　因经济和社会发展需要修改其他各类城乡规划的，应当按照原审批程序审批。

第三章　城乡规划的实施

第三十三条　在建成区以外的区域进行集中成片开发建设活动，必须坚持统一规划、合理布局、因地制宜、综合开发、配套建设的原则。

新建大中型工业项目，应当安排在规划建设的工业区。

第三十四条　旧区改造应当遵循有利维护、合理利用，调整布局、逐步改善的原则，统一规划，分期实施。

旧区改造涉及污染环境的项目，应当按照环境保护的标准和要求进行治理，改善城乡居民的居住环境质量。

旧区改造涉及历史文化街区、历史建筑的，应当遵守有关法律、法规规定，符合相关保护规划的要求。在历史文化街区核心保护范围内，不得进行新建、扩建活动，但新建、扩建必要的基础设施和公共服务设施除外。

第三十五条　山体、湖泊、湿地、景观河道等周边，应当预留绿化带、公共通道，控制视线通廊；周边建设项目的建筑高度、建筑体量应当予以严格控制，其建筑风格、建筑色彩应当与周边环境相协调。

第三十六条　城乡规划主管部门依据控制性详细规划编制细分导则。

第三十七条　市人民政府确定的重点地区、重点项目，由市城乡规划主管部门按照城乡规划和相关规定组织编制城市设计，制定城市设计导则。

前款规定以外其他地区，由区、县城乡规划主管部门组织编制城市设计，制定城市设计导则。

第三十八条　建设项目选址临近或者位于历史文化街区、临近文物保护单位和历史建筑的，其使用性质、建筑风貌应当有利于体现城市传统风貌和文化氛围。

第三十九条　城乡规划确定的各类用地性质和各类控制线，不得擅自改变。确需改变的，应当依照城乡规划修改程序修改规划。

第四十条　各类开发建设活动，应当依据城乡规划合理安排建设用地。

第四十一条　城乡规划主管部门应当参与土地利用年度计划、土地整理储备计划、国有建设用地供应计划和出让方案的编制工作。

第四十二条　为居住区服务的重要的基础设施和各类公共服务设施，应当统一规划，配套建设。

第四十三条　按照国家规定需要有关部门批准或者核准的建设项目，以划拨方式提供国有土地使用权的，建设单位在报送有关部门批准或者核准前，应当向城乡规划主管部门申请选址意见书。

以出让方式提供国有土地使用权的，在国有土地使用权出让前，应当取得城乡规划主管部门提出的规划条件，作为国有土地使用权出让合同的组成部分。

前两款规定以外的建设项目，应当向城乡规划主管部门申请规划条件。

第四十四条　申请办理选址意见书的，应当持申请书、现势地形图等有关材料，向城乡规划主管部门提出申请。城乡规划主管部门自接到申请之日起二十个工作日内审核完毕。符合规定条件的，核发选址意见书。

申请办理规划条件的，应当持申请书、现势地形图及核定用地图等有关材料，向城乡规划主管部门提出申请。城乡规划主管部门自接到申请之日起二十个工作日内，依据规划进行审查，符合规划和相关规定的，书面提出规划条件。

第四十五条　以出让方式提供国有土地使用权办理规划条件，或者以划拨等其他方式提供国有土地使用权办理建设用地规划许可证的，应当核定用地。建设单位应当委托具有相应资质的测绘单位根据城乡规划主管部门的要求绘制核定用地图。

核定用地图经城乡规划主管部门审定后，作为规划条件、建设用地规划许可证的组成部分。

第四十六条　以出让方式取得国有土地使用权的建设项目，在签订国有土地使用权出让合同后，建设单位应当持建设项目的批准、核准、备案文件和国有土地使用权出让合同，向城乡规划主管部门领取建设用地规划许可证。城乡规划主管部门应当在二十个工作日内核发建设用地规划许可证。

城乡规划主管部门在建设用地规划许可证中不得擅自改变作为国有土地使用权出让合同组成部分的规划条件。

第四十七条　以划拨等其他方式取得国有土地使用权的建设项目，建设单位或者个人持选址意见书或者规划条件、现势地形图等有关材料，向城乡规划主管部门提出建设用地规划许可申请。城乡规划主管部门应当自接到申请之日起二十个工作日内核发建设用地规划许可证。

第四十八条　建设单位在取得建设用地规划许可证后，方可向市或者区、县土地主管部门申请用地，经市或者区、县人民政府审批后，由土地主管部门供地。未取得建设用地规划许可证的，不得批准用地和供地。

第四十九条　与建设项目用地相邻的界外处理土地，由城乡规划主管部门统筹安排规划用途。

第五十条　在本市行政区域内挖沙取土、围填水面、设置废渣和垃圾堆场等改变地形地貌的活动，应当符合城乡规划。

第五十一条　建设用地面积大于两万平方米，或者建设用地位置特别重要的建设项目，应当编制修建性详细规划；其他建设项目应当编制总平面设计方案。

铁路、公路、道路、城市轨道交通、桥梁、河道以及长度大于两千米的各类管线等市政工程建设项目，应当编制市政工程规划方案。

修建性详细规划、总平面设计方案、市政工程规划方案，由城乡规划主管部门在十五个工作日内审定。

经审定的修建性详细规划、总平面设计方案、市政工程规划方案，自审定之日起两年内未申请办理建设工程设计方案审查的，应当申请延期；未申请延期或者申请延期未获批准的，原批准文件失效。

第五十二条　经审定的修建性详细规划、总平面设计方案、市政工程规划方案的建设项目以及其他建设项目，建设单位应当编制建设工程设计方案，报城乡规划主管部门审定。城乡规划主管部门应当在十个工作日内审定完毕。

审定后的建设工程设计方案的总平面图，城乡规划主管部门应当予以公布。

第五十三条　新建、扩建、改建、翻建建筑物、构筑物、道路、管线和城市雕塑等工程，改变建筑物外檐形式，建设单位或者个人应当向城乡规划主管部门申请办理建设工程规划许可证。

第五十四条　申请办理建设工程规划许可证，需要提交下列材料：

（一）使用土地的有关证明文件；

（二）审定的修建性详细规划、总平面设计方案或者市政工程规划方案；

（三）审定的建设工程设计方案；

（四）具有相应测绘资质单位出具的建设工程规划放线测量技术报告；

（五）与规划管理相关的施工图；

（六）其他需要提供的材料。

城乡规划主管部门应当自受理申请之日起二十个工作日内审核完毕。符合规定条件的，核发建设工程规划许可证。

建设单位取得建设工程规划许可证后，施工期间应当在施工工地显著位置公开悬挂经城乡规划主管部门确认的建设工程总平面示意图。

第五十五条　为社会公共利益需要修建的管线等市政基础设施按照规划需要穿越相关用地的，土地权属人应当予以支持，建设单位应当在征得土地权属人意见后，申请办理建设工程规划许可证。

第五十六条　设计单位必须按照规划要求、城市设计导则和有关规定，进行规划设计和建设工程设计；施工单位必须按照建设工程规划许可证的内容进行施工；测绘单位必须按照测绘规范和有关规定进行测绘。

设计、施工和测绘单位不得为违法建设项目进行设计、施工和测绘。

第五十七条　建设单位或者个人需要变更已批准的建设工程规划许可证内容的，应当报原审批部门审批。

第五十八条　因国家和本市重点项目的建设需要，城乡规划主管部门可以对重点项目的特定部位核发建设工程规划许可证。

第五十九条　在乡、村庄规划区范围内的集体土地上，建设乡镇企业、乡村公共设施、公益事业和村民住宅的，建设单位或者个人应当向乡、镇人民政府提出申请，由乡、镇人民政府报区、县城乡规划主管部门审查。符合规划的，由区、县城乡规划主管部门核发乡村建设规划许可证。

在乡、村庄规划区范围内使用原有宅基地建设村民住宅的，区、县城乡规划主管部门可以委托乡、镇人民政府核发乡村建设规划许可证。

第六十条　在乡、村庄规划区范围内的集体土地上建设乡镇企业、乡村公共设施、公益事业和村民住宅的，不得占用农用地；确需占用农用地的，应当依照《中华人民共和国土地管理法》有关规定办理农用地转用审批手续后，由区、县城乡规划主管部门核发乡村建设规划许可证。

第六十一条 建设单位或者个人需要变更乡村建设规划许可内容的，应当经原审批部门审批。

第六十二条 建设单位或者个人临时使用土地，应当向城乡规划主管部门申请，取得建设用地规划许可证。

临时用地的使用期限不得超过两年。确需延长使用期限的，应当按照原审批程序办理延期审批手续，延长使用期限不得超过一年。因城市建设需要终止临时用地时，建设单位或者个人应当无条件腾迁。

禁止在批准临时使用的土地上建设永久性的建筑物、构筑物和其他设施。

第六十三条 建设临时建筑物、构筑物、道路、桥梁、管线和其他工程设施的，建设单位或者个人应当持批准文件、图纸等有关材料，向城乡规划主管部门申请办理建设工程规划许可证。

临时建筑物、构筑物、道路、桥梁、管线和其他工程设施的使用期限不得超过两年，期满后由建设单位或者个人拆除。确需延长使用期限的，应当按照原审批程序办理延期审批手续，延长使用期限不得超过一年。

临时建筑物、构筑物不得改变使用性质。

临时建筑物、构筑物、道路、桥梁、管线和其他工程设施因城市建设需要拆除时，建设单位或者个人应当无条件拆除。

第六十四条 建设单位或者个人应当自核发选址意见书、规划条件、建设用地规划许可证或者审定建设工程设计方案之日起一年内，办理其他相关建设审批手续。逾期未办理或者未经原审批部门同意延期的，原批准文件失效。

建设单位或者个人应当自核发建设工程规划许可证、乡村建设规划许可证之日起一年内进行施工。逾期未施工或者未经原审批部门同意延期的，原批准文件失效。

建设单位或者个人申请延期的，应当在批准文件失效前十五日内向原审批部门提出。

城乡规划主管部门批准延期的次数不得超过两次。

第六十五条 建设项目被撤销或者建设用地使用权被依法收回的，已取得的规划许可审批文件失效。

第六十六条 建设单位或者个人应当在建设项目投入使用前，向城乡规划主管部门申请规划验收，并提供下列材料：

（一）竣工实测成果；

（二）建设工程档案预验收证明；

（三）其他需要提供的材料。

城乡规划主管部门应当在二十个工作日内进行规划验收。对验收合格的，核发建设工程规划验收合格证。

未取得建设工程规划验收合格证的，有关部门不予办理质量备案、准许使用手续和相关权属登记。

第六十七条 建设单位或者个人在建设工程施工区内临时搭建的施工设施和应当拆除的原有建筑，必须在建设工程竣工验收前予以拆除。

第六十八条 建设工程竣工验收合格后，建设单位应当在九十日内向城市建设档案管理部门移交建设工程档案。建设工程档案合格的，由城市建设档案管理部门核发建设工程档案验收认可证。

第六十九条 在选址意见书、建设用地规划许可证、建设工程规划许可证或者乡村建设规划许可证核发后，因依法修改城乡规划给被许可人合法权益造成损失的，应当依法给予补偿。

修改修建性详细规划或者建设工程设计方案的总平面图，城乡规划主管部门应当以公告等方式告知利害关系人，并采取听证会、座谈会、协调会、征求意见会等形式，听取利害关系人的意见；因修改给利害关系人合法权益造成损失的，由提出修改要求的当事人依法给予补偿。

第四章　监督检查

第七十条　市和区、县人民政府及其城乡规划主管部门应当依法对城乡规划的编制、审批、实施、修改和相关建设活动进行监督检查，并将监督检查情况向社会公布。

第七十一条　建设单位或者个人应当按照建设工程规划许可证或者乡村建设规划许可证的要求施工，接受城乡规划主管部门的监督检查。

城乡规划主管部门的工作人员履行监督检查职责，应当对建设工程是否符合建设工程规划许可证或者乡村建设规划许可证的要求进行查验。被检查的单位或者个人应当如实提供情况和必要的资料，不得拒绝和阻挠。检查人员应当为被检查的单位或者个人保守技术秘密和商业秘密。

第七十二条　城乡规划主管部门违规编制、审批、修改城乡规划、审批建设项目或者进行规划验收的，由同级人民政府或者上级城乡规划主管部门责令其撤销或者直接予以撤销，并通报批评，责令限期整改。

区、县人民政府违规编制、审批、修改城乡规划、对违法建设行为不依法履行监督检查职责，或者监督检查不力的，由市城乡规划主管部门报市人民政府决定撤销或者责令履行职责。

有前两款所列行为情节严重或者逾期不改正的，市人民政府可以决定暂停审批该区、县城乡规划，暂停该区、县的规划实施的行政审批。暂停期间，其行政审批由市城乡规划主管部门行使。

第七十三条　建设单位或者个人进行违法建设，拒不停止建设、拒不改正或者拒不拆除的，城乡规划主管部门可以暂停审批该单位或者个人的其他建设项目。

第五章　法律责任

第七十四条　未取得建设工程规划许可证或者未按照建设工程规划许可证的规定进行建设的，由城乡规划主管部门责令停止建设；尚可采取改正措施消除对规划实施影响的，限期改正，并可处以建设工程造价百分之五以上百分之十以下的罚款；无法采取改正措施消除影响的，限期拆除，不能拆除的，没收实物或者违法收入，并可处以建设工程造价百分之五以上百分之十以下的罚款。

第七十五条　建设单位或者个人有下列行为之一的，由所在地的城乡规划主管部门责令限期拆除，并可处以临时建设工程造价一倍以下的罚款：

（一）未经许可进行临时建设；

（二）未按照许可内容进行临时建设；

（三）临时建筑物、构筑物超过许可使用期限不拆除。

第七十六条　城乡规划主管部门作出责令停止建设或者限期拆除的决定后，当事人不停止建设或者逾期不拆除的，建设工程所在地的区、县人民政府可以责成有关部门采取查封施工现场、强制拆除等措施。强制拆除过程中发生的相关费用，由违法建设的单位或者个人承担。

第七十七条　在乡、村庄规划区范围内未依法取得乡村建设规划许可证或者未按照乡村建设规划许可证的规定进行建设的，由乡、镇人民政府责令停止建设、限期改正；拒不停止建设或者逾期不改正的，由乡、镇人民政府强制拆除。强制拆除过程中发生的相关费用，由违法建设的单位或者个人承担。

第七十八条　违法建设的建设单位或者个人无法确定的，城乡规划主管部门应当在公共媒体和违法建设所在地发布公告，公告期不得少于十日。公告期满不接受处理的，由城乡规划主管部门报经同级人民政府批准后，强制拆除。

第七十九条 未按照规定悬挂建设工程总平面示意图的，由城乡规划主管部门责令限期改正；逾期不改正的，处以五千元以上一万元以下的罚款。

第八十条 建设工程投入使用前不申请规划验收的，由城乡规划主管部门责令限期改正，并可处以一万元以上十万元以下的罚款。

第八十一条 未按照规定向城市建设档案管理部门移交建设工程档案的，由城乡规划主管部门责令限期改正；逾期不改正的，处以一万元以上十万元以下的罚款；对单位直接负责的主管人员和其他直接责任人员处以单位罚款数额百分之五以上百分之十以下的罚款。

未按照规定移交城乡规划副本的，对直接负责的主管人员由其所在单位或者上级主管部门给予行政处分。

第八十二条 未按照规划要求和有关规定进行设计，或者为违法建设项目进行设计的，由城乡规划主管部门责令限期改正，没收违法所得，并可处以违法建设部分的标准设计费百分之二十以上百分之一百以下的罚款；并可由市城乡规划、建设主管部门按照职责分工，决定停止其两年以内在本市承担规划设计和参与建筑设计投标，并将处理决定抄送相关资质管理机构。对直接责任人员，由城乡规划主管部门给予警告，并可处以五千元以上五万元以下的罚款；并可由市城乡规划、建设主管部门按照职责分工，决定停止其两年以内在本市承担设计任务，并将处理决定抄送相关资格管理机构。

第八十三条 未按照建设工程规划许可的内容施工的，或者为违法建设项目施工的，由城乡规划主管部门责令停止施工，没收违法所得，并可处以标准施工费百分之二十以上百分之一百以下的罚款；拒不停止施工的，由建设主管部门决定停止其两年以内在本市参与施工投标。

第八十四条 未按照测绘规范和有关规定进行测绘的，或者为违法建设项目测绘的，由城乡规划主管部门责令停止测绘，没收违法所得，并可处以标准测绘费百分之二十以上百分之一百以下的罚款；拒不停止测绘的，由测绘主管部门决定停止其两年以内在本市参与测绘投标。

第八十五条 违法建设单位或者个人以及施工单位接到停止施工的通知后拒不停止施工的，由城乡规划主管部门告知电力、水务行政主管部门；电力、水务行政主管部门应当通知供电、供水企业停止为其提供施工用电、用水。

第八十六条 建设单位或者个人以欺骗、贿赂等手段取得规划许可的，由城乡规划主管部门予以撤销，并可处以一万元以上十万元以下的罚款；该建设单位或者个人在三年内不得申请该规划许可；构成犯罪的，依法追究刑事责任。

第八十七条 妨碍和阻挠城乡规划主管部门工作人员依法履行职责，违反《中华人民共和国治安管理处罚法》规定的，由公安机关依法予以处罚；构成犯罪的，依法追究刑事责任。

第八十八条 城乡规划主管部门及其工作人员玩忽职守、滥用职权、徇私舞弊的，由其所在单位或者上级主管部门对直接负责人或者主管人员给予行政处分；构成犯罪的，依法追究刑事责任。

第六章 附 则

第八十九条 法律、法规对国家批准的功能区的规划管理另有规定的，从其规定。

第九十条 本条例自 2010 年 3 月 1 日起施行。1991 年 12 月 21 日天津市第十一届人民代表大会常务委员会第三十一次会议通过、1994 年 5 月 25 日天津市第十二届人民代表大会常务委员会第八次会议修正、2006 年 9 月 7 日天津市第十四届人民代表大会常务委员会第三十一次会议修订的《天津市城市规划条例》，同时废止。

关于印发《天津市规划局信息公开规定（暂行）》的通知

（2009年1月15日天津市规划局　规法字〔2009〕32号）

各有关单位、局机关各处室：

《天津市规划局信息公开规定（暂行）》于1月12日经2009年第1次局长办公会审议通过，现印发给你们，请遵照执行。

天津市规划局信息公开规定（暂行）

第一章　总　则

第一条　为了促进我局信息公开的规范化、制度化，保障公民、法人和其他组织依法获取信息，根据《中华人民共和国政府信息公开条例》、《天津市政府信息公开规定》以及有关规定，制定本规定。

第二条　本规定所称信息，是指我局在履行职责过程中制作或者获取的，以一定形式记录、保存的政府信息。

应当予以公开的信息包括主动公开的信息和依申请公开的信息。

第三条　我局成立信息公开领导小组，领导信息公开工作和信息公开的重大事项决策工作。组长为局长，副组长为常务副局长，其他局领导，各行政、业务处室处长为成员。

局保密委员会负责对拟公开信息的保密审查工作。

第四条　局信息公开办公室负责信息公开领导小组的日常工作，负责组织编制信息公开指南、信息公开目录和信息公开年报，负责向市政府指定的机构提供主动公开信息，并具体负责局行政公文信息公开和维护。

业务处负责局业务信息公开工作，并具体负责维护和更新公开的业务信息。

信访办负责对依申请信息公开的接待、登记、协调、监督工作。

政策法规研究处负责城乡规划、测绘、地名、城建档案等法律、法规、规章以及行政规范性文件信息公开工作。

局信息中心负责对政务网信息公开内容提供技术支持。

局机关其他各处室协助信息公开责任处室做好相关信息公开工作。

第五条　各区县规划局、派出机构应当成立信息公开领导小组，确定信息公开责任部门，在信息公开内容、方式、程序等方面执行本规定。

第二章　主动公开的信息

第六条　下列信息应当主动公开：

（一）机构设置、职责权限、办事指南以及局工作计划、工作总结等文件。

（二）城乡规划、测绘、地名、城建档案等法律、法规、规章和行政规范性文件。

（三）依法定程序批准并已生效的城乡规划、地名规划。

（四）依法审定的修建性详细规划、建设工程设计方案的总平面图。

（五）行政许可的事项、依据、条件、程序、期限以及申请行政许可需要提交的全部材料目录和行政许可结果。

（六）非行政许可审批的事项、依据、条件、程序、期限以及需要提交的全部材料目录。

（七）测绘成果目录。

（八）报市人民政府批准公布的乡镇行政区域界线的标准画法图和国家审核公布范围以外的本市重要地理信息数据。

（九）地名命名、更名审批结果。

（十）规划设计方案公开招标（征集）信息。

（十一）城乡规划监督检查情况和处理结果。

（十二）法律、法规、规章规定主动公开的其他信息。

第七条 我局拟发布的信息涉及其他单位工作内容或者发布后可能对其他单位工作产生影响的，应当及时向所涉及单位发送《天津市政府信息发布协调函》和拟发布信息全文，书面征求意见。

书面回复同意的，按照信息公开相应工作规程向公众公开发布信息。书面回复不同意的，应当立即指派专人与被征求意见单位进行协商解决；经协商被征求意见单位仍不同意的，应当立即报请市政府信息公开主管部门协调解决，由市政府信息公开主管部门确定该信息是否可以公开发布。

第八条 主动公开的信息，应当通过政府公报、政务网、新闻发布会以及报刊、广播、电视等便于公众知晓的方式公开。

第九条 我局应当在办公场所或者行政许可服务中心、规划展览馆设立资料索取点、信息公告栏、电子信息屏等设施，公开信息。

第十条 主动公开的信息，应当于信息生成或者变更之日起20个工作日内予以公开。法律、法规对信息公开期限另有规定的，从其规定。

在信息公开后2个工作日内，局信息公开办公室应当更新信息公开目录，并在信息公开后10个工作日内，将列入信息公开目录的信息，向市政府信息查阅场所提供主动公开的信息纸质原件文本一式3份。

对已提供的主动公开的信息作出修改或者废止的，应当及时提供修改后的信息或者进行废止说明。

第三章 依申请公开的信息及程序

第十一条 除主动公开和不予公开的信息以外，公民、法人或者其他组织可以根据自身生产、生活、科研等特殊需要，向我局申请获取相关信息。

第十二条 公民、法人或者其他组织向我局申请获取信息的，应当提供下列文件：

（一）身份证、护照、军官证等身份证明文件及其复印件，未成年人的户口本及其复印件和法定代理人的身份证明文件及其复印件。

（二）申请书。内容包括申请人的姓名或者名称、联系方式，申请公开的信息的内容描述，申请公开的信息的形式要求。

（三）信息与申请人生产、生活、科研等特殊需要相关的证明文件，但当事人身份证明文件能够证明需要的除外。

申请人应当采用信函、传真、电子邮件等书面形式申请公开信息。采用书面形式确有困难的，申请人可以口头提出，由受理该申请的有关人员代为填写信息公开申请，由申请人签字或者按指膜确定。

申请人可以委托代理人提出信息公开申请，申请时应当出示申请人、代理人的有效身份证明文件以及授权委托书。律师代理的，应当出示执业证书。

第十三条 我局认为需要当面核实有关身份证明的，可以要求申请人到指定的受理点接受核实，或采取其他有效形式核实。

申请人不提供有关证明文件或者申请代理人不出示申请人、代理人有效证件以及授权委托书的，不予受理该申请。

不予受理的，应当将情况登记保存，并书面告知申请人。

第十四条 我局认为申请公开的信息涉及商业秘密、个人隐私以及公开后可能损害第三方合法权益的，应当采取书面形式，送达第三方征求意见，并明确答复期限。第三方明确表示同意公开的，可以公开；第三方不同意公开的，不得公开；第三方未在要求的期限内答复的，视为不同意公开。但不公开信息可能对公共利益造成重大影响的，应当予以公开，并将决定公开的信息内容和理由书面通知第三方。

第十五条 申请人到我局申请信息公开的，由信访办统一受理。能够当场答复的，应当当场予以答复；不能当场答复的，自收到申请之日起15个工作日内书面答复申请人。

需要延长答复期限的，由信访办报分管局长同意后可以适当延长，并书面告知申请人，延长期限不得超过15个工作日。

申请公开的信息涉及第三方权益的，征求第三方意见所需时间不计算在前款规定的期限内。

第十六条 申请公开的信息，经过审查，视不同情况分别作出答复：

（一）属于依申请公开范围的，应当当场或者在规定的期限内答复申请人。

（二）属于主动公开范围的，应当当场告知申请人查询途径，并提供详细的查询方法。

（三）属于不予公开范围的，应当当场或者在规定的期限内告知申请人并说明理由。

（四）申请公开的信息不存在的，应当当场或者在规定的期限内告知申请人。

（五）依法不属于我局公开的，应当当场告知申请人。对能够确定该信息公开机关的，应当告知申请人该行政机关的名称、联系方式；对不能够确定该信息公开机关的，应当告知申请人向市或者区县政府信息公开工作主管部门咨询。

（六）申请内容不明确的，应当一次性告知申请人作出补充、修改。申请人进行补充、修改后重新提交申请书的，作为提交新的申请，重新计算答复期限。

（七）对申请人提出与本人生产、生活、科研等特殊需要无关的信息公开申请，可以不予提供信息。

第十七条 申请公开的信息中含有不予公开的内容，但是能够作区分处理的，应当向申请人提供可以公开的信息内容。

申请人申请公开的信息是由我局会同其他行政机关共同制作或者保存的，我局应当向申请人提供该信息。

同一申请人向我局就同一内容反复提出的信息公开申请，我局已经答复的，可以不再答复。

按照申请人提供的联系方式无法提供信息的，信访办应当将该申请书登记后留存，留存时间为一年。

第十八条 我局应当按照申请人要求的形式提供信息。

无法按照申请人要求的形式提供的，可以通过安排申请人查阅相关资料、提供复制件或者其他适当形式提供。

依申请提供的信息，申请人应当签收。

第十九条 因不可抗力或者其他法定事由不能在规定的期限内答复申请人或者向申请人提供信息的，期限中止，待障碍消除后恢复计算。

期限的中止和恢复，应当及时书面通知申请人。

第二十条 依申请提供信息，可以按照物价部门规定的标准，向申请人收取公开信息过程中发生的检索费、复制费、邮寄费。

申请人符合低保和低收入困难条件的，凭有关证明，经局分管领导批准，可以减免收费。

申请人属于非盈利组织或者其他公益团体的，凭有关证明，经局分管领导批准，可以减免收费。

属于主动公开的信息，不得收取任何费用。

第四章 不予公开的信息

第二十一条 下列信息不予公开：

（一）依法需要批准，未经批准的。

（二）公开后可能危及国家安全、公共安全、经济安全和社会稳定的。

（三）电力、燃气、热力、通信、给排水、污水处理、供气、防洪、人防、地铁等城市基础设施现状和规划图文信息，以及其他信息，依照国家和本市有关规定确定为国家秘密或者公开后可能导致国家秘密被泄漏的。

（四）依法受保护的商业秘密或者公开后可能导致商业秘密被泄漏的。

（五）依法受保护的个人隐私或者公开后可能导致个人合法权益受到损害的。

（六）法律、法规、规章和有关规定禁止公开的其他信息。

前款第（四）项、第（五）项规定的信息，经权利人同意公开或者不公开可能对公共利益造成重大影响的，可以予以公开。

第二十二条　本规定所称可能危及社会稳定的信息主要包括下列内容：

（一）审查、讨论中的规划方案、建筑设计方案，尚未决定公开征求意见的。

（二）草拟、审议中的地方性法规、规章、行政规范性文件草稿，尚未决定公开征求意见的。

（三）与行政执法有关，公开后可能影响执法活动或者危及公民、法人或者其他组织合法权益的。

第二十三条　本规定所称的商业秘密和个人隐私的信息主要包括下列内容：

（一）审批过程中，城乡规划编制单位或者建设单位向城乡规划主管部门提交的申请资料。

（二）城乡规划主管部门在行使行政管理职权过程中掌握的涉及企业的人力配备、技术力量、设备状况、工艺流程、尚未公开的经营盈亏状况、管理经验、建设项目的银行存款证明等商业秘密。

（三）其他涉及企业商业秘密、个人隐私的信息。

第二十四条　不予公开的信息应当在每季度末最后一个工作周，由局信息公开办公室上报市政府信息公开办公室备案。

备案内容包括不予公开的信息的标题、文号、密级、生成日期和不予公开的理由等内容。

第五章　信息公开的保密审查

第二十五条　信息形成时,应当同时确定是否属于国家秘密,以及密级、保密期限，并按照国家有关规定做出密级标识；同时还应当确定是否属于可以公开的信息，并做出相应标识。

局信息公开办公室应当定期对已定密的信息进行清理,符合解密条件的,报局长批准后解密。

第二十六条　信息公开前，责任处室应当对拟公开的信息是否属于国家秘密，以及公开后是否危及国家安全、公共安全、经济安全和社会稳定，并对是否涉及商业秘密、个人隐私进行审查。

涉及国家秘密，以及公开后危及国家安全、公共安全、经济安全和社会稳定，可以区分处理的信息，由责任处室提出区分处理意见，并说明理由，送局信息公开办公室审查后，报局保密委员会同意，局长批准，进行区分处理后公开。

涉及商业秘密、个人隐私，可以区分处理的信息，由责任处室提出区分处理意见，并说明理由，报分管局长批准，进行区分处理后公开。

第二十七条　我局对信息是否公开不能确定的，应当报有关主管部门或者市保密工作部门确定。

第六章　附　则

第二十八条　局信息公开办公室应当在每年 3 月 31 日前公布我局信息公开工作年度报告。

第二十九条　信息归档并按照规定已经移交城建档案馆的，应当按照档案查询的有关程序办理。

第三十条　本规定自发布之日起施行。本规定施行前我局的有关规定与本规定不一致的，执行本规定。

关于加强天津市城乡规划巡查工作的通知

(2009年2月11日天津市规划局　规监字〔2009〕83号)

各区县规划局（分局）、滨海分局、开发区建发局、保税区规建局、园区处、执法总队：

按照天津市城乡规划管理体制改革方案要求，为了健全完善城乡规划实施的监督检查体系，构建“两个体系，三个层面，二级督查”的城乡规划实施工作框架，有效遏制违法建设发生，实现对违法建设的及时发现、及时处理的工作目标，决定在全市范围内实施规划巡查工作。现将有关内容通知如下：

一、巡查的依据和目的

依据《中华人民共和国城乡规划法》、《天津市城市规划条例》、《天津市建设工程证后管理规定》、《天津市城乡规划违法行为查处规定》以及有关法律、法规、规章、规范性文件和技术规范，对违法建设等行为实现动态监管。

巡查工作目的是有效遏制规划违法行为的发生，全面发现区县管辖区域内违法建设行为，做到对违法建设行为及时发现、制止有效、查处到位。

二、组织机构及主体

（一）市规划局执法监察处与执法总队联合组建巡查工作督查组，负责对全市范围违法建设巡查工作督查，定期发布督查结果。

（二）市执法总队负责对全市重点项目进行不定期抽查及一网通平台跟踪检查。

（三）区县规划局（分局）、滨海分局、开发区建发局、保税区规建局、园区处负责本管辖区域的巡查工作。

三、巡查范围

为确保全市城乡规划实施巡查工作达到“不漏项、全覆盖”的要求，建立项目巡查和区域巡查两个体系。

（一）项目巡查

1、市管项目：包括市管范围内的建设项目；系统性和跨区县的市政工程项目；涉密的军事建设项目，涉及国家安全的涉密建设项目；全市重要地段、重大题材和具有政治、历史意义的城市雕塑项目；政府交办的建设项目等五类。

2、区管项目：主要指市管项目以外的其它项目。

（二）区域巡查

管辖区范围即为巡查区域。

根据经济发展情况、交通情况、违法建设发生特点，将巡查区划分为三个等级；巡查重点是“六线”及周边地区。

1、一级巡查区为“一河六区”，即：海河上、中游地区，历史文化风貌保护区，大型公园地区，城市风景区，重要文化体育和交通枢纽地区，国家自然保护区和风景名胜区，国家地质公园和森林公园地区及其他禁止建设区。

2、二级巡查区为区县政府所在地，11个新城（蓟县新城、宝坻新城、京津新城、武清新城、宁河新城、汉沽新城、西青新城、静海新城、团泊新城、津南新城、大港新城），30个中心镇（下营镇、马伸桥镇、邦均镇、上仓镇、大口屯镇、林亭口镇、河西务镇、崔黄口镇、王庆坨镇、宁河镇、七里海镇、潘庄镇、茶淀镇、杨家泊镇、双街镇、青光双口镇、辛口镇、张家窝镇、大寺镇、双港镇、葛沽镇、八里台镇、小站镇、华明镇、军粮城镇、独流镇、王口镇、唐官屯镇、小王庄镇、太平镇），城市主次干道及公路干线两侧，城乡结合部。

3、三级巡查区为其它乡镇政府所在地，区县乡道路两侧及成片居民区周围及其它未列入一、二级巡查区的区域。

（三）各分局、区县局巡查主要职责

各分局、区县局负责对本管辖区内经过规划许可审批的建设项目进行全过程监督检查，实行领导负责制，主要领导是第一责任人，分管领导是直接责任人。具体职责如下：

1、健全巡查工作制度，划分巡查区域，确定巡查人员，开展好巡查工作。

2、制定巡查工作计划，按计划进行巡查，明确巡查要求、标准、方法和步骤。

3、建立健全巡查工作台帐，填写《巡查发现违法建设行为情况登记表》。

4、定期对本级和下级巡查人员的巡查情况和巡查效果进行考核和讲评。

5、汇总和分析巡查情况，每月 5 日按时上报上一月巡查月报表及本月巡查计划。

四、巡查内容、方法及要求

（一）巡查的内容

1、检查已开工项目是否取得合法规划许可审批手续。

2、检查已取得建设工程规划许可证的项目是否按规划要求进行建设。

3、未按照批准内容进行临时建设的或临时建筑物、构建物超过批准期限不拆除的违法行为。

4、未经规划许可的违法建设。

5、群众来信、来访举报，或者上级交办、有关单位转办的违法建设。

（二）巡查的方法

1、明确划分巡查责任区域，实行分片包干，责任到人，落实到具体地块。

2、制定巡查计划，按计划进行巡查，明确巡查地块、周期、路线、人员。

3、根据违法案件发生的规律和特点，在施工最佳时期、违法行为多发时段、高发区域和特殊时期要加大巡查频率，必要时可以随时组织人员进行巡查。

4、完善巡查台帐登记制度，强化跟踪管理力度。对每次巡查的时间、路线、巡查人员、发现的问题等都应做出详细的记录，建立巡查台账。台帐登记内容包括巡查时间、巡查人员、巡查路线、巡查情况记录和处理情况。

5、巡查中发现有违法行为的，详细记录在《巡查发现违法建设行为情况登记表》中，巡查发现违法建设行为情况登记表中应载明：违法建设的基本情况，违反规划管理法律法规的基本事实，巡查人员已经采取的制止措施，巡查人员的处理建议。

6、对巡查中发现不属于本级规划管理部门管辖范围或超越处理职权的违法案件，要及时向相关部门移送，并上报市局督察组。

7、分局、区县局要根据实际情况，积极探索行之有效的城乡规划实施巡查方法和途径，特别是充分利用天津市规划系统业务管理“一网通”平台，第一时间掌握项目审批情况，把握项目审批环节的主要节点。结合施工基本流程确定巡查时间，减少超部位、超面积等违法行为的发生。

（三）巡查的要求

1、分局、区县局要建立健全巡查队伍，并配备巡查车辆、通讯工具和外业作业用品等必要的装备，同时在经费、人员补贴等方面予以保障。

2、分局、区县局要严格落实巡查计划和巡查制度，按照巡查重点，划分地块、明确区域、制定路线，确定人员，制定好巡查的周安排、月计划。

3、巡查人员在执行巡查任务时不得少于 2 名，必须按规定着装整齐、持证上岗，在检查和制止违法行为时，必须出示执法监察证件。

4、强化本管辖区内市管项目的跟踪管理。特别是市重点项目、大项目要按市局指定要求做好巡查管理工作。同时做好区管项目的监督检查，确保巡查不漏项。

5、巡查中要把本管辖区内的一、二级巡查区作为巡查重点，形成数个相对固定的巡查闭合路线。一级巡查区每周做到全覆盖巡查不得少于一次，二级巡查区每半月做到全覆盖巡查不得少于一次，三级巡查区每月做到全覆盖巡查不得少于一次。

6、对巡查中发现的新建工程，应先查看“两证一书”是否办理，核实项目名称、座落位置、开工建设时间、项目建设单位、施工单位、设计单位等情况，对建设项目进行现场拍照，如认定是违法建设应按程序查处。

7、市政工程的巡查采取昼间巡查、夜间验槽和集中组织夜查相结合的方法，每月集中组织夜查不少于二次。

五、责任考核

（一）建立巡查工作目标责任考核制度，考核内容包括巡查时间、巡查覆盖率、台帐记录情况、巡查任务完成情况、职责履行情况、案件查处率、案件结案率等。

（二）建立巡查工作问责制，对巡查责任实行追踪制，按照案件发生区域及巡查结果，逐级进行责任追踪。对不落实巡查制度，不履行巡查职责，对违法建设发现不及时、制止不利，或对建设工程违法建设巡查发现和转办后不跟踪监控的，要追究单位负责人和巡查责任人的责任。

（三）执法人员在巡查中徇私舞弊，故意放纵违法行为，甚至暗中支持当事人违法行为的，按照有关规定给予行政处分；情节严重，构成犯罪的，依法移送司法机关。

（四）巡查不到位，对违法建设发现不及时，对责任单位和责任人给予通报批评。

1、市领导、上级部门、局领导发现或被媒体曝光的违法建设。

2、执法监察总队和督查组督查发现的违法建设。

附件（略）

关于中心城区土地细分导则试行的通知

（2009 年 6 月 11 日天津市规划局　规详字〔2009〕491 号）

机关各处室、各规划分局：

为加强中心城区规划管理，规范建设项目规划行政许可审批，制定了《中心城区土地细分导则》（以下简称《导则》），并经局长办公会审议通过。现将《导则》印发试行，并就有关要求通知如下：

一、《导则》是对中心城区控制性详细规划各项控制要求的落实和细化，是指导城市建设、实施规划管理的重要依据之一。相关部门应当认真按照《导则》进行建设项目审批等各项规划管理工作。建设项目不符合《导则》规定的，相关部门不得批准。

二、市局详细规划处负责《导则》的审查报批和动态维护工作；办公室、业务处、建设项目管理处、市政基础设施处、景观环境处等处室按照各自职责进行《导则》管理的相关工作；各规划分局负责本区《导则》的组织编制工作，并配合市局进行《导则》的动态维护工作；市规划院负责《导则》动态维护的技术性工作；局信息中心负责将《导则》成果纳入局域网系统。

三、经批准的《导则》，任何单位和个人不得擅自修改，确需对《导则》进行修改的，应向市局提出修改申请，并按照以下程序办理：

（一）市局办公室收到《导则》修改申请后，转交详细规划处和相关规划分局办理。

（二）详细规划处会同有关部门、处室和规划分局研究提出初审意见，提交专题会审会议研究。不同意修改的，由详细规划处书面函复申请单位并告知理由。原则同意进行《导则》修改论证的，需明确相关规划研究意见和修改要求后，由规划分局组织进行论证，并由市规划院提出《导则》修改论证报告，编制《导则》修改方案。

（三）规划分局对《导则》修改方案进行审核后上报市局，由详细规划处组织相关部门对《导则》修改方案进行会审，并根据需要组织专家评审或征求专业部门意见，有必要的应征求利害关系人的意见，提出《导则》修改审查意见，报局长业务会审议。详细规划处按照局长业务会意见函复申请单位。

（四）市规划院应按照经局长业务会审议通过的修改意见对《导则》进行修改，成果提交详细规划处审核后，转业务处，由局信息中心纳入局域网系统。

四、未按照规定程序进行《导则》修改，或未按照《导则》规定进行建设项目审批的，市局将按照有关规定追究相关部门和人员的责任。

五、试行期间，各有关部门发现问题应及时反馈。详细规划处应及时组织有关部门对《导则》进行深化完善，并组织市规划院按季度对《导则》的修改情况进行汇总分析，提交专题报告。

特此通知

关于印发《天津市建设项目日照分析办法》的通知

（2009年6月23日天津市规划局　规建字〔2009〕521号）

局系统各单位、机关各处室：

为进一步加强规划建设管理工作，促进业务管理工作的制度化、标准化，规范建筑间距的审批依据，《天津市建设项目日照分析办法》经2008年6月13日局长办公会研究通过，并经过一年的内部试运行，于2009年5月7日经局长业务会再次审查通过。现将《天津市建设项目日照分析办法》印发给你们，请在业务管理工作中遵照执行。

天津市建设项目日照分析办法

第一条　为进一步规范建筑日照间距管理工作，根据《天津市城市规划管理技术规定》，制定本办法。

第二条　本市行政区域范围内，建设高层建筑遮挡北侧规划或者保留地块的住宅、敬老院、医院、疗养院、托幼、中小学等有日照要求建筑物的，应当按照本规定进行日照分析。

前款所称日照分析是指由具有相应资质的设计单位，根据建设单位的委托，采用通过国家建设主管部门鉴定的计算机分析软件，模拟计算建设工程规划设计方案中拟建高层建筑，在指定日期对北侧有日照要求建筑物的影响情况，并编制《日照分析报告》的活动。

第三条　《日照分析报告》作为本市各级城乡规划主管部门进行规划管理的参考依据。

第四条　日照分析技术参数按照下列标准设置：

（一）经度为东经117°10′，纬度为北纬39°08′。

（二）住宅的有效日照时间带为大寒日8:00至16:00；其它有日照要求建筑物的有效日照时间带为冬至日9:00至15:00。

（三）时间计算精度为分钟。

（四）时间累计方式为有效时间段全部累计。

（五）太阳高度角不小于8°。

（六）阳光与墙面、窗面夹角不小于15°。

（七）窗分析计算点为外墙面处的窗台中点。

（八）受影面为室内设计地坪以上900mm的平面。

（九）网格间距不大于1000mm，现状住宅不大于500mm。

（十）计算均采用真太阳时。

第五条 日照分析按照下列步骤进行：

（一）建立拟建建筑物计算机模拟模型。

（二）确定日照遮挡客体范围、客体建筑物以及参与遮挡的其它建筑物。

（三）按照电子地形图的建筑物外轮廓建立粗略计算机模拟模型，排除不需要参与分析的建筑物。

（四）绘制拟建建筑物建成后的客体建筑物受影面高度上的外墙轮廓线，等距离布点进行日照时间分析。

（五）客体建筑物的主要采光面在等距离布点日照时间分析不能满足规定日照时间的，对该客体建筑物以及对其形成遮挡的其它建筑物，建立精细计算机模拟模型。

（六）根据需要，对客体建筑物进行拟建建筑物建设前、后逐窗对比分析。

第六条 建设单位委托具有相应资质的设计单位进行日照分析的，应当提供拟建建筑物设计图纸和具有相应测绘资质的测绘单位测绘的现状建筑物图纸，或者相应建筑物竣工图纸。

第七条 客体建筑物以及参与遮挡的其它建筑物建设工程规划设计方案已经城乡规划主管部门审定，或者已经规划许可尚未建成的，日照分析时应当一并考虑。

第八条 建立计算机模拟模型设定标高时，应当需考虑地形实际高差。

建立精细计算机模拟模型的，应当考虑现状建筑参与遮挡的阳台、屋顶凸出物等因素。

客体建筑物阳台扶手栏杆或者客体建筑物产权人、使用人自行安装的隔板、遮阳板等物体对窗户日照遮挡的，建立计算机模拟模型时不予考虑。

第九条 逐窗对比分析的窗户计算基准面应当符合下列要求：

（一）普通窗户以外墙皮位置为计算基准面；转角直角窗、弧形窗、凸窗等特殊窗户，以居室窗洞开口为计算基准面。（见图1）

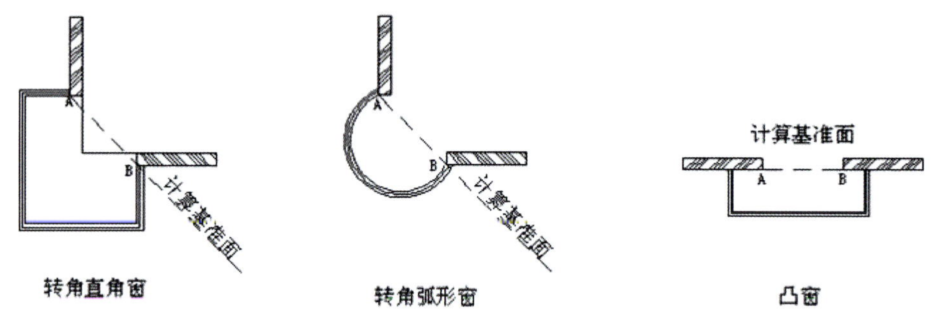

图1 转角直角窗、弧形窗、凸窗计算基准面

（二）两侧均无隔板遮挡的凸阳台，以居室窗户的外墙面为计算基准面。

（三）一侧或者两侧有分户隔板的凸阳台、凹阳台以及半凹半凸阳台，以阳台与外墙相交的墙洞口为计算基准面。（见图2）

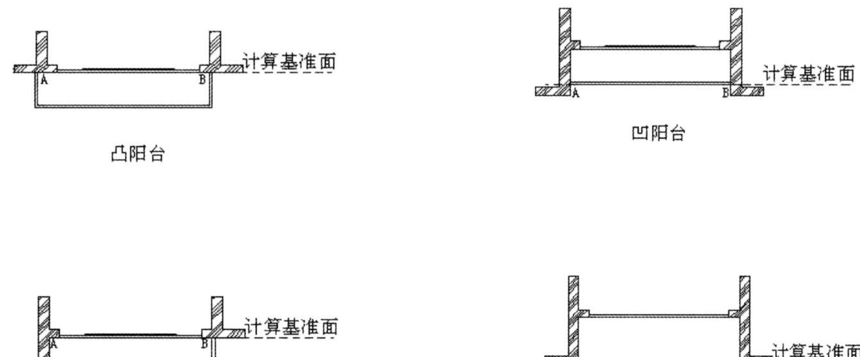

图 2　阳台计算基准面

（四）窗户计算高度（含落地门窗、组合门窗、阳台封窗等形式）按照室内设计地坪以上 900mm 计算。

第十条　《日照分析报告》应当包括下列内容：

（一）委托人名称、地址、法定代表人、联系人以及联系方式。

（二）受委托设计单位名称、地址、法定代表人、资质证书编号、联系人以及联系方式。

（三）日照分析项目情况

1、建设项目名称、地点、用地周边情况、委托分析要求以及周边现势地形图。

2、建设用地内拟建建筑物编号、使用性质、层数、高度以及拟建建筑物总平面图。

3、客体建筑物编号、使用性质、层数、高度以及日照遮挡客体范围图。

4、参与遮挡的建筑物编号、使用性质、层数、高度以及参与遮挡建筑物范围图。

（四）日照分析标准、依据。

（五）分析资料的来源说明。

（六）进行日照分析所使用的分析软件。

（七）日照分析设置的技术参数。

（八）日照分析结果：

1、日照分析模型总平面图。

2、日照分析模型轴测图。

3、拟建建筑物建成后，客体建筑物受影面高度外墙轮廓线上进行的等距离布点日照时间分析图，其中拟建建筑建成后，不满足日照时间规定的点用红色显示。

4、客体建筑物窗位图。

5、逐窗对比分析表，其中不满足日照时间规定的窗用红色显示。

6、日照分析结论，不满足日照时间规定建筑的编号、建设前、后不满足日照时间规定的窗数和户数，以及建设前不满足日照时间规定，建设后恶化的窗数和户数。

7、受委托设计单位盖章。

第十一条　日照遮挡客体范围以外的建筑，不以日照分析控制建筑间距。

第十二条　建设工程规划设计方案调整，拟建建筑物形态改变，突破原审批形态的，应当重新进行日照分析。

第十三条　同一项目进行多次日照分析的，应当使用同一种日照分析软件。

第十四条　拟建建设项目为多幢建筑物的，相互间的日照分析依照本办法，但不超出本项目建设用地范围。

第十五条　建设单位应当对提供图纸的真实性负责，并应当根据具有相应资质的受委托设计单位的要求，在提供的图纸上盖章确认。

建设单位未提供真实图纸进行日照分析，并骗取规划许可的，依照《行政许可法》的有关规定处理。

第十六条 具有相应资质设计单位接受委托进行日照分析，应当采用建设单位提供的图纸、资料，不得为拟建建筑物满足日照时间规定擅自改变图纸、资料的内容，不得出具虚假《日照分析报告》。

具有相应资质设计单位为拟建建筑物满足日照时间规定擅自改变图纸、资料内容，或者出具虚假《日照分析报告》的，为为违法建设进行设计行为，依照《城乡规划法》等有关法律、法规的有关规定处理。

第十七条 本办法所称日照遮挡客体范围，是指以在经过拟建建筑物水平投影最北一点的水平线上形成的拟建建筑物投影线段最西、最东两点（O1、O2）为圆心，以该建筑物高度（H）的 1.61 倍（但不大于 80.5 米）为半径（R），分别形成的弧线，与该水平线北侧距离为 R 的平行线相切；并同经过拟建建筑物水平投影与水平线成 34.81°的最南侧夹角线和经过拟建建筑物水平投影与水平线成 145.19°的最南侧夹角线分别相交，或者上述弧线最东和最西两点的垂线与上述夹角线分别相交，围合的区域。（见图 3）

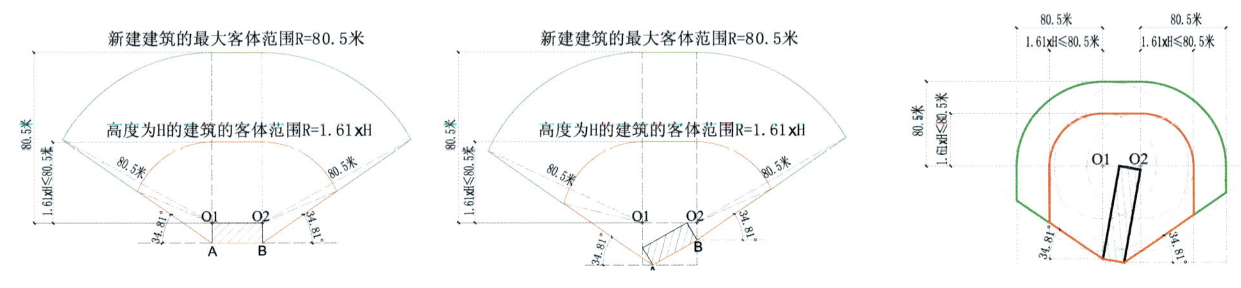

图 3 客体范围图

本办法所称客体建筑物，是指建筑物的水平投影全部或部分在拟建建筑物的日照遮挡客体范围内，应做日照分析的各类有日照要求的建筑物。

本办法所称的参与遮挡的其它建筑物，是指建筑物水平投影全部或部分位于以在经过客体建筑物最南一点的水平线上形成的客体建筑物投影线段最西、最东两点（O3、O4）为圆心，以 161 米为半径（R），分别形成的弧线，与该水平线南侧距离为 161 米的平行线相切；并同经过该客体建筑物水平投影与水平线成 214.81°的最北侧夹角线和经过该客体建筑物水平投影与水平线成 325.19°的最北侧夹角线分别相交，或者上述弧线最东和最西两点的垂线与上述夹角线相交，围合的区域内（见图 4），对该客体建筑物产生遮挡的建筑物。

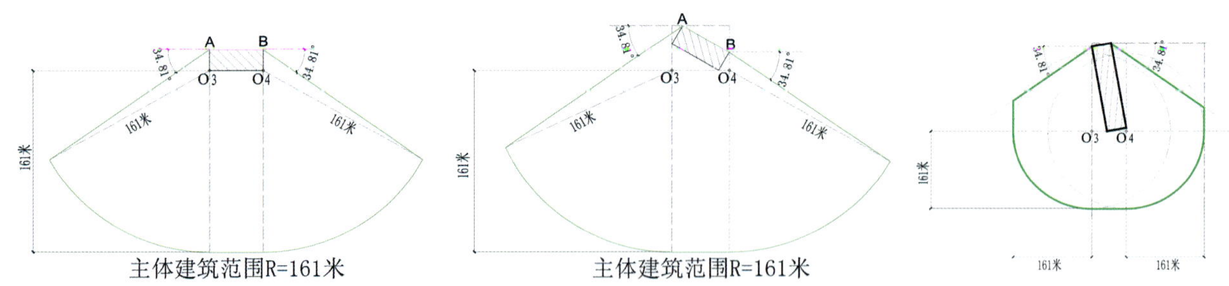

图 4 参与遮挡的其它建筑物范围图

第十八条 本办法自 2009 年 7 月 1 日起实行。

关于加强控制性详细规划编制管理工作的通知

（2009 年 8 月 26 日天津市规划局　规详字〔2009〕679 号）

各区、县政府：

为贯彻落实《城乡规划法》，深化落实各区、县总体规划，进一步加强控制性详细规划（以下简称"控规"）编制管理工作，现将有关要求通知如下：

一、控规是城市总体规划有效实施的关键环节，是指导城市、镇规划区内建设项目规划审批的法定依据。按照市政府 2009 年政府工作报告确定的工作目标和主要任务，控规编制工作是我市今年的一项重点工作，要求今年年底前完成全市城镇建设用地控规编制全覆盖。各区、县政府及规划主管部门应予以高度重视，周密组织，做好工作计划，高质量、高标准完成编制工作。请各区、县财政在控规编制经费方面给予支持和保障。

二、近期重点建设地区、重点建设项目所在区域的控规，可以按单元或街坊单独进行审批，确保规划建设项目的审批符合《城乡规划法》"先规划后建设"的原则，建设项目的审批、规划设计条件应符合控规要求。

三、对应当编制控规而未组织编制，或者未按法定程序编制、审批的，按照《城乡规划法》的相关规定，对有关责任单位将依法暂停其审批权。

四、控规编制管理要严格履行规定程序，控规编制、方案审批前公示、方案审批程序、成果报备等应符合相关文件要求。（详见附件）

特此通知

附件（略）

关于印发《天津市地名管理工作规程》的通知

（2009 年 11 月 14 日天津市规划局　规名字〔2009〕806 号）

各区、县（开发区、保税区、新技术产业园区）地名主管部门：

为规范天津市地名管理工作，进一步完善地名管理工作规程，我局依据国务院《地名管理条例》、《天津市地名管理条例》以及有关法律、法规，制定《天津市地名管理工作规程》，现予以印发，望遵照执行。

天津市地名管理工作规程

第一章 总 则

一、目的和依据

为规范天津市地名管理工作，统一地名管理工作流程，实现地名标准化、规范化，依据国务院《地名管理条例》、民政部《地名管理条例实施细则》、《天津市地名管理条例》以及相关法律、法规和规定，结合本市实际情况，制定本工作规程。

二、适用机构

本工作规程适用于全市范围内市和区、县地名主管部门。

三、适用事项

本工作规程适用于本市行政区域内标准地名的命名、更名、注销等相关的管理工作。

四、职责分工

外环线以内各区和天津经济技术开发区、天津港保税区、天津新技术产业园区的地名命名、更名申请，由所在区地名主管部门受理，经区人民政府或者管理委员会同意，报市地名主管部门审核后，由市人民政府批准。

外环线以外区、县的地名命名、更名申请，由所在区、县地名主管部门受理，报区、县人民政府批准，并报市地名主管部门备案。

跨区、县的地名命名、更名申请，由市地名主管部门受理，报市人民政府批准。

第二章 地名命名

一、定义

地名是人们对具有特定方位、范围的地理实体赋予的专有名称。

本规程所称地名命名是指地名主管部门依申请对新建、改建、扩建居民住宅区、大型建筑物等建设项目赋予专有名称，并核发《标准地名证书》的行为。

二、工作流程图（见附件一）

三、工作流程说明（五个工作日）

（一）窗口受理

1、申请单位向区、县地名主管部门提出命名申请，将《地名命名更名申报表》（见附件二）和相关报送的文件及图纸提交窗口，包括：

（1）地名命名更名申报表；

（2）建设用地规划许可证复印件，同时交验原件；

（3）经批准的规划总平面图复印件，同时交验原件；

（4）建筑位置示意图一式 3 份（A4 或 A3）（见附件三）；

（5）大型建筑物、有特色的居民区建设项目，还需提交建筑景观图；

（6）地名定性词语与事实相符的证明文件；

（7）法律、法规、规章规定的其他材料。

2、窗口收件人员按照《地名命名更名申报表》要求，对建设单位提供的申报材料进行审查，提交的复印件在核验原件后，在复印件上加盖“与原件核对无误”印章，原件交还建设单位。要件不全或材料内容不符合要求的，一次性告知不予受理的理由和需要补充的全部内容；符合要求的登记受理、扫描录入后移交地名管理部门。

（二）承办

1、地名管理部门负责人分件给承办人，承办人接件后对申报材料等相关文件进行内业审核和现场勘查。内容包括：

（1）主要是对提交的《建设用地规划许可证》、规划总平面图等要件进行核审，核对原地域的地名情况。

（2）核准窗口所录入《地名命名更名审批表》中各栏目内容是否准确。

（3）拟申请的地名、楼门号编排、汉语拼音标注等应符合《天津市地名管理条例》、《天津市居住区及公建名称使用管理规定》和《中国地名汉语拼音字母拼写规则》等相关管理规定的要求。

（4）核准提交的建筑位置示意图（A4 或 A3）是否符合标准，并加盖地名主管部门业务专用章。

（5）现场查验申报名称是否符合周边环境以及地上物拆除情况等。

2、填写承办意见

（1）将拟申报建设项目用地范围内原地名使用情况、地上物拆除情况填写在《地名命名更名审批表》“原有情况”栏目内。

（2）承办人将现场查验情况和初审意见填写在“现场勘查及承办意见”栏目内，一并报部门负责人审查。

（三）审定

部门负责人审查后填写审核意见上报领导审批。

1、已授权的环外建设项目，经单位领导审批后，将审批意见转窗口。

2、未授权的环外建设项目，经单位领导审核并报区县政府审批后，将审批意见转窗口。

3、已授权的环内建设项目，经单位领导审核后，将审核意见纸质件报市地名主管部门审批，审批意见转窗口。

4、未授权的环内建设项目，经单位领导审核并报区政府审定后，将审定意见纸质件报市地名主管部门审批，审批意见转窗口。

5、增加楼幢号的续建项目，由区、县地名主管部门按照地名命名程序受理审批，不需报市地名主管部门审批。

（四）核发《天津市标准地名证》或《标准地名申请不同意通知书》

窗口依据审定同意意见，向申报单位核发《天津市标准地名证》，加盖地名主管部门公章，附图加盖地名主管部门业务专用章。《天津市标准地名证》存档副本、附图一式二份，一份与全部申报审批材料合并存档，另一份转各区（县）规划分局证后管理部门。

窗口依据审定不同意意见，向申报单位核发《标准地名申请不同意通知书》，告知申报单位不同意的理由和处理意见，建设单位应在整改后，重新按照本规定提出命名申请。

（五）归档、备案

承办人员依据《天津市地名档案归档标准》在 7 个工作日之内，将纸质文件装订成册归档。

环外审批项目依据《天津市地名管理条例》之规定，在 15 个工作日内，向市地名主管部门备案。备案内容包括：

（1）地名命名更名申报表；

（2）地名命名更名审批表；

（3）建设用地规划许可证；

（4）经批准的规划总平面图；

（5）《天津市标准地名证》副本；

（6）建筑位置示意图 1 份（A4 或 A3）。

上述备案材料均为复印件并加盖“与原件核对无误”印章。

（六）公布使用

依据《天津市地名管理条例》规定，经批准的地名应当自批准之日起三十日内予以公告。环内审批项目在报送市地名主管部门审批的同时，由建设单位将地名公告费交由市地名主管部门代收。环外审批项目在报备案的同时将公告名称、内容和公告费一并提交市地名主管部门。

（七）标志设置

区、县地名主管部门应在建设项目竣工验收之前，将已经批准的标准地名，按《中华人民共和国国家标准（地名　标志）》规定设置地名标志，并负责对地名标志进行监督检查和更换维护。

第三章　地名更名

一、定义

因居民区或者建筑物、构筑物改建、扩建，以及原地名不符合地名命名规定，需要对原地域范围内地理实体名称重新赋予专有名称的行为。

二、工作流程

地名更名工作流程按照本规程第二章的地名命名工作流程执行。

第四章　地名调整

一、定义

地名调整是指申报单位在取得标准地名后，由于规划调整、权属转移等原因，需对原《天津市标准地名证》及附图中申报单位名称、楼门号进行调整的行为。

二、工作流程图：（见附件四）

三、工作流程说明（五个工作日）

（一）窗口受理

1、申报单位向核发《天津市标准地名证书》的地名主管部门提出地名调整申请，将《地名调整申报表》（见附件五）和相关报送的文件及图纸提交窗口，包括：

（1）地名调整申报表；

（2）申请调整内容的情况说明及相关证明文件；

（3）原标准地名证书及附图；

（4）法律、法规、规章规定的其他材料。

2、窗口收件人员按照《地名调整申报表》要求，对建设单位提供的申报材料进行审查，提交的复印件在核验原件后，在复印件上加盖“与原件核对无误”印章，原件交还建设单位。要件不全或材料内容不符合要求的，一次性告知不予受理的理由和需要补充的全部内容；符合要求的登记受理、扫描录入后移交地名管理部门负责人。

（二）承办

1、地名管理部门负责人分件给承办人，承办人接件后对申报材料等相关文件进行内业审核。

内容包括：

（1）主要是对提交申请调整内容的情况说明及相关证明文件进行核审，核对规划调整、权属转移的变化情况。

（2）核准窗口所录入“地名调整承办表”中各栏目内容是否准确。

（3）核准提交拟调整变更的建筑位置示意图（A4 或 A3 一式三份）是否符合标准（见附件三），并加盖地名主管部门业务专用章。

2、填写承办意见

承办人将承办意见填写在《地名调整承办表》的调整内容承办意见栏内，呈报部门负责人审查。

（三）审定

部门负责人审查后填写审核意见上报单位领导审批。

《天津市标准地名证书》核发和审定单位依首次核发证书单位为准。

（四）核发《天津市标准地名证书》

窗口依据审定意见，向申报单位核发《天津市标准地名证书》，加盖地名主管部门公章，附图加盖地名主管部门业务专用章。《天津市标准地名证书》存档副本，附图一式二份，一份与全部申报审批材料存档，另一份转各区（县）规划证后管理部门。

（五）归档备案

承办人员依据《天津市地名档案归档标准》在7个工作日之内，将纸质文件装订成册归档，并在15个工作日内，向市地名主管部门备案。备案内容包括：

（1）地名调整申报表；

（2）申请调整内容的情况说明及相关证明文件；

（3）原标准地名证书及附图；

（4）《天津市标准地名证》副本；

（5）建筑位置示意图1份（A4或A3）。

上述备案材料均为复印件并加盖“与原件核对无误”印章。

第五章　地名注销

一、定义

地名主管部门对因自然变化、行政区划调整、城市建设等原因，已不再使用的地名予以注销的行为。

二、地名注销工作流程图（见附件六）

三、工作流程说明

（一）现场勘查

区、县地名主管部门承办人员对拟注销地名进行现场勘查，确认不再使用的应予以注销。

（二）内业审核

1、承办人进行内业审核，查阅原地名档案，提出初审意见并填写《拟注销地名明细表》（见附件七）一式两份，《拟注销地名明细表》所含内容包括：类别、注销名称、所在区（县）街道办事处（乡、镇）、坐落位置、拆除时间、注销理由、已批准标准地名、建设单位等信息（见附件五）。

2、对历史地名及在本辖区域内有一定影响的地名，要依据《关于加强天津市历史地名管理的通知》的要求进行分类整理登记造册，报市规划局备案。

（三）部门审核

承办人对《拟注销地名明细表》核查无误后，在《拟注销地名明细表》下方承办人位置签字。并报部门负责人审查。

（四）审核、审批

部门负责人审查后，在《拟注销地名明细表》下方部门负责人位置签字，报主管领导审批。

1、环外注销地名经主管领导审批后，在《拟注销地名明细表》右上角加盖区（县）地名主管部门公章。

2、环内注销地名经市地名主管部门审批后，在《拟注销地名明细表》左上角加盖市地名主管部门公章。《拟注销地名明细表》一份留市地名主管部门存档，另一份返回区（县）地名主管部门存档。

（五）归档备案

承办人员依据《天津市地名档案归档标准》在7个工作日之内，将纸质文件装订成册归档。

环外审批项目依据《天津市地名管理条例》规定，在15个工作日内，向市地名主管部门备案。

第六章 门号申领

一、定义

按一定编排规则，用道路名称和阿拉伯数字构成组合，对沿道路两侧建筑物顺序给予的地名符号。

二、门号申领工作流程图（见附件八）

三、工作流程说明（五个工作日）

（一）受理

1、申领单位向建设项目所在地地名主管部门提出门号申领。

2、报送文件及图纸：

新建项目：

（1）天津市XX区（县）门号申领表（见附件九）；

（2）建设用地规划许可证；

（3）经批准的规划总平面图；

（4）建筑位置示意图一式2份（A4或A3）。

原有建筑：

（1）天津市XX区（县）门号申领表；

（2）房屋权属证明文件；

（3）建筑位置示意图一式2份（A4或A3）。

上述文件在提交复印件同时交验原件。

3、申领编号：

申领编号位于《天津市XX区（县）门号申领表》、《天津市XX区（县）门号申领核准表》（见附件十）、《天津市XX区（县）门号启用通知》（见附件十一）表的右上角，“两表一通知”的编号具有唯一性，其编号规则为XXX（区代码）XXXX年XXXX。

（二）承办

1、内业审核和现场勘查内容包括：

（1）对提交的《建设用地规划许可证》、规划总平面图等要件及相关文件进行核审，加盖“与原件核对无误”印章并将原件交还申领单位。

（2）对申领门号的地域进行现场勘察，并予以编排门号，将拟定门号编排情况标注在位置示意图上。

2、承办意见

承办人将承办意见、现场勘查记录及编号情况填写《天津市XX区（县）门号申领核准表》后与附图一并报部门负责人审核。

（三）审定

部门负责人审查后上报领导审定，经审定后转承办人。

（四）核发《天津市XX区（县）门号启用通知》

承办人依据审定意见，向申领单位、个人核发《天津市XX区（县）门号启用通知》（含附图），加盖地名主管部门公章，附图加盖地名主管部门业务专用章。

（五）归档

承办人员依据《天津市地名档案归档标准》将纸质文件装订成册归档。

附件一

地名命名工作流程图

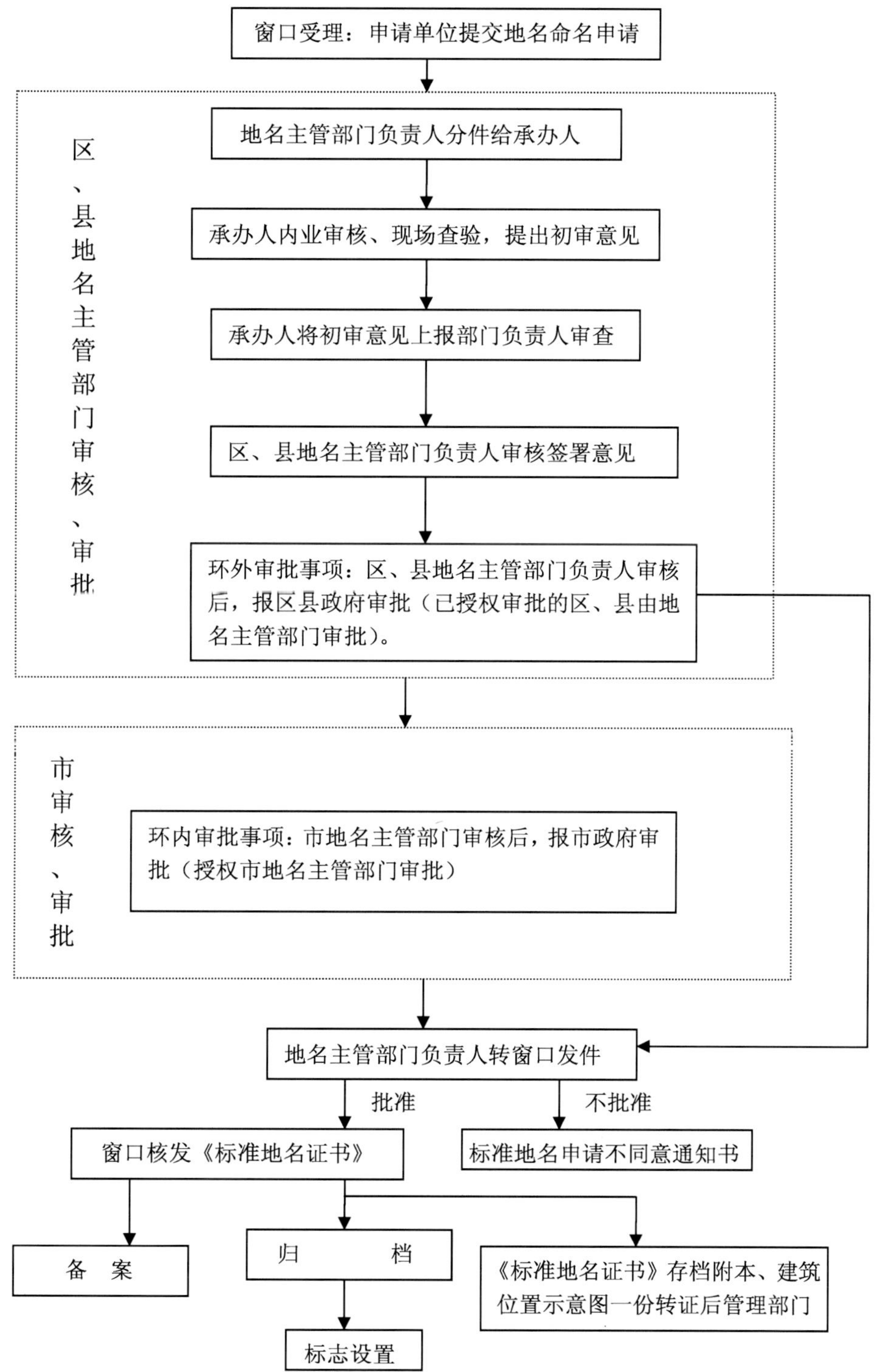

附件二

行政审批事项：地名命名、更名申报表

居 住 区 □　　公 建 □

项目总编号：　　　　　　　　　　　　　　　　　申请编号：200　　　　地名申字　　　号
许可中心编号：　　　　　　　　　　　　　　　　申报日期：200　　年　　月　　日

<table>
<tr><td rowspan="6">申报单位</td><td>单位名称</td><td colspan="3"></td><td>组织机构代码</td><td></td></tr>
<tr><td>单位地址</td><td colspan="5">区（县）　　　　道（路、街）　　　　号</td></tr>
<tr><td>法人代表或负责人</td><td></td><td>办公电话</td><td></td><td>移动电话</td><td></td></tr>
<tr><td>申报人</td><td></td><td>身份证号码</td><td></td><td>移动电话</td><td></td></tr>
<tr><td>代理人</td><td></td><td>身份证号码</td><td></td><td>移动电话</td><td></td></tr>
<tr><td>E-mail</td><td colspan="3"></td><td>邮政编码</td><td></td></tr>
<tr><td colspan="2">申报名称</td><td colspan="2"></td><td>汉语拼音</td><td colspan="2"></td></tr>
<tr><td colspan="2">申报理由
名称含义</td><td colspan="5"></td></tr>
<tr><td colspan="2">座落地点</td><td colspan="2">区</td><td>《建设用地规划许可证》号</td><td colspan="2"></td></tr>
</table>

<table>
<tr><td rowspan="10">拟建项目情况</td><td>占地面积</td><td colspan="2">m^2</td><td rowspan="4">四至
范围</td><td colspan="4">东至：</td></tr>
<tr><td>建筑面积</td><td colspan="2">m^2</td><td colspan="4">西至：</td></tr>
<tr><td>绿地率</td><td colspan="2">%</td><td colspan="4">南至：</td></tr>
<tr><td>建筑结构</td><td colspan="2"></td><td colspan="4">北至：</td></tr>
<tr><td rowspan="2">建筑形状</td><td colspan="2">条形：　　幢</td><td colspan="2">“L”形：　　幢</td><td rowspan="3">建筑情况</td><td>门栋数：　　栋</td></tr>
<tr><td colspan="2">墩形：　　幢</td><td colspan="2">“U”形：　　幢</td><td>楼层数：　　层</td></tr>
<tr><td rowspan="2">大型建筑物</td><td>高　度</td><td colspan="3">米</td><td>单元数：　　套</td></tr>
<tr><td>外檐装饰情况</td><td colspan="5"></td></tr>
<tr><td>开工时间</td><td colspan="2">年　　月　　日</td><td>竣工时间</td><td colspan="3">年　　月　　日</td></tr>
<tr><td colspan="2">其它需说明的情况</td><td colspan="7"></td></tr>
</table>

申报人承诺：

本表填报的内容及提交的所有材料真实，并对其实质内容的真实性负责。如有任何虚假，将承担一切后果及法律责任，与审批机关无关。

申报单位(人):(签章)　　　　　　　　　　法人代表(签字):　　　200　　年　　月　　日

报送文件及图纸：

1、地名命名、更名申报表1份；
2、建设用地规划许可证复印件2份，同时交验原件；
3、经审定的修建性详细规划方案或总平面布置图复印件2份，同时交验原件；
4、经区级地名主管部门编排楼号并加盖印章的建筑位置示意图一式3份；
5、大型建筑物、有特色的居民区建设项目，还需提交建筑景观图一式2份；
6、地名定性词语与事实相符的证明文件；
7、申报单位（人）委托代理的，提交授权委托书及被委托人身份证复印件,同时交验原件；
8、法律、法规、规章规定的其他材料。

备注：

1、没有当场作出受理决定的，申报人在申报后5个工作日内到业务窗口领取受理或不受理凭证；
2、申报单位持有效证件在该审批事项作出决定之日起10个工作日内到业务窗口领取行政审批证件。

天津市规划局　　编制

附件三

建筑位置示意图说明:

a、建筑位置示意图以批复的建筑方案总平图为底图，图幅一般为A4纸,如用地规模较大可采用A3纸(比例不限)。

b、《XXX项目建筑位置示意图》在图纸正上方，字体为黑体，字号为小二号。

c、拟申报地名的建设项目用地界线以粗虚线标注，楼幢号以圆圈加阿拉伯数字标注，门栋号以阿拉伯数字标注（颜色均为红色)。

d、右下角图例位置标注内容:

① 标准名称、汉语拼音标注、楼幢数、楼门栋号等信息，字体为宋体，字号为四号。

② 现状建筑物以细实线边框+斜线标注，并注明标准地名。拟建建筑物外墙轮廓线以粗实线标注，在建建筑物外墙轮廓线以细虚线标注。

附件四

地名调整工作流程图

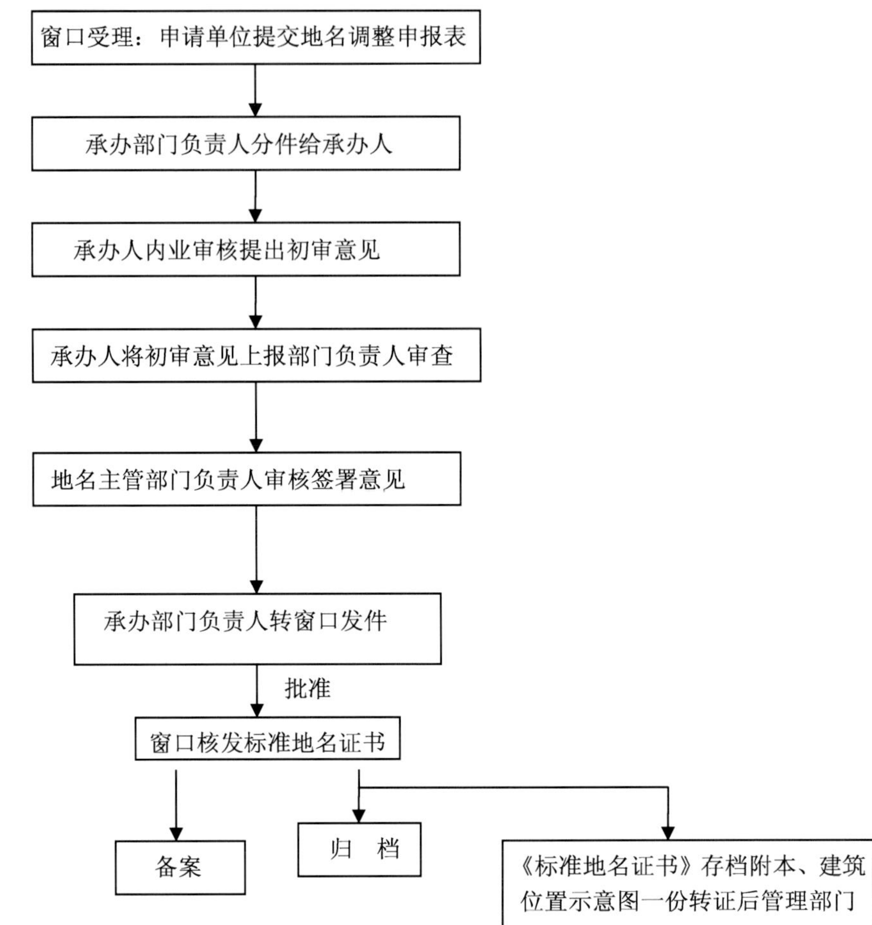

附件五

行政审批事项：地名调整申报表

居 住 区 □　　公 建 □

项目总编号：　　　　　　　　　　　申请编号：20　　　地名申字　　　号变更

许可中心编号：　　　　　　　　　　申报日期：20　　　年　　　月　　　日

<table>
<tr><td rowspan="6">申报单位</td><td>单位名称</td><td colspan="3"></td><td>组织机构代码</td><td></td></tr>
<tr><td>单位地址</td><td colspan="5">区（县）　　　道（路、街）　　　号</td></tr>
<tr><td>法人代表或负责人</td><td></td><td>办公电话</td><td></td><td>移动电话</td><td></td></tr>
<tr><td>申报人</td><td></td><td>身份证号码</td><td></td><td>移动电话</td><td></td></tr>
<tr><td>代理人</td><td></td><td>身份证号码</td><td></td><td>移动电话</td><td></td></tr>
<tr><td>E-mail</td><td colspan="3"></td><td>邮政编码</td><td></td></tr>
<tr><td colspan="2">标准地名</td><td colspan="2"></td><td>汉语拼音</td><td colspan="2"></td></tr>
<tr><td colspan="2">座落地点</td><td colspan="3">区</td><td>邮政编码</td><td></td></tr>
</table>

<table>
<tr><td rowspan="6">项目情况</td><td colspan="3">东至：</td><td colspan="5">西至：</td></tr>
<tr><td colspan="3">南至：</td><td colspan="5">北至：</td></tr>
<tr><td>占地面积</td><td>m2</td><td>建筑面积</td><td colspan="2">m^2</td><td>绿地率</td><td colspan="2">%</td></tr>
<tr><td>条形：　幢</td><td>L形：　幢</td><td>其他形：　幢</td><td rowspan="2">建筑情况</td><td>门栋数：　栋</td><td>单元数</td><td></td></tr>
<tr><td>墩形：　幢</td><td>U形：　幢</td><td>总幢数：　幢</td><td>楼层数：　层</td><td>结　构</td><td></td></tr>
<tr><td>开工时间</td><td colspan="2">年　　月　　日</td><td>竣工时间</td><td colspan="3">年　　月　　日</td></tr>
<tr><td colspan="3">原标准地名证编号</td><td colspan="6"></td></tr>
<tr><td colspan="3">变更内容</td><td colspan="6">□标准地名证　　□附图</td></tr>
</table>

申报人承诺：

本表填报的内容及提交的所有材料真实，并对其实质内容的真实性负责。如有任何虚假，将承担一切后果及法律责任，与审批机关无关。

申报单位（人）：（签章）　　　　　　　　法人代表（签字）：　　20　　年　　月　　日

报送文件及图纸：

1、地名调整申报表

2、申请调整内容的情况说明及相关证明文件；

3、原标准地名证书及附图；

4、申报单位（人）委托代理的，提交授权委托书及被委托人身份证复印件，同时交验原件；

4、法律、法规、规章规定的其他材料。

备注：

1、申报单位持有效证件在申报后5个工作日内到业务窗口领取受理或不受理凭证；

2、申报单位持有效证件在该审批事项作出决定之日起10个工作日内到业务窗口领取行政审批证件。

天津市规划局　　编制

附件六

地名注销工作流程图

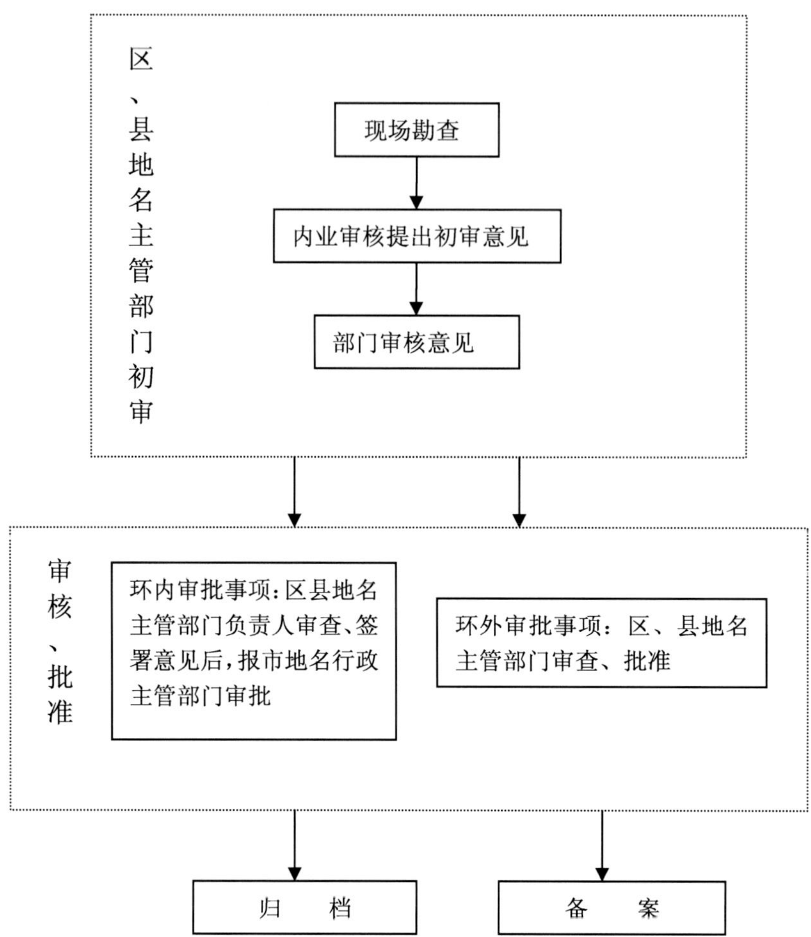

附件七

拟注销地名明细表

填表时间：

类别	注销名称	所在区（县）街道办事处（乡、镇）	坐落位置	拆除时间	注销理由	已批准标准地名	建设单位

承办人：　　部门负责人：　　主管领导：　　时间：

附件八

门号申领工作流程图

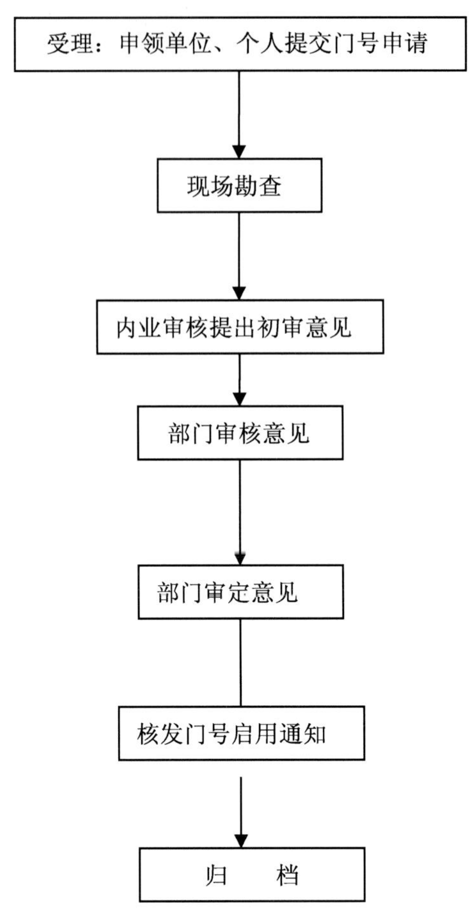

附件九

天津市 XX 区（县）门号申领表

申领编号：

<table>
<tr><td>申领单位
（个人）</td><td></td><td>邮政编码</td><td></td></tr>
<tr><td>申领单位
（个人）地址</td><td></td><td>固定电话</td><td></td></tr>
<tr><td rowspan="2">申领门号数量</td><td rowspan="2"></td><td>经办人</td><td></td></tr>
<tr><td>联系电话</td><td></td></tr>
<tr><td>申领门号
建筑位置</td><td colspan="3">东：　　　　　　西：
南：　　　　　　北：</td></tr>
<tr><td>其它需说明情况</td><td colspan="3"></td></tr>
<tr><td colspan="4">申领人承诺：
本表填报的内容及提交的所有材料真实，并对其真实性负责。如有任何虚假，将承担一切后果及法律责任，与审批机关无关。
申领单位（个人）：(签章)　　　　法人代表：　　　　　　年　　月　　日</td></tr>
<tr><td colspan="4">报送文件及图纸：
新建项目：
1、天津市 XX 区（县）门号申领表 1 份；
2、建设用地规划许可证原件及复印件 1 份；
3、经批准的规划总平面图原件及复印件 1 份；
4、建筑位置示意图一式 2 份（A4）。
原有建筑：
1、天津市 XX 区（县）门号申领表 1 份；
2、房屋权属证明文件；
3、建筑位置示意图一式 2 份（A4）。
以上文件在提交复印件同时交验原件。</td></tr>
</table>

天津市规划局　　编制

附件十

天津市XX区（县）门号申领核准表

申领编号：

<table>
<tr><td>单位名称</td><td colspan="3"></td></tr>
<tr><td>申领门号</td><td></td><td>门号数量</td><td></td></tr>
<tr><td>坐落位置</td><td colspan="3"></td></tr>
<tr><td>现场
勘查
情况</td><td colspan="3">签字： 年 月 日</td></tr>
<tr><td>承办
意见</td><td colspan="3">签字： 年 月 日</td></tr>
<tr><td>审核
意见</td><td colspan="3">签字： 年 月 日</td></tr>
<tr><td>审定
意见</td><td colspan="3">签字： 年 月 日</td></tr>
</table>

天津市规划局 编制

附件十一

申领编号：

天津市XX区（县）门号启用通知

____________________：

你单位（个人）门号申领表已收悉。经实地勘查、核准后，现编排为____。该门号于____________年______月______日正式启用。

特此通知

年　　月　　日

（盖章）

附：建筑位置示意图

二〇〇九年五月十二日

关于《天津市中心城区概念性总体城市设计》的批复

（2009 年 12 月 1 日天津市规划局 规景字〔2009〕837 号）

上海同济城市规划设计研究院滨海分院：

《关于对规划成果进行审批的请示》收悉。按照市重点规划编制指挥部的统一部署，你院组织开展了《天津市中心城区概念性总体城市设计》（以下简称《城市设计》）编制工作，经过专家论证，我局审查研究，现就有关问题批复如下：

一、原则同意《城市设计》。《城市设计》确定的中心城区定位较准确，基本把握住了未来一段时间中心城区发展的规划目标，较好分析了城市结构和风貌特色等方面，突出了中心城区的优势和特色。

二、《城市设计》确定的空间结构清晰明确，考虑了与周边地区的协调发展，布局合理，与地铁、公交等城市公共设施紧密结合，注重发挥土地效益。

三、《城市设计》进一步梳理了我市的交通组织，完善我市中心城区内外交通联系，加强公共交通体系建设，并与建筑功能配置相适应，有利于促进该地区的发展。

四、《城市设计》进一步梳理了公共开放空间，建立城市公共活动集中的领域圈，增强城市吸引力，提高城市可驻留性，增强城市公共生活的活力。

五、设计单位应进一步协助完成下步工作。将《城市设计》的相关内容与控制性详细规划的修编工作紧密结合。

关于《天津市中心城区建筑风格规划控制导则》的批复

（2009 年 12 月 1 日天津市规划局 规景字〔2009〕838 号）

天津市建筑设计院：

《关于天津市中心城区建筑风格规划控制导则申请项目批复的报告》收悉。按照市重点规划编制指挥部的统一部署，你院开展了《天津市中心城区建筑风格规划控制导则》（以下简称《导则》）编制工作，经过专家论证，我局审查研究，现就有关问题批复如下：

一、原则同意《导则》。《导则》确定的中心城区建筑风格比较科学、准确，基本符合我市的实际情况和发展条件。《导则》的实施，对提高我市城市规划环境品质，提升城市建筑文化品位，将发挥重要的指导作用。

二、《导则》进一步梳理了我市的建筑风格，凸显了精致、大气、洋气、亮丽的城市特色，为我市中心城区建筑风格管理的系统化和法制化创造了良好的条件。

三、《导则》从四个分区的建筑规划布局、建筑形式、建筑材料、建筑色彩来分析，塑造中心城区的整体多元融合、分区色彩突显的城市特色。

四、《导则》充分挖掘中心城区不同分区的风格魅力，打造精致典雅的历史风貌区、大气活力的办公文体区、洋气繁华的商业商贸区、亮丽宜人的生活居住区。

五、设计单位应进一步协助完成下步工作。将《导则》与控制性详细规划的修编工作紧密结合，纳入到规划设计条件中，与其他相关的规划导则共同作为方案审查的依据。

关于《天津市中心城区建筑色彩规划控制导则》的批复

（2009年12月1日天津市规划局 规景字〔2009〕839号）

天津市城市规划设计研究院：

《关于天津市中心城区建筑色彩规划控制导则申请项目批复的报告》收悉。按照市重点规划编制指挥部的统一部署，你院开展了《天津市中心城区建筑色彩规划控制导则》（以下简称《导则》）编制工作，经过专家论证，我局审查研究，现就有关问题批复如下：

一、原则同意《导则》。《导则》确定的中心城区建筑色彩比较科学、准确，基本符合我市的实际情况和发展条件。《导则》的实施，对提高我市城市规划环境品质，提升城市建筑文化品位，将发挥重要的指导作用。

二、《导则》进一步梳理了我市的建筑色彩的选用和设计，凸显了精致、大气、洋气、亮丽的城市特色，为我市中心城区建筑色彩管理的系统化和法制化创造了良好的条件。

三、《导则》从四个分区的建筑规划布局、建筑形式、建筑材料、建筑色彩来分析，实现中心城区的整体多元融合、分区色彩突显的城市特色。

四、《导则》充分挖掘中心城区不同分区的特色魅力，塑造了精致典雅的历史风貌区、大气活力的办公文体区、洋气繁华的商业商贸区、亮丽宜人的生活居住区。

五、设计单位应进一步协助完成下步工作。将《导则》与控制性详细规划的修编工作紧密结合，纳入到规划设计条件中，与其他相关的规划导则共同作为方案审查的依据。

关于《天津市中心城区建筑特色规划控制导则》的批复

（2009年12月1日天津市规划局 规景字〔2009〕840号）

天津市建筑设计院、天津市城市规划设计研究院：

《关于天津市中心城区建筑特色规划控制导则申请项目批复的报告》收悉。按照市重点规划编制指挥部的统一部署，两院开展了《天津市中心城区建筑特色规划控制导则》（以下简称《导则》）编制工作，经过专家论证，我局审查研究，现就有关问题批复如下：

一、原则同意《导则》。《导则》确定的中心城区建筑特色比较科学、准确，基本符合我市的实际情况和发展条件。《导则》的实施，对提高我市城市规划环境品质，提升城市建筑文化品位，将发挥重要的指导作用。

二、《导则》进一步梳理了我市的建筑设计特色，凸显了精致、大气、洋气、亮丽的城市特色，为我市中心城区建筑风格管理的系统化和法制化创造了良好的条件。

三、《导则》从四个分区的建筑规划布局、建筑形式、建筑材料、建筑色彩来分析，塑造中心城区的整体多元融合、分区色彩突显的城市特色。

四、《导则》充分挖掘中心城区不同分区的特色魅力，塑造了精致典雅的历史风貌区、大气活力的办公文体区、洋气繁华的商业商贸区、亮丽宜人的生活居住区。

五、设计单位应进一步协助完成下步工作。将《导则》与控制性详细规划的修编工作紧密结合，纳入到规划设计条件中，与其他相关的规划导则共同作为方案审查的依据。

天津市规划局机关处室

	处室	电话	地址	邮编
1	办公室	23354589	和平区西康路 54 号	300070
2	业务处	23540795	和平区西康路 54 号	300070
3	总体规划处	23540820	和平区西康路 54 号	300070
4	建设项目处	23540748	和平区西康路 54 号	300070
5	市政处	23540716	和平区西康路 54 号	300070
6	规委秘书处	23541375	和平区西康路 54 号	300070
7	详细规划处	23540809	和平区西康路 54 号	300070
8	执法监察处	23541198	和平区西康路 54 号	300070
9	区县处	23540737	和平区西康路 54 号	300070
10	景观环境处	23540740	和平区西康路 54 号	300070
11	法规研究处	23541177	和平区西康路 54 号	300070
12	测绘管理处	23540757	和平区西康路 54 号	300070
13	地名处	23541167	和平区西康路 54 号	300070
14	人事处	23540470	和平区西康路 54 号	300070
15	财务处	23540475	和平区西康路 54 号	300070
16	党办	23354508	和平区西康路 54 号	300070
17	组织部	23540883	和平区西康路 54 号	300070
18	纪检组	23540411	和平区西康路 54 号	300070
19	老干部处	23511276	南开区水上公园北道月明公寓 5 号	300074
20	工会	23541122	和平区西康路 54 号	300070
21	团委	23541220	和平区西康路 54 号	300070

天津市规划局派出机构和区县局

	单位	电话	地址	邮编
1	滨海分局	66233565	天津经济技术开发区第二大街 42 号	300457
2	园区处	83715950	南开区开华道 3 号华科创业中心 601	300384
3	和平区分局	23308150	和平区沙市道 1 号	300051
4	河西区分局	28287068	河西区利民道 29 号	300201
5	河东区分局	24020224	河东区十三经路 2 号增 2 号	300171
6	南开区分局	85682005	南开区广开四马路 229 号	300102
7	河北区分局	26354074	河北区昆纬路 98 号	300143
8	红桥区分局	27729990	红桥区西青道 125 号	300191
9	东丽区分局	84375653	东丽区跃进路 40 号	300300
10	西青区分局	27391565	西青区杨柳青镇柳口路 8 号	300380
11	津南区分局	88510885	津南区咸水沽津歧路 19 号	300350
12	北辰区分局	26817740	北辰区京津公路 350 号	300400
13	塘沽区局	66897267	塘沽区营口道 734 号 B 座 14 层	300475
14	汉沽区局	25697154	汉沽区府南街 8 号南楼	300000
15	大港区局	63396300	大港区迎宾街 84 号	300270
16	武清区局	82112644	武清区泉发路 12 号	300000
17	宝坻区局	29232166	宝坻区东街 6 号	301800
18	宁河县局	69591555	宁河县芦台镇光明路 72 号	301500
19	静海县局	59515626	静海县静海镇胜利大街 41 号	301600
20	蓟县局	29146846	蓟县县城迎宾路 18 号	301900
21	天津经济技术开发区建设发展局	25201538	开发区宏达街 19 号 A 区 4 层	300457
22	天津港保税区规划建设管理局	84906165	空港物流加工区西三道 166 号	300308

天津市规划局局属单位

	单位	电话	地址	邮编
1	规划院	28012341	河西区黄埔南路81号万顺大厦B座	300201
2	建筑设计院	23543122	河西区气象台路95号	300074
3	测绘院	23954041	西青区李七庄凌口昌凌路	300381
4	勘察院	23677367	南开区红旗南路428号	300000
5	城建档案馆	23591366	南开区长实道5号	300191
6	规划展览馆	24455970	河北区博爱道30号	300010
7	执法监察总队	23541058	和平区西康路54号	300070
8	规划信息中心	23541219	和平区西康路54号	300070
9	地下空间规划管理信息中心	23593325	南开区长实道5号	300191
10	教育培训中心	83522165	和平区昆明路	300070
11	机关服务中心	23540707	和平区西康路54号	300070
12	人才开发交流服务中心	83522165	和平区昆明路	300070

天津市城乡规划编制单位名录

序号	单位名称	资质等级	证书编号	单位地址
1	天津市城市规划设计研究院	甲级	[建] 城规编第（081011）号	天津市河西区 黄埔南路万顺温泉B座
2	天津市建筑设计院	甲级	[建] 城规编第（081012）号	天津市河西区气象台路95号
3	天津市渤海规划设计院	甲级	[建] 城规编第（081013）号	天津市塘沽区山东路6号
4	天津大学城市规划设计研究院	甲级	[建] 城规编第（081151）号	天津市南开区卫津路92号 天大建筑馆内
5	天津中怡建筑设计有限公司	乙级	[津] 城规编第（082001）号	天津市南开区灵隐道兴泰里30号
6	天津市房屋鉴定勘测设计院	乙级	[津] 城规编第（082002）号	天津市和平区卫津路75号安东大厦
7	中国市政工程华北设计研究院	乙级	[津] 城规编第（082003）号	天津市河西区气象台路99号
8	天津华汇城市规划设计有限公司	乙级	[津] 城规编第（082004）号	天津市新技术产业园区 华天道8号海泰信息广场 F座北楼8层
9	天津市城建设计院有限公司	乙级	[津] 城规编第（082005）号	天津市南开区鞍山西道260号
10	天津城市建设学院建筑设计研究院	乙级	[津] 城规编第（082006）号	天津市西青区津静公路26号
11	天津市市政工程设计研究院	乙级	[津] 城规编第（082007）号	天津市和平区营口道239号
12	中国石油天然气管道工程有限公司 （天津分公司）	乙级	[津] 城规编第（082008）号	天津市大港区三号院团结东路

序号	单位名称	资质等级	证书编号	单位地址
13	天津市轻工业设计院	乙级	[津] 城规编第（082009）号	天津市南开区长江道 29 号
14	天津市天友建筑设计有限公司	乙级	[津] 城规编第（082010）号	天津华苑新技术产业园区 开华道 3 号华科创业中心 12F-13F
15	天津市津沽规划建筑设计事务所	乙级	[津] 城规编第（082011）号	天津市和平区西康路云翔大厦 17 层
16	天津市方标建筑设计有限公司	乙级	[津] 城规编第（082012）号	河西区永安道罗马花园 A 座 1 门 8F
17	天津滨海规划建筑设计有限公司	乙级	[津] 城规编第（082013）号	天津市和平区保定道 35-37 号 新华大厦 A 座 21 层
18	天津大地天方建筑设计有限公司	乙级	[津] 城规编第（082014）号	天津市宾水道宾泰公寓 B 座 1802 室
19	天津市筑土建筑设计有限公司	暂乙级	[津] 城规编第（082015）号	天津市河西区友谊路广银大厦
20	天津中欧路投资咨询有限公司	暂乙级	[津] 城规编第（082016）号	天津市开发区望海园 45-101
21	天津天怡建筑设计有限公司	乙级	[津] 城规编第（082018）号	天津市和平区汉口西道 18 号 金帆大厦 B 座 5 楼
22	天津国际工程咨询公司	暂乙级	[津] 城规编第（082019）号	天津市河西区福建路 17 号
23	天津华夏建筑设计有限公司	暂乙级	[津] 城规编第（082020）号	天津市南开区华苑产业园区榕苑路 16 号鑫茂科技园中心楼三层
24	天津市津南区规划设计所	乙级	[津] 城规编第（082021）号	津南区咸水沽镇津岐路新一中对过
25	天津天一景观规划设计有限公司	暂乙级	[津] 城规编第（082022）号	天津大学天大六村职工食堂二层
23	天津市广园城镇规划建筑设计所	丙级	[津] 城规编第（083001）号	天津市宝坻区城关镇东街 6 号
24	天津市大港建筑设计院	丙级	[津] 城规编第（083002）号	大津市大港区育秀街 149 号
25	天津市宁河县城乡规划设计研究所	丙级	[津] 城规编第（083003）号	天津市宁河县芦台镇光明路 72 号
26	天津市金厦规划建筑有限公司	丙级	[津] 城规编第（083004）号	天津市河西区平山道 16 号增 6 号
27	天津中建建筑设计研究院有限公司	丙级	[津] 城规编第（083005）号	天津市塘沽区杭州道 72 号
28	天津大成国际工程有限公司	丙级	[津] 城规编第（083006）号	天津市开发区黄海路 29 号
30	中交第一航务工程勘察设计院有限公司	丙级	[津] 城规编第（083008）号	天津市河西区大沽南路 1472 号
31	天津市纳川建筑设计有限公司	丙级	[津] 城规编第（083009）号	天津市开发区明园路 2 号 阳光花园 B-18 号
32	天津中港建筑设计有限公司	丙级	[津] 城规编第（083010）号	天津市开发区恂园西里 18-1
33	天津市中天建筑设计院	丙级	[津] 城规编第（083011）号	天津市南开区白堤路 27 号
34	天津市天勘建筑设计院	暂丙级	[津] 城规编第（083012）号	天津市南开区红旗南路 428 号
35	天津市新世纪建筑设计有限公司	暂丙级	[津] 城规编第（083013）号	天津市和平区卫津路 127 号 财富大厦 A-12F
36	天津城投建设工程管理咨询有限公司	暂丙级	[津] 城规编第（083014）号	天津市南开区卫津南路 76 号 创业环保大厦
37	天津市武清区规划建筑设计所	暂丙级	[津] 城规编第（083015）号	天津市武清区泉发路 12 号
38	天津市美兴建筑设计事务所	暂丙级	[津] 城规编第（083016）号	天津市河西区友谊路 50 号 友谊大厦 C-2-7
37	天津市交通建筑设计院	暂丙级	[津] 城规编第（083017）号	天津市河西区友谊路 13 号

索 引

使用说明：本索引采取主题索引的形式，对本年鉴中除综述、大事记、特载及附录以外部分进行索引。主题词后的数字表示该主题所在的页码，页码后面的 a 或 b 分别表示一页中的左栏或右栏。

W

X

Y

Z

天津规划之窗

THE WINDOWS OF TIANJIN PLANNING

2010

天津市城市规划设计研究院

Tianjin Urban Planning & Design Institute

天津市城市规划设计研究院(以下简称天津规划院)隶属天津市规划局，是技术力量雄厚、专业水准领先的综合性规划设计咨询研究机构。目前拥有城市规划、土地规划、建筑设计、工程咨询、规划环评等五个甲级资质，以及市政公用工程、旅游规划、风景园林工程三个乙级资质。主要业务范围包括城市规划、土地利用规划、建筑设计、规划环境影响评价、道路交通设计、市政工程设计等多个专业，以及规划技术咨询、工程技术开发等多项业务。2000年通ISO9000质量认证。

建院二十多年来，获国家级金、银质奖、建设部优秀规划设计奖和詹天佑规划设计大奖等重要奖项达40多项。多次获得天津市“五一劳动奖状”和“八五”、“九五”、“十五”立功先进单位称号，多次被评为全国建设系统“城市规划先进单位”、“企业文化建设先进单位”、全国文明单位等称号。

2009年，在市规划局的直接领导下，天津规划院继续强化自身建设，全年围绕市委市政府工作重点，发挥城市规划的龙头、先导和调控作用，服务全市工作大局，推进全市“保增长、渡难关、上水平”中心任务的落实；支持滨海新区开发开放和城乡一体化发展战略的实施。在院内工作重心上，加大研究力度，强化城市规划的前瞻性、战略性和全局性，当好各级政府的技术参谋与助手，促进全市各项工作再上新水平。

2009年度国家建设部优秀规划设计

华明示范小城镇建设项目获
2009年度国家建设部优秀规划设计金奖

天津市城市总体规划(2005-2020)获2009年度国家建设部优秀规划设计一等奖

地址：天津市河西区黄埔南路81路
邮编：300201
电话：022-28012320
邮箱：tjghy@tjcityplan.com
联系人：金伟　13902027135

大同市城市总体规划（2006-2020）
获2009年度国家建设部优秀规划设计三等奖

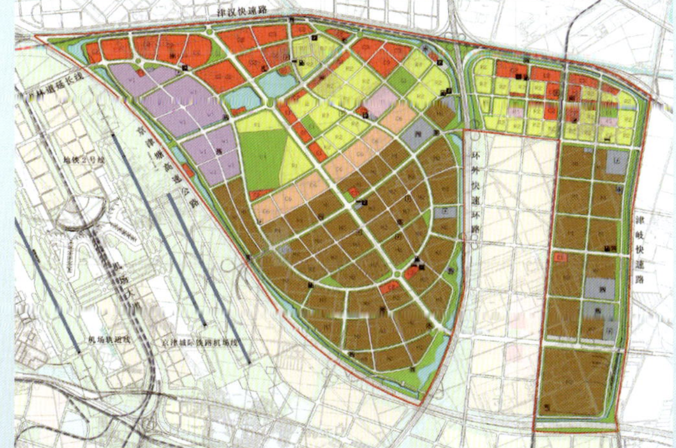

天津临空产业区（航空城）总体规划
获2009年度国家建设部优秀规划设计二等奖

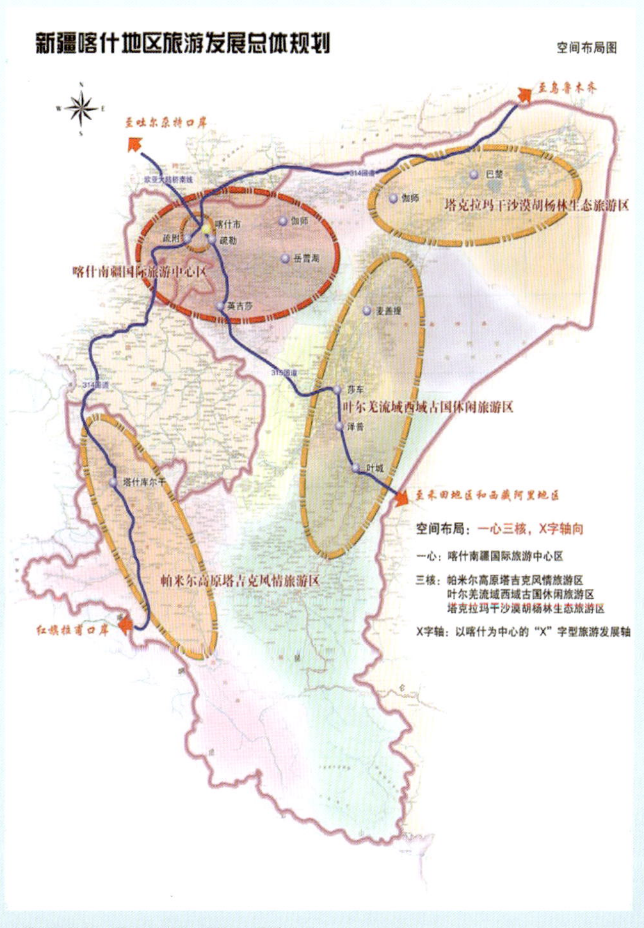

新疆喀什地区旅游发展规划
获2009年度国家建设部优秀规划设计三等奖

济宁市河湖水系综合整治规划
获2009年度国家建设部优秀规划设计三等奖

天津市电力空间布局规划
获2009年度国家建设部优秀规划设计表扬奖

天津市建筑设计院
Tianjin Architecture Design Institute

津湾广场

天津市建筑设计院（以下简称天津建院）以学习实践科学发展观为契机，实施“经营拓展、人才强院、科技兴院、文化建院”的发展战略，推进体制机制创新，促进了健康持续发展。天津建院创立于1952年，具有半百余载辉煌历程，现已发展成为技术实力雄厚、人才济济的国内最大的综合性甲级建筑设计单位之一，具有国家建设部颁发的甲级工程设计、城市规划等七个专项设计资质。具有国家商务部批准、在世界各地的对外经营权。是国际建筑工程师咨询协会（菲迪克FIDIC）会员单位，是中国勘察设计综合实力百强企业，亚洲BCIA中国十大建筑设计公司。获得“全国CAD应用工程示范企业”，全国和天津市“守合同、重信用”单位，“天津市质量效益型先进企业”，“高新技术企业证书”、“天津市开展质量管理小组活动先进企业”，“天津市用户满意企业”，“天津市突出贡献设计院”、“天津市‘五一’劳动奖章先进单位”。

天津建院现有员工逾千人，其中全国工程设计大师3人，国务院批准享受政府特殊津贴专家14人，国家人事部批准有突出贡献的中青年专家2人。天津市中青年授衔专家4人，正高级建筑高级建筑（工程）师380人，并有国家一级、二级注册建筑师、结构工程师179人，国家级注册监理工程师25人，造价工程师13人，注册城市规划师11人，注册岩土工程师3人，注册咨询（投资）工程师18人。设有建筑、规划、结构、给排水、暖通空调、电气照明、自动控制、广播通讯、经济技术分析、岩土工程、城镇规划及居住区、景观与环境设计和室内装修设计等专业。承接国内外各类工程的咨询、设计和监理等业务。已相继在海南、上海、广州、厦门、重庆等地设立分院。

天津建院实施整合社会资源、提升原创设计水平、打造设计航母一大举措，成立了绿色建筑机电技术研发中心，并相继成立了7家联合设计公司，发挥国有企业品牌大院的骨干作用和技术实力，为城市规划建设做贡献，先后完成了天宾商务中心、万丽天津宾馆、津湾广场、梅江会展中心、文化中心、滨江道改造、海河两岸设计、和平路改造、于家堡总体区域供暖、供冷专项规划等多项方案等重点地区规划、重点区域天际线设计等一批市重点建设项目。天津建院在低碳，绿色建筑，生态建筑，超高层钢结构等专项领域中做出特色，创出了品牌，如：建院自己设计建造的绿色机电科研楼工程，得到了国家绿色建筑设计标识认证，成为天津市第一座国家绿色建筑。特别是天津建院设计完成的天津对口援建陕西工程，得到了胡锦涛总书记的高度评价，称赞：“天津援建陕西灾区工作做的富有成效，尤其是学校、

天津地铁大厦暨地铁海光寺站

天钢柳林地区城市副中心

天津市规划展览馆

中新天津生态城服务中

医院建设是一流的。”赢得了各级领导和社会各界广泛赞誉。

天津建院获部级优秀勘查设计奖11项；获全国优秀规划设计奖1项；获建筑学会颁发的“新中国成立60周年建筑创作大奖”6项；获中国勘察设计协会颁发的“新中国成立60周年建筑设计大奖”1项；获全国人居经典建筑规划设计方案竞赛奖3项；获天津市“海河杯”优秀工程设计奖19项。3项规划设计成果获得天津市城市优秀规划设计一等奖。天津建院于2009年底竣工完成并交付使用了新建绿色建筑设计——科技档案综合楼。

天津建院于1996年获得ISO9001国际质量体系认证，并于2002年4月4日率先实现GB/T19001-2000-ISO9001：2000标准转换。

天津建院质量方针：为顾客设计好每一平方米的建筑，提供优质的设计全过程服务，科技领先，锐意创新，实现质量管理体系的持续改进，达到顾客满意。

天津建院企业愿景：创建国内一流强院 到2010年实现一流的技术实力 一流的设计质量 一流的经济效益 一流的人才队伍 一流的服务水平

天津建院企业精神：创新 敬业 诚信 和谐

地址：河西区气象台路95号　　　电话：022-23543122

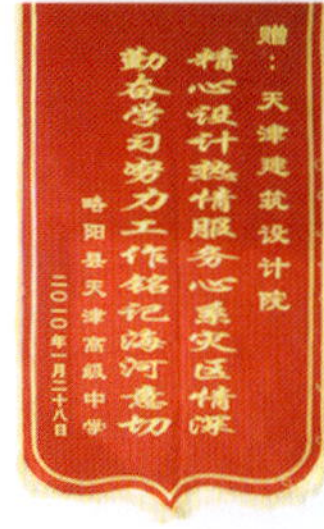

天津大悲院商业街

天津市东丽区华明示范小城镇

陕西省略阳县天津高级中学

陕西省略阳县天津职教中心

陕西省略阳县天津中医医院

陕西省宁强县天津医院

天津市建筑设计院科技档案楼

天津奥体中心

天津市测绘院
Tianjin Institute of Surveying & Mapping

天津市测绘院隶属于天津市规划局，是专业从事基础测绘、工程测绘和地理信息服务的事业单位，持国家甲级测绘资质，并取得了质量体系 ISO9001 : 2000 国际标准认证。自建院以来，圆满完成了国家、天津市政府和市规划局下达的各项城乡规划和国土管理的基础测绘和工程测绘项目，其中包括数百个重点项目。“引滦入津工程测量”、“天津市地铁一号线工程”、“新农村建设基础测绘”、“天津市地面沉降动态监测”、“土地调查省级汇总成果”、“GPS卫星综合服务系统研究”等61项成果获省部级以上优秀成果奖。

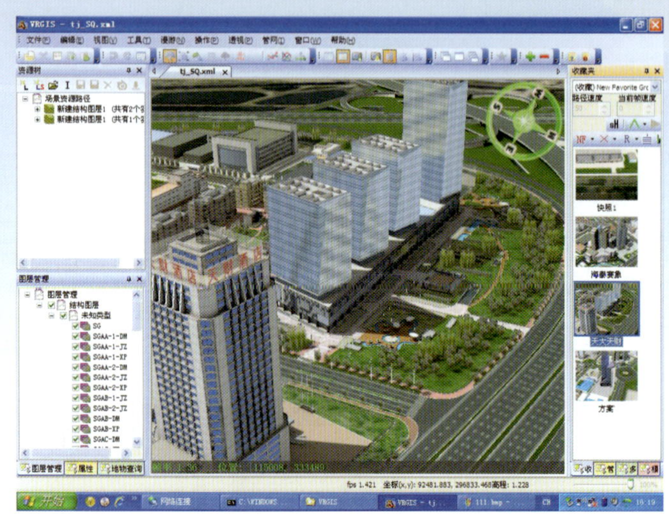

自主知识产权的“城市三维地理信息系统”

I、II等水准路线布网图

平面控制点分布图

多年来，天津市测绘院按照“以人为本、科技兴院”的发展理念，坚持建好一个中心，带动两个市场，达到三个创新，力争四个实现的发展思路，以市场为导向，以改革和科技进步为动力，坚持“科学管理、精心测绘、技术创新、满意服务”的质量方针，为政府部门和广大用户提供了高质量、高水平的测绘成果。先后荣获天津市“九五”、“十五”立功先进单位、测绘教育培训先进单位、天津市科技兴城建突出贡献奖、天津市科技进步奖、国家基础测绘设施项目建设通报嘉奖单位等荣誉称号。

在新的历史时期，天津市测绘院将通过进一步的科学管理和应用，为社会各领域提供更优质的服务保障，坚定信心，攻坚克难，真抓实干，努力开创测绘事业的新局面。

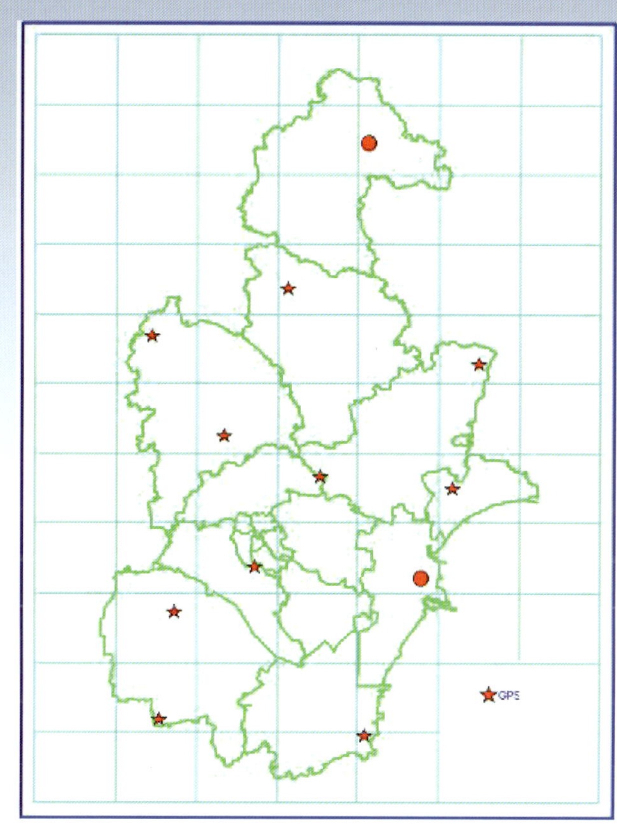

12个连续运行跟踪站分布图

天津市基础地理信息数据库管理与服务系统

基础地理信息
采集编辑系统
天津市测绘院专用版

自主研发“基础地理信息采集编辑系统”

地址：西青区李七庄津涞道
电话：022-23954019

天津市勘察院
Tianjin Institute of Investigation

天津市勘察院隶属于天津市规划局，是以岩土工程勘察、工程测量、建筑与岩土工程设计和桩基施工、工程测试为主的专业化综合性生产科研单位，是全国大型综合勘察单位之一，被评为全国勘察设计综合实力百强单位。拥有工程勘察国家级综合甲级资质、岩土工程国家一级承包资质、桩基测试国家甲级资质、工程测量国家甲级资质、建筑设计国家甲级资质、工程监理国家乙级资质和深基坑支护设计专项资质。拥有国内一流的专业生产及施工设备和现代化的办公网络系统、工程勘察信息自动化处理系统、KTG土工试验系统等应用软件系统，引进了机载雷达和亚洲第一台车载雷达等先进技术装备。2009年顺利通过质量、环境和职业健康安全管理三体系认证。

目前，天津市勘察院拥有6个专业，12个生产公司，职工771人，其中，专业技术人员380人，国家勘察大师1人，国务院特贴专家3人，高级工程师以上98人,拥有各类注册资质83人。近年来，天津市勘察院始终坚持团结、拼搏、求实、创新的企业精神，致力于管理创新、科技创新、优化服务、提升品牌，通过全方位的专业技术服务为建设单位创造更多的价值回报，为天津城市建设发展再立新功。

首届京津沪渝四直辖市勘察单位第二次工作交流会

博士后科研工作站揭牌仪式

天津市勘察院

博士后科研工作站

POSTDOCTORAL PROGRAMME

人力资源和社会保障部
全国博士后管委会 制发
二〇〇九年七月

博士后科研工作站

同济大学

天津市勘察院研究生科研实习基地

同济大学研究生院
二〇〇九年十一月

研究生实习基地

企业精神：团结 拼搏 求实 创新
企业使命：兴业为民
企业宗旨：职工为本 科技兴院
企业作风：严于律行 吃苦耐劳
经营理念：超值的服务 一流的质量
先进的技术合理的价格
服务理念：服务社会 满意客户
用人理念：唯才是举 知人善任

地址：南开区红旗南路428号
电话：022—23679610

勘察院承担了地铁5、6号线勘察工作

院领导带领全院干部职工义务扫雪

院领导慰问退休职工

勘察院成立30周年院庆

天津滨海高新技术产业开发区规划处

Planning Department of Tianjin Binhai Hi-tech Industrial Park

2009年春节前规划处组织项目服务会

2009年7月14日市规划局领导到高新区调研

2009年11月4日市规划局领导到高新区调研

2009年4月3日规划处邀请行业协会进行交流学习

2009年11月4日规划处现场服务

天津滨海高新技术产业开发区规划处是天津市规划局派出机构，受天津市规划局委托对滨海高新区进行城乡规划建设的行政管理，负责包括辖区内城市总体规划、控制性详细规划和城市设计导则的组织编制、城乡建设工程规划管理、规划验线、过程查验和验收管理等各项具体工作。2009年，在全市“保增长渡难关上水平”活动中，参加了117大厦和华苑产业区重点项目、渤龙湖总部经济区、滨海高新区重点项目三个服务组，并承担高新区华苑园、滨海园控规的修编与报审等任务，各项工作成效显著，有力推动了区域城市规划管理工作全面协调的发展。

地址：华苑产业区开华道3号601室
联系电话：83715950

2009年5月31日规划处陪同管委会领导深入企业服务

2009年春节前管委会主要领导到规划处慰问

规划处研究工作

天津华厦建筑设计有限公司

Tianjin Huaxia Architectural Design Co., Ltd.

天津华厦建筑设计有限公司始创于1992年，是拥有建筑行业建筑工程设计甲级，城乡规划编制乙级，市政行业乙级等多项资质的综合性民营设计企业。

华厦业务范围涉及建筑设计、规划设计、市政设计、建筑咨询、施工图审查、招标代理、项目管理、工程监理等多种建筑服务，同时还扩展到房地产开发、商品混凝土产销、新型建材科研以及特色林木种植等多种行业。公司已通过GB/T19001—2008质量管理体系认证。现有员工300多人，下设六个设计部，十二个分公司。

董事长兼总经理刘存发先生以诚为本，锐意进取，举贤纳才，旗下汇聚了一大批资深专家和业界精英，公司本着“科学严谨、拼搏创新、奉献社会”的经营理念，努力打造企业品牌形象，勇于开拓，成绩斐然，业务遍及华北、东北特别是在京、津、冀城乡，屡见独具匠心的“华厦”作品，我们愿与各界友人精诚合作，为家乡建设奉献我们一份赤子之情。

华厦建筑设计有限公司董事长兼总经理刘存发先生

静海县平海区城市设计

唐山迁西喜峰路城市设计

秦皇岛市青龙满族自治县示范校新建工程

地址：天津新技术产业园区（南开华苑）榕苑路16号鑫茂科技园中心楼三楼
总机：
（022）58693336-0

山东省烟台市夹河区金润水岸居住小区规划

天津市规划局滨海新区分局

Tianjin Urban Planning Bureau Binhai New Coastal Region Branch

2009年天津市规划局滨海分局深入贯彻实践科学发展观，以服务“保增长渡难关上水平”为主线，努力提高规划编制、管理和服务水平，为滨海新区打赢“十大战役”，加快发展提供了规划服务和保障。

精心组织38项滨海新区重点规划的深化和审批，对各个区域和各产业功能区进行系统整合优化，着力解决滨海新区快速发展中所面临的空间结构不清晰、产业布局不合理、分散布局、多头发展等问题。

认真贯彻市委、市政府“保增长、渡难关、上水平”的总体部署，按照“三个一批”的要求，提出并实施了五项保障措施，全力服务和保障了106项重点工程项目的开工建设。

加强规划综合业务管理，推动滨海新区全面实现了规划业务审批“一网通”。推动地下空间规划信息管理，制定了规范和标准，按照不欠新帐的要求，推动地下空间规划信息管理。推动新区规划管理信息系统建设，取得阶段成果。编写完成了滨海新区1992-2007规划志。加强规划的宏观管理，开展了综合业务检查，滨海新区规划管理水平有了新提高。

地址：天津经济技术开发区第二大街42号
电话：022-66233565

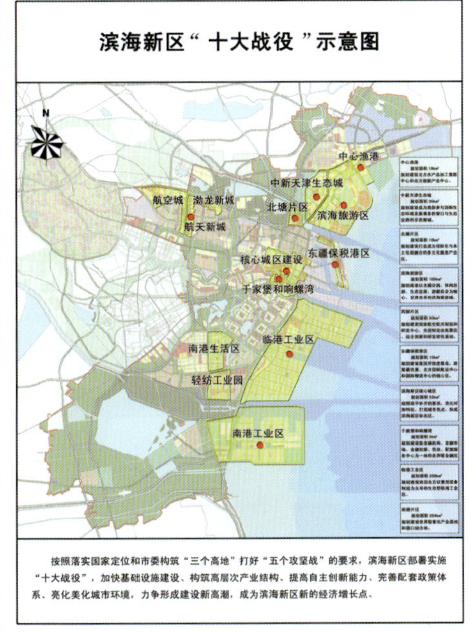

天津市规划局和平区规划分局

Tianjin Urban Planning Bureau Heping District Branch

2009年是规划管理体制改革后的第一年，也是规划工作应对挑战、共克时艰，促进经济平稳较快发展的重要一年。在局党组的正确领导下，和平区规划分局对照年初制定的工作计划，圆满完成了各项任务，为和平区城市建设和经济发展做出重要贡献。

在思想政治建设上，一是深入开展学习实践科学发展观活动，实现了党员干部受教育、科学发展上水平、人民群众得实惠的总要求；二是严格落实“三重一大”制度，增强了领导班子和干部队伍的民主意识、责任意识、监督意识，提高了领导班子科学民主决策水平，有效预防了决策失误、避免了腐败的发生。

在规划编制工作上，一是做好重点规划编制，组织完成和平区总体城市设计、哈密道地区、南京路地区、南市地区等四项城市设计；二是做好控制性详细规划深化完善，并充分结合和平区城市设计、区重点招商整理项目，为和平区近期远期建设提供切实的规划保障；三是做好重点项目方案策划。

在规划业务和服务工作上，一是按照“保增长、渡难关、上水平”的部署，深入做好区内重点建设项目的管理和服务；二是优质高效做好规划业务工作，2009年核发各类规划业务手续249件；三是加强巡查，严肃查处违法建设行为。

局长：阎安

此外，在时间紧、任务重的情况下，分局抽调骨干力量，深入做好上级交办的重点专项任务。一是积极配合南京路、和平路、滨江道提升改造工作；二是大力支持小锅炉并网、人行天桥建设、电力切改等20项民心工程；三是全力配合创建卫生城区工作；四是强化高层建筑外檐管理工作；五是认真开展房地产开发中违规变更规划调整容积率问题专项治理。

地址：和平区沙市道1号　　电话：022-23308150

和平区规划局合影

天津市规划局河西区规划分局
Tianjin Urban Planning Bureau Hexi District Branch

河西区规划分局为更好地适应形势和任务的需要，加大了业务学习和培训的力度，开展了新一轮的业务学习和培训。为确保市局领导关于建筑外檐和景观有关指示要求的落实，制作了认知手册、认知地图，建立了领导挂帅负全责、全员参与查情况、相关科室保落实、责任到人具体管的工作机制。

在城市规划编制工作中，超前思维，积极为区委、区政府提供建议，集中了国内外一流的设计团队对重点地区的城市规划进行了深入的研究，取得了高质量的成果，受到了区委、区政府领导的高度肯定。

URBAN PLANNING

电力局对河西规划分局高效服务表示感谢

重点项目服务保障小组为46所服务

URBAN PLANNING

文化中心对河西规划分局高效服务表示感谢

按照“保增长、渡难关、上水平”的要求，成立了重点项目服务保障领导小组，并制定了十项具体措施和工作计划，分局领导亲自挂帅对重点工程全程跟踪服务，先后深入到天津市陈塘科技商务区、天宾商务中心、河西区教育局、天津市联合广场项目等50多家单位现场服务，帮助解决实际问题。

地址：河西区利民道29号　　电话：022-28287068

天津市规划局河东区规划分局

Tianjin Urban Planning Bureau Hedong District Branch

深入开展学习实践活动动员大会

参观周邓纪念馆、反腐败教育展

庆七一歌咏比赛

召开外檐整治协调会

2009年，河东区规划分局以“保增长、渡难关、上水平”为中心，结合全局重点工作任务，深入学习实践科学发展观，贯彻落实局党组和区委精神，狠抓业务建设，充分发挥规划的龙头作用、统筹作用、调控作用、参谋作用和保障作用，着力做好重点建设项目服务工作，为河东区区域经济社会又好又快发展提供保障。

全面体现高起点规划、高水平建设、高效能管理的要求。以城市设计为依据，完成了控规修编、土地细分导则的编制和审批工作。科学合理谋划河东区的发展空间，为河东区的经济社会和谐发展提供规划保障。

创新思维和管理模式，为建设单位服务速度快、效果好、水平高。制定实施了保增长、渡难关、上水平服务措施，提出在当前经济形势下，凡是在建的项目全部按重点工程对待，明确责任、落实到人、跟踪服务。邀请区领导和市规划局建设项目处来分局联合办公，对市、区重点项目打包审查，减少了规划管理的中间环节，极大地缩减了审批时间，提高了办事效率，取得了很好的实际效果，也受到建设单位欢迎。

发扬河东精神，体现河东速度，取得河东效益。在全球经济危机的大困境中，保持经济持续、稳定增长是各级政府当务之急，也是各职能部门义不容辞的责任，河东区规划分局在充分协调基础上为大连万达项目超前服务，保证了项目及时开工建设，为河东经济社会发展做出努力。

结合机关文化建设、文明机关创建活动，大力推进窗口建设，不断深化政务公开，落实政府信息公开制度。设计、筹备、制作并开通了政务外网，制定了相关管理制度，实现正常运转，确保信息及时、准确发布与更新，加大规划宣传力度。组建了羽毛球队，定期举办活动，加强了职工集体观念，提高了队伍的凝聚力、向心力，增强了战斗力。完善了干部值班、文明接待等管理制度，规范了咨询接待、业务办理行为，提升了队伍整体形象。

地址：河东区十三经路2号增2号　　电话：022-24020224

河东区领导到分局调研

市规划局领导到分局指导工作

河东区领导到分局调研

天津市规划局南开区规划分局

Tianjin Urban Planning Bureau Nankai District Branch

天津市规划局南开区规划分局系天津市规划局派出机构，下设6个职能科室。在职22人，本科以上学历21人。

2009年分局深入贯彻市委和市局工作会议精神，紧紧围绕职能要求，以加强队伍建设、业务管理为重点，牢牢把握规划管理工作的特点，积极探索街域规划研究机制工作，坚持勇于创新突破，使命感和责任感不断增强，有力地推动了区域城市规划管理工作全面健康协调发展。09年南开区委刘长顺书记先后带领区四大班子及相关部门30余次到我分局专题研究规划工作，更加突出了规划在区域经济发展中的主导作用。全年对南开区西区所有街道的规划编制进行了逐一研究。配合水上公园改造和对外开放，超前研究了水上周边地区城市设计。完成《南开区教育资源规划布局》。深化研究了南开区西部地区路网的优化，提出西部地区存在干道路网南北不畅、东西不通的问题，并提出一系列优化措施和方案。规划分局先后获得市级卫生达标单位、天津市精神文明建设文明单位称号。

地址：南开区广开四马路229号
联系电话：85682003

局长陈继顺接受南开有线采访

南开区区委书记刘长顺听取规划情况汇报

局长陈继顺带队深入开发建设单位现场服务

南开区委常委、常务副区长王宝安听取建设项目情况汇报

天津市规划局河北区规划分局
Tianjin Urban Planning Bureau Hebei District Branch

党组书记、分局长：单国雁

单国雁分局长(左一）与薛新立区长（左二）和崔志勇常务副区长（右一）研究北宁公园地区规划问题

分局领导班子成员与区委区政府主要领导及区有关部门领导研究城市规划工作

河北区规划分局在市规划局和河北区政府的正确领导下，2009年中认真按照市局“一二三四五”的奋斗目标和工作思路，按照“保增长、渡难关、上水平”总体要求，分局全体干部职工团结一致，以全新的理念和争创一流的精神，创造性地开展工作，圆满完成了全年工作任务。分局先后制定了《河北区规划分局局长业务会审会制度》、《规范化服务达标标准》和《河北区规划分局十条服务举措》等文件，在分局内形成管理规范、标准规范、程序规范的科学管理方式，加大了对重点建设项目的服务力度。在2008年高水平、高质量完成了河北区总体城市设计和中山路、八马路、金钟河大街等重点地区城市设计工作的基础上，围绕河北区经济社会发展的主要目标，组织天泰路和北宁公园等重点地区城市设计。分局严格执行市局业务案件三级会审制度，按照“一个平台、一套标准、二级监督、三级会审”的业务管理模式，认真做好网上统一办件、统一业务流程、统一标准的业务案件办理，高质量完成了建设项目规划审批工作。2009全年共召开分局长业务会审会42次，办理各类业务案件299件。办理各类业务案件数量是2008年的4倍，增加了300%。在审批提速规定时限的基础上，每个业务件的办件时间平均提前2个工作日，审批速度提高了38%，保证了全区建设项目的顺利开工建设。在2009年度局系统区县规划局（分局）城乡规划业务管理考核中获得优秀等次。

地址： 河北区昆纬路98号
邮编： 300143
电话： 022-26355688
邮箱： hebeiguihua@163.com

天津市规划局红桥区规划分局

Tianjin Urban Planning Bureau Hongqiao District Branch

2009年，红桥区规划分局在全党开展深入学习实践科学发展观活动的推动下，全面贯彻落实市委市政府提出的“保增长、渡难关、上水平”总目标要求，按照市局和区委、区政府的工作部署，以规划研究为先导，规划编制为重点，规划管理为抓手，规划执法为保障，深化规划体制改革，创新工作发展，圆满完成了各项目标任务。分局先后荣获“第四届全国精神文明建设工作先进单位”等荣誉。

分局业务会审研究“水西庄”项目策划方案

天津市红星职专落成并投入使用，
为创建国家级示范职业中专提供规划保障

深入市级商贸旅游项目“水游城”工地现场服务

超前服务，精心谋划，保证“河怡花园”经济适用房项目按期竣工入住

地址：红桥区西青道125号
电话：022-27729991
邮箱：hqgh2004@sina.com
邮编：300122

天津市规划局东丽区规划分局

Tianjin Urban Planning Bureau Dongli District Branch

东丽区规划分局2008年10月成立，是市规划局的派出机构，受市规划局和区人民政府的双重领导，分局内设6个职能科室，负责本辖区的规划管理工作。2009年，在市规划局和东丽区委、区政府的正确领导下，认真贯彻落实党的十七大和市、区委全会精神，坚持以邓小平理论和“三个代表”重要思想为指导，深入开展学习实践科学发展观活动，按照市规划局和东丽区委、区政府的部署，立足“保增长、渡难关、上水平”，高起点编制规划，加强规划建设管理，采取切实措施，落实重点工作任务，推动生点项目建设，取得了新的成绩。

地址：东丽区跃进路40号
电话：022-84375679

图为东丽区规划分局领导研究规模工作
局长李维秋(左一)　副局长李咸群(左二)
副局长刘广义（左三）

图为东丽区规划分局干部职工参观东丽区规划展览馆

图为东丽区规划分局全体干部职工学习实践科学发展观

天津市规划局津南区规划分局

Tianjin Urban Planning Bureau Jinnan District Branch

2009年度表彰大会

北洋园公司向我分局赠送锦旗

国文书记视察工作

“保渡上”动员会

2009年，在市规划局和区委区政府的正确领导下，津南区规划分局认真贯彻落实市政府提出的“保增长、渡难关、上水平”经济工作总体思路，深入学习实践科学发展观，围绕市规划局十六条服务措施和津南区“东进、西连、南生态、北提升”发展战略及“9341”四大奋斗目标，充分发挥职能作用，坚持高起点规划、高水平建设、高效能管理、高质量服务，从津南区基本区情出发统筹城乡规划发展，为津南区城乡一体化进程走在全市前列提供强有力的规划服务和保障。

在规划管理和服务中注意加强完善服务招法，在严格业务办理流程的前提下简化优化审批程序，减少办件前置条件，在办件效率上有新提高，做到“服务上门、服务到位、服务到点”。在保证效率的同时严格监管、严格执法，依法维护城乡规划工作的严肃性和权威性。

在干部队伍建设中努力做好思想建设、组织建设、作风建设、制度建设和反腐倡廉建设，进一步提高领导科学发展的思想水平和业务素质，促进服务水平和服务形象提升，树立干事创业、清正廉洁的良好形象。

地址：津南区咸水沽镇津岐路19号
电话：022-88510885

北石林华藏世界规划鸟瞰图

天嘉湖星耀五洲规划鸟瞰图

天津市规划局北辰区规划分局

Tianjin Urban Planning Bureau Beichen District Branch

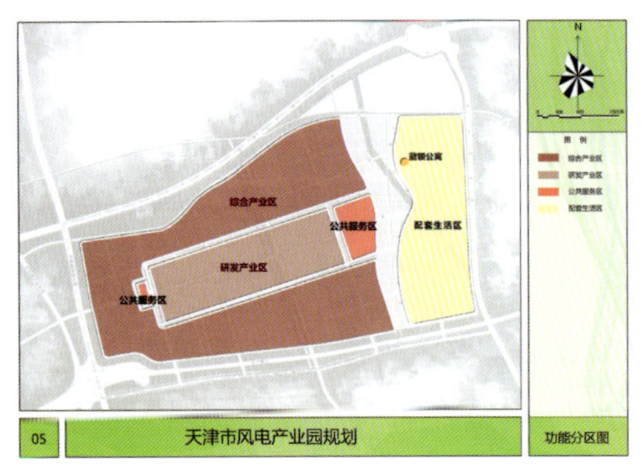

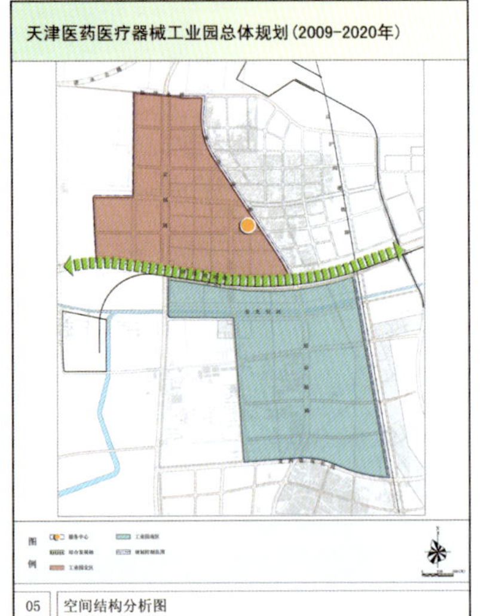

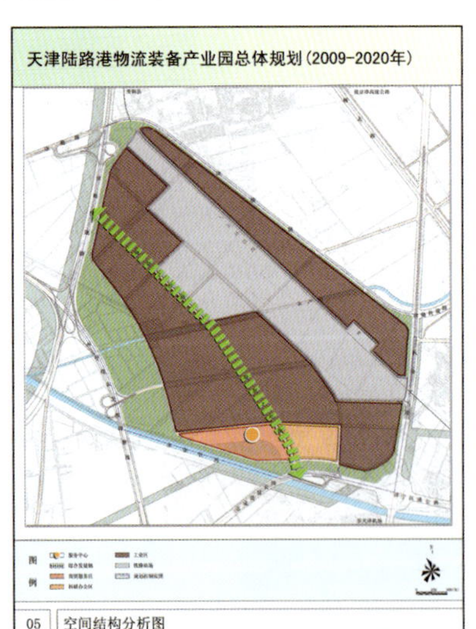

2009年度，天津市规划局北辰区规划分局在市规划局及北辰区政府直接领导下，在城乡规划管理、地名管理、测绘管理、城建档案管理中创造性地工作并取得显著成效。

2009年度，北辰区规划分局组织编制出的《天津风电产业园总体规划》、《天津陆路港物流装备产业园总体规划》、《天津医药医疗器械工业园总体规划》及《北辰区控制性详细规划(环内部分)》通过天津市人民政府审批，组织编制出的《天津市北辰区大张庄镇总体规划（2009-2020）》和《天津市北辰区大张庄镇镇区控制性详细规划》通过北辰区人民政府审批；同时，修编完善《天津市北辰区城市总体规划》、《北运河综合整治规划方案》；完成各类规划行政许可、行政审批业务成果778件；规划执法监察中，立案、查处违法建设案件22件，其建筑面积约6万余平方米，罚款116万元，并受理信访事项37件；报区、市两级政府审核、批准的地名申请90项，报区、市两级政府审核、批准的道路更名2项，总计核对道路命名324条；归档文书档案352件，专门档案393卷，照片340张，实物6件，档案归档率99%，完整率99%，准确率100%，统计年度档案利用350人次。

2009年度，天津市规划局北辰区规划分局在制度化、规范化的框架中快步提升自身的执政能力，大力推动北辰区科学规划进程。

地址：北辰区京津公路350号
电话：022-26817740

天津市塘沽区规划局

Tanggu District Planning Bureau of Tianjin City

北塘可持续系统整合模型应用国际专家评审会

2009年塘沽区规划局在塘沽城市建设经济发展和滨海新区体制改制调整的新形势下，以科学发展观为指导，在深化规划编制、规划管理、规划审批、规划批后管理四个机制创新的基础上，对内设科室实施了适应新形势的整合，简化程序，简化流程，落实首办责任制，极大的提高了工作效率和服务水平，规划管理迈上一个新台阶。全年核发建设工程规划许可证，建设规划用地许可证，市政工程规划许可证，建设工程设计方案，设计要求，规划验线，选址意见书，规划条件等1093件。完成控规、详规、设计、策划、专项规划62项。出色的完成了区委、区政府交办的各项规划管理任务，为促进塘沽城市建设经济社会又好又快发展提供了有力的规划支撑，充分发挥了规划部门的龙头作用。

天津市渤海规划研究设计院

天津远洋城修建性详细规划

西部新城起步区社区服务中心

塘沽新塘组团一期
示范区控制性详细规划

于家堡金融区效果图

地址：塘沽区营口道734号B座14层
电话：022-66897267

天津市汉沽区规划局
Hangu District Planning Bureau of Tianjin City

荣达馨园住宅小区

天津市汉沽区规划局成立于2007年8月9日，为汉沽区政府职能部门，业务受市规划局领导，机构级别为处级。局内设5个科室，有汉沽区勘察设计所、汉沽区规划展览馆2个下属单位。2009年，围绕滨海新区开发开放项目建设，按照中央和市委、市政府、滨海新区政府对滨海新区发展规划总体要求，以科学发展观统领规划设计编制与审批。完成了汉沽河西老城区、河东老城区及汉沽新城东扩区控制性详细规划的编制；完成了天津茶淀工业区、天津滨海物流加工区总体规划的编制及报批；完成了天津中心渔港工程项目规划许可审批；建成汉沽区规划展览馆。为滨海新区开发开放作出贡献。

地址：汉沽区太平街延长线北侧
电话：022—25697154

茶淀馨苑（茶淀示范镇）

天津交通集团滨海汉沽客运站

汉沽区规划展览馆开馆仪式

天津市宝坻区规划局

Baodi District Planning Bureau of Tianjin City

宝坻区规划局前身系宝坻区规划和国土资源局，2007年12月18日正式挂牌成立，负责本行政区域内城乡规划编制、实施、管理和监督检查，下设五个职能科室和一个下属事业单位。2009年，宝坻区规划局在市规划局和区委、区政府的领导下，深入学习实践科学发展观，不断提升规划理念，完善城乡规划体系，规范行政审批行为，提高规划管理和服务水平，先后编制完成了天津宝坻节能环保工业区、天津宝坻低碳工业区、天津宝坻塑料制品工业区、天津马家店工业区4个示范园区的总体规划；编制完成了潮白湖总体规划方案，霍各庄、牛道口等10个一般镇的总体规划方案及高家庄、大口屯等14个乡镇的53个村的村庄规划；编制完成了宝坻新城供热系统规划、宝坻新城供水系统规划。为“打造经济强区，构建和谐宝坻”提供了强有力的规划服务和保障。

2009宝坻区规划成果展

区领导及各界群众关注宝坻规划

市纪委检查组到我局检查政务公开工作

宝坻区规划局学习实践科学发展观动员大会

宝坻区规划局领导慰问贫困户

小城镇总体规划联审及专家评审会议

区领导参加8.19测绘法宣传日宣传活动

天津市蓟县规划局

Jixian County Planning Bureau of Tianjin City

副县长汪清生（右三）局长吴军江（左三）听取专项规划汇报

中节能远景城

蓟县规划局是县政府城乡规划行政主管部门，2007年11月27日成立，内设10个职能科室，负责辖区内规划建设管理工作。建局至今，全力打造“理性建局、制度管局、技能强局、人本系局”的建局理念，注重队伍、文化建设，加强宏观指导，严格规划管理，强化监督监察，开创了规划管理的新局面。2009年，聘请国内外高水平的规划设计团队，组织编制了新城控制性详细规划、两园区规划、两个历史文化名村保护规划、四个休闲功能区规划、四个镇区控制性详规、十二个一般镇区总体规划等28项规划，完成了五项。核发《规划选址意见书》、《审定通知书》等98件、《建设用地规划许可证》40件、《建设工程规划许可证》131件、《乡村建设规划许可证》33件、《市政工程规划许可证》20件，查处违法案件12件，为蓟县经济又好又快发展做出了贡献。在构建中等旅游城市进程中提供了规划保障，发挥了规划的龙头作用，展示了规划人的良好形象。

地址：蓟县县城迎宾路18号
电话：022—29146846

盘山庄园

蓟州体育馆

天津港保税区
Tianjin Port Free Trade Zone
空港物流加工区
Airport Logistics Processing Zone
规划建设管理局
Planning Coustruction Administrative Bureau

天津空港经济区

天津市城市建设档案馆
（天津市城市建设档案管理处）

Tianjin Urban Construction Archives
Tianjin Urban Construction Administrative Department

天津市城市建设档案馆（天津市城市建设档案管理处）[以下简称市城建档案馆（处）]为一套机构、两块牌子，馆、处合署办公。市城建档案馆（处）下设7个部门，在职职工44人。市城建档案馆（处）占地1万余平方米，由档案库房、办公楼、附属楼组成，总建筑面积7000余平方米，其中档案库房面积3300平方米，现保存有城市勘测、规划、建设管理、市政公用等13类城建档案334068卷，大型规划彩图391幅，底图40000张，照片13558张，录像资料751小时。

2009年，市城建档案馆（处）充分发挥职能作用，推进了依法治档、提升了服务意识、深化了基础工作、强化了保障功能。年内围绕规划体制改革加强了调研；围绕“保增长、渡难关、上水平”，压缩了工程档案预验收时间，促工程项目早投产；围绕社会各界对城建档案信息不断增长的需求，加强了窗口建设，实现了档案利用价值的最大化；围绕科技进步，努力探索城建档案信息化建设，完成了《城建档案泛媒体信息系统》科研项目的研发并通过专家鉴定；围绕局重点工作，加强了对局档案室及局规划志（鉴）修编等工作的服务，体现出了城建档案工作的价值。

地址：南开区长实道5号　　电话：022-23591919

《城市建设泛媒体信息资源管理》项目鉴定会

天津市城建档案馆领导班子，副馆长李茜（左一），书记宋天祥（左二），馆长刘福利（右二），副馆长秦屹梅（右一）。

《城市轨道交通工程档案整理标准》第一次会议在天津市地下铁道总公司召开

TPEH

天津市规划展览馆
Tianjin Urban Planning Exhibition Hall

2009年1月15日市编办批准成立天津市规划展览馆（以下简称规划馆），明确规划馆主要职责是宣传城乡规划法律、法规及城市的发展变化，陈列城市总体规划、专项规划、城市设计、控制性详细规划及各类重点工程的详细规划，进行规划公示，举办与规划建设相关的临时展览，提供规划学术报告、规划咨询的场所和服务。

自2009年1月23日开馆以来，规划馆以周到的服务为理念，以丰富的展览内容为基础，以先进的展示设备为保障，吸引了天津市民以及国内外来津者前来参观，并赢得了社会各界人士的高度赞扬。根据《公共文化场馆免费开放公众满意度调查》显示，市民对规划馆的开放程度认可度最高，为98.4%。截至2009年12月31日，规划馆累计接待参观群众912，017余人次，讲解8937场次，其中接待中央领导人和有关部委337场次6308人次。2009年5月规划馆被市委、市政府命名为天津市爱国主义教育基地。2009年6月，规划馆被局党组授予最佳党性实践活动单位荣誉称号。

规划馆在完成日常接待工作任务的同时还组织开展了多项活动：一是按照市委、市政府总体部署，先后进行了两次规划设计方案向全市人民公示的活动；二是按照市科技活动周组委会办公室的统一部署，举办了主题为“宣传规划知识，展示规划远景；彰显城市风采，共建美好津城”的科技周活动；三是根据广大在校学生渴望获得社会实践经验的现实需求，分三次对外招募200多名青年志愿者开展社会实践活动；四是成功协助相关部门举办了中国城市规划展览馆高峰论坛、《建国大业》新闻发布会、《风声》首映式、中国旅游产业节开幕式、服装大赛等活动。

地址：河北区博爱道30号
电话：022-24455970

天津市规划信息中心

Tianjin Urban Planning Information Center

2009年，在局党委的大力支持下，实施“数字局”发展战略，加强信息管理和资源整合，加大政务信息公开力度，形成了空间化、数字化和网络化的局一体化规划管理架构，为规划管理的科学化和服务社会化提供了强有力的信息服务和信息保障。深入贯彻“解难题、促转变、上水平”总体，以“规划数据中心、系统管理中心、信息服务中心、技术保障中心”为目标努力奋斗。

深入完善城乡规划管理“一网通”工程

全市24个规划管理部门全面应用“一网通”平台开展联网审批，形成覆盖全市域、全系统、全过程的“一网通”构架，实现了三个全覆盖，即市域地形图全覆盖、市域遥感图全覆盖、市域各单位应用全覆盖。形成了全市域、全系统、全过程的“一网通”构架，“一网通”工程已成为我市城乡规划管理的基本形式与制度。

“一网通”工程的实施，实现了决策、实施和监督三分开，宏观和微观作业的分开，实现了规划业务和数据的完全共享，推进了规划管理审批大提速、推进规划业务审批的流程简化工作，为推进城乡规划体制改革，提供了可靠的技术保障。

开展城市规划信息流管理研究与应用

城市规划信息流是以信息为主线,进行城市规划信息的管理研究，打破以审批为主线进行管理的模式。我们以全局的视角重新审视城市规划信息，认真研究城市规划信息流管理的内涵和方法，分析管理对象、范围、时序等内容，为实施有序、优质、高效、开放、共享的城市规划信息流管理奠定基础。

“一网通”工程的组织与管理

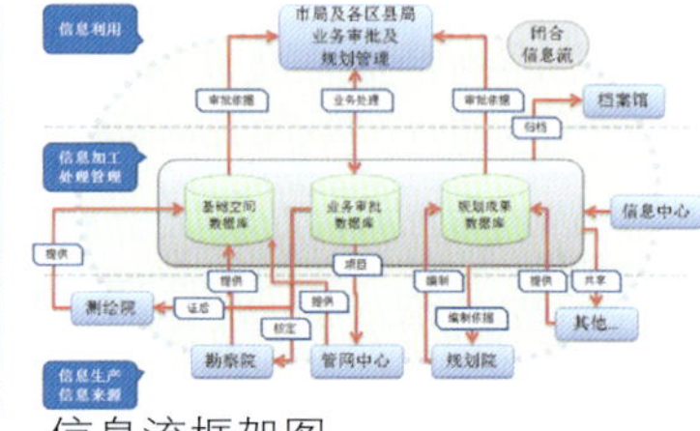

信息流框架图

建设规划编制管理信息系统

通过对规划编制管理工作中各项规划的全程记录，形成对各地区、各项规划的全方位记录与档案管理。主要包括成果展示、计划管理、过程管理、信息录入、数据分析等相关功能。

规划编制信息数据库

规划编制信息图形浏览

大屏幕演示汇报与可视会商系统

根据全市城乡规划体制改革工作的总体要求，进一步健全完善管理机制，科学架构，精心实施，建设一流的大屏幕演示汇报和可视会商系统，实现三维大屏幕演示汇报和市、区两级规划管理可视会商决策。经过近百次市级重要会议的应用考验，成效显著，是我市规划成果的重要展示窗口和城乡规划管理的重要信息平台，得到了市领导和相关单位的充分肯定和高度重视。

可视会商系统

地址：和平区西康路54号　　电话：022-23541219

天津市地下空间规划管理信息中心

Tianjin Urban Underground Space Planning Administrative Information Center

天津市地下空间规划管理信息中心成立于2006年，是天津市规划局下属对全市地下空间规划管理信息实施集中统一管理的事业单位，主要职责是：建立地下空间综合信息管理系统，对本市地下空间信息实施集中统一管理；搭建地下空间信息共享平台，为地下空间规划管理和城市建设提供信息服务。

2009年，中心完成对外查询利用达989工程项目次，减少了大量的重复性测绘工作，为建设单位既节约了资金，也赢得了报建时间和建设时间,逐步形成对建设单位提供利用的服务体系；中心在局的大力支持下，还在地下管线信息共享机制方面实现新的突破，先后与市电力公司、市自来水集团签订了《地下管网GIS信息系统资源共享框架协议》及《天津市地理空间信息基准框架工程资料成果保密协议书》，在全面实现天津市地下管线信息共享机制方面迈出了重要的步伐。

经过三年多的发展，中心现有职工40人，下设综合业务部、系统开发部、技术保障部、外业检查组。中心业务从无到有，经过了艰苦的历程，到目前为止累计接收各类管线信息约2万公里，地下工程信息1011个项目，为城市规划、建设和管理积累了丰富的地下空间信息资源。

地址：南开区长实道5号
电话：022-23593355

中心王超主任（右一）在人民网天津视窗接受记者采访

年终总结大会

中心文化体育活动

天津市规划局教育培训中心(干部学校)
Education Training Center of Tianjin Urban Planning Bureau

天津市规划局教育培训中心（天津市规划局干部学校）于1998年6月组建成立，前身为天津市规划学校。十几年来，中心以局党组人才发展战略目标为依据，以局领导关于把中心建成“四个基地”的要求为目标，按照一年打基础、两年上台阶、三年迈大步的设想，一步一步抓落实。在党支部建设、文化建设、队伍建设和管理服务机制建设等方面取得了很好的成效。培训中心将一如既往、信心百倍地为天津市规划建设事业的快速发展提供最优质的教育培训、学历教育、执业职称管理和人才服务保障。

尹海林局长出席专项治理工作会

局领导与规划专业研究生班学员合影

天津市规划局人才开发交流服务中心
Human Resources Development Exchange Service Center

秦川总建筑师来中心调研

研究生班学员考试现场

天津市规划局人才开发交流服务中心自2003年6月成立以来，坚持以“服务机关、服务基层、服务社会”为宗旨，积极探索“谋生存、求发展”的工作思路，开办了博才劳务服务公司和津宇人才服务公司、建立健全了组织机制，先后共为局系统44家单位、4400人（次）提供工资社险管理、公积金代缴、档案保管等服务，累计上门走访160余次，车辆保障1200余次，尽心竭力为局系统各单位提供最优质的人事人才代理服务。

地址：和平区昆明路98号京海公寓
电话：83522165 83521548

ISBN 978-7-5305-4188-3